Escenas de una vida de provincias

Literatura Mondadori, 530

J. M. Coetzee nació en 1940 en Ciudad del Cabo y se crió en Sudáfrica y Estados Unidos. Es profesor de literatura en la Universidad de Ciudad del Cabo, traductor, lingüista, crítico literario y, sin duda, uno de los escritores más importantes que ha dado Sudáfrica en los últimos tiempos, y de los más galardonados. Premio Nobel de Literatura en 2003, en 1974 publicó su primera novela, *Tierras de poniente* (Literatura Mondadori, 2009). Le siguieron *En medio de ninguna parte* (2003), con la que ganó el CNA, el primer premio literario de las letras sudafricanas; *Esperando a los bárbaros* (2004), también premiada con el CNA; *Vida y época de Michael K.* (2006), que le reportó su primer Booker y el Prix Étranger Femina; *Foe* (2004); *La edad de hierro* (2002); *El maestro de Petersburgo* (2004); *Desgracia* (2000), que le valió un segundo Booker, el premio más prestigioso de la literatura en lengua inglesa; *Las vidas de los animales* (2001); *Infancia* (2001); *Juventud* (2002); *Elizabeth Costello* (2004); *Hombre lento* (2005), y *Diario de un mal año* (2007). También ha publicado varios libros de ensayo, entre ellos *Contra la censura* (Debate, 2007), *Costas extrañas* (Debate, 2004) y *Mecanismos internos* (2009). Asimismo, le han sido concedidos el premio Jerusalem y el Irish Times International Fiction. En España ha sido galardonado con los premios Llibreter 2003 y Reino de Redonda, creado por el escritor Javier Marías.

Escenas de una vida de provincias

J. M. COETZEE

Traducciones de Juan Bonilla,
Cruz Rodríguez Juiz y Jordi Fibla

MONDADORI

Barcelona, 2013

Título original: *Scenes from Provincial Life*
Adaptación de la cubierta: Random House Mondadori
Publicado por acuerdo con Peter Lampack Agency, Inc. 350 Fifth Avenue, Suite 5300, New York, NY 10176-0187, EE.UU.
© 2002, 2007, 2009, 2011, J. M. Coetze
© 2013, de la presente edición en castellano para todo el mundo:
    Random House Mondadori, S. A.
    Travessera de Gràcia, 47-49. 08021 Barcelona
© 2010, Juan Bonilla, por la traducción de *Infancia*; © 2002, Cruz Rodríguez Juiz, por la traducción de *Juventud*; © 2010, Jordi Fibla Feito, por la traducción de *Verano*.
Imagen de la cubierta: © ACI / ALAMY
Diseño original de la cubierta: © Random House USA
Primera edición: junio de 2013
Printed in Spain – Impreso en España
ISBN: 978-84-397-2640-1
Depósito legal: B-11.972-2013
Fotocomposición: La Nueva Edimac, S. L.
Impreso en Cayfosa
(Barcelona)

GM 2 6 4 0 1

A D. K. C., in memoriam

NOTA DEL AUTOR

Las tres partes que conforman *Escenas de una vida de provincias* han aparecido anteriormente como *Infancia* (1997), *Juventud* (2002) y *Verano* (2009). Las tres han sido revisadas para su nueva publicación.

Me gustaría expresar mi agradecimiento a Marilia Bandeira por su ayuda con el portugués brasileño, y a los herederos de Samuel Beckett por permitirme citar (de hecho, erróneamente) fragmentos de *Esperando a Godot*.

ÍNDICE

INFANCIA

1

Viven en una urbanización a las afueras de Worcester, entre las vías del ferrocarril y la carretera nacional. Las calles de la urbanización tienen nombres de árboles, aunque todavía no hay árboles. Su dirección es: Poplar Avenue, avenida de los Álamos, número doce. Todas las casas de la urbanización son nuevas e idénticas. Están alineadas en extensas parcelas de arcilla rojiza donde nada crece y separadas con alambre de espino. En cada patio trasero hay una pequeña construcción con un cuarto y un lavabo. Aunque no tienen criados, los llaman «el cuarto de los criados» y «el lavabo de los criados». Utilizan la habitación de los criados para almacenar trastos: periódicos, botellas vacías, una silla rota, una estera vieja.

Al fondo del patio instalan un gallinero para tres gallinas, con la esperanza de que pongan huevos. Pero las gallinas no medran. El agua de la lluvia, que la arcilla no filtra, se encharca en el patio. El gallinero se transforma en una ciénaga hedionda. A las gallinas les salen bultos en las patas, como piel de elefante. Enfermas y contrariadas, dejan de poner huevos. La madre lo consulta con su hermana de Stellenbosch, que le asegura que solo volverán a poner si se les extirpa la membrana callosa que tienen bajo la lengua. Así que la madre va colocándose las gallinas una tras otra entre las rodillas, les aprieta el pescuezo hasta que abren el pico, y con la punta de un cuchillo corta en sus lenguas. Las gallinas chillan y se debaten, con los ojos desorbitados. Él se estremece y se

15

va. Imagina a su madre echando la carne del estofado sobre el mármol de la cocina y cortándola en tacos; imagina sus dedos ensangrentados.

Las tiendas más cercanas están a un kilómetro y medio de camino por una desolada carretera bordeada de eucaliptos. Atrapada en esta casa de la urbanización como en una caja de cerillas, su madre no tiene nada que hacer en todo el día excepto barrer y poner orden. Cada vez que sopla viento, un fino polvo de arcilla de color ocre se cuela en remolinos por debajo de las puertas y por las grietas de los marcos de las ventanas, bajo los aleros, por las junturas del techo. Después de un largo día de tormenta, la capa de polvo que se amontona contra la fachada tiene varios centímetros.

Compran una aspiradora. Todas las mañanas su madre la pasa de habitación en habitación, recogiendo el polvo y llevándolo al interior de la tripa ruidosa en la que un sonriente duendecillo rojo brinca como si saltara vallas. ¿Por qué un duendecillo?

Él juega con la aspiradora: trocea papel y se queda mirando los pedacitos rotos que salen volando hacia el tubo, como hojas en el viento; sostiene el tubo sobre una fila de hormigas, aspirándolas hacia la muerte.

En Worcester hay hormigas, moscas, plagas de pulgas. Worcester solo está a ciento cuarenta y cinco kilómetros de Ciudad del Cabo; sin embargo, casi todo es peor aquí. Él tiene un cerco de picaduras de pulga en el borde de los calcetines, y costras allí donde se las ha rascado. Algunas noches no consigue dormir por culpa del picor. No entiende por qué tuvieron que marcharse de Ciudad del Cabo.

Su madre también está inquieta. Ojalá tuviera un caballo, dice, así al menos podría montar por el *veld*. ¡Un caballo!, salta su padre: ¿Acaso quieres parecer lady Godiva?

No se compra un caballo. En su lugar, sin previo aviso, se compra una bicicleta de mujer, de segunda mano, pintada de negro. Es tan grande y pesada que cuando él practica en el patio no alcanza los pedales.

Su madre no sabe montar en bicicleta; quizá tampoco sepa montar a caballo. Se compró la bicicleta pensando que no le costaría mucho aprender. Ahora no puede encontrar quien le enseñe. Su padre no hace ningún esfuerzo por ocultar su regocijo. Las mujeres no montan en bicicleta, dice. La madre le desafía: No voy a quedarme prisionera en esta casa. Seré libre. Al principio, a él le pareció estupendo que su madre tuviera una bicicleta propia. Incluso se había imaginado a los tres montando juntos hasta Poplar Avenue: ella, su hermano y él. Pero ahora, cuando escucha las bromas de su padre, que la madre solo puede encajar con un silencio obstinado, empieza a dudar. Las mujeres no montan en bicicleta: ¿y si su padre tiene razón? Si su madre no encuentra a nadie que quiera enseñarle, si ninguna otra ama de casa en Reunion Park tiene una bicicleta, entonces quizá sea cierto que las mujeres no deben montar en bicicleta.

A solas en el patio trasero, su madre trata de aprender por su cuenta. Con las piernas estiradas a cada lado, se desliza por la pendiente hacia el gallinero. La bicicleta vuelca y se para. Como la bicicleta no tiene barra, su madre no llega a caerse, solo se tambalea de una manera ridícula, agarrada al manillar.

Su corazón se vuelve contra ella. Esa noche él se une a las burlas de su padre. Sabe la traición que eso significa. Ahora su madre está sola.

Pese a todo, aprende a montar, aunque de forma insegura, zigzagueante, esforzándose por hacer girar los platos.

Hace sus excursiones a Worcester por la mañana, cuando él está en el colegio. Solo una vez la ve pasar en la bicicleta. Lleva una blusa blanca y una falda oscura. Baja por Poplar Avenue en dirección a casa. Su pelo revolotea al viento. Parece joven, casi una muchacha, joven y fresca y misteriosa.

Cada vez que su padre ve la gran bicicleta negra apoyada en la pared, empieza a bromear. Dice que los ciudadanos de Worcester dejan lo que estén haciendo y se quedan mirándola atónitos cuando, con penas y fatigas, pasa en bicicleta. Venga, venga, le gritan burlándose: Dale. Las bromas no tienen ninguna gracia, pero él y su padre siempre acaban riéndose. Su madre nunca replica, no sabe cómo hacerlo. Solo les dice: «Reíos si queréis».

Un día, sin mediar explicación, su madre deja de montar en bicicleta. Y la bicicleta no tarda en desaparecer. Nadie dice nada, pero él sabe que la madre ha sido derrotada, la han puesto en su lugar, y sabe que él tiene parte de la culpa. La compensaré algún día, se promete a sí mismo. El recuerdo de su madre montada en bicicleta no le abandona. Ella se aleja pedaleando por Poplar Avenue, escapando de él, escapando hacia su propio deseo. Él no quiere que se vaya. No quiere que ella tenga deseos. Quiere que se quede siempre en la casa, esperándolo. Ya no se alía con el padre contra ella: todo lo que desea es aliarse con ella contra el padre. Pero, en ese asunto, su lugar está entre los hombres.

2

No comparte nada con su madre. Guarda celosamente en secreto todo lo relacionado con el colegio. Ella no sabrá nada, decide, pero los boletines trimestrales que le presente tendrán que ser impecables. Siempre será el primero de la clase. Su comportamiento siempre será Muy Bueno; su progreso, Excelente. Mientras no haya problemas con las notas, ella no podrá hacerle preguntas. Ese es el contrato que estipula en su mente.

Lo que pasa en el colegio es que pegan a los muchachos. Ocurre todos los días. A los chicos se les ordena que doblen la espalda hasta tocarse la punta de los pies, y los azotan con una vara.

Tiene un compañero en tercero, Rob Hart, a quien la profesora se ha aficionado a pegar. La profesora de tercero se llama señorita Oosthuizen, y es una mujer nerviosa que se tiñe con alheña. De algún modo sus padres se han enterado de que se llama Marie: participa en funciones teatrales y no se ha casado nunca. Debe de tener una vida fuera del colegio, pero él no consigue imaginársela. No puede imaginarse cómo es la vida de los profesores fuera del colegio.

La señorita Oosthuizen se enfurece, le pide a Rob Hart que se levante del pupitre y que se agache, y lo azota en el trasero. Golpea una y otra vez con rapidez, casi sin dar tiempo a que la vara vuelva atrás. Cuando la señorita Oosthuizen ha terminado, Rob Hart tiene la cara encendida. Pero no llora; de hecho, es posible que solo se haya puesto rojo porque ha estado bocabajo. A la señorita Oosthuizen, por su parte, le palpita el pecho y parece al borde de las lágrimas… de las lágrimas y también de otros flujos.

Después de esos arrebatos de pasión incontrolada, toda la clase se queda en silencio, y permanece en silencio hasta que suena la campana.

La señorita Oosthuizen no logra nunca que Rob Hart llore; quizá por eso se enfurece tanto con él y le pega tan fuerte, más fuerte que a nadie. Rob Hart es el mayor de la clase, casi dos años mayor que él (él es el más joven), y tiene la sensación de que entre Rob Hart y la señorita Oosthuizen hay algo que se le escapa.

Rob Hart es alto y despreocupadamente guapo. Aunque Rob Hart no es listo, y hasta puede que suspenda el curso, a él le atrae. Rob Hart forma parte de un mundo en el que él aún no ha encontrado el modo de entrar: un mundo de sexo y de palizas.

En cuanto a él, no tiene ningún deseo de que la señorita Oosthuizen ni ninguna otra persona le pegue. La sola idea de ser golpeado le hace morirse de vergüenza. Haría lo que fuera por evitarlo. En este aspecto se sale de lo común, y lo sabe. Procede de una familia atípica y vergonzosa en la que no solo nunca se pega a los niños, sino en la que además a los adultos se les llama por su nombre de pila, nadie va a la iglesia y se ponen zapatos a diario.

Todos los profesores de su colegio, tanto hombres como mujeres, tienen una vara y libertad para usarla. Cada una de las varas tiene una personalidad, una reputación que los chicos conocen y de la que se habla constantemente. Con afán de *connoiseur* los muchachos sopesan la reputación de las diferentes varas y el tipo de dolor que causan, comparan la técnica de los brazos y las muñecas de los profesores que las manejan. Nadie menciona la vergüenza que supone que te llamen, te hagan agacharte y te sacudan en las nalgas.

Como no ha experimentado nunca ese castigo, él no puede intervenir en estas conversaciones. Sin embargo, sabe que el dolor no es lo más importante. Si los demás pueden soportarlo, él, que tiene mucha más fuerza de voluntad, también podría. Lo que no aguantaría es la vergüenza. Teme que sería tan grande, tan amedrentadora, que se agarraría fuerte a su pupitre y se negaría a acudir cuando lo llamasen. Y eso supondría una vergüenza aún mayor: lo apartaría de todos los demás, pondría a todo el mundo en su contra. Si alguna vez lo llamaran para azotarlo, se produciría una escena tan humillante que nunca más podría regresar al colegio; no le quedaría más remedio que suicidarse. Así que eso es lo que está en juego. Por eso nunca se le oye en clase. Por eso siempre es ordenado, por eso siempre hace los deberes, por eso siempre sabe las respuestas. Más le vale no cometer un descuido. Si lo comete, se arriesga a que le peguen; y da igual que le peguen o que él oponga resistencia: en los dos casos morirá.

Lo extraño es que solo haría falta un azote para romper el maleficio de terror que lo paraliza. Lo sabe muy bien: si, sea como fuere, pasara por el trago de la paliza antes de haber tenido tiempo de quedarse petrificado y oponer resistencia; si la violación de su cuerpo sucediera en un visto y no visto, por la fuerza, se convertiría en un chico normal y podría sumarse a las conversaciones sobre profesores y varas, sobre los distintos grados y sabores del dolor que infligen. Pero él solo no puede saltar esa barrera.

Culpa a su madre por no pegarle. Está contento de llevar zapatos, de sacar libros de la biblioteca pública y de no tener que ir al colegio cuando está resfriado —cosas que lo hacen distinto de los demás—, pero al mismo tiempo no le perdona a su madre que no haya tenido niños normales ni les haya obligado a vivir una vida normal. Si su padre tomase las riendas, los convertiría en una familia normal. Su padre es normal en todos los sentidos. Él está agradecido a su madre por haberlo protegido de la normalidad del padre, es decir, de los ocasionales ataques de ira del padre y de sus amenazas de pegarle. Al mismo tiempo, le reprocha haberlo convertido en algo tan anómalo, tan necesitado de protección para seguir viviendo.

No es la vara de la señorita Oosthuizen la que más pavor le da. La vara que más teme es la del señor Lategan, el profesor de carpintería. La vara del señor Lategan no es larga ni flexible como las que prefiere la mayoría de los profesores. Por el contrario, es corta y gruesa. Más como un palo o un bastón que como una fusta. Se rumorea que el señor Lategan solo la usa con los alumnos mayores, que sería excesiva para un chico más pequeño. Se rumorea que con su vara el señor Lategan ha hecho lloriquear, rogar piedad, orinarse en los pantalones y perder el honor a chicos del último curso del instituto.

El señor Lategan es bajo, lleva bigote y el pelo cortado al cepillo. Ha perdido uno de sus pulgares: el muñón está cubierto con una cicatriz purpúrea. El señor Lategan apenas habla. Siempre está de un humor distante e irritable, como si enseñar carpintería a los alumnos más jóvenes fuese una tarea indigna de él y que realiza a disgusto. En clase, permanece casi todo el tiempo junto a la ventana con la mirada perdida en el patio mientras los alumnos tratan de medir, serrar y cepillar. Algunas veces, mientras reflexiona, va dándose pequeños golpes con la vara en el muslo. Cuando comienza la inspección, señala desdeñoso lo que está mal y, tras encogerse de hombros, pasa de largo.

A los alumnos se les permite bromear con los profesores acerca de sus varas. De hecho, es uno de los asuntos sobre el que los profesores toleran alguna broma. ¡Hágala cantar, señor!, piden los chicos, y el señor Gouws hará un rápido movimiento de muñeca y su larga vara (la más larga del colegio, aunque el señor Gouws solo imparte clases en quinto curso) silbará en el aire.

Con el señor Lategan no se bromea. Le tienen pánico porque todos saben lo que es capaz de hacer con su vara a alumnos que ya son casi unos hombres.

Cuando, por Navidad, el padre se reúne con sus hermanos en la granja, siempre hablan de los días del colegio. Recuerdan a los maestros y sus varas; evocan las frías mañanas de invierno en que la vara les dejaba las nalgas llenas de cardenales; el escozor podía durar varios días en la memoria de la carne. Hay en sus palabras algo de nostalgia y de placentero terror. El chico los escucha con avidez, tratando de pasar inadvertido. No quiere atraer su atención, arriesgarse a que en algún remanso de la charla le pregunten por lo que opina acerca de las varas. Nunca lo han azotado, y se siente avergonzado por ello. No puede hablar de las varas con la facilidad y el conocimiento de estos hombres. Tiene la sensación de estar herido. Tiene la sensación de que, pausada, constantemente, algo se está desgarrando en su interior: una pared, una membrana. Intenta controlarse todo lo que puede para que la cisura no se abra más de lo debido. Para que no se abra más de lo debido, no para frenarla: nada la frenará.

Una vez a la semana tiene educación física. Cruza la escuela camino del gimnasio junto a los demás chicos de su clase. En los vestuarios se ponen camiseta blanca y pantalones de deporte. Bajo la dirección del señor Barnard, también vestido de blanco, pasan media hora saltando al potro, lanzándose una pelota o brincando mientras dan palmas sobre la cabeza.

Hacen todo esto descalzos. Él, que siempre lleva zapatos, se pasa días temiendo el momento de descalzarse en educación física. Sin embargo, cuando se los ha quitado, y también los calcetines, ya no resulta tan difícil. Simplemente ha de quitarse la vergüenza de encima, terminar de desnudarse rápidamente, en un santiamén, y sus pies serán pies como los de cualquier otro. La vergüenza sigue rondando cerca, esperando adueñarse de nuevo de él, pero es una vergüenza privada, íntima, de la que los otros chicos no tienen por qué enterarse nunca.

Sus pies son blancos y suaves; si no fuera por eso, se parecerían a los de todos los demás, incluso a los de los chicos que no tienen zapatos y van al colegio descalzos. A él no le gusta tener que desnudarse en educación física, pero se dice a sí mismo que es capaz de soportarlo, igual que soporta otras cosas.

Un día se altera la rutina. Del gimnasio los mandan a las pistas de tenis para que aprendan a jugar al pádel. Las pistas quedan algo lejos; por el camino tiene que pisar con cuidado, escogiendo los huecos entre los guijarros. Bajo el sol de verano el asfalto de la pista está tan caliente que tiene que ir saltando a la pata coja para no quemarse. Es un alivio regresar al vestuario y calzarse de nuevo; pero, por la tarde, apenas si puede andar, y cuando su madre le quita los zapatos en casa ve que las plantas de sus pies están llagadas y sangran.

Está tres días en casa curándose. Al cuarto, vuelve con una nota de su madre, en la que se emplean palabras de indignación que él conoce y aprueba. Como un guerrero herido que retoma su lugar en las filas, el chico cojea por el pasillo hasta su pupitre.

—¿Por qué no has venido al colegio? —le susurran sus compañeros.

—No podía andar, tenía ampollas en los pies por culpa del tenis —responde susurrando.

Esperaba que su historia provocara sorpresa y complicidad, pero se encuentra con risillas burlonas. Ni siquiera los compañeros que van calzados se toman su historia en serio. También estos tienen los pies encallecidos, y no les salen ampollas. Solo él tiene los pies suaves, y tener los pies suaves, por lo que se ve, no es ningún motivo de orgullo. De repente se siente aislado. Él, y tras él, su madre.

3

Él nunca ha llegado a entender cuál es el lugar de su padre en la casa. En realidad, ni siquiera tiene claro del todo con qué derecho está su padre allí. Está dispuesto a aceptar que en una casa normal el padre sea el cabeza de familia: la casa le pertenece, la esposa y los niños viven bajo su tutela. Pero en su caso, como en el de la familia de sus dos tías maternas, son la madre y los niños los que ocupan el centro, mientras que el marido no pasa de ser un apéndice, alguien que contribuye a la economía doméstica como lo haría un huésped.

Desde que tiene conocimiento se ha sentido el rey de la casa; de su madre recibe un apoyo ambiguo y una protección ansiosa: ansiosa y ambiguo porque, y él lo sabe, los niños no deben llevar la voz cantante. Pero si siente celos de alguien, no es de su padre, sino de su hermano pequeño. Su madre también apoya a su hermano: lo apoya e incluso lo favorece, pues su hermano es espabilado (aunque no tanto como él mismo, ni tan valiente ni aventurero). De hecho, su madre siempre parece estar detrás de su hermano, preparada para conjurar el menor peligro; mientras que, cuando se trata de él, ella permanece en segundo plano, esperando, escuchando, lista para acudir solo si él la llama.

Él desearía que se comportase con él como lo hace con su hermano. Pero lo desea como una señal, una prueba, nada más. Sabe que se pondría furioso si ella comenzara a protegerlo constantemente.

No para de tenderle trampas para que ella confiese a quién quiere más, si a él o a su hermano. Su madre las elude siempre. «Os quiero a los dos por igual», afirma sonriendo. Ni siquiera con las preguntas más ingeniosas –¿y si la casa ardiera, por ejemplo, y solo pudiera rescatar a uno de ellos?– consigue atraparla. «A los dos –dice–. Seguro que os salvaría a los dos. Pero la casa no arderá.» Aunque desprecia su falta de imaginación, él la respeta por su pertinaz constancia.

Las rabietas contra su madre son una de esas cosas que tiene que guardar celosamente en secreto y no confiar al mundo exterior. Solo ellos cuatro saben de los torrentes de desprecio que vierte sobre ella, de que la trata como a un inferior. «Si tus profesores y tus amigos supieran cómo le hablas a tu madre…», le dice su padre, moviendo significativamente un dedo. Él odia a su padre por ver con tanta claridad la fisura de su coraza.

Desea que su padre le pegue y lo convierta en un chico normal. Al mismo tiempo sabe que si su padre osara levantarle la mano, él no descansaría hasta vengarse. Si su padre fuera a pegarle, enloquecería: como un poseso, como una rata acorralada en un rincón, que se revuelve con furia, que lanza dentelladas con sus dientes venenosos, que resulta demasiado peligrosa para acercar siquiera la mano.

En casa, él es un déspota irascible; en la escuela, un cordero manso y dócil, que se sienta en la segunda fila empezando por detrás, en la fila más oscura, para que nadie note su presencia, y que se pone rígido de miedo cuando comienzan los azotes. Con esta doble vida ha cargado sobre sí el peso del engaño. Nadie más tiene que soportar algo parecido, ni siquiera su hermano, que, como mucho, es una imitación pobre y nerviosa de él. De hecho, tiene la sospecha de que su hermano, en el fondo, es normal. Él está solo. No puede esperar ayuda de ninguna parte. De él depende dejar atrás la infancia, dejar atrás la familia y el colegio, y empezar una nueva vida en la que ya no tenga que fingir más.

La infancia, dice la *Enciclopedia de los niños*, es un tiempo de dicha inocente, que debe pasarse en los prados entre ranúnculos dorados y conejitos, o bien junto a una chimenea, absorto en la lectura de un cuento. Esta visión de la infancia le es completamente ajena. Nada de lo que experimenta en Worcester, ya sea en casa o en el colegio, lo lleva a pensar que la infancia sea otra cosa que un tiempo en el que se aprietan los dientes y se aguanta.

Como en la asociación de los boy scouts de Worcester no hay un grupo para los «castores», es decir, los más pequeños, se le permite ingresar en el de los mayores a pesar de que solo tiene diez años. Se prepara concienzudamente para su bautizo como scout. Acompaña a su madre a la tienda de ropa para comprar el uniforme: un rígido sombrero de fieltro marrón claro con la insignia plateada, una camisa caqui, pantalones cortos y calcetines, un cinturón de piel con la hebilla de los boy scouts, hombreras verdes y emblemas del mismo color para los calcetines. Corta una rama de álamo de un metro y medio de largo, le quita la corteza y se pasa una tarde grabando en la madera blanca los códigos de telégrafo de banderas y morse con un destornillador al rojo vivo. Sale para ir a su primera reunión de scouts con la estaca colgada del hombro por un cordón verde que él mismo ha trenzado. Cuando hace el juramento y se lleva dos dedos a la frente, el saludo de los boy scouts, no hay duda de que es el que va más impecable de todos los chicos nuevos, de los «novatos».

Descubre que ser boy scout consiste, como en el colegio, en pasar exámenes. Por cada examen que pasas consigues un galardón que coses a tu camisa.

Los exámenes siguen un orden establecido. El primero consiste en atar nudos: el nudo llano y el doble nudo, el margarita y el as de guía. Lo pasa, pero sin destacar. No tiene claro qué hacer para pasar los exámenes de boy scout con nota, cómo sobresalir.

El segundo examen es para obtener el galardón de explorador. Para pasarlo, se le exige que encienda un fuego sin usar papel y utilizando un máximo de tres cerillas. En el descampado que hay junto a la iglesia anglicana, una tarde fría y ventosa, amontona las ramitas y los trozos de corteza, y luego, ante la mirada del líder de su tropa y del jefe de los scouts, enciende las cerillas una a una; pero en ninguno de sus intentos logra prender el fuego: las tres veces el viento apaga la tenue llama. El jefe y el líder de la tropa se van. No pronuncian las palabras: «Has suspendido», así que no está seguro de haber suspendido. ¿Y si se han alejado para hablar entre sí y decidir que, con ese viento, el examen no puede ser válido? El chico espera que regresen. Espera que le den el galardón de explorador de todos modos. Pero no ocurre nada. Permanece junto a su montón de ramitas y no ocurre nada.

Nadie vuelve a mencionarlo. Es el primer examen que ha suspendido en su vida.

Todos los años la tropa de scouts va de acampada durante las vacaciones de junio. Quitando la semana que pasó en el hospital cuando tenía cuatro años, nunca se ha separado de su madre, pero está decidido a ir con los scouts.

Hay una larga lista de cosas que tiene que llevarse. Una es una colchoneta aislante. Su madre no tiene una colchoneta aislante, ni siquiera está muy segura de saber lo que es. En su lugar le da un colchón de aire de color rojo. En el campamento descubre que los otros chicos tienen las colchonetas aislantes de color caqui reglamentarias. Su colchón rojo lo aísla inmediatamente de los demás. Eso no es todo. Es incapaz de hacer que se muevan sus intestinos sobre un agujero maloliente cavado en la tierra.

El tercer día de acampada van a nadar al río Breede. Aunque cuando vivía en Ciudad del Cabo, su hermano, su primo y él solían ir en el tren hasta Fish Hoek y se pasaban la tarde entera trepando por las rocas y haciendo castillos en la arena y chapoteando en las olas, no sabe nadar. Ahora, que es un boy scout, debe cruzar el río a nado y volver.

Él detesta los ríos: el agua turbia, el limo que se pega a los dedos de los pies, las latas oxidadas y los cascos de botella que podría llegar a pisar; prefiere la arena de la playa, limpia y blanca. Pero se zambulle en el río y chapotea como puede hasta cruzarlo. Al llegar a la otra orilla se agarra a la raíz de un árbol y, como hace pie, se queda sumergido hasta la cintura en la corriente lenta y pardusca; le castañetean los dientes. Los demás chicos se dan la vuelta y empiezan a nadar de regreso. Lo dejan solo. No puede hacer otra cosa que zambullirse de nuevo.

A mitad de camino está exhausto. Deja de nadar e intenta hacer pie, pero el río es demasiado profundo. Su cabeza se hunde bajo el agua. Trata de salir a flote, de nadar otra vez, pero ya no tiene fuerzas. Se hunde por segunda vez.

Ve a su madre sentada en una silla de respaldo alto, leyendo la carta que la informa de su muerte. Su hermano está de pie, a su lado, leyendo por encima de su hombro.

Lo siguiente que sabe es que está tendido en la orilla del río y Michael, el guía de su tropa con el que aún no se había atrevido a hablar por timidez, está sentado a horcajadas sobre él. Cierra los ojos, lo domina una sensación de bienestar. Lo han salvado.

Durante las semanas siguientes no deja de pensar en Michael, en cómo arriesgó su vida zambulléndose en el río para rescatarlo. Cada vez que lo recuerda se queda maravillado de que Michael reparara en lo que estaba ocurriendo: reparara en él, reparara en que estaba ahogándose. Comparado con Michael (que está en séptimo y ha conseguido todos los galardones excepto los más altos y va a convertirse en un scout de mayor rango), él es un ser insignificante. Habría sido mucho más normal que Michael no reparara en que se hundía, incluso que no lo hubiera echado de menos hasta regresar al campamento. Entonces todo lo que se hubiera requerido de Michael habría sido que escribiera la carta a su madre, con el frío y formal comienzo característico de esas cartas: «Lamentamos comunicarle…».

A partir de ese día sabe que tiene algo especial. Podría haber muerto, pero no ha sido así. A pesar de ser indigno de ella, se le ha dado una segunda vida. Estuvo muerto, pero ahora está vivo.

A su madre no le cuenta una sola palabra de lo que le pasó en la acampada.

4

El mayor secreto de su vida en el colegio, el secreto que no le cuenta a nadie en casa, es que se ha convertido al catolicismo, que a efectos prácticos «es» católico. Le es difícil plantear el tema en casa porque su familia «no es» nada. Naturalmente son sudafricanos, pero incluso ser sudafricano es un poco vergonzoso y por tanto no se habla de ello, puesto que no todo el que vive en Sudáfrica es sudafricano, o al menos no un sudafricano decente. En lo que concierne a la religión, desde luego no son nada. Ni siquiera en la familia de su padre, que es mucho más moderada y normal que la de su madre, va nadie a la iglesia. En cuanto a él, solo ha estado en la iglesia dos veces en su vida: una para bautizarse y otra para celebrar la victoria en la segunda guerra mundial.

La decisión de «ser» católico la ha tomado sin pensárselo dos veces. La primera mañana en su nueva escuela, mientras el resto de la clase se dirige al salón de actos del colegio, se les pide a él y a otros tres chicos que esperen. «¿Cuál es tu religión?», pregunta la profesora a cada uno de ellos. Él mira a izquierda y derecha. ¿Cuál será la respuesta correcta? ¿Entre qué religiones se puede optar? ¿Es como lo de los rusos y los norteamericanos? Le llega el turno. «¿Cuál es tu religión?», le pregunta la profesora. Está sudando, no sabe qué contestar. «¿Eres protestante, católico o judío?», insiste impacientándose. «Católico», dice él.

Cuando el interrogatorio ha terminado, les pide a él y a otro chico que afirma ser judío que se queden allí; los dos que dicen ser protestantes van a reunirse con los demás.

Esperan a ver qué hacen con ellos. Pero no ocurre nada. Los pasillos están vacíos, el edificio en silencio, no quedan profesores.

Caminan hasta llegar al patio donde se unen a la chusma, los otros chicos que no han ido a la asamblea religiosa. Es la temporada de las canicas; en medio del silencio extraordinario que reina en el patio, solo roto por las llamadas de las palomas en el cielo y el eco apagado de los cánticos a lo lejos, juegan a las canicas. El tiempo pasa. La campana anuncia el fin de la asamblea. El resto de los chicos regresa del salón, marchando en filas, una por cada clase. Algunos parecen estar de mal humor. «Jood!», silba entre dientes un chico afrikáner cuando pasa por su lado: ¡Judío! Cuando vuelven a clase, nadie sonríe.

El episodio le inquieta. Espera que al día siguiente les hagan esperar a él y a los otros chicos y les propongan elegir de nuevo. Entonces él, que obviamente se ha equivocado, podrá corregirse y ser protestante. Pero no habrá una segunda oportunidad.

Dos veces a la semana se repite la operación de separar la cizaña del buen grano. Se deja a los judíos y a los católicos con sus asuntos mientras los protestantes se reúnen para entonar himnos y escuchar sermones. Para vengarse de ello, y para vengarse de lo que los judíos le hicieron a Jesús, los chicos afrikáners, grandotes, brutales, apresan algunas veces a un judío o a un católico y le dan puñetazos en los bíceps, puñetazos rápidos y ensañados, o le pegan un rodillazo en la entrepierna, o le doblan los brazos detrás de la espalda hasta que suplica clemencia. «Asseblief!», gimotea el niño: ¡Por favor! «Jood! Vuilgoed!», le insultan por toda respuesta: ¡Judío! ¡Asqueroso!

Un día, durante el recreo, dos chicos afrikáners lo acorralan y lo arrastran hasta la esquina más alejada del campo de rugby. Uno de ellos es gordo y enorme. Él les suplica. «Ek is nie 'n Jood nie», dice: Yo no soy judío. Les ofrece su bicicleta, les prestará su bicicleta toda la tarde. Cuanto más entrecortada le sale la voz, más se ríe el gordo. Eso es evidentemente lo que le gusta: que le suplique, que se rebaje.

El chico gordo saca algo del bolsillo de la camisa, algo que ahora explica por qué lo han arrastrado hasta este rincón apartado: es una oruga verde, que se agita. Mientras el amigo le sujeta los brazos por detrás de la espalda, el chico gordo le aprieta las barras de la mandíbula hasta abrirle la boca y le mete la oruga dentro. Él la escupe, ya partida y exudando los jugos. El gordo la estruja y le unta los labios. «*Jood!*», dice, y se limpia la mano en la hierba.

Aquella fatídica mañana había decidido ser católico romano por Roma, por Horacio y sus dos camaradas que, espada en mano, llevando cascos con cimeras y con un brillo de valor indomable en la mirada, defendieron el puente sobre el Tíber de las hordas etruscas. Ahora, paso a paso, gracias a los otros chicos católicos, descubre qué es en realidad ser un católico. Los católicos no tienen nada que ver con Roma. Los católicos ni siquiera han oído hablar de Horacio. Los católicos van a catequesis los viernes por la tarde; se confiesan; toman la comunión. Eso es lo que hacen los católicos.

Los otros chicos católicos lo acorralan e interrogan: ¿ha ido a catequesis, se ha confesado, ha comulgado? ¿Catequesis? ¿Confesión? ¿Comunión? Ni siquiera sabe lo que significan esas palabras. «Solía ir en Ciudad del Cabo», dice, intentando salirse por la tangente. «¿Adónde?», le preguntan. No sabe el nombre de ninguna iglesia de Ciudad del Cabo, pero ellos tampoco. «El viernes tienes que venir a catequesis», le ordenan. Pero no va y los otros informan al cura de que hay un apóstata en tercer curso. El cura le envía un mensaje que los otros se encargan de transmitirle: debe ir a catequesis. Él sospecha que los otros se han inventado el mensaje, así que al viernes siguiente se queda en casa, sin llamar la atención.

Los chicos católicos mayores empiezan a darle a entender que no se creen sus historias de que era católico en Ciudad del Cabo. Pero ha ido demasiado lejos, ya no hay vuelta atrás. Si dice: «Cometí un error, en realidad soy protestante», sería una deshonra. Por otro lado, incluso teniendo que soportar las burlas de los afrikáners y los interrogatorios de los católicos auténticos, ¿no lo valen las dos horas libres a la semana, horas libres para vagar por los campos de juego desiertos, hablando con los judíos?

Un sábado por la tarde, cuando todo el mundo en Worcester, aturdido por el calor, se ha ido a dormir, saca su bicicleta y pedalea hasta Dorp Street.

Habitualmente evita pasar por Dorp Street, porque ahí es donde está la iglesia católica. Pero hoy esa calle está vacía, no se oye ningún ruido excepto el rumor del agua en los surcos. Él pasa pedaleando indiferente, haciendo como que no mira.

La iglesia no es tan grande como se pensaba. Es un edificio bajo, liso, con una pequeña estatua sobre el pórtico: la Virgen, con una capucha, sosteniendo al niño.

Llega al final de la calle. Le gustaría dar media vuelta y volver a pasar para echar un segundo vistazo, pero tiene miedo de tentar a la suerte, miedo de que aparezca un cura de negro y le ordene que se pare.

Los chicos católicos le regañan y hacen comentarios burlones, los protestantes lo persiguen, pero los judíos no juzgan. Los judíos hacen como si no se enteraran. Los judíos también llevan zapatos. Por alguna razón se siente cómodo con los judíos. Los judíos no son tan malos.

Sin embargo, hay que andarse con cuidado con los judíos. Porque están en todas partes, porque los judíos están adueñándose del país. Eso es lo que él escucha de boca de todos, pero especialmente de sus tíos, los dos hermanos solteros de su madre, cuando vienen a visitarla. Norman y Lance vienen todos los veranos, como las aves migratorias, aunque rara vez al mismo tiempo. Duermen en el sofá, se levantan a las once de la mañana, remolonean por la casa durante horas, medio vestidos, despeinados. Ambos tienen coche; a veces se les puede convencer para que lleven a su hermana y sus chicos a dar una vuelta por la tarde, pero parece que prefieren pasar el rato fumando y bebiendo té y hablando de los viejos tiempos. Después cenan, y después de cenar, juegan al póquer o a los naipes hasta medianoche con cualquiera al que logren convencer de que no se acueste.

Le encanta que su madre y sus tíos cuenten por enésima vez los episodios de su infancia en la granja. Nunca es tan feliz como cuando oye esas historias, y los chistes y las risas que las acompañan. Sus amigos no proceden de familias con historias semejantes. Eso es lo que lo separa de ellos: las dos granjas a sus espaldas, la granja de su madre, la de su padre, y las historias de aquellas granjas. Gracias a las granjas, su pasado tiene unas raíces; gracias a las granjas, él posee una entidad.

Hay una tercera granja: Skipperskloof, cerca de Williston. Su familia no tiene raíces allí, con ella han emparentado por matrimonio. Sin embargo, Skipperskloof es importante también. Todas las granjas lo son. Las granjas son lugares de libertad, de vida.

Por todas las historias que Norman, Lance y su madre cuentan revolotean las figuras de los judíos: cómicos y maliciosos, pero también taimados y crueles, como los chacales. Los judíos de Oudtshoorn iban a la granja todos los años a comprar plumas de avestruz al padre de ellos, su abuelo. Fueron los hermanos y la madre quienes lo convencieron de que debía dejar la lana para dedicarse solo a la cría de avestruces. Las avestruces lo harían millonario, le dijeron. Entonces, un día, la cotización de las plumas de avestruz cayó en picado. Los judíos se negaron a comprar más plumas y su abuelo se arruinó. Todos los propietarios del distrito se arruinaron y los judíos se apoderaron de sus granjas. Así es como operan los judíos, dice Norman: nunca te fíes de un judío.

Su padre se pone serio. Su padre no puede permitir que se desacredite a los judíos, porque es empleado de uno de ellos. Standard Canners, donde trabaja como contable, pertenece a Wolf Heller. De hecho fue Wolf Heller quien lo hizo venir de Ciudad del Cabo a Worcester cuando perdió su empleo en la administración pública. El futuro de su familia está ligado al de Standard Canners, que en los pocos años que han pasado desde que Wolf Heller tomó las riendas, se ha convertido en un gigante del negocio de las conservas. Su padre dice que para alguien como él, con méritos probados, hay unas perspectivas maravillosas en Standard Canners.

De modo que Wolf Heller está exento de las críticas a los judíos. Wolf Heller cuida de sus empleados. En Navidad incluso les compra regalos, aunque la Navidad no signifique nada para los judíos.

Los niños de Heller no van a la escuela de Worcester. Si Heller tiene algún hijo, probablemente lo ha enviado a SACS, en Ciudad del Cabo, que es una escuela judía en todo menos en el nombre. Tampoco hay familias judías en Reunion Park. Los judíos de Worcester viven en la parte más vieja, más frondosa, más umbría de la ciudad. Aunque hay judíos en su clase, estos nunca lo invitan a sus casas. Solo los ve en el colegio, sobre todo durante las horas de asamblea, cuando separan a los judíos y a los católicos y los someten a la ira de los protestantes.

Cada dos por tres, sin embargo, por razones nada claras, se suspende el permiso que los deja en libertad durante la asamblea y se les convoca para que acudan al salón.

El salón está siempre abarrotado. Los chicos mayores ocupan los asientos, mientras que los más pequeños se amontonan en el suelo. Los judíos y los católicos —a lo sumo una veintena entre todos— se abren paso entre ellos buscando sitio. Subrepticiamente, agarrándoles los tobillos con las manos, tratan de hacerles tropezar.

El pastor ya ha subido al estrado. Es un hombre joven y pálido vestido de negro y con corbata blanca. Pronuncia el sermón con voz alta, cantarina, alargando las vocales, articulando cada letra de cada palabra exageradamente. Cuando la locución termina, tienen que levantarse para rezar. ¿Qué debe hacer un católico durante los rezos protestantes? ¿Cierra los ojos y mueve los labios, o hace como si no estuviera allí? No alcanza a ver a ninguno de los auténticos católicos; mira al infinito y desenfoca la mirada.

El pastor se sienta. Todos sostienen el libro de los cánticos; es el momento de cantar. Una de las profesoras sube para dirigir. «Al die veld is vrolik, al die voëltjies sing.» Todo el campo está feliz, todos los pájaros cantan, entonan los más pequeños. Los mayores se levantan entonces. «Vit die blou van onse hemel.» Desde el azul de nuestro cielo, cantan impostando la voz, concentrados, mirando serios al frente: el himno nacional, el himno nacional de ellos. Con miedo, nerviosamente, los más jóvenes se les unen. Inclinándose sobre todos, moviendo los brazos como si estuviera recogiendo plumas, la profesora trata de animarlos, de darles fuerza. «Ons sal antwoord op jou roepstem, ons sal offer watt jy vra», cantan. Responderemos a tu llamada.

Por fin termina el himno. Los profesores bajan del estrado: primero el director del colegio, luego el pastor, y el resto detrás. Los chicos salen en fila del salón. Un puño se estrella contra sus riñones, un golpe seco, rápido, invisible. «Jood!» ¡Judío!, susurra una voz. Está fuera, es libre, puede respirar aire fresco de nuevo.

Pese a las amenazas de los católicos auténticos, pese a la posibilidad siempre latente de que el cura visite a sus padres y lo desenmascare, está agradecido a la inspiración que le hizo elegir Roma. Siente gratitud por la iglesia que lo ampara; no lo lamenta, no desea dejar de ser católico. Si ser protestante significa entonar himnos y escuchar sermones y salir a atormentar a los judíos, no quiere ser protestante. No es culpa suya si los católicos de Worcester son católicos sin saber nada de Roma ni de Horacio y sus camaradas resistiendo en el puente sobre el Tíber («Tíber, el padre Tíber, al que nosotros, los romanos, rezamos»), ni de Leónidas y sus espartanos resistiendo el ataque en Termópilas, ni de Roland impidiéndoles el paso a los sarracenos. No concibe nada más heroico que repeler un ataque, nada más noble que dar la propia vida para salvar a otros que después llorarán sobre tu cadáver. Eso es lo que anhela ser: un héroe. Eso es lo que un católico auténtico debería ser.

Es una tarde de verano; después de un día largo y caluroso, ha refrescado. Se encuentra en los jardines públicos, donde ha estado jugando al críquet con Greenberg y Goldstein: Greenberg es brillante en clase pero pésimo en críquet; Goldstein, de grandes ojos castaños, lleva sandalias y es muy elegante. Es tarde, bien pasadas las siete y media. Los jardines están desiertos. Han tenido que dejar el críquet: está ya demasiado oscuro como para que puedan ver la pelota. Así que se dedican a pelear, a luchar como si fueran otra vez niños, rodando por el césped, haciéndose cosquillas, desternillándose de risa. Se levanta, respira hondo. Una oleada de gozo lo invade. «Nunca he sido más feliz en mi vida. Me gustaría quedarme con Greenberg y Goldstein para siempre», piensa.

Se marchan. Es verdad. Le gustaría vivir siempre así, paseando en bicicleta por las calles anchas y vacías de Worcester, al atardecer de un día de verano, cuando han llamado a todos los niños y solo él sigue fuera, como un rey.

5

Ser católico es una parte de su vida que se reserva para el colegio. Preferir los rusos a los norteamericanos es un secreto tan oscuro que no puede revelárselo a nadie. Que te gusten los rusos es un asunto serio. Pueden condenarte al ostracismo. Pueden enviarte a prisión.

Dentro de su armario, en una caja, guarda el libro de dibujos que hizo en 1947, en el momento álgido de su pasión por los rusos. Los dibujos, hechos con lápiz de punta gruesa y coloreados con ceras, muestran a los aviones rusos abatiendo a los aviones norteamericanos en el cielo, a los barcos rusos hundiendo a los barcos norteamericanos. Aunque ya ha remitido el fervor de aquel año, cuando las noticias de la radio provocaron una oleada de hostilidad contra los rusos y todo el mundo tuvo que tomar partido, él se mantiene leal en secreto: leal a los rusos, pero sobre todo leal a sí mismo, a quien era cuando hizo esos dibujos.

Aquí en Worcester nadie sabe que le gustan los rusos. En Ciudad del Cabo estaba su amigo Nicky, con quien jugaba a la guerra con soldaditos de plomo y un cañón con un muelle que disparaba cerillas; pero cuando se dio cuenta de lo peligrosas que eran sus alianzas, de lo que se estaba jugando, le hizo jurar a Nicky que guardaría el secreto, y pasado algún tiempo, para asegurarse, le contó que se había cambiado de bando y que ahora le gustaban los norteamericanos.

En Worcester, a nadie salvo a él le gustan los rusos. Su lealtad a la Estrella Roja lo aparta absolutamente de todos.

¿De dónde procede este enamoramiento, que incluso a él mismo le resulta extraño? Su madre se llama Vera: Vera, con su helada V mayúscula, una flecha cayendo. Vera, le contó su madre una vez, es un nombre ruso. La primera vez que le plantearon que los rusos y los norteamericanos eran antagonistas entre los cuales tenía que escoger («¿A quién prefieres: a Jan Christiaan Smuts o a Daniel-François Malan? ¿A quién prefieres: a Supermán o al Capitán América? ¿A quién prefieres: a los rusos o a los norteamericanos?»), escogió a los rusos como había escogido a los romanos: porque le gustaba la letra «r», especialmente la R mayúscula, la más sonora de todas las letras.

Eligió a los rusos en 1947, cuando todo el mundo se puso de parte de los norteamericanos; y como los había elegido, se entregó a leer cosas sobre ellos. Su padre poseía una historia de la segunda guerra mundial en tres volúmenes. Le encantaban esos libros y los estudiaba detenidamente, estudiaba las fotografías de los soldados rusos con sus uniformes blancos de esquí, los soldados rusos con ametralladoras escabulléndose entre las ruinas de Stalingrado, los comandantes de los carros blindados rusos escrutando el horizonte con sus binóculos. (El T-34 ruso era el mejor carro blindado del mundo, mejor que el Sherman de los norteamericanos, mejor incluso que el Tiger de los alemanes.) Se detenía una y otra vez en la ilustración que mostraba a un piloto ruso inclinando su bombardero sobre la columna de carros blindados alemanes destrozados y en llamas. Adoptó todo lo ruso. Adoptó al mariscal de campo Stalin, severo pero paternal, el mejor y el más perspicaz estratega de la guerra; adoptó el borzoi, el perro pastor ruso, el más veloz de todos los perros. Sabía todo lo que se podía saber sobre Rusia: la extensión en kilómetros cuadrados, la producción en toneladas de acero y de carbón, la longitud de cada uno de sus grandes ríos: el Volga, el Dniéper, el Yenisei y el Obi.

Y entonces lo comprendió por la desaprobación de sus padres, por la perplejidad de sus amigos, por lo que los padres de estos comentaban cuando les hablaban de él: no era ningún juego que le gustaran los rusos; estaba prohibido. Al parecer, siempre se equivoca en algo. Quiera lo que quiera, le guste lo que le guste, tarde o temprano tiene que convertirlo en un secreto. Empieza a verse a sí mismo como una de esas arañas que vive en un agujero sellado con trampilla cavado en la tierra. La araña siempre tiene que estar regresando a toda prisa a su agujero, cerrando la trampilla, excluyéndose del mundo, escondiéndose.

En Worcester mantiene en secreto su pasado ruso, esconde el censurable libro de dibujos, con las estelas de humo de los cazas enemigos que se estrellan en el océano y los barcos de guerra hincando sus proas bajo las olas. En lugar de dibujar se dedica a jugar partidos de críquet imaginarios. Utiliza la raqueta de playa de madera y una pelota de tenis. El reto es mantener la pelota en el aire el máximo tiempo posible. Se pasa horas dando vueltas a la mesa del comedor y haciendo botar la pelota en la raqueta. Antes de empezar retira todos los jarrones y los adornos; cada vez que la pelota da en el techo, cae una fina ducha de polvo rojizo.

Juega partidos enteros, once bateadores a cada lado, cada uno batea dos veces. Cada golpe equivale a un run. Cuando, por falta de atención, pierde una bola, se elimina un bateador, y el chico anota su puntuación en el marcador. Los gigantescos totales van ascendiendo: quinientos runs, seiscientos runs. Una vez Inglaterra puntúa mil runs, algo que nunca ha hecho un equipo de verdad. Unas veces gana Inglaterra, otras Sudáfrica; rara vez Australia o Nueva Zelanda.

En Rusia y en Norteamérica no se juega al críquet. Los norteamericanos juegan al béisbol; los rusos no parece que jueguen a nada, quizá porque allí siempre está todo nevado.

Él no sabe qué hacen los rusos cuando no están en guerra.

No les dice nada a los amigos de sus partidos privados de críquet, se los guarda para casa. Una vez, a los pocos meses de haber llegado a Worcester, un chico de su clase se coló en su casa por la puerta de entrada y se lo encontró tumbado boca arriba debajo de una silla. «¿Qué haces?», le preguntó. «Pienso —le respondió sin pensar—: Me gusta pensar.» Al poco tiempo lo sabía toda la clase: el chico nuevo era raro, no era normal. Gracias a ese error ha aprendido a ser más prudente. Y la mejor forma de ser prudente siempre es hablar de menos antes que de más.

También juega al críquet auténtico con cualquiera que esté dispuesto a jugar. Pero jugar al críquet auténtico en la plaza vacía que hay en medio de Reunion Park es tan lento que resulta inaguantable; la bola siempre anda perdiéndose: la pierde el bateador, la pierde el receptor. Él odia ir a buscar las bolas que se han perdido. También odia hacer de jugador de campo sobre la tierra pedregosa, con la que te hieres las manos y las rodillas cada vez que te caes. Quiere batear o lanzar, eso es todo.

Con la promesa de prestarle sus juguetes convence a su hermano, aunque solo tiene seis años, de que le lance en el patio trasero. El hermano le lanza un rato, hasta que se aburre, se enfada y se mete en la casa corriendo en busca de protección. Intenta enseñar a lanzar a su madre, pero ella no logra concentrarse. Se troncha de risa ante su propia torpeza, y él se exaspera por momentos. Así que decide que sea ella quien batee. Pero el espectáculo es demasiado vergonzoso, cualquiera podría verlo con facilidad desde la calle: una madre jugando al críquet con su hijo.

Corta una lata de mermelada por la mitad y clava la parte del fondo a un palo de madera de medio metro. Monta el palo en un eje atravesado en una caja de cartón cargada de ladrillos. Ata al palo una cinta de goma de neumático que sujeta a la caja y, por la parte opuesta, una cuerda que pasa a través de una argolla. Mete una bola en la lata, retrocede nueve metros, tira de la cuerda hasta que tensa la goma, pisa la cuerda con el talón, toma posición de bateador y la suelta. A veces la bola se pierde en el aire, otras va directa a su cabeza; pero de vez en cuando vuela bastante bien y el chico puede golpearla. Se conforma con eso: ha lanzado y bateado él solo, es todo un triunfo, nada es imposible.

Un día en que se siente de humor para las confianzas temerarias, les pide a Greenberg y a Goldstein que cuenten sus primeros recuerdos. Greenberg pone impedimentos: no es un juego de su agrado. Goldstein cuenta una larga historia sin sentido sobre el día que lo llevaron a la playa, una historia a la que él apenas presta atención. Porque el objetivo del juego, naturalmente, es permitirle a él contar sus primeros recuerdos.

Está asomado a la ventana de su piso en Johannesburgo. Empieza a caer la noche. Un coche se acerca rápidamente a lo lejos, baja la calle. Un perro, un perro pequeño y moteado, salta delante del coche. El coche atropella al perro: las ruedas le pasan por encima, justo por la mitad del cuerpo. El perro se aleja arrastrándose con las patas traseras paralizadas, dando gañidos de dolor. Sin duda alguna morirá; pero en ese momento lo apartan del alféizar de la ventana.

Es un primer recuerdo magnífico, que empequeñecería cualquier cosa que el pobre Goldstein pueda pescar de su pasado. Pero ¿es cierto? ¿Por qué estaba él asomado a la ventana mirando una calle vacía? ¿Vio realmente cómo el coche arrollaba al perro, o solo oyó dar gañidos al perro y corrió a la ventana? ¿Es posible que no viera más que a un perro arrastrando sus patas traseras, y que inventara lo del coche y el conductor y el resto de la historia?

Tiene otro primer recuerdo, uno en el que confía enteramente pero que jamás contaría, y aún menos a Greenberg y a Goldstein, que lo divulgarían por todo el colegio, convirtiéndolo en el hazmerreír de sus compañeros.

Está sentado junto a su madre en el autobús. Debe de hacer frío, porque lleva unas polainas de lana de color rojo y un gorro de lana con un pompón. El motor del autobús funciona trabajosamente; están subiendo por la carretera salvaje y desolada del desfiladero de Swartberg Pass.

Lleva un envoltorio de caramelo en la mano. Lo sostiene fuera de la ventana, apenas abierta un dedo. El envoltorio flamea y tremola en el aire.

«¿Lo suelto?», le pregunta a su madre.

Ella asiente con la cabeza. El chico lo suelta.

El trozo de papel vuela hacia el cielo. Abajo no hay nada, salvo el siniestro abismo del desfiladero, rodeado por las cumbres heladas de las montañas. Estira el cuello y consigue echar un último vistazo al papel, todavía volando con arrojo.

«¿Qué le ocurrirá al papel?», le pregunta a su madre; pero ella no sabe de qué le habla.

Ese es el otro primer recuerdo, el secreto. No deja de pensar en el trozo de papel, solo en aquella inmensidad, y en que él lo abandonó cuando no debería haberlo abandonado. Algún día tendrá que regresar a Swartberg Pass para encontrarlo y rescatarlo. Es su obligación: no morirá antes de haberlo hecho.

Su madre desprecia profundamente a los hombres que «no son hábiles con las manos», entre los que cuenta a su padre, pero también a sus propios hermanos, y sobre todo al mayor de ellos, a Roland, que si hubiera trabajado lo bastante para saldar sus deudas podría haber conservado la propiedad de la granja, pero no lo hizo. De los muchos tíos que tiene por parte de su padre (contando seis carnales y otros cinco políticos), al que ella admira más es a Joubert Olivier, que ha instalado un generador eléctrico en Skipperskloof e incluso ha aprendido odontología por su cuenta. (En una de sus visitas a la granja, a él le da dolor de muelas. El tío Joubert lo sienta en una silla bajo un árbol y, sin anestesia, perfora el agujero y lo llena con gutapercha. Nunca antes en su vida había sufrido un dolor tan intenso.)

Cuando se rompen las cosas —platos, adornos, juguetes—, su madre las arregla con cuerda o con pegamento. Las cosas que ata se aflojan, porque no sabe hacer nudos. Las cosas que pega se despegan; ella culpa al pegamento.

Los cajones de la cocina están llenos de clavos doblados, trozos de cuerda, bolas de papel de estaño, sellos usados. «¿Por qué los guardamos?», pregunta él. «Por si acaso», le responde.

Cuando está enfadada, su madre empieza a criticar los estudios. Debería mandarse a los niños a las escuelas de artes y oficios, dice, y después ponerlos a trabajar. Estudiar, simplemente, carece de sentido. Mejor es formarse como ebanista o carpintero, aprender a trabajar la madera. Está desencantada del trabajo en la granja: ahora que los granjeros se han hecho ricos de repente, lo único que cultivan es la holgazanería y la ostentación.

Porque el precio de la lana está subiendo como la espuma. Según la radio, los japoneses están pagando lo que se les pida por la de mejor calidad. Los granjeros que tienen ovejas se compran coches nuevos y se van a la playa por vacaciones. «Deberías darnos algún dinero, ahora que eres rico», le dice ella al tío Son durante una de sus visitas a Voëlfontein. Sonríe mientras habla, como si estuviera bromeando, pero no tiene ninguna gracia. El tío se avergüenza, murmura una respuesta que él no consigue captar.

Su madre le cuenta que la granja no estaba destinada únicamente al tío Son: la heredaron los doce hijos e hijas a partes iguales. Para salvarla de ser subastada a algún desconocido, los hijos y las hijas accedieron a vender sus partes a Son; de esa venta se llevaron pagarés por unas pocas libras cada uno. Ahora, gracias a los japoneses, la granja vale miles de libras. Son debería compartir su dinero.

A él le avergüenza la crudeza con que su madre habla del dinero.

«Debes hacerte doctor o abogado —le dice—. Esos son los que ganan dinero.» Sin embargo, en otros momentos afirma que los picapleitos son todos unos ladrones. Él no pregunta dónde encaja su padre en todo esto; su padre, el abogado que no ganó dinero.

Los doctores no se interesan por sus pacientes, le asegura ella. Tan solo te dan pastillas. Los doctores afrikáners son los peores, porque encima son unos incompetentes.

Dice tantas cosas distintas en distintos momentos que él no tiene ni idea de lo que piensa realmente. Él y su hermano discuten con ella, echándole en cara sus contradicciones. Si cree que los granjeros son mejores que los abogados, ¿por qué se casó con un abogado? Si cree que aprender de los libros carece de sentido, ¿por qué se hizo profesora? Cuanto más discuten, más sonríe ella. Disfruta tanto de la pericia de sus niños con las palabras que cede en todos los asaltos, sin defenderse apenas, deseando que ellos le ganen.

Él no comparte su placer. No le encuentra la gracia a esas discusiones. Desea que ella crea en algo. Lo exasperan sus juicios infundados, fruto de estados de ánimo pasajeros.

En cuanto a él, seguramente se hará profesor. Esa será su vida cuando se haga mayor. Parece una vida aburrida, pero ¿hay alguna otra posibilidad? Durante mucho tiempo pensó en hacerse maquinista. «¿Qué vas a ser de mayor?», solían preguntarle sus tías y tíos. «¡Maquinista!», gritaba él con voz aguda, y todo el mundo asentía con la cabeza y sonreía. Ahora entiende que «maquinista» es lo que se espera que digan todos los niños pequeños, igual que de las niñas pequeñas se espera que digan «enfermera». Él ya no es pequeño, pertenece al mundo adulto; tendrá que aparcar la fantasía de conducir un tren enorme y cumplir con lo que se espera de él. Se le da bien el colegio, y no ha descubierto ninguna otra cosa que sepa que se le da bien, por lo tanto se quedará en el colegio, ascendiendo de categoría. Algún día, puede que incluso llegue a inspector. Pero no se someterá a un trabajo de oficina. ¿Cómo puede alguien trabajar de la mañana a la noche, con apenas dos semanas de vacaciones al año?

¿Qué clase de profesor será? Puede formarse una imagen muy vaga de sí mismo. Ve a alguien con chaqueta de sport y pantalones de franela (es lo que parece que visten los profesores), que camina por un pasillo llevando unos libros debajo del brazo. Apenas lo entrevé, un instante después la imagen se ha borrado. No ha podido verle la cara.

Espera que, cuando llegue el día, no lo envíen a enseñar a un sitio como Worcester. Aunque quizá Worcester sea un purgatorio por el que hay que pasar. Quizá Worcester sea el sitio al que envían a la gente para probarla.

Un día les encargan a los alumnos que escriban una redacción en clase: «Lo que hago por las mañanas». Se supone que tienen que escribir sobre las cosas que hacen antes de partir hacia el colegio. Él sabe el tipo de cosas que se espera que escriba: que hace la cama, que friega los platos del desayuno, que prepara los bocadillos para el recreo. Aunque en realidad no hace ninguna de estas cosas –se las hace su madre–, miente lo bastante bien como para no ser descubierto. Pero se pasa de listo cuando describe cómo se limpia los zapatos. En su vida se ha limpiado los zapatos. En la redacción dice que el cepillo se usa para quitar la suciedad, y que después utiliza un trapo para dar betún al zapato. La señorita Oosthuizen coloca un gran signo de exclamación azul junto a la descripción del cepillado de los zapatos. Él se siente mortificado, reza para que no lo saque a leer su redacción delante de toda la clase. Esa tarde se fija atentamente en cómo su madre le limpia los zapatos, para no volver a equivocarse jamás.

Deja que su madre le limpie los zapatos al igual que la deja hacer por él todo lo que ella quiera. La única cosa que no la dejará hacer más es entrar en el cuarto de baño cuando está desnudo.

Sabe que es un mentiroso, sabe que es malvado, pero se niega a cambiar. No cambia porque no quiere cambiar. Lo que lo diferencia de los otros chicos quizá guarde relación con su madre y su familia anormal, pero también está ligado a sus mentiras. Si dejara de mentir tendría que dar betún a sus zapatos y hablar con educación y hacer todo lo que los chicos normales hacen. En ese caso, dejaría de ser él mismo. Y si ya no fuera él mismo, ¿merecería la pena vivir?

Es un mentiroso y también es frío de corazón: un mentiroso para el mundo en general, frío de corazón con su madre. A su madre le duele que se vaya apartando de ella cada vez más, y él se da cuenta. Sin embargo, endurece su corazón dispuesto a no ceder. Su única excusa es que tampoco tiene piedad consigo mismo. Miente, pero no se miente a sí mismo.

—¿Cuándo vas a morirte? —le pregunta a su madre un día, retándola, sorprendido de su propio atrevimiento.

—Yo no voy a morirme —le contesta.

Su voz es alegre, pero hay una nota falsa en su alegría.

—¿Y si contraes cáncer?

—Solo contraes cáncer si te golpean en el pecho. No tendré cáncer. Viviré siempre. No me moriré.

Él sabe por qué le dice eso. Lo dice por él y su hermano, para que no se preocupen. Es una tontería decir eso, pero se lo agradece.

No puede imaginarse a su madre muriendo. Ella es la cosa más firme de su vida. Es la roca en la que él se sostiene. Sin ella no sería nada.

Su madre se protege los pechos cuidadosamente por si se los golpean. Su primer recuerdo de todos, anterior al del perro, anterior al del trozo de papel, es el de sus pechos blancos. Sospecha que debió herirlos cuando era un bebé, golpearlos con los puñitos, porque de otro modo ella no se los negaría tan inequívocamente, ella que no le niega nada.

El cáncer es el temor más grande de la vida de la madre. En cuanto a él, le han enseñado a ser precavido con los dolores en el costado, a tratar cada punzada como un síntoma de apendicitis. ¿Conseguirá la ambulancia llevarle al hospital antes de que su apéndice estalle? ¿Conseguirá despertarse de la anestesia? No le gusta pensar que un médico desconocido le abra por la mitad. Por otro lado, sería estupendo tener una cicatriz para presumir de ella ante la gente.

Cuando, durante el recreo en el colegio se reparten cacahuetes y pasas, él deja que el viento se lleve las pieles rojizas, finas como el papel, que recubren los cacahuetes, pues dicen que van a parar al apéndice, donde se pudren.

A él lo absorben sus colecciones. Colecciona sellos. Colecciona soldaditos de plomo. Colecciona cromos: cromos de jugadores australianos de críquet, cromos de futbolistas ingleses, cromos de coches del mundo. Para conseguir los cromos hay que comprar paquetes de cigarrillos hechos de pasta de almendra y azúcar glaseado, con las boquillas pintadas de rosa. Sus bolsillos están llenos de cigarrillos deshechos y pegajosos que olvidó comerse.

Pasa horas interminables con su juego de Meccano, demostrándole a su madre que también él puede ser habilidoso. Construye un molino emparejando piezas de poleas. Las aspas giran tan rápido que levantan brisa en la habitación.

Él corre por el patio lanzando una bola de críquet al aire y recogiéndola sin romper el paso. ¿Cuál es la verdadera trayectoria de la bola: va derecha hacia arriba y derecha hacia abajo, que es como él la ve, o sube y cae trazando una parábola en el aire, que es como la vería alguien parado? Cuando le habla a su madre de esto, percibe en sus ojos una expresión desesperada: ella sabe que ese tipo de cosas son importantes para él, y quiere comprender por qué, pero no puede. En cuanto a él, desearía que ella se interesara en las cosas por las cosas mismas, no porque le interesen a él.

Cuando hay que realizar un trabajo práctico que ella no sabe cómo hacer –por ejemplo, arreglar un grifo que gotea–, llama a un hombre de color de la calle, cualquiera, el que pase en ese momento por allí. ¿Por qué, le pregunta él enojado, tiene tal fe en la gente de color? Porque están acostumbrados a trabajar con las manos, le responde.

Parece una tontería creer eso, que porque alguien no haya ido a la escuela tiene que saber cómo arreglar un grifo o reparar un hornillo; aun así, es tan distinto de lo que cree todo el mundo, tan excéntrico, que a pesar de sí mismo lo encuentra atractivo. Prefiere que su madre espere maravillas de la gente de color a que no espere absolutamente nada de ellos.

Siempre está intentando darle sentido a lo que dice su madre. Los judíos son explotadores, dice; pero prefiere a los doctores judíos porque saben lo que se hacen. La gente de color son la sal de la tierra, dice, pero ella y sus hermanas están siempre chismorreando sobre supuestas blancas con antecedentes secretos de color. Él no puede entender que su madre sostenga tantas creencias contradictorias a la vez. Bueno, al menos tiene creencias. Sus hermanos también. Su hermano Norman cree en Nostradamus y en sus profecías sobre el fin del mundo; él cree en los platillos volantes que aterrizan durante la noche y se llevan a la gente. No puede imaginarse a su padre o a la familia de su padre hablando del fin del mundo. El único objetivo que tienen en la vida es evitar las polémicas, no ofender a nadie, ser agradables todo el tiempo; en comparación con la familia de su madre, la de su padre resulta blandengue y aburrida.

Él está demasiado apegado a su madre, su madre demasiado apegada a él. Esa es la razón por la que, dejando de lado la caza y todas las otras cosas de hombre que hace durante sus visitas a la granja, la familia de su padre nunca lo haya acogido en su seno. Tal vez su abuela fuera severa al negarles un hogar a ellos tres durante la guerra, cuando estaban viviendo con la paga parcial de un cabo interino, cuando eran tan pobres que ni siquiera podían comprar mantequilla o té. Sin embargo, a la madre de su padre no le falló la intuición. Su abuela no está tan ciega como para no ver el oscuro secreto de Poplar Avenue número doce: a saber, que el niño mayor es el primero de la casa; el segundo niño es el segundo, y el hombre, el marido, el padre, el último. Puede que su madre no se haya molestado lo suficiente en ocultar esta perversión del orden natural a la familia de su padre, o que su padre se haya quejado en privado. En cualquiera de ambos casos, a la abuela no le parece bien y no esconde su desaprobación.

Algunas veces, cuando la sorprenden en plena discusión con su padre y quiere apuntarse un tanto, su madre se queja amargamente del trato que recibe por parte de la familia de su marido. Sin embargo, por el bien de su hijo, porque sabe el lugar tan especial que ocupa la granja en el corazón de él, porque ella no puede ofrecerle nada a cambio, la mayoría de las veces intenta congraciarse con ellos de una forma que él considera falta de tacto, al igual que sus bromas sobre el dinero, bromas que no son bromas.

Él desearía que su madre fuera normal. Si ella fuera normal, él también sería normal.

Ocurre lo mismo con las dos hermanas de su madre. Tienen un niño cada una, un hijo, y están encima de ellos con una solicitud sofocante. Su primo Juan, en Johannesburgo, es el mejor amigo que tiene en el mundo: se escriben cartas, están deseando ir juntos de vacaciones al mar. Sin embargo, no le gusta ver a Juan avergonzado obedeciendo todas las instrucciones de su madre, incluso cuando ella no está allí para vigilarlo. De los cuatro primos, él es el único que no está enteramente bajo el control de su madre. Se ha distanciado, o se ha distanciado a medias: tiene sus propios amigos, que él mismo ha elegido, sale con la bicicleta sin decir adónde va ni cuándo volverá. Sus primos y su hermano no tienen amigos. Los ve pálidos, tímidos, siempre metidos en casa bajo la mirada vigilante de las fieras de sus madres. El padre llama a las tres hermanas de la madre las tres brujas. «Dobla y redobla el afán de la olla», dice, citando a *Macbeth*. Él repite las palabras de su padre con gran regocijo, maliciosamente.

Cuando la madre se siente especialmente amargada de la vida en Reunion Park, se lamenta de no haberse casado con Bob Breech. Él no se toma sus lamentaciones en serio. Pero al mismo tiempo no da crédito a sus oídos. Si ella se hubiera casado con Bob Breech, ¿dónde estaría él? ¿Quién sería? ¿Sería hijo de Bob Breech? ¿Sería el hijo de Bob Breech la misma persona que él?

Solo queda un testimonio tangible del Bob Breech auténtico. Se topa con él por casualidad en uno de los álbumes de su madre: una fotografía borrosa de dos jóvenes con pantalones blancos y chaquetas oscuras, de pie en una playa rodeando con un brazo el hombro del otro, con los ojos entornados por el sol. A uno de ellos lo conoce: es el padre de Juan. ¿Quién es el otro hombre?, le pregunta a su madre. Bob Breech, le responde. ¿Dónde está ahora? Se murió, dice ella.

Estudia con atención los rasgos del fallecido Bob Breech. No descubre nada de sí mismo en ellos.

No la interroga más. Pero escucha a las hermanas, suma dos y dos, y así se entera de que Bob Breech vino a Sudáfrica por motivos de salud; que al cabo de un año o dos se volvió a Inglaterra; que allí murió. Murió tísico, pero se insinúa que regresó con el corazón partido y que eso precipitó su declive: le partió el corazón una joven profesora de escuela de pelo oscuro, ojos oscuros y mirada cautelosa a la que conoció en Plettenberg Bay y que no quiso casarse con él.

Le encanta ojear los álbumes de su madre. No importa lo desdibujada que sea la fotografía, siempre la distingue a ella entre el grupo: la de la mirada huidiza, a la defensiva, en la cual se reconoce a sí mismo. Gracias a sus álbumes él sigue la vida de su madre en los años veinte y treinta: primero, las fotografías de equipo (hockey, tenis); luego, las de su viaje a Europa: Escocia, Noruega, Suiza y Alemania; Edimburgo, los fiordos, los Alpes y Bingen, a la orilla del Rin. Entre sus recuerdos guarda un lapicero de Bingen con una mirilla diminuta a un lado por la cual se ve una vista del castillo encaramado en lo alto de un acantilado.

A veces ojean el álbum juntos, él y ella. Ella suspira, dice que ojalá pudiera visitar Escocia otra vez, ver los brezos, las campánulas. Él piensa: Tuvo una vida antes de nacer yo, y esa vida vive todavía en ella. Se alegra, en cierto modo, por ella, porque ya no tiene una vida propia.

El mundo de su madre es bien distinto del mundo que muestra el álbum de su padre, donde sudafricanos con uniforme caqui posan ante las pirámides de Egipto o entre los escombros de ciudades italianas. Pero en este álbum se entretiene menos con las fotografías que con las fascinantes octavillas intercaladas entre estas, las octavillas que los aviones alemanes dejaban caer sobre las tropas aliadas. En una se explica a los soldados cómo provocarse fiebre (tomando sopa); otra muestra a una mujer atractiva sentada en las rodillas de un judío gordo y de nariz ganchuda, bebiendo una copa de champán. «¿Sabes dónde está tu mujer esta noche?», reza el pie de foto. Y después hay un águila de porcelana azul que su padre encontró entre las ruinas de una casa de Nápoles y que se trajo en su macuto, el águila del imperio que ahora está sobre la repisa de la chimenea del salón.

Él está orgullosísimo de que su padre participara en la guerra. Lo sorprende —y lo complace— descubrir que pocos de los padres de sus amigos lucharon en ella. De lo que no está seguro es de por qué su padre no llegó más que a cabo interino: disimuladamente se calla lo de «cabo» cuando les cuenta a sus amigos las aventuras de su padre. Pero guarda como un tesoro la fotografía, tomada en un estudio de El Cairo, de su guapo padre mirando por el cañón de un fusil, con un ojo cerrado, el pelo pulcramente peinado, la boina doblada, como dictaba la moda, bajo la charretera. Si lo dejaran, la pondría en la repisa de la chimenea también.

Su padre y su madre discrepan en lo que concierne a los alemanes. A su padre le gustan los italianos (no tenían el corazón puesto en la guerra, dice: todo lo que querían era rendirse y regresar a casa), pero odia a los alemanes. Cuenta la anécdota de un alemán al que dispararon mientras estaba acuclillado en el retrete. Unas veces es él quien dispara al alemán, otras veces es un amigo suyo; pero en ninguna de las versiones muestra compasión alguna, solo diversión ante la confusión del alemán tratando de levantar las manos y de subirse los pantalones a la vez.

Su madre sabe que no es buena idea elogiar a los alemanes de manera abierta; pero algunas veces, cuando el chico y su padre conspiran contra ella, olvida la discreción. «Los alemanes son la mejor gente del mundo —dice—. Fue ese horrible Hitler el que los llevó a tanto sufrimiento.»

El tío Norman no está de acuerdo. «Hitler logró que los alemanes se sintieran orgullosos de sí mismos», dice.

Su madre y Norman viajaron juntos por Europa en los años treinta: no solo por Noruega y las tierras altas de Escocia, sino también por Alemania, por la Alemania de Hitler. Sus dos familias —los Brecher y los Du Biel— proceden de Alemania, o al menos de Pomerania, que ahora está en Polonia. ¿Está bien ser de Pomerania? Él no está seguro.

«Los alemanes no querían luchar contra los sudafricanos —afirma Norman—. Les gustan los sudafricanos. De no haber sido por Smuts, nunca habríamos estado en guerra con Alemania. Smuts era un *skelm*, un criminal. Nos vendió a los británicos.»

Su padre y Norman no se caen bien. Cuando su padre quiere meterse con su madre, durante sus discusiones de madrugada en la cocina, se mofa del hermano, que no se enroló en el ejército, pero sí desfiló después en la Ossewabrandwag. «¡Eso es mentira!», replica ella enfadada. «Norman no estuvo en la Ossewabrandwag. Pregúntaselo tú mismo, él te lo dirá.»

Cuando le pregunta a su madre qué es la Ossewabrandwag, le dice que solo son tonterías, gente que desfiló por las calles con antorchas.

Los dedos de la mano derecha de Norman están amarillentos de la nicotina. Tiene una habitación en una pensión en Pretoria donde vive desde hace años. Se gana la vida vendiendo un folleto sobre ju-jitsu que él mismo ha escrito y que anuncia en las páginas clasificadas del *Pretoria News*. «Aprenda el arte japonés de defensa personal», reza el anuncio. «Seis sencillas lecciones.» La gente le envía pedidos postales de diez chelines y él les hace llegar el folleto: un folio doblado en cuatro, con dibujos de las distintas llaves. Cuando el ju-jitsu no le proporciona dinero suficiente, vende parcelas para una agencia inmobiliaria a comisión. Se queda siempre en la cama hasta el mediodía, bebiendo té y fumando y leyendo historias en *Argosy* y *Lilliput*. Por las tardes juega al tenis. En 1938, hace doce años, fue campeón en individuales de la Provincia Oriental. Todavía ambiciona jugar en Wimbledon, en dobles, si logra encontrar una pareja.

Al final de su visita, antes de volver a Pretoria, Norman lo aparta y desliza un billete marrón de diez chelines en el bolsillo de su camisa. «Para helados», le murmura; las mismas palabras todos los años. A él le gusta Norman no solo por el regalo —diez chelines es mucho dinero—, sino por acordarse, por no olvidarse nunca.

Su padre prefiere al otro hermano, a Lance, el profesor de colegio de Kingwilliamstown que sí se enroló. También está el tercer hermano, el mayor, el que perdió la granja, aunque nadie lo menciona salvo su madre. «Pobre Roland», susurra ella, meneando la cabeza. Roland se casó con una mujer que se hacía llamar Rosa Rakocka, hija de un conde polaco exiliado, pero cuyo nombre auténtico, según Norman, es Sophie Pretorius. Norman y Lance odian a Roland por lo de la granja, y lo desprecian porque Sophie hace con él lo que quiere. Roland y Sophie regentan una pensión en Ciudad del Cabo. Él fue allí una vez, con su madre. Sophie resultó ser una mujer grande y rubia que llevaba un salto de cama de seda a las cuatro de la tarde y fumaba los cigarrillos con boquilla. Roland era un hombre callado de cara triste, con la nariz roja y bulbosa debido al tratamiento de radio que le había curado el cáncer.

Le gusta cuando su padre y su madre y Norman se enzarzan en discusiones políticas. Le gustan el ardor y la pasión, las cosas imprudentes que dicen. Lo sorprende comprobar que sus opiniones coinciden con las de su padre, el último a quien querría ver ganar: que los ingleses eran buenos y los alemanes malos, que Smuts era bueno y los nacionalistas malos.

A su padre le gusta el Partido Unido, a su padre le gusta el críquet y el rugby, y aun así, a él no le gusta su padre. No entiende esta contradicción, pero tampoco tiene interés en comprenderla. Incluso antes de conocer a su padre, es decir, antes de que su padre volviera de la guerra, había decidido que no iba a gustarle. En cierto sentido, por tanto, se trata de una aversión abstracta: no quiere tener padre, o al menos no quiere un padre que viva en la misma casa que él.

Lo que más odia de su padre son sus hábitos personales. Los odia tanto que el mero hecho de pensar en ellos le hace estremecerse de asco: lo fuerte que se suena la nariz en el baño por las mañanas, el olor acre a jabón de afeitar que deja en el lavabo, junto con un cerco de espuma y pelos. Sobre todo odia cómo huele su padre. Pero, por otro lado, le gustan a su pesar las ropas elegantes de su padre, la bufanda castaña que se pone en lugar de la corbata los sábados por la mañana, su aspecto aseado, su vigor al andar, su pelo engominado. Él también se pone gomina para tener un tupé.

No le gusta ir al barbero, le desagrada tanto que incluso intenta, con resultados vergonzosos, cortarse él mismo el pelo. Los barberos de Worcester parecen haberse puesto de acuerdo en que los chicos tienen que llevar el pelo corto. Las sesiones empiezan del modo más brutal posible, con la maquinilla eléctrica rasurando el pelo de la nuca y de los lados, a lo que siguen unos tijeretazos implacables hasta que solo queda una mata de pelo cortada a cepillo y, con suerte, un mechón sobre la frente. Incluso antes de que la sesión acabe ya se siente morir de la vergüenza; paga el chelín y se va rápido a casa, temiendo el colegio al día siguiente, temiendo el ritual de burlas con que se recibe a todo chico recién pelado. Hay dos tipos de cortes de pelo: los correctos y los que se sufren en Worcester, cargados de la venganza de los barberos; no sabe dónde tiene que ir, qué tiene que hacer o decir, cuánto tiene que pagar para conseguir un corte de pelo en condiciones.

6

Aunque va al cine todos los sábados por la tarde, las películas ya no se apoderan de él como ocurría en Ciudad del Cabo, donde sufría pesadillas en las que era aplastado por un ascensor o se caía de los acantilados como los héroes de los seriales. No entiende por qué se supone que Errol Flynn, que tiene exactamente el mismo aspecto cuando interpreta a Robin Hood que cuando hace de Alí Babá, es un gran actor. Está harto de las persecuciones a caballo, que siempre son iguales. Los tres Stooges empiezan a parecerle tontos. Y es difícil creer en Tarzán cuando los hombres que hacen de Tarzán no paran de cambiar. La única película que le impresiona es una en la que Ingrid Bergman se mete en un vagón de tren infectado de viruela y muere. Ingrid Bergman es la actriz favorita de su madre. ¿Ocurren estas cosas en la vida? ¿Podría su madre morirse en cualquier momento tan solo por no leer un rótulo en una ventanilla?

También está la radio. Se ha hecho demasiado grande para «El Rincón de los Niños», pero es fiel a los seriales: Superman a las cinco en punto todos los días («¡Alto! ¡Alto y lejos!»), el mago Mandrake a las cinco y media. Su relato favorito es «El ganso de las nieves», de Paul Gallico, que la emisora A programa una y otra vez a petición popular. Es la historia de un ganso salvaje que guía las barcas desde las playas de Dunquerque a Dover. Él lo escucha con lágrimas en los ojos. Quiere ser algún día tan fiel como lo es el ganso de las nieves.

En la radio dan una versión adaptada de *La isla del tesoro*, un episodio de media hora a la semana. Él tiene su propio ejemplar de *La isla del tesoro*; pero lo leyó cuando era muy pequeño, y no entendió lo del ciego y la «mota negra», ni fue capaz de discernir si Long John Silver era bueno o malo. Ahora, después de cada episodio de la radio, tiene pesadillas con Long John como protagonista: de la muleta con la que mata a la gente, de la engañosa y sensiblera preocupación que muestra por Jim Hawkins. Desea que el caballero Trelawney mate a Long John en lugar de dejar que se vaya: está seguro de que volverá algún día con sus sanguinarios amotinados para vengarse, del mismo modo que vuelve en sus sueños.

La familia del Robinson suizo es mucho más agradable. Él tiene un bonito ejemplar del libro, con láminas a color. Le gusta sobre todo el dibujo del barco sobre el armazón de troncos bajo los árboles, el barco que la familia ha construido con herramientas rescatadas del naufragio para poder regresar a casa con todos sus animales, como en el arca de Noé. Es un deleite, como sumergirse en un baño de agua caliente, dejar atrás la isla del tesoro y entrar en el mundo de la familia Robinson. En la familia Robinson no hay hermanos malos ni piratas sanguinarios, todos trabajan juntos y felices bajo la guía del padre, fuerte y sabio (en los dibujos aparece con un gran torso y una larga barba castaña), que sabe desde el principio todo lo que hay que hacer para salvarlos. Lo único que le desconcierta es por qué motivo, si están tan cómodos y son tan felices en la isla, quieren abandonarla.

Tiene un tercer libro, *Scott en el Antártico*. El capitán Scott es uno de sus héroes indiscutidos: por eso le regalaron el libro. Trae fotografías, incluida una de Scott sentado y escribiendo en la tienda en la que más tarde moriría congelado. Mira las fotografías a menudo, pero no avanza demasiado en la lectura: es aburrido, no es un cuento. Solo le gusta el trozo sobre Titus Oates, el hombre con síntomas de congelación que, para no retrasar más a sus compañeros, se adentró en la noche, en la nieve y el hielo, y pereció a solas, sin causar trastornos. Espera ser algún día como Titus Oates.

Una vez al año el circo Boswell llega a Worcester. Todos los de su clase van; durante una semana antes se habla del circo y de nada más. Incluso los niños de color van, a su manera: merodean por los alrededores de la carpa durante horas, escuchando a la orquesta, espiando por las ranuras en la lona.

Planean ir la tarde del sábado, cuando su padre juega al críquet. Su madre lo convierte en una excursión para los tres. Pero en la taquilla escucha con asombro los elevados precios de los sábados por la tarde: dos chelines con seis para los niños, cinco para los adultos. No lleva dinero suficiente. Compra las entradas para él y su hermano. «Entrad, yo os espero aquí», dice. A él se le han quitado las ganas de entrar, pero ella insiste.

Dentro se entristece, no logra divertirse; sospecha que su hermano se siente igual. Cuando salen al final del espectáculo, ella sigue allí. No consigue desterrar un pensamiento durante muchos días: su madre esperando pacientemente bajo el sol tórrido del mes de diciembre y él sentado en la carpa del circo para que lo entretengan como a un rey. Le perturba el amor ciego, abrumador, por el que lo sacrifica todo, de su madre tanto por su hermano como por él, pero sobre todo por él. Querría que no lo quisiera tanto. Ella lo ama de forma absoluta, y por tanto él debe amarla con la misma entrega: esa es la lógica que ella le impone. Nunca podrá devolverle todo el amor que derrama sobre él. La idea de una vida lastrada por una deuda de amor lo frustra y lo enfurece hasta el punto de que decide no besarla más, hasta rehúsa que ella lo toque. Cuando la madre se da la vuelta en silencio, herida, él endurece su corazón deliberadamente contra ella, negándose a ceder.

A veces, cuando se siente amargada, su madre larga extensos discursos para sí misma, comparando su vida estéril de ama de casa con la vida que vivió antes de casarse, una vida que ella presenta como un continuo desfile de fiestas y picnics, de visitas de fin de semana a granjas, de tenis y golf y paseos con sus perros. Habla con esa voz queda y susurrante que solo los sibilinos aprecian: él en su habitación, y su hermano en la suya, aguzan los oídos para escuchar, y ella lo sabe. Esa es otra de las razones por las que su padre la llama bruja: porque habla para sí misma, haciendo conjuros.

La idílica vida en Victoria West viene avalada por las fotografías de los álbumes: su madre, junto a otras mujeres con largos vestidos blancos, de pie con sus raquetas de tenis en medio de lo que parece ser el *veld*; su madre rodeando con el brazo el cuello de un perro, un alsaciano.

—¿Este era tu perro? —le pregunta.

—Ese es Kim. Era el mejor, el perro más fiel que he tenido en mi vida.

—¿Qué le ocurrió?

—Comió carne envenenada que los granjeros habían puesto a los chacales. Murió en mis brazos.

Tiene los ojos llenos de lágrimas.

Después de que su padre haga aparición en el álbum dejan de salir perros. En su lugar, ve a la pareja de picnic con sus amigos de aquella época, o a su padre, con su elegante bigotito y su mirada presumida, reclinado en el capó de un coche negro antiguo. Luego empiezan las fotos de él, docenas de fotos, la primera el retrato de un bebé de cara inexpresiva y rechoncho en brazos de una mujer morena y de mirada intensa que lo muestra a la cámara.

En todas estas fotografías, incluso en las fotografías en las que está con el bebé, le choca lo niña que era su madre. Su edad es un misterio que no deja de intrigarle. Ella no se lo dirá, su padre hace como si no lo supiera, incluso los hermanos y las hermanas de ella parecen haber jurado guardar el secreto. Cuando ella sale de casa, él revuelve sin éxito los papeles del último cajón de la cómoda, buscando su certificado de nacimiento. Por algún comentario que a ella se le ha escapado sabe que es mayor que su padre, que nació en 1912; pero ¿cuánto más? Él decide que nació en 1910.

Eso significa que tenía treinta años cuando nació él y que ahora tiene cuarenta. «¡Tienes cuarenta!», le dice triunfante un día, mientras la observa de cerca buscando algún gesto que le demuestre que está en lo cierto. Ella le sonríe con misterio. «Tengo veintiocho», le dice.

Cumplen años el mismo día. Él nació en el día del cumpleaños de su madre. Eso significa, como ella le ha dicho, como le dice a todo el mundo, que él es un regalo de Dios.

Él no la llama madre, o mamá, sino Dinny. También su padre y su hermano la llaman así. ¿De dónde viene el apodo? Parece que nadie lo sabe; pero sus hermanos y hermanas la llaman Vera, así que no puede venir de la infancia. Ha de tener cuidado de no llamarla Dinny delante de extraños, como tiene que evitar llamar a sus tíos solo Norman y Ellen en lugar de tío Norman y tía Ellen. Pero decir tío y tía como un niño bueno, obediente y normal no es nada al lado de los circunloquios de los afrikáners. Los afrikáners no osan tutear a cualquiera que sea mayor que ellos. Él se burla de la forma de hablar de su padre: *Mammie moet 'n kombers oor Mammie se Knieë trek anders word Mammie koud.* Mami debe colocar una alfombra bajo las rodillas de mami, o mami cogerá frío. Le alivia no ser afrikáner y no tener que hablar así, como un esclavo fustigado.

Su madre decide que quiere un perro. Los alsacianos son los mejores —los más inteligentes, los más fieles—, pero no encuentran uno en venta. Así que optan por un cachorro mitad dóberman, mitad algo más. Él insiste en que quiere ponerle nombre. Le gustaría llamarlo Borzoi porque quiere que sea un perro ruso, pero ya que no es un borzoi de verdad le pone Cosaco. Nadie lo entiende. La gente cree que el nombre es *Kos-sak*, «bolsa de comida» en afrikáner, y les parece gracioso.

Cosaco resulta ser un perro desconcertante e indisciplinado, que merodea por la vecindad pisoteando jardines y persiguiendo a las gallinas. Un día el perro le sigue durante todo el trayecto hacia el colegio. Nada de lo que él haga lo aparta: cuando le grita y le tira piedras, el perro agacha las orejas, mete el rabo entre las patas y huye cabizbajo; pero tan pronto como él se monta en la bicicleta, el perro corre a grandes saltos tras él. Al final tiene que arrastrarlo por el collar hasta la casa, empujando la bicicleta con la otra mano. Llega a casa enrabiado y se niega en redondo a ir al colegio, porque se le ha hecho tarde.

Cosaco no es todavía un perro adulto cuando se come el polvo de vidrio que alguien ha puesto fuera para él. Su madre le administra enemas, para que el agua haga salir los pedazos de cristal, pero es en vano. Al tercer día, como el perro continúa tumbado, jadeando, y ni siquiera tiene fuerzas para lamerle la mano, la madre lo manda a la farmacia a comprar una medicina que le han recomendado. Él va corriendo y vuelve corriendo, pero llega demasiado tarde. Su madre tiene aspecto cansado y distante, ni siquiera toma el bote de sus manos.

Él ayuda a enterrar a Cosaco, envuelto en una manta, en la arcilla del fondo del jardín. Sobre la tumba erige una cruz en la que pintan el nombre «Cosaco». No desea tener otro perro. No si es así como han de morir.

Su padre juega al críquet en el equipo de Worcester. Eso debería significar otro triunfo para él, otro motivo de orgullo. Su padre es abogado, lo que es casi tan bueno como ser médico; fue soldado en la guerra; solía jugar al rugby en la liga de Ciudad del Cabo; juega al críquet. Pero en todos los casos hay algún detalle del que avergonzarse. Es abogado, pero ya no ejerce. Fue soldado, pero solo cabo interino. Jugaba al rugby, pero solo en segunda división, o quizá incluso en tercera, con los Gardens, y los Gardens son un chiste, siempre son los últimos en el campeonato. Y ahora juega al críquet, pero en el equipo de segunda división del Worcester, que nadie se molesta en seguir.

Su padre es lanzador, no bateador. Hay algún error en su modo de batear que fastidia sus golpes; además, aparta la mirada cuando lanza rápido. Su idea de batear se reduce a mover el bate hacia delante y, si la pelota se le resbala, dar una carrerita sosegada.

Está claro que el motivo de que su padre no sepa batear es que se crió en el Karoo, donde no se jugaba correctamente al críquet y no había manera de aprender. Lanzar es un asunto distinto. Se trata de un don: los lanzadores nacen, no se hacen.

Su padre lanza muy lento, sin lograr que la bola gire sobre sí misma. Algunas veces le marcan un seis; otras, viendo cómo la bola avanza lentamente hacia él, el bateador pierde la cabeza, se menea como un salvaje, y es boleado. Ese parece ser el método de su padre: paciencia, astucia.

El entrenador del equipo de Worcester es Johnny Wardle, que en los veranos del hemisferio norte juega al críquet para Inglaterra. Es una gran suerte que Johnny Wardle haya elegido venir aquí. Se dice que Wolf Heller ha mediado en el asunto, Wolf Heller y su dinero.

Él se sitúa junto a su padre detrás de la red de práctica y observa cómo le lanza Johnny Wardle al bateador del primer equipo. Se supone que Wardle, un hombre increíblemente menudo, de pelo pajizo (aunque no tenga mucho), es un lanzador lento, pero cuando corre y descarga la bola él se sorprende de lo rápido que va. El bateador situado en la raya juega la pelota con relativa facilidad, dándole un golpe suave para enviarla a la red. Lanza otro, y vuelve a llegarle el turno a Wardle. El bateador golpea con suavidad la pelota y la manda fuera otra vez. El bateador no va ganando, pero tampoco el lanzador.

Al final de la tarde se va a casa, decepcionado. Esperaba más de un choque entre el lanzador de Inglaterra y el bateador de Worcester. Esperaba presenciar un juego más misterioso, ver la pelota haciendo cosas raras en el aire y fuera del campo, suspendida y sumergiéndose y girando sobre sí misma, como se supone que consiguen los grandes lanzamientos lentos, según los libros de críquet que él lee. No se esperaba a un hombre bajito y parlanchín cuya única señal de distinción es que hace girar la bola tan rápido como él mismo cuando lanza lo más rápido que puede.

Del críquet espera más de lo que Johnny Wardle ofrece. El críquet tiene que ser como Horacio y los etruscos, o como Héctor y Aquiles. Si Héctor y Aquiles hubieran sido simplemente dos hombres que se enfrentaron con la espada, no tendrían ningún interés. Pero no son tan solo dos hombres: son héroes poderosos y sus nombres están rodeados de leyenda. Se alegra cuando, al final de la temporada, expulsan a Wardle del equipo inglés.

Naturalmente, Wardle lanza con una pelota de cuero. Él no está familiarizado con la pelota forrada de cuero: juega con sus amigos con lo que ellos llaman una pelota de corcho, fabricada de un material duro y gris a prueba de esas piedras que rasgan las puntadas de una de cuero hasta hacerlas trizas. De pie tras la red, observando a Wardle, escucha por primera vez el extraño silbido de la pelota de cuero que vuela hacia el bateador.

Le llega la primera oportunidad de jugar en un campo de críquet auténtico. Han organizado un partido entre dos equipos del colegio para el miércoles por la tarde. Críquet auténtico significa también jugar con estacas auténticas, en un campo de verdad, sin necesidad de pelear para conseguir un turno para batear.

Le toca batear. Con una espinillera en la pierna izquierda y cargado con el bate de su padre, que es demasiado pesado para él, camina hasta el centro. Se sorprende de lo grande que es el campo. Es un sitio magnífico y solitario: los espectadores están tan lejos que también podrían no existir.

Ocupa su puesto en la franja de tierra batida, sobre la esterilla verde, y espera que venga la pelota. Esto es el críquet. Se le llama juego, pero el chico lo siente como algo más real que su casa, más real incluso que el colegio. En este juego no hay simulacro, no hay piedad, no hay una segunda oportunidad. Esos otros chicos, cuyos nombres desconoce, están todos en su contra. Solo tienen un pensamiento en la cabeza: abreviar su placer. No sentirán ni una pizca de remordimiento cuando lo eliminen. En mitad de este enorme ruedo él está a prueba, uno contra once, sin nadie que le proteja.

Los jugadores de campo ocupan sus posiciones. Debe concentrarse, pero hay algo irritante que no deja de rondarle la cabeza: la paradoja de Zenón. Antes de que la flecha alcance el blanco debe haber recorrido la mitad del trayecto; antes de que alcance la mitad del trayecto debe haber recorrido un cuarto del trayecto; antes de que alcance un cuarto del trayecto... Desesperado, intenta dejar de pensar en ello; pero el hecho de saber que está intentando no pensar en ello acrecienta aún más si cabe su nerviosismo.

El lanzador corre hacia él. Él escucha con precisión el ruido sordo de los dos últimos pasos. Entonces hay un lapso en el que el único sonido que rompe el silencio es el inquietante susurro de la bola que desciende hacia él. ¿Es esto lo que está eligiendo cuando elige jugar al críquet: ser puesto a prueba una vez y otra hasta que falle, por una bola que va hacia él de modo impersonal, indiferente, sin piedad, buscando ansiosamente el resquicio de su defensa, y más rápido de lo que él se espera, demasiado rápido para que consiga aclarar la confusión de su espíritu, ordenar sus pensamientos, decidir qué es conveniente hacer? Y en medio de este pensamiento, en medio de este lío, le llega la bola.

Consigue dos puntos, bateando en un estado de desorden primero y de pesimismo después. Sale del juego comprendiendo menos que nunca el estilo despreocupado con el que juega Johnny Wardle, charlando y bromeando todo el rato. ¿Son todos los legendarios jugadores ingleses así: Len Hutton, Alec Bedser, Denis Compton, Cyril Washbrook? No lo cree. Para él, solo se puede jugar al críquet de verdad en silencio, en silencio y con temor, con el corazón latiéndote en el pecho y la boca seca.

El críquet no es un juego. Es la verdad de la vida. Si es, como dicen los libros, una prueba de carácter, es una prueba que no ve forma de pasar ni de esquivar. El secreto que consigue ocultar en todas partes queda al descubierto de forma despiadada en el terreno de juego. «Déjanos ver de lo que estás hecho», dice la bola mientras silba y desciende en el aire hacia él. Ciegamente, de forma confusa, empuja el bate hacia delante, demasiado tarde o demasiado pronto. La bola pasa junto al bate, junto a la espinillera, y sigue su camino. Lo han eliminado, no ha pasado la prueba, lo han descubierto, no puede hacer otra cosa que tragarse las lágrimas, cubrirse la cara y caminar trabajosamente hacia la conmiseración, hacia los aplausos aprendidos en la escuela del resto de los chicos.

7

En su bicicleta está el escudo del British Small Arms con los dos fusiles cruzados y la etiqueta «Smiths-BSA». Se compró la bicicleta de segunda mano por cinco libras, con el dinero de su octavo cumpleaños. Es la cosa más sólida de su vida. Cuando otros chicos alardean de que tienen Raleighs, él les replica que tiene una Smiths. «¿Smiths? Nunca he oído hablar de esa marca», dicen.

No hay nada comparable a la viva alegría de montar en bicicleta, de doblarse sobre el manillar y apurar las curvas. Va todas las mañanas al colegio en su Smiths: primero recorre los ochocientos metros que hay desde Reunion Park hasta el cruce del tren, después el kilómetro y medio de la tranquila carretera que bordea la línea de ferrocarril. Las mañanas de verano son las mejores. El agua murmura en los surcos del borde del camino, las palomas se arrullan en los eucaliptos; de vez en cuando hay un remolino de aire caliente que alerta del viento que soplará más tarde, y que ahora levanta polvaredas de arcilla rojiza ante él.

En invierno tiene que partir hacia el colegio cuando todavía está oscuro. Con el faro proyectando un halo de luz ante él, conduce entre la niebla, desafiando su suavidad aterciopelada, inspirándola, espirándola, sin oír otra cosa que el suave susurro de las ruedas. Algunas mañanas el metal del manillar está tan frío que sus manos desnudas se le quedan pegadas.

Intenta llegar al colegio temprano. Le encanta tener la clase para él, pulular entre los asientos vacíos, subirse, furtivamente la tarima del profesor. Pero nunca llega el primero al colegio: hay dos hermanos que vienen de De Doorns, cuyo padre trabaja en los ferrocarriles, y que llegan a las seis de la mañana en tren. Son pobres, tan pobres que no tienen jerséis ni chaquetas ni zapatos. Hay algunos chicos igual de pobres, especialmente en las clases de los afrikáners. Incluso en las heladas mañanas de invierno van al colegio con finas camisetas de algodón y pantalones cortos de sarga; les vienen tan estrechos que sus delgados muslos apenas si caben en las perneras. En sus piernas bronceadas el frío deja parches tan blancos como la tiza; se soplan en las manos y dan saltos; siempre tienen mocos.

En una ocasión se produce un brote de tiña, y afeitan la cabeza de los hermanos procedentes de De Doorns. Él ve claramente en sus cráneos las espirales de la tiña; su madre le advierte que no se trate con ellos.

Prefiere los pantalones cortos estrechos a los anchos. La ropa que le compra su madre siempre le queda demasiado grande. Le gusta ver las piernas delgadas, lisas y morenas dentro de pantalones cortos ajustados. Lo que más le gusta son las piernas bronceadas del color de la miel de los chicos rubios. Se sorprende al comprobar que los chicos más guapos están en la clase de los afrikáners, al igual que los más feos, los que tienen las piernas velludas y la nuez de la garganta pronunciada y pústulas en la cara. Encuentra a los niños afrikáners muy parecidos a los niños de color: crecen medio salvajes, descuidados y nada mimados, y de repente, a cierta edad, se malean, y la belleza se muere en su interior.

Belleza y deseo: le inquietan las sensaciones que las piernas de esos chicos, lisas, perfectas e inexpresivas, provocan en él. ¿Qué más se puede hacer con las piernas aparte de devorarlas con los ojos? ¿Para qué sirve el deseo?

Las esculturas desnudas de la *Enciclopedia de los niños* le afectan del mismo modo: Dafne perseguida por Apolo; Perséfone raptada por Plutón. Es una cuestión de forma, de la perfección de las formas. Él idealiza el cuerpo humano perfecto. Cuando ve que esa perfección se manifiesta en el mármol blanco, algo se estremece en su interior; un abismo se abre; él está a punto de caer.

De todos los secretos que lo separan de los demás, puede que al final este sea el peor. Entre todos esos chicos él es el único por el que fluye esa corriente de oscuro erotismo; entre toda esa inocencia y normalidad, él es el único que tiene deseos.

Aun así, el lenguaje de los chicos afrikáners es soez a más no poder. Dominan una variedad de tacos muy superior a la suya, relacionados con *fok* (follar) y con *piel* (polla) y con *poes* (coño), palabras que le turban por su contundencia monosilábica. ¿Cómo se escriben? Hasta que no sepa escribirlas no tendrá forma de fijarlas en su memoria. ¿*Fok* se escribe con «v», lo que haría de ella una palabra más respetable, o con «f», lo que la convertiría en una palabra salvaje de verdad, primaria, sin ancestros? El diccionario no aclara nada, las palabras no están allí, ninguna.

Después están *gat* y *poep-hol* y palabras así, que los muchachos intercambian en rachas de insultos y cuya fuerza está lejos de comprender. ¿Por qué juntar la parte trasera del cuerpo con la frontal? ¿Qué tienen que ver las palabras que incluyen *gat*, tan fuertes, guturales y negras, con el sexo, con su dulce e incitante «s» y la misteriosa «x» casi al final? Por repugnancia, cierra su mente a las palabras que se refieren al trasero, pero continúa intentando averiguar el significado de *effies* y de *FLs*, cosas que nunca ha visto pero que forman parte, de alguna forma, del comercio entre chicos y chicas en el instituto.

Pero tampoco es un ignorante. Sabe cómo nacen los bebés. Salen pulcros, limpios y blancos del trasero de las madres. Así se lo contó su madre hace años, cuando era pequeño. La cree sin ponerla en duda: es un orgullo para él que le contara tan pronto la verdad sobre los bebés, cuando a otros niños se les engañaba con mentiras. Es una señal más de la cultura de su madre, de la cultura de toda su familia. Su primo Juan, que tiene un año menos que él, también sabe la verdad. Sin embargo, su padre se pone nervioso y refunfuña cuando se charla sobre los bebés y de dónde salen; lo que tan solo viene a confirmarle una vez más lo ignorante que es la familia de su padre.

Sus amigos defienden una versión distinta de la historia: que los bebés salen de otro agujero.

En teoría sabe que hay otro agujero, en el que entra el pene y por el que sale la orina. Pero no tiene sentido que el bebé salga por ese agujero. El bebé, después de todo, se forma en el estómago. De modo que lo más sensato es que el bebé salga por el trasero.

Por tanto, él apuesta por el trasero en las discusiones, mientras que sus amigos defienden el otro agujero, el *poes*. Él está completamente convencido de que lleva razón. Es parte de la confianza que se profesan su madre y él.

8

Él y su madre están cruzando un erial público cerca de la estación de ferrocarril. Va con ella pero a distancia, sin cogerle la mano. Como siempre, va vestido de gris: jersey gris, pantalones cortos grises, calcetines grises. En la cabeza lleva una gorra azul marino con el emblema del Colegio de Chicos de Primaria de Worcester: la cumbre de una montaña rodeada de estrellas, con el lema PER ASPERA AD ASTRA.

Es tan solo un chico que camina junto a su madre: desde fuera, seguramente parece bastante normal. Pero él se ve a sí mismo como a un escarabajo que corretea alrededor de ella, que corretea en círculos muy cerrados, con la nariz pegada a la tierra y moviendo rápidamente los brazos y las piernas de arriba abajo. En realidad, no le parece que ninguna parte de su cuerpo esté en calma. Su mente, sobre todo, se dispara constantemente, impaciente, como si tuviera voluntad propia.

Aquí es donde una vez al año plantan la carpa del circo e instalan las jaulas donde los leones dormitan entre la olorosa paja. Pero hoy tan solo es una mancha de arcilla rojiza compacta como una roca, donde la hierba no crece.

Hay más gente, otros que pasean por allí en esta mañana resplandeciente y calurosa de sábado. Uno de ellos es un chico de su edad que corre por la plaza cerca de ellos. Tan pronto como lo ve, sabe que ese chico será importante para él, de una importancia inmensa, no por ser quien es (puede que no vuelva a verlo), sino por los pensamientos que le cruzan la cabeza, que brotan de él como un enjambre de abejas.

El muchacho no tiene nada de especial. Es de color, pero hay gente de color por todas partes. Lleva unos pantalones cortísimos que se ciñen a sus nalgas perfectas y dejan al descubierto sus delgados muslos del color de la arcilla oscura casi por entero. Va descalzo; seguro que tiene las plantas de los pies tan duras que si andara sobre un *duwweltjie*, un campo de espinas, apenas cambiaría el paso y se agacharía después para quitárselas con las manos.

Hay cientos de chicos como él, miles, y también miles de chicas con vestidos cortos que dejan ver sus delgadas piernas. Le encantaría tener unas piernas tan bonitas como las suyas. Con unas piernas así flotaría sobre la tierra como hace ese chico, sin apenas tocarla.

El muchacho pasa a unos tres metros de ellos. Está absorto en sus cosas, no los mira. Su cuerpo es perfecto e inmaculado, como si hubiera roto la cáscara la víspera. ¿Por qué los niños así, los chicos y las chicas a los que no obligan a ir al colegio, que son libres para escapar lejos de la mirada vigilante de los padres, con cuerpos que les pertenecen para hacer con ellos lo que quieran... por qué no se unen en un banquete de deleite sexual? ¿Es porque son demasiado inocentes para conocer los placeres que están a su alcance, porque solo las almas oscuras y culpables conocen secretos de esa índole?

Así es como funciona siempre el interrogatorio. Al principio puede ser errático, pero al final, irremediablemente, se da la vuelta y se condensa en una sola pregunta que lo señala con un dedo. Siempre es él quien pone en marcha el tren del pensamiento; siempre es el pensamiento el que escapa de su control y regresa para acusarle. La belleza es la inocencia; la inocencia es la ignorancia; la ignorancia es la ignorancia del placer; el placer es culpable; él es culpable. Ese muchacho, con su cuerpo nuevo, intacto, es inocente, pero él, gobernado por sus oscuros deseos, es culpable. De hecho, tras esta larga sucesión de deducciones ha llegado a la palabra «perversión», con su estremecimiento oscuro y su compleja emoción, que comienza con la enigmática «p» que puede significar cualquier cosa, repentinamente sustituida por la implacable «r» y la vengativa «v». No una sola acusación, sino dos. Las dos acusaciones se cruzan, y él está en el punto de intersección, en su punto de mira. Porque quien sostiene la acusación para cargarla sobre él hoy no es solo grácil como un ciervo e inocente, mientras que él es oscuro y pesado y culpable: también es de color, lo que significa que no tiene dinero, vive en una oscura casucha, pasa hambre; lo que significa que si su madre lo llamara —«¡Chico!»— y agitase el brazo, como indudablemente es capaz de hacer, este chico tendría que detenerse y acercarse y hacer lo que ella le dijera que hiciese (cargar con su bolsa de la compra, por ejemplo), para al final ver cómo cae una moneda en sus manos y mostrarse agradecido. Y si él se enfadara con su madre después, ella tan solo le sonreiría y diría: «¡Pero si están acostumbrados!».

Así que este chico que sin saberlo ha reservado toda su vida a la senda de la naturaleza y la inocencia, que es pobre y por lo tanto es bueno, como siempre son los pobres en los cuentos de hadas; que es escurridizo como una anguila y rápido como una liebre y que le derrotaría con facilidad en cualquier concurso de velocidad o de habilidad manual, este chico, que es un reproche viviente contra él, sin embargo está sometido a él por motivos que le avergüenzan tanto que tiene que retorcer y menear los hombros y no puede seguir mirándolo, a pesar de su belleza.

Aun así, no puede rechazarlo. Se puede rechazar a los nativos, quizá, pero no se puede rechazar a la gente de color. A los nativos se les puede vituperar porque son recién llegados, son invasores del norte que no tienen derecho a estar aquí. La mayoría de los nativos que se ven por Worcester son hombres vestidos con abrigos viejos del ejército, que fuman en pipas ganchudas y viven en chabolas de hierro ondulado con forma de tiendas de campaña a lo largo de la línea de ferrocarril; hombres de una fuerza y una paciencia legendarias. Los han traído aquí porque no beben, como hacen los hombres de color, y porque pueden hacer trabajos duros bajo el sol ardiente donde los hombres de color, más débiles y volátiles, se desmayarían. Son hombres sin mujeres, sin niños, que llegan de ninguna parte y a los que se puede hacer regresar a ninguna parte.

Pero contra los de color no disponen de los mismos recursos. Los de color fueron engendrados por los blancos, por Jan van Riebeeck, a partir de los hotentotes: eso está bastante claro, incluso en el lenguaje velado de sus libros de historia del colegio. Si se mira de un modo amargo es aún peor. Porque en Boland la gente que se dice de color no son los tataranietos de Jan van Riebeeck ni de ningún otro holandés. Él es bastante experto en fisonomía, lo ha sido desde que tiene memoria, como para saber que no tienen ni una gota de sangre blanca. Son hotentotes, puros e incorruptos. No es solo que vengan de la tierra: la tierra viene con ellos, es suya, siempre lo ha sido.

9

Una de las ventajas de Worcester, una de las razones, según su padre, por las que es mejor vivir aquí que en Ciudad del Cabo, es que hacer la compra resulta mucho más fácil. Reparten la leche todas las mañanas antes de que amanezca; solo hay que coger el teléfono y, una o dos horas más tarde, el hombre de Schochat's estará en la puerta con la carne y los comestibles. Es tan sencillo como eso.

El hombre de Schochat's, el muchacho de los recados, es un nativo que solo habla unas cuantas palabras de afrikaans y nada de inglés. Viste una camisa blanca limpia, una corbata de lazo, zapatos de dos colores y un gorro de polizonte. Se llama Josias. Sus padres le desaprueban porque es uno de esos chicos irreflexivos de la nueva generación de nativos que se gastan todo el dinero de su sueldo en ropa de moda y se desentienden del futuro.

Cuando su madre no está en casa, el chico y su hermano reciben el pedido de manos de Josias, colocan los comestibles en la estantería de la cocina y la carne en el frigorífico. Si hay leche condensada, se la apropian como un botín. Abren agujeros en la lata y se turnan para sorber hasta que no quede ni gota. Cuando vuelve su madre fingen como si no hubieran traído la leche condensada, o como si Josias la hubiera robado.

Él no está seguro de que ella crea la mentira que le cuentan. Pero no es un engaño del que se sienta especialmente culpable.

Los vecinos del lado este se llaman Wynstra. Tienen tres hijos, uno mayor patizambo que se llama Gysbert y las gemelas Eben y Ezer, aún muy pequeñas para ir al colegio. Él y su hermano se ríen de Gysbert Wynstra por su extraño nombre y por la forma afeminada y desvalida que tiene de correr. Resuelven que es un idiota, un deficiente mental, y le declaran la guerra. Una tarde cogen la media docena de huevos que ha traído el chico de Schochat's, los arrojan al tejado de la casa de los Wynstra y se esconden. Los Wynstra no salen, pero, a medida que el sol los seca, los huevos aplastados se convierten en unas feas manchas amarillentas.

El placer de lanzar un huevo, mucho más pequeño y ligero que una bola de críquet, de verlo volar por el aire, más y más lejos, de escuchar el suave crujido de su impacto, permanece con él durante mucho tiempo. Aun así, su placer está teñido de culpa. ¿Con qué derecho utiliza él los huevos como juguetes? ¿Qué diría el chico de Schochat's si descubriera que han estado tirando los huevos que él ha traído en bicicleta desde la ciudad? Tiene la impresión de que el muchacho de Schochat's, que en realidad no es ningún muchacho sino un hombre bien crecido, no está tan absorto en su propia imagen, con su gorro de polizonte y su corbata de lazo, como para quedarse indiferente. Tiene la impresión de que lo recriminaría con dureza y sin dudarlo. «¿Cómo podéis hacer eso cuando hay tantos niños que pasan hambre?», les diría en su mal afrikaans; y no obtendría una respuesta. Quizá existe algún sitio en el mundo donde se pueden lanzar huevos (en Inglaterra, por ejemplo, sabe que le tiran huevos a la gente en los almacenes); pero en este país hay jueces que juzgarán con criterios de rectitud. En este país no se puede ser descuidado con la comida.

Josias es el cuarto nativo que conoce en su vida. El primero, del que tiene el vago recuerdo de que llevaba puesto un pijama azul durante todo el día, era el muchacho que solía fregar las escaleras del edificio de pisos en el que vivían en Johannesburgo. La segunda fue Fiela, en Plettenberg Bay, que les hacía la colada. Fiela era muy negra y muy vieja y desdentada y hacía largos discursos sobre el pasado en un inglés bello y ondulante. Procedía de Santa Helena, contaba ella, y había sido esclava. Al tercero también lo conoció en Plettenberg Bay. Acababa de haber una gran tormenta; un barco se había hundido; el viento, que había soplado durante días y noches, estaba empezando a cesar. Su madre, su hermano y él estaban en la playa examinando los montones de restos del naufragio y algas marinas en la arena, cuando un viejo de barba gris, con alzacuello y un paraguas se acercó a ellos. «El hombre construye grandes barcos de hierro —les dijo el viejo—, pero el mar es más fuerte. El mar es más fuerte que cualquier cosa que el hombre pueda construir.»

Cuando se quedaron solos de nuevo, su madre dijo: «Debéis recordar lo que ha dicho. Era un anciano sabio». Es la única vez que recuerda haberla oído decir la palabra sabio; en realidad es la única vez que recuerda haber oído a alguien usar esa palabra fuera de los libros. Pero no es solo la palabra anticuada lo que le impresiona. Es posible respetar a los nativos: eso es lo que ella está diciendo. Y es un gran alivio escucharlo, que lo haya confirmado.

En los cuentos que han dejado una huella más profunda en él, es el tercer hermano, el más humilde y el más ridiculizado, quien, después de que el primero y el segundo hayan pasado de largo con desdén, ayuda a la mujer vieja a acarrear su pesada carga o quita las espinas de las zarpas del león. El tercer hermano es amable, honesto y valiente mientras que el primero y el segundo son jactanciosos, arrogantes y egoístas. Al final del cuento coronan príncipe al tercer hermano, mientras que el primero y el segundo son deshonrados y despedidos con cajas destempladas.

Hay gente blanca y gente de color y nativos; estos últimos son los más bajos y los más ridiculizados. El paralelismo con el cuento salta a la vista: los nativos son el tercer hermano.

En el colegio enseñan la historia de Jan Van Riebeeck, de Simon Van der Stel, de lord Charles Somerset y de Piet Retief una vez y otra, año tras año. Después de Piet Retief vienen las guerras de los cafres, cuando los cafres desbordaron las fronteras de la colonia y tuvieron que ser conducidos de vuelta; pero las guerras de los cafres son tantas y tan confusas y tan difíciles de diferenciar que no les exigen aprendérselas para los exámenes.

Aunque en los exámenes responde correctamente las preguntas de historia, no sabe por qué Jan Van Riebeeck y Simon Van der Stel fueron tan buenos, y lord Charles Somerset tan malo. No logra encontrar una respuesta que le satisfaga. Tampoco le gustan los jefes del Gran Trek, la gran migración de los bóers, como se supone que deberían gustarle, con la excepción quizá de Piet Retief, al que asesinaron después de que Dingaan le engañara para que no llevara la pistola en el cinturón. Andries Pretorius y Gerrit Maritz y los otros le recuerdan a los profesores del instituto o a los afrikáners de la radio: coléricos, tercos, cargados de amenazas y de palabrería acerca de Dios.

No llegan a la guerra de los bóers en el colegio, al menos no en las clases inglesas de educación básica. Hay rumores de que la guerra de los bóers se enseña en las clases de los afrikáners con el nombre de Tweede Vryheidsoorlog, la segunda guerra de liberación, pero sin que entre en examen. Como es un tema delicado, la guerra de los bóers no está oficialmente en el programa. Ni siquiera sus padres hablan de la guerra de los bóers, de quién tenía razón y de quién no. Sin embargo, su madre repite una historia sobre la guerra de los bóers que le contó su propia madre. Cuando los bóers llegaron a su granja, contaba su abuela, pidieron comida y dinero y esperaban ser servidos. Cuando llegaron los soldados británicos, durmieron en el establo, no robaron nada, y antes de irse agradecieron cortésmente su hospitalidad.

Los británicos, con sus generales arrogantes y altaneros, son los villanos de la guerra de los bóers. Y encima son estúpidos, por llevar uniforme rojo que los convertía en un blanco fácil de los tiradores bóers. En los cuentos de la guerra se supone que hay que estar de parte de los bóers, que lucharon por su libertad contra el poderío del imperio británico. Sin embargo, él prefiere que no le gusten los bóers, no solo por sus largas barbas y sus ropas feas, sino por agazaparse entre las rocas y disparar emboscados, y que le gusten los británicos, por marchar hacia la muerte al son de las gaitas.

En Worcester los ingleses son una minoría, en Reunion Park una minoría insignificante. Excepto él y su hermano, que son ingleses solo en parte, hay solo dos chicos completamente ingleses: Rob Hart y un chico pequeño y extraño llamado Billy Smith cuyo padre trabaja en los ferrocarriles y que tiene una enfermedad que hace que su piel se desprenda en escamas (su madre le prohíbe tocar a todos los niños Smith).

Cuando deja caer que a Rob Hart lo azota la señorita Oosthuizen, sus padres parecen saber de antemano por qué. La señorita Oosthuizen es del clan de los Oosthuizen, que son nacionalistas; el padre de Rob Hart, que tiene una ferretería, fue concejal de la ciudad por el Partido Unido hasta las elecciones de 1948.

Sus padres sacuden la cabeza cuando se habla de la señorita Oosthuizen. La ven nerviosa, inestable; no les hace gracia su pelo teñido con alheña. Con Smuts, dice su padre, se habrían tomado medidas con una profesora que mezcla la política con la enseñanza. Su padre también es del Partido Unido. De hecho, su padre perdió su trabajo en Ciudad del Cabo, el trabajo que tenía un nombre del que su madre estaba tan orgullosa —«interventor de alquileres»—, cuando Malan venció a Smuts en 1948. Por culpa de Malan tuvieron que dejar la casa de Rosebank, que aún añora, la casa con el gran jardín exuberante y el mirador con el tejado en forma de cúpula y los dos sótanos. Por su culpa tuvo que dejar el colegio de Rosebank y a sus amigos de Rosebank, y venirse aquí, a Worcester. En Ciudad del Cabo su padre solía irse a trabajar por la mañana con un elegante traje cruzado y una cartera de piel. Cuando los otros niños le preguntaban qué hacía su padre, él podía responder: «Es interventor de alquileres», y todos guardaban un silencio respetuoso. En Worcester, el trabajo de su padre carece de nombre. «Mi padre trabaja para Standard Canners», tiene que decir. «Pero ¿qué hace?» «Está en las oficinas, lleva los libros», contesta sin convicción. No tiene ni idea de lo que significa «llevar los libros».

Standard Canners produce melocotones Alberta en conserva, peras Barlett en conserva y albaricoques en conserva. Standard Canners envasa más melocotones que ningún otro envasador del país: eso es lo único por lo que se la conoce.

A pesar de la derrota de 1948 y de la muerte del general Smuts, su padre sigue siendo fiel al Partido Unido: fiel, aunque sea pesimista. El abogado Strauss, el nuevo líder del Partido Unido, solo es una pálida sombra de Smuts; con Strauss, el Partido Unido no tiene esperanzas de ganar las próximas elecciones. Además, los nacionalistas se están asegurando la victoria trazando de nuevo las fronteras de los distritos electorales para favorecer a sus partidarios en el *platteland*, en el campo.

—¿Por qué no hacen nada contra eso? —le pregunta a su padre.

—¿Quién? —dice su padre—. ¿Quién puede pararlos? Pueden hacer lo que les venga en gana, ahora están en el poder.

Él no ve qué sentido tienen las elecciones si el partido que gana puede cambiar las reglas. Es como si el bateador decidiera quién lanza y quién no.

Su padre conecta la radio a la hora de las noticias, pero en realidad solo escucha los resultados: los resultados del críquet en verano y los del rugby en invierno.

Antes de que los nacionalistas se hicieran con el poder, el boletín de noticias era emitido desde Inglaterra. Primero venía el «Dios salve al rey», después los seis pitidos de Greenwich, después el locutor decía: «Desde Londres, las noticias», y leía noticias del mundo entero. Ahora todo eso ha terminado. «Desde la Corporación Sudafricana de Radiodifusión», dice el locutor, y pone un largo recital de lo que el doctor Malan ha dicho en el parlamento.

Lo que más detesta de Worcester, lo que le hace tener más ganas de huir de allí, es la rabia y el resentimiento que él siente que está naciendo entre los chicos afrikáners. Teme y aborrece a los grandes chicos afrikáners de pies descalzos, con sus pantalones cortos y estrechos, y sobre todo a los mayores que, si tienen la menor ocasión, te llevan a un lugar apartado del *veld* y te atacan; ¿de qué manera?, ha oído alusiones por lo bajo: *borsel*, por ejemplo, que te cepillen. Por lo que él ha podido averiguar hasta ahora, que te cepillen quiere decir que te bajan los calzones y te untan betún en los huevos (pero ¿por qué en los huevos?, ¿por qué betún?), y te dejan en la calle medio desnudo y lloriqueando.

Los chicos afrikáners comparten un saber, extendido por los estudiantes de magisterio que visitan las escuelas, y que está relacionado con la iniciación y con lo que ocurre durante ella. Los afrikáners cuchichean al respecto con tanta excitación como lo hacen acerca de los castigos con la vara. Lo que llega a sus oídos le repugna: pulular en pañales, por ejemplo, o beber orina. Si eso es lo que hay que hacer para convertirse en profesor, prefiere renunciar a serlo.

Se rumorea que el gobierno va a ordenar que se traslade a las clases de afrikáners a los escolares que tengan apellido afrikáner. Sus padres lo comentan en voz baja; es obvio que están preocupados. En cuanto a él, siente pánico solo de pensar que tiene que irse a una clase de afrikáners. Le dice a su padre que no obedecerá. Se negará a ir al colegio. Ellos tratan de calmarlo. «No pasará nada —le dicen—. Solo son rumores. Pasarán años antes de que hagan algo así.» No logran tranquilizarlo.

Se entera de que serán los inspectores del colegio los que se ocupen de sacar a los falsos ingleses de las clases inglesas. Vive temiendo el día en que el inspector llegue, deslice el dedo por la lista, diga su nombre en voz alta y le pida que recoja sus libros. Ha trazado cuidadosamente un plan para ese día. Recogerá sus libros y saldrá de clase sin protestar. Pero no irá a la clase de los afrikáners. Caminará tranquilamente, para no llamar la atención, hasta el cobertizo de las bicicletas, sacará la suya y pedaleará a casa tan rápido que nadie lo podrá atrapar. Cuando llegue cerrará la puerta de la casa con llave y le dirá a su madre que no piensa volver al colegio y que si ella lo traiciona, se suicidará.

Tiene una imagen del doctor Malan grabada en la mente. La cara redonda y lampiña del doctor Malan, sin rasgos de comprensión o de piedad. Le late la garganta como si fuera la de una rana. Tiene los labios fruncidos.

No ha olvidado lo que hizo el doctor Malan en 1948: prohibir todos los cómics del Capitán América y de Supermán, permitiendo pasar por la aduana únicamente los cómics protagonizados por animales, cómics destinados a impedir que dejes de ser un bebé.

Piensa en las canciones afrikáners que les obligan a cantar en el colegio. Ha llegado a odiarlas tanto que le entran ganas de gritar y de chillar y de tirarse pedos durante el canto, especialmente con la canción «Kom ons gaan blomme pluk», «Vamos a coger flores», con sus niños retozando por el campo entre pájaros cantores e insectos joviales.

Una mañana de sábado, él y dos amigos se dirigen en bicicleta a las afueras de Worcester y siguen, por la carretera de De Doorns. Durante media hora no ven ni rastro de presencia humana. Dejan la bicicleta en el arcén y se lanzan a las colinas. Encuentran una cueva, encienden un fuego y se comen los bocadillos que han traído. De repente aparece un chico afrikáner con pantalones cortos caquis, enorme y agresivo.

—*Wie het julle toestemming gegge?* (¿Quién os ha dado permiso?)

Se quedan mudos. Una cueva: ¿necesitan permiso para estar en una cueva? Tratan de inventar alguna mentira, pero no sirve de nada. «Julle sal hier moet bly totdat my pa kom», anuncia el chico. Tendréis que esperar aquí hasta que venga mi padre. Menciona una *lat*, una *strop*: una caña, una correa; les van a dar una lección.

El temor lo aturde. Aquí fuera, en el *veld*, sin nadie a quien pedir ayuda, les van a dar una paliza. No encuentra ninguna razón para rebelarse. Porque la verdad es que son culpables, él más que ningún otro. Él fue quien aseguró a los otros, cuando saltaron la cerca, que no podía ser ninguna granja, que solo era el *veld*, el campo abierto. Él es el cabecilla, la idea fue suya desde el principio, no se le puede echar la culpa a nadie más.

El granjero llega con su perro, un alsaciano de ojos amarillos y mirada astuta. De nuevo las preguntas, esta vez en inglés, preguntas sin respuesta. ¿Con qué derecho están aquí? ¿Por qué no pidieron permiso? De nuevo han de pasar por la defensa estúpida, patética: no sabían, pensaban que solo era el *veld*. Se jura a sí mismo que nunca volverá a cometer un error así, nunca volverá a ser tan estúpido como para saltar una cerca y pensar que se saldrá con la suya. «¡Estúpido! —se dice—. ¡Estúpido, estúpido, estúpido!»

El granjero no lleva ni *lap* ni correa ni látigo. «Es vuestro día de suerte», dice. Permanecen clavados, sin comprender. «Idos.»

Bajan la colina con torpeza hasta el arcén donde les esperan las bicicletas, cuidándose de echar a correr por miedo a que el perro los persiga gruñendo y babeando. No pueden decir nada para compensar lo ocurrido. Los afrikáners ni siquiera se han portado mal. Son ellos los que han perdido.

10

Temprano, a primera hora de la mañana, hay niños de color que corren por la carretera nacional con estuches y libros de ejercicios, algunos incluso con carteras a la espalda, de camino al colegio. Pero son niños pequeños, muy pequeños: cuando hayan alcanzado su edad, diez u once años, tendrán que dejar el colegio y salir al mundo para ganarse el pan de cada día.

En su cumpleaños, en lugar de hacerle una fiesta, le dan diez chelines para que convide a sus amigos. Invita a sus tres mejores amigos al café Globe; se sientan a una mesa alta de mármol y piden banana split y helado de crema bañado en chocolate. Se siente como un príncipe, dispensando placer; la ocasión sería memorable del todo si no la estropearan los niños de color andrajosos que se pegan a la ventana para observarlos.

En las caras de estos niños él no percibe el odio que, lo admite, él y sus amigos merecen por tener tanto dinero mientras que ellos no tienen ni un penique. Por el contrario, son como los niños que van al circo y se tragan el espectáculo completamente absortos, sin perderse nada.

Si fuera otra persona, le pediría al propietario del Globe, un portugués con el pelo engominado, que los echara. Es muy común expulsar a los niños mendigos. Solo hay que arrugar la cara, fruncir el ceño y agitar los brazos gritando «Voetsek, hotnot! Loop! Loop!» (¡Fuera, negros! ¡Idos! ¡Marchaos!), y después volverse a cualquiera que esté mirando, amigo o extraño, y explicar: «Hulle soek net iets om te steel. Hulle is almal skelms» (Solo quieren robar. Son todos unos ladrones). Pero si se levantara para hablar con el portugués, ¿qué le diría: «Están estropeando mi cumpleaños, no es justo, me hiere verlos»? Pase lo que pase, tanto si los echa como si no, es demasiado tarde, su corazón ya está herido.

Ve a los afrikáners como una gente siempre llena de rabia porque tienen el corazón herido. Ve a los ingleses como una gente que no cae en la rabia porque vive detrás de muros y protege bien su corazón.

Esta es solo una de sus teorías sobre los ingleses y los afrikáners. La excepción a la regla, por desgracia, es Trevelyan.

Trevelyan fue uno de los inquilinos que hospedaron en la casa de Liesbeeck Road, en Rosebank, la casa con el gran roble en el jardín delantero donde él fue feliz. Trevelyan tenía la mejor habitación, la de las ventanas francesas que se abrían al porche. Era joven, era alto, era simpático, no sabía hablar ni una sola palabra de afrikaans, era inglés de los pies a la cabeza. Por las mañanas Trevelyan desayunaba en la cocina antes de salir a trabajar; regresaba por las noches y cenaba con ellos. Pese a estar en la otra punta de la casa, cerraba su habitación con llave; pero no había nada de interés en ella, excepto una máquina de afeitar «Made in America».

Su padre, aun siendo mayor que Trevelyan, se hizo amigo suyo. Los sábados escuchaban la radio juntos, el programa de C. K. Friedlander, que retransmitía los partidos de rugby desde Newlands.

Después llegó Eddie. Eddie era un niño de color de siete años oriundo de Ida's Valley, cerca de Stellenbosch. Vino a trabajar para ellos: lo acordaron la madre de Eddie y la tía Winnie, que vivía en Stellenbosch. A cambio de lavar los platos, barrer y quitar el polvo, Eddie viviría con ellos en Rosebank. Le darían de comer y enviarían a su madre un giro postal por dos libras y diez chelines a primeros de mes.

Cuando llevaba dos meses viviendo y trabajando en Rosebank, Eddie se escapó. Desapareció durante la noche; su ausencia se descubrió por la mañana. Llamaron a la policía; encontraron a Eddie no muy lejos, escondido entre la maleza junto al río Liesbeeck. No lo encontró la policía sino Trevelyan, que lo arrastró de vuelta, llorando y pataleando desconsoladamente, y lo encerró en el viejo mirador del jardín trasero.

Naturalmente Eddie sería devuelto a Ida's Valley. Ahora que ya no pretendía sentirse contento, se escaparía a la menor oportunidad. Su aprendizaje no había dado resultado.

Pero antes de que se pudiera telefonear a la tía Winnie de Stellenbosch, estaba la cuestión del castigo por el problema que Eddie había causado: por necesitar de la intervención de la policía, por estropear la mañana del sábado. Fue Trevelyan el que se ofreció a ejecutar el castigo.

Espió una vez en el mirador mientras se impartía el castigo. Trevelyan sostenía a Eddie por las muñecas y le azotaba las piernas desnudas con una correa de cuero. Su padre también estaba allí, de pie a un lado, mirando. Eddie daba alaridos y brincos; todo estaba lleno de lágrimas y de mocos. «Asseblief, asseblief, my baas –gritaba–. Ek sal nie weer nie!»: Por favor, por favor, ¡no lo volveré a hacer! Entonces los dos repararon en él y le ordenaron que se fuese.

Al día siguiente llegaron su tío y su tía de Stellenbosch en su furgoneta DKW negra para llevar a Eddie con su madre a Ida's Valley. No hubo despedidas.

De modo que Trevelyan, que era inglés, fue el que pegó a Eddie. En realidad, Trevelyan, que era de constitución rubicunda y estaba empezando a echar tripa, se fue poniendo más y más rojo mientras le daba con la correa, resollando a cada golpe, esforzándose por sentir la misma rabia que cualquier afrikáner. ¿Cómo puede Trevelyan, entonces, cuadrar en la teoría de que los ingleses son buenos?

Todavía tiene una deuda con Eddie, de la cual no ha hablado con nadie. Después de comprarse la bicicleta Smiths con el dinero de su octavo cumpleaños y de darse cuenta de que no sabía montar en ella, fue Eddie quien le empujó por Rosebank Common, dándole órdenes, hasta que de repente él logró dominar el arte de mantenerse en equilibrio.

Aquella primera vez dio una gran vuelta, pedaleando fuerte para atravesar el suelo arenoso, hasta regresar a donde Eddie le estaba esperando. Eddie estaba emocionado y no paraba de dar saltos. «*Kan ek 'n kans kry?*», gritó. ¿Me toca a mí ahora? Le pasó la bicicleta a Eddie. Eddie no necesitó que le empujaran: salió tan rápido como el viento, de pie sobre los pedales, la raída chaqueta azul marino flameando a su espalda; montaba mucho mejor que él.

Recuerda cuando jugaba a lucha libre con Eddie en el césped. Aunque Eddie solo tenía siete meses más que él, y no era más corpulento, poseía una fuerza nervuda y una determinación que siempre le hacían salir vencedor. Vencedor, pero humilde en la victoria. Solo por un momento, cuando tenía a su oponente inmovilizado por la espalda, desprotegido, se permitía Eddie una sonrisa burlona de triunfo; después rodaba a un lado, se ponía en pie y luego se agazapaba, listo para el siguiente asalto.

El olor del cuerpo de Eddie perdura en su interior desde aquellas peleas, y también el tacto de su cabeza, el duro cráneo con forma alargada y el pelo crespo y abundante.

Su padre dice que tienen las cabezas más duras que los blancos. Por eso son tan buenos en boxeo. Por la misma razón, afirma, nunca serán buenos en rugby. En el rugby tienes que ser rápido de pensamiento, no puedes ser un cabeza hueca.

Durante sus combates llega un momento en que tiene los labios y la nariz pegados al pelo de Eddie. Respira su olor, su sabor: el olor, el sabor del tabaco.

Todos los fines de semana Eddie se bañaba de pie en el barreño del lavabo de los sirvientes, frotándose con un trapo enjabonado. Él y su hermano arrastraban un cubo de basura hasta el ventanuco y se subían encima para echar una mirada furtiva. Excepto por su cinturón de cuero, aún sujeto a su cintura, Eddie estaba desnudo. Al ver las dos caras en la ventana, se le dibujaba una amplia sonrisa y gritaba «Hê!» y bailaba en el barreño, chapoteando en el agua, sin taparse.

—Eddie se ha dejado puesto el cinturón para bañarse —le dijo él más tarde a su madre.

—Que haga lo que quiera —le respondió ella.

Nunca ha estado en Ida's Valley, de donde es Eddie. Imagina que es un lugar frío y sórdido. En la casa de la madre de Eddie no hay luz eléctrica. El techo tiene goteras, todo el mundo está siempre tosiendo. Cuando sales fuera tienes que ir saltando de piedra en piedra para evitar los charcos. ¿Qué posibilidades tiene Eddie ahora que está de nuevo en Ida's Valley, caído en desgracia?

—¿Qué crees que estará haciendo Eddie ahora? —le pregunta a su madre.

—Probablemente esté en un reformatorio.

—¿Por qué?

—La gente así siempre acaba en un reformatorio y después en la cárcel.

No comprende la acritud de su madre contra Eddie. No la entiende cuando se deja llevar por ese humor agrio en el que las cosas, casi por azar, van cayendo bajo su lengua afilada y despectiva: la gente de color, sus propios hermanos y hermanas, los libros, la educación, el gobierno. A él no le importa mucho lo que su madre piense de Eddie siempre que no cambie de idea de un día para otro. Cuando ella estalla de ese modo, él siente que el suelo se abre bajo sus pies y que se cae.

Imagina a Eddie con su vieja chaqueta, agachándose para esconderse de la lluvia que siempre cae sobre Ida's Valley, fumando colillas con otros chicos de color. Él tiene diez años, y Eddie, en Ida's Valley, también. Durante un tiempo Eddie tendrá once mientras él todavía tenga diez; después tendrá once también. Siempre estará intentando superar su propia

edad, permaneciendo con Eddie durante un tiempo, y quedándose de nuevo atrás. ¿Cuánto tiempo será así? ¿Logrará
escapar alguna vez de Eddie? Si se cruzan un día por la
calle, ¿lo reconocerá Eddie, a pesar de toda la bebida y la
marihuana, a pesar de la cárcel y el endurecimiento, y se pa-
rará y le gritará: «Jou moer!», ¡Eh, colega!?

En este momento sabe que Eddie, en la casa llena de goteras de Ida's Valley, envuelto en una manta maloliente y
todavía con la misma chaqueta, está pensando en él. En los
ojos oscuros de Eddie hay dos rendijas amarillentas. De una
cosa está seguro: Eddie no sentiría pena por él.

11

Tienen pocos contactos sociales fuera del círculo de parientes. Cuando vienen extraños a casa, él y su hermano se escabullen como animales salvajes, y luego regresan a hurtadillas para acechar y fisgonear. Han practicado unos agujeros en el techo para poder espiar; trepan al tejado y miran lo que sucede en el salón desde arriba. Su madre se apura cuando oye el rumor de pies arrastrados. «Son solo niños jugando», explica con una sonrisa tensa.

Él huye de las conversaciones educadas porque sus fórmulas: «¿Cómo estás?», «¿Cómo te va en el colegio?», le desconciertan. Como no sabe cuáles son las respuestas correctas, farfulla y tartamudea como un tonto. Sin embargo, al final no se avergüenza de su salvajismo, de su impaciencia ante la insípida jerga de las conversaciones educadas.

—¿Es que no puedes ser simplemente normal? —le pregunta su madre.

—Odio a la gente normal —le responde acalorado.

—Odio a la gente normal —repite como un eco su hermano. Su hermano tiene siete años y una sempiterna sonrisa nerviosa y tirante; en el colegio vomita de vez en cuando, sin razón aparente, y lo envían a casa.

En lugar de amigos ellos tienen familia. La familia de su madre es la única gente del mundo que lo acepta más o menos como es. Lo aceptan —rudo, poco sociable, excéntrico— no solo porque a menos que lo aceptaran no podrían venir de visita, sino porque ellos también se criaron salvajes y rudos. La familia de su padre, por el contrario, los desaprueban a él y a la educación que le ha dado su madre. En su compañía se siente incómodo; tan pronto como puede huir de ellos empieza a burlarse de los tópicos de las buenas maneras («En hoe gaan dit met jou mammie? En met jou broer? Dis goed, dis goed!» ¿Cómo está tu madre? ¿Y tu hermano? ¡Bien!). Tampoco puede rehuirlos: si no participa en sus rituales no podrá ir de visita a la granja. Así que, muerto de vergüenza, despreciándose a sí mismo por su cobardía, se resigna. «Dit gaan goed —dice—. Dit gaan goed met ons almal.» Estamos todos bien.

Sabe que su padre se pone del lado de su familia y en contra de él. Esa es una de las formas que tiene su padre de acercarse a su propia madre. Le da escalofríos pensar en la vida que tendría que afrontar si su padre llevara las riendas de la casa, una vida llena de fórmulas estúpidas y aburridas, que lo convertirían en un ser vulgar. Su madre es la única que se interpone entre él y una existencia que no podría soportar. Por eso, a la vez que le irritan su torpeza y su estupidez, se abraza a ella como a su única protectora. Él es su hijo, no el hijo de su padre. Niega y detesta a su padre. No olvidará el día en que, hace dos años y por primera y única vez, su madre permitió a su padre enzarzarse con él, como un perro que se suelta de la correa («¡He llegado al límite, no puedo soportarlo más!»), y los ojos de su padre relumbraban de ira y de lástima al zarandearlo y abofetearlo.

Debe ir a la granja porque no hay ningún otro lugar en el mundo que ame más o que pueda imaginarse amar más. Todo lo que resulta complejo en lo que concierne a su amor por su madre se torna simple en lo que concierne al amor por la granja. Sin embargo, desde que tiene memoria, este amor tiene un punto de dolor. Puede visitar la granja, pero nunca vivirá allí. La granja no es su hogar; nunca será más que un huésped, un huésped difícil. Incluso ahora, día a día, la granja y él van por caminos distintos, separados, caminos que no tienden a encontrarse sino a alejarse aún más. Un día la granja se habrá alejado por completo, se habrá perdido para siempre; ya se siente afligido por esa pérdida.

La granja era de su abuelo, pero su abuelo murió y pasó a ser de su tío Son, el hermano mayor de su padre. Son era el único con condiciones de granjero; todos los demás hermanos y hermanas habían huido rápido a los pueblos y las ciudades. Sin embargo, todos tienen la sensación de que la granja en la que se criaron todavía es suya. De modo que, al menos una vez al año, y algunas veces dos, su padre regresa a la granja y él lo acompaña.

La granja se llama Vöelfontein, la fuente del pájaro; él ama todas y cada una de sus piedras, de sus matorrales, de sus briznas de hierba; ama los pájaros que le dieron el nombre, los millares de pájaros que cuando cae el crepúsculo se congregan en los árboles que hay alrededor de la fuente llamándose unos a otros, gorjeando, ahuecando las plumas, preparándose para la noche. Es inconcebible que otra persona ame la granja como la ama él. Pero no puede hablar de su amor, no solo porque la gente normal no habla de ese tipo de cosas, sino porque confesarlo sería traicionar a su madre. Y sería una traición no solo porque ella también viene de una granja (una granja rival de un sitio lejano de la que habla con un amor y una nostalgia que le pertenecen, una granja a la que nunca podrá regresar porque fue vendida a desconocidos), sino porque ella no es bienvenida de verdad a esta granja, la granja real, Vöelfontein.

Ella no le contará nunca por qué eso es así —y él, en el fondo, se lo agradece—, pero poco a poco va recomponiendo la historia. Durante la guerra, su madre vivió una larga temporada con sus dos hijos en una habitación alquilada de Prince Albert, sobreviviendo con las seis libras mensuales que enviaba su padre de la paga de cabo interino, más dos libras del Fondo de Ayuda a los Pobres del gobernador general. Durante ese tiempo no los invitaron ni una sola vez a la granja, que estaba a poco más de dos horas de carretera. Conoce esta parte de la historia porque incluso su padre, cuando volvió de la guerra, estaba enfadado y avergonzado por el modo en que los habían tratado.

De Prince Albert solo recuerda el zumbido de los mosquitos en las noches largas y calurosas, y a su madre en combinación andando de un lado para otro, con el sudor brotando de su piel, y sus piernas gordas y pesadas cruzadas por venas varicosas, tratando de calmar a su hermano, que todavía era un bebé y no paraba de llorar; y los días de mortal aburrimiento pasados detrás de las contraventanas cerradas para resguardarse del sol. Así vivieron, atrapados en aquella habitación, sin dinero para mudarse, esperando la invitación que nunca llegó.

Su madre todavía aprieta los labios cuando se menciona la granja. Sin embargo, cuando van a la granja por Navidad, ella los acompaña. La numerosa familia se reúne al completo. Se colocan camas, colchones y catres en todas las habitaciones, y en el gran porche también: una Navidad contó veintiséis. Su tía y las dos criadas se pasan todo el día en la cocina cargada de humo, cocinando, asando al horno, produciendo comida, rondas de té o café y pasteles sin parar, mientras que los hombres se sientan en el porche, dirigiendo la mirada, perezosos, al resplandeciente Karoo, intercambiando anécdotas sobre los viejos tiempos.

Se embebe del ambiente con avidez, se embebe de la mezcla feliz y descuidada de inglés y afrikaans que es su idioma común cuando se reúnen. Le gusta ese idioma extraño y bailarín, con partículas que se deslizan aquí y allá en las frases. Es más claro, más fresco que el afrikaans que estudian en el colegio, cargado de modismos que supuestamente proceden del *volksmond*, del habla del pueblo, pero que se diría que proceden del Gran Trek; modismos torpes y carentes de sentido sobre carretas y ganado y los arreos del ganado.

En su primera visita a la granja, cuando su abuelo aún vivía, todos los animales de corral de los libros de cuentos estaban todavía allí: los caballos, los burros, las vacas y sus terneros, los cerdos, los patos, una colonia de gallinas y el gallo que cacareaba para recibir el sol, las cabras y los chivos. Después, tras la muerte de su abuelo, el corral empezó a menguar, hasta que solo quedaron ovejas. Primero se vendieron los caballos, luego los cerdos fueron convertidos en carne (él vio a su tío disparar un tiro al último cerdo; la bala le dio detrás de la oreja: el animal gruñó, se tiró un pedo estruendoso y se derrumbó, primero sobre las rodillas, después sobre un costado, temblando). Luego desaparecieron las vacas, y los patos.

El motivo fue el precio de la lana. Los japoneses estaban pagando lo que les pidieran por la lana: era más sencillo comprar un tractor que mantener a los caballos, más sencillo conducir la Studebaker nueva por Fraserburg Road para comprar mantequilla congelada y leche en polvo que ordeñar una vaca y batir la manteca. Solo interesaban las ovejas, las ovejas con sus vellocinos de oro.

Podían aliviarse de la carga de la agricultura también. Lo único que aún se cultiva en la granja es alfalfa, por si los pastos de la granja se agotan y hay que alimentar a las ovejas. De los huertos solo queda un naranjal, que da año tras año unas naranjas dulcísimas.

Cuando, después de una siesta reparadora, sus tíos y tías se reúnen en el porche para tomar el té y contar historias, la charla desemboca a veces en los viejos tiempos de la granja. Recuerdan a su padre, «el granjero que fue todo un señor», que mantuvo un carruaje de dos caballos y cultivó trigales en las tierras debajo de la balsa que él mismo trilló y sembró. «Sí, aquellos sí que eran buenos tiempos», suspiran.

Les gusta sentir nostalgia por el pasado, pero ninguno de ellos regresaría a él. Él sí. Él quiere que todo sea como era en el pasado.

En una esquina del porche, a la sombra de la buganvilla, cuelga una cantimplora de lona. Cuanto más caluroso es el día, más fría está el agua; es un milagro, como el milagro de la carne que cuelga en la oscuridad de la despensa sin pudrirse, como el milagro de las calabazas colocadas en el tejado bajo el sol resplandeciente y que permanecen frescas. En la granja, al parecer, nada se marchita.

El agua de la cantimplora está mágicamente fresca, pero él no necesita más de un sorbo cada vez que bebe. Está orgulloso de lo poco que bebe. Eso le será útil, espera, si alguna vez se pierde en el *veld*. Quiere ser una criatura del desierto, de este desierto, como un lagarto.

Justo por encima de la granja hay una balsa con muros de piedra, de casi cuatro metros cuadrados, llenada por una bomba de aire, que provee de agua a la casa y al jardín. Un día de calor, él y su hermano llevan una bañera de hierro galvanizado a la balsa, la meten en el agua, se suben como pueden en ella y empiezan a remar.

Le da miedo el agua; piensa que su aventura será una manera de superarlo. Su embarcación se mece en mitad de la balsa. Motas de luz destellan en el agua; únicamente se oye el canto de las cigarras. Solo un pedazo de metal le separa de la muerte. Sin embargo, se siente bastante seguro, tan seguro que casi podría quedarse dormido. Así es la granja: nada malo puede sucederte aquí.

Solo se había subido a un bote una vez, cuando tenía cuatro años. Un hombre (¿quién sería?, trata de recordar, pero no lo logra) se los llevó a remar por la laguna de Plettenberg Bay. Se suponía que era un viaje de placer, pero todo el rato que estuvieron remando se quedó paralizado en su sitio, con la vista clavada en la lejana orilla. Una sola vez se atrevió a mirar por la borda. Debajo de ellos, en el fondo, un bosque de algas se mecía lánguidamente. Era como lo había temido, incluso peor; le rodaba la cabeza. Únicamente esos frágiles maderos del bote, que crujían a cada golpe de remo como si fueran a quebrarse, lo separaban de la muerte. Se agarró más fuerte y cerró los ojos para aplacar el pánico en su interior.

Hay dos familias de color en Vöelfontein, cada una con una casa de su propiedad. También está, junto a la balsa, la casa, ahora sin tejado, en la que solía vivir Outa Jaap. Outa

Jaap estaba en la granja antes que su abuelo; lo único que él recuerda de Outa Jaap es que era un hombre muy viejo, de ojos lechosos y ciego, con las encías desdentadas y las manos nudosas, y que estaba sentado en un banco al sol cuando lo llevaron hasta él, quizá para que el viejo le diera su bendición antes de que se muriese, no está seguro. Aunque Outa Jaap ya ha muerto, su nombre todavía se menciona con respeto. Sin embargo, cuando pregunta qué tenía de especial Outa Jaap, las respuestas que obtiene son bastante vulgares. Outa Jaap pertenecía a los tiempos en los que aún no existían las rejas a prueba de chacales, le cuentan; a un tiempo en que el pastor que llevaba a sus ovejas a pastar a un campo lejano tenía que quedarse con ellas y guardarlas durante semanas. Outa Jaap pertenecía a una generación desaparecida. Eso es todo.

Sin embargo, le parece que sabe lo que se esconde tras esas palabras. Outa Jaap era parte de la granja; aunque su abuelo la hubiera comprado y fuera su propietario legal, Outa Jaap vino con ella, sabía de ella, de las ovejas, del *veld*, del tiempo, más de lo que nunca llegaría a saber el recién llegado. Ese era el motivo por el que Outa Jaap tenía que ser tratado con respeto; ese es el motivo por el que ni siquiera se plantea la cuestión de deshacerse del hijo de Outa Jaap, Ros, ya de edad madura, pese a que no se trata de un trabajador especialmente bueno, y es poco fiable y propenso a hacer mal las cosas.

Se da por hecho que Ros vivirá y morirá en la granja, y que lo sucederá uno de sus hijos. Freek, el otro jornalero, es más joven y enérgico que Ros, muy listo y más formal. Sin embargo, él no pertenece a la granja: se da por hecho que no tiene por qué quedarse.

Cuando viene a la granja desde Worcester, donde la gente de color tiene que suplicar por todo («Asseblief my nooi! Asseblief my basie!»), le alivia ver las relaciones tan correctas y formales que hay entre su tío y los *volk*. Todas las mañanas su tío habla con sus dos hombres de las tareas del día.

En lugar de dar órdenes, propone las labores necesarias, una a una, como si repartiera las cartas sobre una mesa; sus hombres también reparten sus propias cartas. En medio se producen pausas, silencios largos y reflexivos en los que no ocurre nada. De pronto, misteriosamente, todo el asunto parece zanjado: quién irá a cada sitio, quién hará cada cosa. «Nouja, dan sal ons maar loop, baas Sonnie!» Vamos. Y Ros y Freek se ponen los sombreros y se marchan animosamente.

Pasa lo mismo en la cocina. Dos mujeres trabajan en la cocina: la mujer de Ros, Tryn, y Lientjie, su hija de otro matrimonio. Llegan a la hora del desayuno y se van después de la comida del mediodía, la principal del día, la comida que aquí llaman cena. Lientjie es tan tímida con los desconocidos que esconde la cara y le entra la risa floja cuando le hablan. Pero si él se queda junto a la puerta de la cocina puede enterarse de la corriente de conversaciones en voz baja que fluye entre su tía y las dos mujeres; le encanta fisgonear lo que dicen: el suave y agradable chismorreo de las mujeres, chismes que pasan de oído a oído, chismes que no solo atañen a la granja, sino a todo el pueblo de Fraserburg Road y a la reserva de la gente de color a las afueras del pueblo, y al resto de las granjas del distrito también: una ligera telaraña blanca de rumores que gira sobre el pasado y el presente, una telaraña a la que se hace girar en ese mismo momento en otras cocinas también, la cocina de los Van Rensburg, la cocina de los Albert, la cocina de los Nigrini, las cocinas de los numerosos Bote: quién se casa con quién, de qué va a operarse la suegra de no sé quién, qué hijo va bien en el colegio, qué hija tiene problemas, quién visitó a quién, qué llevaba puesto no sé qué en tal o cual ocasión.

Pero él se siente más cercano a Ros y a Freek. Le devora la curiosidad por saber la vida que tienen. ¿Llevan camisetas y calzoncillos como los blancos? ¿Posee cada uno una cama? ¿Duermen desnudos o con las ropas de trabajo, o tienen pijama? ¿Comen comidas decentes sentados a la mesa con cuchillo y tenedor?

No hay manera de encontrar las respuestas porque se le disuade para que no visite sus casas. Sería de mala educación, le dicen. Sería de mala educación porque Ros y Freek se sentirían avergonzados.

Si no es vergonzoso tener a la mujer y a la hija de Ros trabajando en la casa, quisiera preguntar, preparando comidas, lavando la ropa, haciendo las camas, ¿por qué sí lo es que les haga una visita a sus casas?

Parece un buen argumento, pero tiene un defecto, y él lo sabe. Porque la verdad es que sí es vergonzoso tener a Tryn y a Lientjie en la casa. No le gusta cuando se cruza con Lientjie en el pasillo y ella tiene que hacer como si fuera invisible y él tiene que hacer como si ella no estuviera allí. No le gusta ver a Tryn de rodillas en el lebrillo lavándole la ropa. No sabe cómo contestarle cuando ella se dirige a él hablándole de usted, llamándole *die kleinbaas*, el señorito, como si él no estuviera presente. Todo es profundamente vergonzoso.

Resulta más fácil con Ros y Freek. Pero incluso con ellos ha de hablar utilizando frases de construcción tortuosa para evitar tutearlos cuando ellos le llaman *kleinbaas*, señor. No está seguro de si Freek cuenta como un hombre o como un chico, de si está haciendo el tonto cuando trata a Freek como a un hombre. Con la gente de color en general, y con la del Karoo en particular, simplemente no sabe cuándo dejan de ser niños y se convierten en adultos. Ocurre tan pronto, tan de repente: un día están jugando con juguetes y al siguiente están fuera con los hombres, trabajando, o en la cocina de alguien, fregando platos.

Freek es educado y de hablar pausado. Tiene una bicicleta de neumáticos anchos y una guitarra; por las noches se sienta fuera de su habitación y toca la guitarra para sí mismo, sonriendo con su sonrisa lejana. Los sábados por la tarde se va con la bicicleta a la reserva de los de color a las afueras de Fraserburg Road. Se queda allí hasta el domingo por la tarde, y no vuelve hasta mucho después de que haya anochecido: a kilómetros de distancia ven la manchita de luz diminuta y ondulante del faro de su bicicleta. A él le parece una hazaña cubrir en bicicleta esa inmensa distancia. Si pudiera, le rendiría culto a Freek como a un héroe.

Freek es un jornalero, se le paga un salario, se le puede despachar sin muchas explicaciones. Sin embargo, cuando ve a Freek en cuclillas, con la pipa en la boca y la mirada perdida en el *veld*, piensa que este hombre pertenece a ese sitio mucho más que los Coetzee; si no a Vöelfontein, al menos al Karoo. El Karoo es el país de Freek, su hogar; los Coetzee, bebiendo té y murmurando en el porche de la granja, son como las golondrinas, pasajeras, hoy aquí y mañana allá, o incluso como los gorriones, piando alegremente, de pies ligeros, de vida corta.

Lo mejor de todo en la granja, mejor que cualquier otra cosa, es la caza. Su tío solo tiene un arma, una pesada Lee-Enfield .303 que dispara unas balas demasiado grandes para cualquier tipo de caza (una vez su padre disparó con ella a una liebre y no quedaron más que despojos ensangrentados). Así que cuando él visita la granja toman prestada de uno de los vecinos una vieja .22. Lleva un único cartucho, que se carga directamente en la recámara; algunas veces se dispara y le deja un zumbido en los oídos durante horas. Nunca acierta con esa pistola a algo que no sean las ranas de la balsa y los *muisvöels* del huerto. Y a pesar de ello, nunca se siente vivir tan intensamente como cuando, a primera hora de la mañana, él y su padre salen con sus pistolas y siguen el cauce seco del Boesmansrivier en busca de caza: antílopes, cormoranes, liebres, y, en las laderas desnudas de las colinas, *korhaan*.

Un diciembre tras otro, él y su padre acuden a la granja para salir de caza. Toman el tren: no el Trans-Karoo Express o el Orange Express, por no mencionar el Blue Train, todos demasiado caros y que de todos modos no paran en Fraserburg Road, sino el tren ordinario de pasajeros, el que para en todas las estaciones, incluso en las más recónditas, y que algunas veces tienen que detenerse en las vías muertas y esperar a que los expresos más famosos hayan pasado como un rayo. A él le encanta este tren lento, le encanta dormirse abrigadito bajo las sábanas blancas y crujientes y las mantas azul marino que trae el mozo, le encanta despertarse por la noche en alguna estación silenciosa en mitad de ninguna parte, escuchando el silbido de la máquina cuando el tren está parado, el sonido metálico del martillo del capataz comprobando las ruedas. Y después, al alba, cuando llegan a Fraserburg Road, les está esperando el tío Son con su amplia sonrisa y su viejo sombrero manchado de aceite. «Jis-laaik, maar jy word darem groot, John!» (¡Te estás haciendo mayor!), le dice, y silba entre dientes. Y ya pueden cargar las bolsas en la Studebaker y partir.

Él admite sin cuestionárselo que la caza que se practica en Vöelfontein es variada. Admite que habrán tenido un buen día de caza si hacen saltar a una liebre o escuchan gorjear a un par de *korhaan* a lo lejos. Ya se podrá contar algo después al resto de la familia, que, para cuando ellos regresen con el sol ya alto en el cielo, estará sentada en el porche bebiendo café. La mayoría de las mañanas no tienen nada que contar, absolutamente nada.

No tiene sentido salir de caza cuando el sol pega más fuerte, porque los animales que quieren matar dormitan a la sombra. Pero a veces dan una vuelta por los caminos de la granja en la Studebaker cuando empieza a caer el sol, con el tío Son al volante y su padre en el asiento delantero sosteniendo la .303 y él y Ros en los asientos traseros.

Habitualmente es Ros quien se encarga de bajar de un salto del coche y abrir las puertas de las cercas, esperar a que el coche pase y después cerrar las vallas, una tras otra. Por eso en estas cacerías es un privilegio que te dejen abrir las cercas, mientras que Ros observa y asiente.

Van a cazar el legendario *paauw*. Sin embargo, como los *paauw* solo se ven una o dos veces al año —son tan raros, de hecho, que si te descubren disparándoles te obligan a pagar una multa de cincuenta libras—, deciden cazar *korhaan*. Llevan a Ros de caza porque como es un bosquimano, o casi un bosquimano, tiene que poseer una mirada muy aguda por naturaleza.

Y de hecho Ros es el primero en dar una palmada en el techo del coche para avisar de que ha divisado a los *korhaan*: aves pardogrisáceas del tamaño de los pollos que van saltando entre los matorrales en grupos de dos o tres. La Studebaker hace un alto: su padre apoya la .303 en la ventanilla y toma aire. El ruido seco del disparo resuena a todo lo largo y ancho del campo. A veces los pájaros, asustados, alzan el vuelo; por lo general, sin embargo, tan solo empiezan a corretear más rápido, emitiendo su característico gorjeo. En realidad, su padre nunca le ha dado a un *korhaan*, así que él nunca ha visto de cerca a uno de estos pájaros («avutardas de matorral», dice el diccionario afrikaans-inglés).

Su padre fue tirador en la guerra: manejaba una ametralladora Bofor antiaérea con la que disparaba a los aviones alemanes e italianos. Él se pregunta si alguna vez derribó un avión: nunca alardea de ello. ¿Cómo pudo llegar a ser tirador? Carece de dotes para serlo. ¿Es que se les asignaban a los soldados las tareas al azar?

La única variedad de caza que sí les resulta exitosa es la caza nocturna, que, pronto lo descubre, es algo vergonzoso de lo que no hay que jactarse. El método es sencillo. Después de la cena se montan en la Studebaker y el tío Son conduce en la oscuridad a través de los campos de alfalfa. En un punto determinado se para y enciende los faros. A no más de tres metros hay un antílope quieto, con las orejas tiesas apuntando hacia ellos y los ojos deslumbrados reflejando luces. «Skiet!», le susurra su tío. ¡Dispara! Su padre dispara y el antílope cae.

Se dicen a sí mismos que es aceptable cazar de ese modo porque los antílopes son una plaga, se comen la alfalfa que debería ser para las ovejas. Pero cuando el chico ve lo pequeño que es el antílope, no más grande que un perro de lanas, sabe que es un argumento falso. Cazan de noche porque no son lo bastante buenos para cazar de día.

Por otra parte, la carne de antílope, macerada en vinagre y después asada (observa a su tía hacer hendeduras en la carne y rellenarlas con clavo y ajo), está todavía más rica que la de cordero, de sabor fuerte y tierna, tan tierna que se deshace en la boca. Todo lo que hay en el Karoo está delicioso: los melocotones, las sandías, las calabazas, el carnero, como si todo lo que encuentra sustento en esta tierra árida fuera bendecido.

Nunca serán cazadores famosos. Aun así, le gusta sentir el peso del arma en la mano, el sonido de sus pies recorriendo la arena gris del río, el silencio que desciende pesado como una nube cuando se paran, y siempre el paisaje cercándolos, el querido paisaje de ocres y grises y castaños y verde oliváceos.

El último día de la visita, siguiendo el ritual, puede acabar con el resto de su caja de cartuchos .22 disparándolos contra una lata o contra el poste de la valla. Es un momento difícil. La pistola prestada no es buena, él no es un buen tirador. Con la familia mirándolo en el porche, dispara precipitadamente. Falla más veces de las que acierta.

Una mañana, mientras está solo en el lecho del río disparando a *muisvöels*, la .22 se encasquilla. No encuentra forma de sacar el cartucho alojado en la recámara. Se lleva la pistola a casa, pero el tío Son y su padre están lejos, en el *veld*. «Pregunta a Ros o a Freek», le sugiere su madre. Busca a Freek en el establo. Freek, sin embargo, se niega a tocar el arma. Le ocurre lo mismo con Ros, cuando lo encuentra. Aunque no se explican, parece que le tienen un terror sagrado a las armas. Así que debe esperar a que regrese su tío y saque el cartucho con la navaja. «Se lo pedí a Ros y a Freek —se queja—, pero no quisieron ayudarme.» Su tío mueve la cabeza. «No debes pedirles que toquen armas —dice—. Saben que no deben hacerlo.»

No deben. ¿Por qué no? Nadie se lo dice. Pero él no deja de darle vueltas a la expresión «no debes». La escucha más a menudo en la granja que en ningún otro sitio, más a menudo incluso que en Worcester. Una expresión extraña, con solo que no se oiga el «no» significa todo lo contrario. «No debes tocar eso.» «No debes comer eso.» ¿Este sería el precio que pagar si dejara el colegio y rogase vivir aquí, en la granja? ¿Tendría que olvidarse de hacer preguntas y obedecer todos los «no debes» y hacer tan solo lo que le digan que haga? ¿Está preparado para darse por vencido y pagar ese precio? ¿No hay forma de vivir en el Karoo, el único lugar del mundo donde quiere estar, como quiere vivir: sin pertenecer a ninguna familia?

La granja es enorme, tan enorme que cuando en una de sus cacerías él y su padre llegan a una cerca a la orilla del río, y su padre anuncia que han alcanzado el límite entre Vöelfontein y la siguiente granja, se queda perplejo. En su imaginación, Vöelfontein es un reino por derecho propio. No hay tiempo suficiente en una sola vida para conocer todo Vöelfontein, conocer cada una de sus piedras y de sus matorrales. Ningún tiempo es suficiente cuando se ama un lugar de manera tan devoradora.

Conoce mejor Vöelfontein en verano, cuando yace aplastada bajo la luz uniforme y cegadora que se derrama del cielo. Aun así, Vöelfontein también tiene sus misterios, misterios que no pertenecen a la noche y a la penumbra sino a las tardes calurosas, cuando los espejismos bailan en el horizonte y el aire canta en sus oídos. Entonces, cuando todos los demás están echando la siesta, aturdidos por el calor, puede salir de puntillas de la casa y trepar la colina hasta llegar al laberinto de muros de piedra de los rediles que pertenecen a los viejos tiempos, cuando se llevaban hasta allí los miles de ovejas que pastaban en el *veld* para contarlas o esquilarlas o bañarlas. Los muros del redil tienen medio metro de grosor y sobrepasan su cabeza; están hechos de lisas piedras de color azul grisáceo, cada una de las cuales fue transportada hasta aquí en un carro tirado por burros. Trata de imaginarse los rebaños de ovejas, ahora todas muertas y desaparecidas, que se debieron guarecer del sol al socaire de estos muros. Trata de imaginarse cómo debía de ser Vöelfontein, cuando la casa grande y los cobertizos y los rediles estaban todavía levantándose: un lugar de trabajo, paciente, como el de las hormigas, año tras año. Ahora los chacales que atacaban a las ovejas han sido exterminados, abatidos o envenenados, y el redil, al no ser utilizado, se está desmoronando.

Los muros del redil serpentean varios kilómetros a lo largo de la colina. Aquí no se cultiva nada: pisotearon la tierra y la esquilmaron para siempre, él no sabe cómo: tiene un aspecto sucio, amarillento, enfermizo. Una vez dentro de los muros, está aislado de todo menos del cielo. Se le ha advertido que no venga aquí por el peligro que suponen las serpientes, porque nadie lo oiría si pidiese ayuda. Las serpientes, le advierten, se deleitan en las tardes calurosas como esta: la cobra, la víbora bufadora, la culebra… todas salen de sus guaridas para remolonear al sol y calentar su sangre fría.

Todavía no ha visto una serpiente en los rediles; sin embargo, vigila cada una de sus pisadas.

Freek se encuentra a una culebra detrás de la cocina, donde tienden la ropa las mujeres. La golpea con un palo hasta matarla y arroja el cuerpo largo y amarillo a un matorral. Las mujeres no se acercan por allí en semanas. Las serpientes se casan de por vida, dice Tryn; cuando matas al macho, la hembra viene en busca de venganza.

La primavera, en septiembre, es la mejor época para visitar el Karoo, aunque las vacaciones del colegio solo duran una semana. Un septiembre están en la granja cuando llegan los esquiladores. Surgen de ninguna parte, hombres salvajes que vienen en bicicletas cargadas de mantas y cacerolas.

Descubre que los esquiladores son gente especial. Cuando bajan a la granja, traen buena suerte. Para tenerlos contentos, escogen un *hamel*, un carnero castrado, bien cebado, y lo sacrifican. Se acomodan en el viejo establo, que se convierte en su barracón. Un fuego arde hasta bien entrada la noche mientras se dan el banquete.

Escucha una larga discusión entre el tío Son y el jefe de los esquiladores, un hombre tan fiero y de piel tan oscura que casi podría ser un nativo, con la barba puntiaguda y los pantalones sujetos con una cuerda. Hablan del tiempo, del estado de los pastos en el distrito de Prince Albert, en el distrito de Beaufort, en el distrito de Fraserburg, del pago. El afrikaans que hablan los esquiladores es tan denso, está tan repleto de giros extraños, que el chico apenas si los entiende. ¿De dónde vienen? ¿Acaso hay un país aún más profundo que el país de Vöelfontein, un lugar aún más apartado del mundo?

A la mañana siguiente, una hora antes del amanecer, le despierta el rumor de pezuñas cuando los primeros tropeles de ovejas pasan por delante de la casa, camino de los rediles junto al cobertizo donde las esquilan. La familia empieza a despertarse. Se oye el bullicio de la cocina, el olor a café. Con las primeras luces está fuera, vestido, demasiado nervioso para tomar un bocado.

Le encomiendan una tarea. Cuidará de la taza de hojalata llena de judías secas. Cada vez que un esquilador acaba con una oveja, la suelta con una palmada en el trasero y arroja el pellejo trasquilado sobre una mesa acomodada para ello, y la oveja, rosada y desnuda y sangrando por donde los esquiladores han cortado, trota con nerviosismo hasta el segundo corral, cada vez el esquilador coge una judía de la taza. Lo hace inclinando la cabeza y con un cortés «My basie!».

Cuando se cansa de sostener la taza (los esquiladores pueden coger las judías por sí solos, son gente de campo y ni siquiera han oído hablar de la falta de honradez), él y su hermano ayudan a apilar las pacas, saltando entre la masa de lana espesa, caliente y aceitosa. Su prima Agnes también está allí; ha venido de visita desde Skipperskloof. Ella y su hermana se les unen; los cuatro se tiran unos sobre otros, riendo y haciendo cabriolas como si estuvieran sobre un enorme edredón de plumas.

Agnes ocupa un lugar en su vida que él todavía no entiende. Se fijó en ella por primera vez cuando tenía siete años. Los invitaron a Skipperskloof, adonde llegaron ya avanzada la tarde después de un largo viaje en tren. Las nubes corrían por el cielo, el sol no daba calor. Bajo la luz fría del invierno, el *veld* se extendía azul rojizo sin rastro de verde. Ni siquiera la granja parecía acogedora: un austero rectángulo blanco con un tejado de zinc inclinado. No se parecía nada a Vöelfontein; él no quería estar allí.

A Agnes, que era unos meses mayor que él, se le permitió acompañarle. Ella se lo llevó a dar un paseo por el *veld*. Iba descalza; ni siquiera tenía zapatos. Pronto perdieron la casa de vista, estaban en medio de ninguna parte. Empezaron a hablar. Ella llevaba coletas y ceceaba, lo que a él le gustó. Desaparecieron sus reservas. A medida que hablaba se fue olvidando del idioma en que lo hacía: simplemente los pensamientos se transformaban en palabras en su interior, en palabras transparentes.

Ya no se acuerda de lo que le dijo aquella tarde a Agnes. Pero se lo contó todo, todo lo que él había hecho, todo lo que sabía, todo lo que esperaba. Ella lo acogió todo en silencio. Incluso mientras estaba hablando, supo que el día era especial gracias a ella.

El sol empezó a hundirse, de un rojo encendido, pero aún helado. Las nubes se ennegrecieron, el viento se hizo más cortante, le traspasaba las ropas. Agnes no llevaba más que un fino vestido de algodón; tenía los pies morados de frío.

«¿Dónde habéis estado? ¿Qué habéis estado haciendo?», les preguntaron los mayores cuando llegaron a casa. «Niks nie», respondió Agnes. Nada.

Aquí en Vöelfontein no se le permite a Agnes ir de caza, pero es libre para vagar con él por el *veld* o coger ranas con él en el gran embalse de tierra. Estar con ella es distinto a estar con los amigos del colegio. Tiene algo que ver con su dulzura, con su disposición para escuchar, pero también con sus delgadas piernas bronceadas, sus pies desnudos, su manera de saltar de piedra en piedra. Él es muy listo, el primero de su clase; ella también tiene fama de lista; vagan por los alrededores hablando de cosas por las que los mayores menearían la cabeza: sobre si el universo tiene un principio; qué hay más allá de Plutón, el planeta oscuro; dónde está Dios, si es que existe.

¿Por qué le es tan fácil hablar con Agnes? ¿Porque es una chica? A cualquier cosa que venga de él, ella parece responder sin reservas, con dulzura y presteza. Ella es prima hermana suya, por lo tanto no pueden enamorarse ni casarse. De alguna forma, eso es un alivio: es libre de ser amigo de ella, de abrirle el corazón. Pero ¿y si a pesar de todo está enamorado de ella? ¿Es esto el amor, esta generosidad natural, este sentimiento de ser comprendido por fin, de no tener que fingir?

Durante todo el día y también al día siguiente los esquiladores trabajan, parando apenas para comer, retándose unos a otros para demostrar quién es el más rápido. Cuando llega la noche del segundo día todo el trabajo está terminado, todas las ovejas de la granja han sido esquiladas. El tío Son saca una bolsa de lona llena de billetes y monedas, y paga a cada esquilador según el recuento de judías. Después hay otro fuego, otro banquete. A la mañana siguiente ya se han ido y la granja puede recobrar su ritmo lento de siempre.

Las pacas de lana son tantas que el cobertizo está a rebosar. El tío Son va de una a otra con una plantilla y una almohadilla de tinta, pintando en cada una su nombre, el nombre de la granja, la clase de lana. Días después llega un camión enorme (¿cómo se las arregló para cruzar por la arena del Boesmansrivier, donde se atascan incluso los coches?), cargan las pacas y se las llevan lejos.

Ocurre todos los años. Todos los años llegan los esquiladores, todos los años hay aventura y nerviosismo. Nunca terminará; no hay ninguna razón por la que deba terminar, mientras haya años.

La palabra secreta y sagrada que lo ata a la granja es «pertenencia». Cuando está solo en medio del *veld* puede pronunciar las palabras en voz alta: «La granja es el lugar al que pertenezco». Lo que cree de verdad pero no profiere, lo que guarda para sí por miedo a que se rompa el hechizo, es otra forma de decir la misma frase: «Yo pertenezco a la granja».

No se lo dice a nadie porque esa frase se puede confundir muy fácilmente, se puede tornar a la inversa muy fácilmente: «La granja me pertenece». La granja nunca le pertenecerá, nunca será más que un visitante: lo acepta. Pensar que realmente pueda vivir en Vöelfontein, que pueda llamar a la gran casa vieja su hogar, que ya no tenga que pedir permiso para hacer lo que le apetezca, le da vértigo; aparta ese pensamiento de sí. «Yo pertenezco a la granja»: eso es a lo más lejos a lo que puede llegar, incluso en lo más recóndito de su alma. Pero en lo más recóndito y secreto de su alma sabe lo que la granja a su modo sabe también: que Vöelfontein no pertenece a nadie. La granja es más grande que cualquiera de todos ellos. La granja es eterna. Cuando todos estén muertos, incluso cuando la casa esté en ruinas como lo están los rediles de la colina, la granja seguirá aquí.

Una vez, en el *veld*, lejos de la casa, se agacha y se frota las palmas en la arena como si se las estuviera lavando. Es un ritual. Está inventando un ritual. Aún no sabe lo que significa el ritual, pero le alivia saber que no hay nadie cerca que pueda verlo y contarlo después.

Pertenecer a la granja es su destino secreto, un destino para el que nació pero que él acepta con alegría. Su otro secreto es que, por mucho que luche, todavía pertenece a su madre. No se le escapa que estas dos servidumbres chocan. Como no se le escapa que en la granja la influencia de su madre se debilita más que nunca. Al no permitírsele, por ser mujer, ir de caza, ni siquiera pasear por el *veld*, se encuentra en desventaja.

Él tiene dos madres. Ha nacido dos veces: ha nacido de una mujer y de la granja. Dos madres y ningún padre.

A un kilómetro de la granja la carretera se bifurca: el ramal de la izquierda lleva a Merweville, el de la derecha a

Fraserburg. En la bifurcación está el cementerio, una parcela vallada con verja propia. Dominando el cementerio está la lápida de mármol de su abuelo; agrupadas alrededor hay docenas de otras sepulturas, más bajas y sencillas, con lápidas de pizarra, algunas con nombres y fechas grabados y otras sin ninguna inscripción.

Su abuelo es el único Coetzee que hay allí, el único que ha muerto desde que la granja pasó a ser de la familia. Aquí es donde acabó el hombre que empezó como vendedor ambulante en Piketberg, que abrió una tienda en Laingsburg y llegó a ser alcalde de la ciudad, y que al final compró el hotel de Fraserburg Road. Yace enterrado, pero la granja todavía es suya. Sus niños corren como enanos por ella, y sus nietos, enanos de los enanos.

Al otro lado de la carretera hay un segundo cementerio, sin valla; algunos de los montículos de las sepulturas están tan erosionados que ahora quedan a ras de tierra. Aquí yacen los sirvientes y los jornaleros de la granja, desde Outa Jaap a muy atrás. Las pocas lápidas que permanecen aún en pie no tienen nombre ni fechas. Con todo, él siente más temor aquí que entre las generaciones de los Bote arracimados alrededor de su abuelo. No tiene nada que ver con los espíritus. Nadie en el Karoo cree en espíritus. Lo que muere aquí, muere con firmeza y del todo: la carne la roen las hormigas, los huesos los blanquea el sol, y ahí acaba la historia. Sin embargo, entre estas tumbas, él pisa con inquietud. De la tierra viene un profundo silencio, tan profundo que casi podría ser un murmullo.

Cuando se muera, quiere que lo entierren en la granja. Si no se lo permiten, quiere que lo incineren y que esparzan sus cenizas aquí.

El otro lugar al que peregrina todos los años es Bloemhof, donde se erguía la primera granja. No hay nada que la recuerde excepto los cimientos, que no son de interés. Frente a ella había una balsa que se alimentaba de un manantial subterráneo; pero el manantial hace mucho que se secó. Del jardín y del huerto que una vez crecieron aquí no hay rastro. Pero junto al manantial, alzándose de la tierra yerma, se yergue una palmera enorme y solitaria. En el tronco de este árbol las abejas han hecho una colmena; son abejas pequeñas, negras y furiosas. El tronco está renegrido por el humo de las fogatas que durante años ha encendido la gente para robarles la miel a las abejas; sin embargo, las abejas continúan allí, recolectando néctar quién sabe de dónde en este paisaje seco y gris.

Le gustaría que las abejas se dieran cuenta de que él, cuando las visita, viene con las manos limpias, no para robarles sino para felicitarlas, para presentarles sus respetos. Pero conforme se acerca a la palmera empiezan a zumbar enfadadas; una avanzadilla se precipita sobre él, advirtiéndole que se aleje; una vez incluso tiene que huir, cruzar corriendo ignominiosamente el *veld* perseguido por el enjambre, zigzagueando y moviendo los brazos, agradecido de que no haya nadie por allí que pueda verlo y reírse de él.

Todos los viernes se sacrifica una oveja para la gente de la granja. Él acompaña a Ros y al tío Son para escoger la que va a morir; después se queda allí y observa cómo, en el lugar destinado a matadero que hay detrás del cobertizo, fuera de la vista de la casa, Freek sujeta las patas del animal mientras que Ros, con su pequeña navaja aparentemente inofensiva, le raja el pescuezo, y entonces los dos hombres sostienen con fuerza al animal mientras este patea y lucha y tose, y la sangre le sale a borbotones. Continúa observando mientras Ros desolla el cuerpo todavía caliente y lo cuelga de la hevea, lo abre en canal y tira las entrañas a un cuenco: el gran estómago azulado lleno de hierba, los intestinos (de los que extrae, presionando, las últimas cagarrutas que la oveja no tuvo tiempo de expulsar), el corazón, el hígado, los riñones; todas las vísceras que la oveja tiene en su interior y que él tiene en su interior también.

Ros utiliza la misma navaja para castrar a los corderos. Él también observa ese acontecimiento. Acorralan a los corderos jóvenes y a sus madres, y los meten en el cercado. Después Ros se mueve entre ellos, va cogiendo corderos al paso por las patas traseras, uno a uno, los sujeta contra el suelo mientras balan aterrorizados, gimen con desesperación, y les abre el escroto. Agacha la cabeza, agarra los testículos con los dientes y los arranca. Parecen dos pequeñas medusas que arrastran vasos sanguíneos azules y rojos.

Ros cercena también el rabo y lo arroja a un lado, dejando un muñón sangriento.

Con sus piernas cortas, su holgado pantalón cortado por encima de las rodillas, sus zapatos hechos en casa y su andrajoso sombrero de fieltro, Ros arrastra los pies por el corral como un payaso, escogiendo los corderos, castrándolos sin piedad. Al final de la operación los corderos se quedan doloridos y sangrando junto a sus madres, que no han hecho nada para protegerlos. Ros cierra la navaja. El trabajo está hecho; esboza una sonrisa pequeña y tirante.

No hay forma de hablar de lo que ha visto. «¿Por qué tienen que cortarles a los corderos el rabo?», le pregunta a su madre. «Porque si no las moscardas se reproducirían bajo sus rabos», le contesta ella. Los dos están fingiendo; los dos saben cuál es la verdadera pregunta.

En una ocasión Ros le deja coger la navaja, le enseña con qué facilidad corta un pelo. El pelo no se dobla, tan solo se abre en dos al mero contacto con la hoja. Ros afila la navaja todos los días, escupiendo en la piedra de afilar, frotando la hoja con ella hacia adelante y hacia atrás, con soltura y ligereza. La hoja, afilada, utilizada y vuelta a afilar, está tan gastada que apenas queda nada de ella. Ocurre lo mismo con la pala de Ros: se ha utilizado durante tanto tiempo, se ha afilado tan a menudo, que tan solo quedan cinco o seis centímetros de acero; la madera del mango está blanda y renegrida de años de sudor.

—No deberías mirar eso —le dice su madre, después de una de las matanzas del viernes.

—¿Por qué?

—Simplemente, no deberías.

—Quiero verlo.

Y se va a ver cómo Ros clava la piel en el suelo y la rocía con sal gema.

Le gusta mirar a Ros y a Freek y a su tío mientras trabajan. Para aprovechar los elevados precios de la lana, Son quiere tener más ovejas en la granja. Pero después de años de lluvias escasas el *veld* es un desierto, los pastos y los matorrales están a ras de tierra. Entonces su tío decide vallar de nuevo la granja, dividirla en campos pequeños para que las ovejas puedan desplazarse de un campo a otro, y los pastos puedan regenerarse. Ros, Freek y él salen todos los días a clavar en la tierra dura las estacas de las vallas, extendiendo metros y metros de alambrada, tensándola y arqueándola, afianzándola.

El tío Son siempre lo trata con simpatía; sin embargo, él sabe que en realidad no le cae bien. ¿Cómo lo sabe? Por la incomodidad que se refleja en su mirada cuando él está cerca, por el tono forzado de su voz. Si de verdad le cayera bien al tío Son, sería con él tan franco y despreocupado como con Ros y Freek. En vez de eso, Son siempre se cuida de hablarle en inglés, incluso aunque él le responda en afrikaans. Ha pasado a ser una cuestión de honor para los dos; no saben cómo salir de la trampa.

Se dice a sí mismo que la antipatía no es personal, que es solo porque él, el hijo del hermano más joven de Son, es mayor que el propio hijo de Son, que todavía es un bebé. Pero teme que el sentimiento provenga de más hondo, que Son le tenga poca simpatía por haberle entregado su lealtad a su madre en vez de a su padre; y también por no ser recto, honesto y sincero.

Si le dieran a elegir un padre entre Son y su propio padre, elegiría a Son, incluso aunque eso significara que él es irrevocablemente afrikáner y tuviera que pasar años en el purgatorio de un internado afrikáner, como hacen todos los niños de las granjas, antes de que se le permitiera regresar a Vöelfontein.

Quizá esa es la razón más profunda por la que no le cae bien a Son: porque siente la petición que le está haciendo esta extraña criatura y la repele, como un hombre que se quita de encima a un niño pegajoso.

Él observa a Son todo el tiempo, admirando la habilidad con la que lo hace todo, desde administrar un medicamento a un animal enfermo hasta arreglar una bomba de aire. Está especialmente fascinado por su conocimiento de las ovejas. Con solo mirar a una oveja, Son puede decir no solo la edad y el linaje y qué clase de lana dará, sino a qué sabrá cada parte de su cuerpo. Escoge una oveja para sacrificarla porque tiene las mejores costillas que comer a la parrilla o los muslos adecuados para un asado.

A él le gusta la carne. Está deseando que llegue el tintineo de la campanilla al mediodía y la suculenta comida que anuncia: platos de patatas asadas, arroz amarillento con pasas, boniatos acaramelados, calabaza con azúcar moreno y tiernos taquitos de pan, judías agridulces, ensalada de remolacha y, en el centro, en el lugar de honor, una gran fuente de carne de carnero con jugo para acompañarla. Sin embargo, después de haber visto a Ros sacrificar a las ovejas, ya no le gusta manosear la carne cruda. De vuelta a Worcester prefiere no entrar en las carnicerías. Le repugna la soltura indiferente con que el carnicero pone un trozo de carne en el mostrador, lo hace filetes, lo enrolla en papel marrón y escribe el precio en él. Cuando escucha el irritante silbido de la fina sierra eléctrica cortando el hueso, querría taparse los oídos. No le importa mirar los hígados, cuya función en el cuerpo no tiene muy clara, pero aparta la vista de los corazones que hay en el mostrador y, sobre todo, de las bandejas de despojos. Incluso en la granja rehúsa comer los menudillos, aunque son considerados un manjar exquisito.

Él no entiende por qué las ovejas aceptan su destino, por qué en lugar de rebelarse van dócilmente hacia la muerte. Si los antílopes saben que no hay nada peor en la tierra que caer en las manos de los hombres y luchan por escapar hasta el último aliento, ¿por qué son las ovejas tan estúpidas? Son animales, después de todo, poseen los finos instintos de los animales: ¿por qué no escuchan los últimos balidos de la víctima tras el cobertizo, olisquean su sangre y toman conciencia?

Algunas veces, cuando está entre las ovejas (acaban de cercarlas para darles un baño; están apretujadas en el corral y no tienen escapatoria), quisiera susurrarles al oído, avisarlas de todo lo que les aguarda. Pero entonces, en sus ojos amarillentos, él vislumbra algo que lo obliga a guardar silencio: una resignación, una presciencia no solo de lo que les ocurre a las ovejas a manos de Ros tras el cobertizo, sino también de lo que les aguarda al final del largo y sediento trayecto hasta Ciudad del Cabo a bordo del camión de transportes. Lo saben todo, hasta los más pequeños detalles, y sin embargo se resignan. Han calculado el precio y están dispuestas a pagarlo: el precio de estar en la tierra, el precio de estar vivas.

12

En Worcester siempre está soplando el viento, tenue y frío en invierno, caliente y seco en verano. Después de pasar una hora al aire libre, una capa de fino polvo rojizo te cubre el pelo, los oídos, la lengua.

Él es un niño sano, lleno de vida y de energía; sin embargo, parece que siempre esté resfriado. Por las mañanas se levanta con la garganta inflamada, los ojos enrojecidos, estornudando sin control, la temperatura de su cuerpo inestable. «Estoy enfermo», le gruñe a su madre. Ella le pone el dorso de la mano en la frente. «Entonces será mejor que te quedes en la cama», suspira a continuación.

Hay que pasar otro momento difícil, el momento en que su padre dice: «¿Dónde está John?», y su madre contesta: «Está enfermo», y su padre resopla y dice: «Fingiendo otra vez». Pasa el trago acostado, tratando de no hacer el menor ruido, hasta que su padre se ha ido y su hermano se ha ido y por fin puede entregarse a un día de lectura.

Lee a gran velocidad y totalmente absorto. En las ocasiones en que cae enfermo, su madre tiene que ir a la biblioteca dos veces por semana a sacar libros para él: dos con su carnet y otros dos con el de él. Así evita ir él mismo a la biblioteca por si el bibliotecario le hace preguntas cuando lleva a sellar los libros.

Sabe que si quiere ser un gran hombre debería leer libros serios. Debería ser como Abraham Lincoln o James Watt, y estudiar a la luz de una vela mientras los demás están durmiendo, y aprender por su cuenta latín y griego y astronomía. No ha abandonado la idea de ser un gran hombre; se promete a sí mismo que pronto empezará a leer libros serios; pero, por el momento, todo lo que quiere leer son cuentos.

Lee todos los libros de misterio de Enid Blyton, todas las historias de los hermanos Hardy, todos los cuentos de Biggles. Pero los libros que más le gustan son los relatos de la Legión Extranjera de P. C. Wren. «¿Quién es el mayor escritor del mundo?», le pregunta a su padre. Su padre responde que Shakespeare. «¿Por qué no P. C. Wren?», pregunta él. Su padre no ha leído a P. C. Wren y, pese a su experiencia como soldado, no parece interesado en hacerlo. «P. C. Wren escribió cuarenta y seis libros. ¿Cuántos escribió Shakespeare?», le desafía, y empieza a recitar los títulos. «¡Bah!», lo rechaza su padre irritado; pero no le ha dado una respuesta.

Si a su padre le gusta Shakespeare, entonces resuelve que Shakespeare debe de ser malo. Sin embargo, empieza a leer a Shakespeare en la edición amarillenta de cantos desgastados que heredó su padre y que puede que valga un montón de dinero porque es vieja. Y trata de descubrir por qué la gente dice que Shakespeare es fabuloso. Lee *Tito Andrónico* porque tiene nombre romano; después *Coriolano*, saltándose los parlamentos largos como se salta los parlamentos largos de los libros de la biblioteca.

Aparte de Shakespeare, su padre tiene los poemas de Wordsworth y los poemas de Keats. Su madre tiene los poemas de Rupert Brooke. Estos libros de poemas ocupan un lugar de honor en la repisa de la chimenea del salón, junto a Shakespeare, *La historia de San Michele* en un estuche de piel y un libro de A. J. Cronin sobre un doctor. Intenta leer en dos ocasiones *La historia de San Michele*, pero le aburre. Nunca consigue averiguar quién es Axel Munthe, si es un relato auténtico o inventado, si es sobre una chica o sobre un lugar.

Un día su padre entra en su habitación con el libro de Wordsworth. «Deberías leer estos», y señala unos poemas que ha marcado con lápiz. Unos pocos días después regresa, con la intención de hablar de los poemas. «"La sonora catarata me perseguía como una pasión" –cita su padre–. Es poesía buena, ¿verdad?» Él masculla alguna cosa, evita mirar a su padre a los ojos, evita entrar en el juego. Su padre no tarda mucho en rendirse.

Él no se arrepiente de su grosería. No ve dónde encaja la poesía en la vida de su padre; sospecha que solo es una impostura. Cuando su madre le dice que para escapar de las burlas de sus hermanas tenía que ir a leer al desván, él se la cree. Pero no puede imaginarse a su padre, de niño, leyendo poesía, cuando ahora no lee más que el periódico. A esa edad, solo puede imaginarse a su padre bromeando, riendo y fumando cigarrillos detrás de los arbustos.

Mira a su padre leer el periódico. Lee rápido, nerviosamente, ojeando las páginas como si buscara algo que nunca está allí, rasgando y manoseando las hojas al pasarlas. Cuando termina de leer dobla varias veces el periódico y se pone a hacer los crucigramas.

Su madre también venera a Shakespeare. Opina que la mejor obra de Shakespeare es *Macbeth*. «Mas si algo detener pudiera las consecuencias –dice atropelladamente, y hace un alto–: entonces que así sea y que nos traiga el éxito con su eliminación», continúa, asintiendo para mantener el ritmo. «Todos los perfumes de Arabia no podrían limpiar esta pequeña mano», concluye. *Macbeth* fue la obra que estudió en el colegio; su profesor permanecía detrás de ella y le pellizcaba el brazo hasta que había recitado el parlamento completo. «Kom nou, Vera!», le decía; venga, Vera, y la pellizcaba, y ella recordaba otras cuantas palabras.

Lo que no acaba de entender es cómo su madre, que es tan estúpida que ni siquiera puede ayudarle con los deberes de cuarto curso, habla un inglés perfecto y lo escribe mejor. Utiliza las palabras en el sentido correcto, su gramática es impecable. La lengua es su terreno, nadie puede vencerla. ¿Cómo es posible? El padre de ella era Piet Wehmeyer, un monótono nombre afrikáner. En el álbum de fotografías, con su camisa sin cuello y su sombrero de ala ancha, tiene aspecto de granjero corriente. En el distrito de Uniondale donde vivían no había ingleses; parece que todos los vecinos se llamaban Zondagh. Su propia madre nació Marie du Biel, de padres alemanes, sin una gota de sangre inglesa en sus venas. Sin embargo, cuando ella tuvo hijos les puso nombres ingleses –Roland, Winifred, Ellen, Vera, Norman, Lancelot– y les hablaba en inglés en casa. ¿Dónde aprendieron inglés, ella y Piet?

El inglés de su padre es casi tan bueno como el de ella, aunque su acento tiene más de una huella del afrikaans. Para hacer los crucigramas, su padre siempre está pasando las páginas de su edición de bolsillo del diccionario Oxford. Al menos parece ligeramente familiarizado con todas las palabras del diccionario, y también con todos los modismos. Pronuncia con deleite los modismos carentes del menor sentido, como afianzándolos en su memoria: «poner manos a la obra», «darse un batacazo».

Él no pasa de *Coriolano* en el libro de Shakespeare. Pero exceptuando la página de deportes y las tiras de cómics, el periódico le aburre. Cuando no tiene otra cosa que leer, lee los libros de tapas verdes. «¡Tráeme un libro verde!», le dice chillando a su madre desde la cama, donde guarda reposo. Los libros verdes son la *Enciclopedia de los niños* de Arthur Mee, que ha viajado con ellos desde que él tiene memoria. Los ha hojeado cientos de veces; de pequeño les arrancó páginas, las garabateó con ceras, rompió las tapas, de modo que ahora hay que manejar los volúmenes con cuidado.

En realidad no lee los libros verdes: la prosa lo impacienta muchísimo, es demasiado efusiva y pueril, excepto la segunda mitad del volumen diez, el índice, que está lleno de información objetiva. Pero él se queda absorto con las ilustraciones, especialmente con las fotografías de las esculturas de mármol, hombres desnudos y mujeres con las ropas arrolladas a la cadera. Chicas de mármol, tersas y estilizadas, llenan sus sueños eróticos.

Lo sorprendente de sus resfriados es la rapidez con que se curan o con que parecen curarse. Sobre las once de la mañana cesan los estornudos, el dolor de cabeza mengua, se siente bien. Está harto de su pijama sudado y maloliente, de las viejas mantas y el colchón flojo, de los pañuelos empapados esparcidos por todas partes. Sale de la cama pero no se viste: sería tentar demasiado a la suerte. Con la precaución de no asomarse fuera, para que no lo vea un vecino o alguien que pase por allí y le pregunte, juega con sus piezas de Meccano o pega estampas en su álbum o enhebra botones en cuerdas o trenza cordones de una madeja de lana sobrante. Su cajón está lleno de cordones que ha trenzado y que solo sirven para hacer de cinturones de la bata que no tiene. Cuando su madre entra en su habitación intenta parecer lo más avergonzado posible, se prepara para defenderse de sus observaciones mordaces.

La sospecha de que es un tramposo siempre cae sobre él. Nunca logra convencer a su madre de que está enfermo de verdad; cuando ella cede a sus ruegos, lo hace de forma poco amable, y únicamente porque no sabe decirle que no. Los compañeros de su clase creen que él es un mimado, el niño predilecto de su mamá.

Sin embargo, la verdad es que muchas mañanas se despierta esforzándose por respirar; le sobrevienen ataques de estornudos durante minutos interminables, hasta que se queda jadeante, llorando, deseando morirse. Es mentira que finja esos resfriados suyos.

La norma es que cuando has faltado al colegio, tienes que llevar un justificante. Se sabe de memoria la carta estándar de su madre: «Por favor, excuse la ausencia de John ayer. Estaba muy resfriado, y me pareció aconsejable que se quedase guardando cama. Atentamente». Entrega estas cartas que escribe su madre pensando que son mentira y que son leídas como mentiras, con el corazón lleno de aprensión.

Cuando al final del año hace recuento de las veces que ha faltado, el resultado es que por cada tres veces que ha ido ha faltado una. Con todo, sigue siendo el primero de la clase. Llega a la conclusión de que lo que ocurre en clase carece de importancia. Siempre puede ponerse al día en casa. Si por él fuera, se quedaría en casa todo el año, asistiendo a clase solo para hacer los exámenes.

Todo lo que dicen los profesores sale del libro de texto. No por eso él ni los otros chicos los miran por encima del hombro. No le gusta cuando, como sucede alguna que otra vez, la ignorancia de un profesor se hace manifiesta. Si pudiera, protegería a los profesores. Escucha con atención cada una de sus palabras. Pero escucha menos para aprender que para evitar que lo pillen soñando despierto («¿Qué acabo de decir? Repite lo que acabo de decir»), para evitar que le pregunten en clase y lo pongan en ridículo.

Está convencido de que es distinto, especial. Lo que todavía no sabe es en qué es especial, por qué está en el mundo. Intuye que no será un rey Arturo o un Alejandro, no será venerado en vida. Hasta que no se haya muerto el mundo no comprenderá lo que ha perdido.

Está esperando que le pregunten. Cuando ocurra, estará preparado. Él responderá impávido, incluso si eso significa ir a la muerte, como los hombres de la Brigada Ligera.

La pauta a la que se adhiere es la pauta de la VC, la cruz de la victoria. Solo los ingleses tienen la cruz de la victoria. Los norteamericanos no la tienen, y tampoco, para su decepción, la tienen los rusos. Por supuesto, los sudafricanos tampoco.

No tarda en caer en la cuenta de que VC son las iniciales de su madre.

Sudáfrica es un país sin héroes. Quizá Wolraad Woltemade contaría como héroe si no tuviera un nombre tan gracioso. Zambullirse en el mar embravecido una y otra vez para salvar a los infortunados marineros es un acto de valentía: pero ¿la valentía fue del hombre o del caballo? La imagen del caballo blanco de Wolraad Woltemade desafiando resuelto las olas (adora la fuerza intensa y la tenacidad de «resuelto») le pone un nudo en la garganta.

Vic Toweel disputa con Manuel Ortiz el título de campeón mundial de pesos gallo. El combate tiene lugar una noche de sábado; se queda levantado hasta tarde con su padre para escuchar los comentarios de la radio. En el último asalto Toweel, sangrando y exhausto, salta sobre su oponente. Ortiz se tambalea; la muchedumbre enloquece, la voz del comentarista está enronquecida de tanto gritar. Los jueces anuncian su decisión: el sudafricano Viccie Toweel es el nuevo campeón del mundo. Él y su padre gritan de júbilo y se abrazan. No sabe cómo expresar su dicha. Impulsivamente agarra el pelo de su padre, tira con todas sus fuerzas. Su padre se echa hacia atrás y lo mira extrañado.

Durante días los periódicos se llenan de fotografías de la pelea. Viccie Toweel es el héroe nacional. En cuanto a él, el júbilo pronto se atenúa. Todavía está contento de que Toweel haya vencido a Ortiz, pero ha empezado a preguntarse por qué. ¿Quién es Toweel para él? ¿Por qué carece de libertad para elegir entre Toweel y Ortiz en boxeo, cuando es libre de elegir entre los Hamilton y los Villager en rugby? ¿Está obligado a apoyar a Toweel, ese hombre feo y bajito, de hombros encorvados y nariz prominente y ojitos negros sin expresión, porque Toweel (a pesar de su nombre raro) es sudafricano? ¿Tienen los sudafricanos que apoyar a otros sudafricanos incluso cuando no los conocen?

Su padre no le es de ayuda. Su padre nunca dice nada sorprendente. Predice incansablemente que Sudáfrica va a ganar o que el Provincia Oeste va a ganar, ya sea en rugby o en críquet o en cualquier otra cosa. «¿Quién crees que va a ganar?», reta a su padre el día antes de que el Provincia Oeste juegue contra el Transvaal. «Provincia Oeste, una paliza», responde su padre como un reloj. Escuchan el partido por la radio y gana el Transvaal. Su padre permanece impertérrito. «El año que viene ganará el Provincia Oeste —dice—. Espera y verás.»

A él le parece estúpido creer que el Provincia Oeste ganará tan solo porque uno es de Ciudad del Cabo. Mejor creer que ganará el Transvaal, y después recibir una agradable sorpresa si no lo hace.

En sus manos conserva el tacto del pelo de su padre, grueso, vigoroso. La violencia de su acto todavía lo asombra y lo inquieta. Nunca antes se había tomado tantas libertades con el cuerpo de su padre. Preferiría que no volviera a ocurrir.

13

Es tarde por la noche. Todos duermen. Él está tendido en la cama, pensando. Cruza su cama una franja de luz anaranjada proveniente de las farolas que están encendidas toda la noche en Reunion Park.

Está recordando lo que ocurrió esa mañana durante la asamblea, mientras los protestantes cantaban sus himnos y los judíos y los católicos correteaban libres. Dos chicos mayores, católicos, lo acorralaron en una esquina. «¿Cuándo vas a venir a catequesis?», le preguntaron. «No puedo ir a catequesis, tengo que hacer unos recados para mi madre los viernes por la tarde», mintió él. «Si no vas a catequesis, no puedes ser católico», dijeron ellos. «Soy católico», insistió él, mintiendo de nuevo.

Si ocurriera lo peor, piensa ahora, afrontando lo peor, si el cura católico visitara a su madre y le preguntara por qué no va nunca a catequesis, o, la otra pesadilla, si el director del colegio anunciara que todos los chicos de nombre afrikáner van a ser trasladados a las clases de afrikáners; si la pesadilla se hiciera realidad y lo único que pudiera hacer fuera gritar y vociferar y llorar, con el comportamiento infantil que sabe que todavía está en su interior, replegado como un muelle… si, después de la tempestad, como último recurso desesperado, buscara la protección de su madre y se negara a ir al colegio, rogándole que le salvara… si finalmente estuviera a punto de deshonrarse a sí mismo por completo, revelando lo que solo sabe él, a su manera, y también su madre, a la suya, y quizá su padre, de la manera despreciable que le es propia, esto es, que sigue siendo un bebé y que nunca crecerá... si todas las historias que se han creado a su alrededor, que él ha creado, creadas con años de comportamiento normal, al menos en público, se desmoronasen y saliera lo más feo, lo más oscuro, lo más lloriqueante, lo más pueril de él a la vista de todos y se rieran de él... entonces, ¿habría algún modo de seguir viviendo? ¿No se habría convertido en alguien tan malo como uno de esos niños deformes, raquíticos, mongólicos, de voces roncas y labios babosos a los que bien podría administrárseles píldoras para dormir o ahogarlos?

Todas las camas de la casa están viejas y estropeadas, los muelles se hunden, crujen al menor movimiento. Él trata de quedarse tan quieto como puede, en la franja de luz de la ventana, consciente de su cuerpo acostado de lado, de sus puños apretados contra su pecho. En este silencio trata de imaginar su muerte. Se borra de todo: del colegio, de la casa, de su madre; trata de imaginarse los días siguiendo su curso sin él. Pero no puede. Siempre hay algo que se deja atrás, algo pequeño y negro, como una nuez, como una bellota que ha estado en el fuego, seca, cenicienta, dura, incapaz de crecer, pero que está allí. Puede imaginarse su propia muerte pero no puede imaginar su propia desaparición. Por más que lo intente, no puede aniquilar el último residuo de sí mismo.

¿Qué es lo que lo mantiene con vida? ¿Es el miedo al dolor de su madre, un dolor tan grande que no puede soportar pensar en él más que un instante? (La ve en una habitación vacía, de pie y en silencio, tapándose los ojos con las manos; después corre un velo sobre ella, sobre la imagen.) ¿O hay algo más en él que se niega a morir?

Recuerda la última vez que lo acorralaron, cuando los dos chicos afrikáners le sujetaron las manos detrás de la espalda y lo obligaron a ir detrás del terraplén al otro extremo del campo de rugby. Sobre todo, recuerda al chico más grande, tan gordo que los michelines se salían de sus ropas ceñidas, uno de esos tontos o casi tontos que te pueden romper los dedos o machacarte la tráquea con tanta facilidad como le retuercen el pescuezo a un pájaro sonriendo de placer mientras lo hacen. Pasó miedo, de eso no hay duda, el corazón le latía en el pecho. Sin embargo, ¿cuánto había de verdad en ese miedo? Mientras tropezaba por el campo con sus raptores, ¿no había algo más profundo en su interior, algo bastante vivaz, que le decía: «No importa, nada puede herirte, esto es tan solo otra aventura»?

Nada puede herirte, no hay nada de lo que no seas capaz. Esas son las dos cosas de él, dos cosas que en realidad son una sola, la cosa que está bien de él y la cosa que está mal a la vez. La cosa que es dos cosas significa que él no morirá, pase lo que pase; pero ¿no significa además eso que tampoco vivirá?

Es un bebé. Su madre lo levanta, con la cara por delante, y lo sostiene por debajo de los brazos. Sus piernas cuelgan, su cabeza se dobla, está desnudo; pero su madre lo lleva delante de ella, adentrándose en el mundo. Ella no necesita ver adónde va, solo tiene que seguirlo. Ante él, a medida que ella avanza, todo se petrifica y se hace pedazos. Solo es un bebé con una gran barriga y una cabeza que se ladea, pero posee ese poder.

Se queda dormido.

14

Reciben una llamada telefónica de Ciudad del Cabo. La tía Annie se ha caído por las escaleras de su piso de Rosebank. La han llevado al hospital con una cadera rota; alguien debe ir a ocuparse de sus asuntos.

Es julio, mediado el invierno. Sobre todo el Cabo Oriental cae un manto de frío y lluvia. Cogen el tren de la mañana con destino a Ciudad del Cabo, su hermano, su madre y él, y luego un autobús que va de Kloof Street al hospital de Volks. La tía Annie, con su camisón floreado, menuda como una niña pequeña, está en el ala para mujeres. La sala está llena: ancianas de cara delgada que se pasean en bata arrastrando los pies, hablando para sí; mujeres gordas y desaliñadas de rostro inexpresivo sentadas al borde de las camas, con los pechos derramándose descuidadamente hacia fuera. Un altavoz situado en una de las esquinas hace sonar la Springbok Radio. Las tres en punto, el programa vespertino de peticiones: «Cuando sonríen los ojos irlandeses», con Nelson Riddle y su orquesta.

La tía Annie se agarra al brazo de la madre de él con un débil apretón. «Quiero salir de este sitio, Vera —dice en un susurro ronco—. No es el mejor sitio para mí.»

La madre le palmea la mano, trata de calmarla. En la mesita de noche, un vaso de agua para la dentadura y una biblia.

La enfermera de la sala les dice que le han inmovilizado la cadera rota. La tía Annie tendrá que pasar otro mes en cama mientras el hueso se une. «Ya no es joven, llevará su tiempo.» Después tendrá que usar un bastón.

Como una ocurrencia tardía, la enfermera añade que cuando trajeron a la tía Annie tenía las uñas de los pies largas y negras como las garras de un pájaro.

Su hermano, aburrido, ha empezado a gimotear, quejándose de que tiene sed. Su madre para a una enfermera y la convence de que vaya a buscar un vaso de agua. Él, avergonzado, aparta la mirada.

Los mandan a la oficina del asistente social, al final del pasillo. «¿Son ustedes los familiares? —pregunta el asistente social—. ¿Pueden ustedes ofrecerle una casa?»

Su madre aprieta los labios. Menea la cabeza.

—¿Por qué no puede volver a su piso? —le pregunta a su madre después.

—No puede subir las escaleras. No puede ir a comprar.

—Yo no quiero que viva con nosotros.

—No va a venirse a vivir con nosotros.

La hora de visita se acaba, llega el momento de despedirse. Las lágrimas afluyen a los ojos de la tía Annie. Aprieta el brazo de la madre de él tan fuerte que tienen que obligarla a aflojar los dedos.

—*Ek wil huistee gaan*, Vera —murmura. Quiero irme a casa.

—Son unos días más, tía Annie, solo hasta que puedas volver a andar —le dice su madre con el tono más tranquilizador que puede.

Él nunca había visto esta faceta de ella: esta falsedad.

Le llega el turno. La tía Annie le tiende una mano. La tía Annie es tanto su tía abuela como su madrina. En el álbum hay una foto de ella con un bebé en brazos que se supone que es él. La tía Annie lleva un vestido negro hasta los tobillos y un sombrero negro anticuado; al fondo hay una iglesia. Ella cree que por ser su madrina tiene una relación especial con él. No parece ser consciente del asco que él siente por ella, arrugada y repugnante, metida en la cama del hospital, el asco que siente por toda esa sala llena de mujeres repugnantes. Trata de que no se le note; se le cae la cara de vergüenza. Tolera la mano que le coge el brazo, pero quiere irse, salir de este lugar y no regresar jamás.

—Eres tan listo —le dice la tía Annie con la voz baja y ronca que tiene desde que él guarda recuerdo de ella—. Estás hecho un hombrecito, tu madre cuenta contigo. Debes quererla y ser un apoyo para ella, y para tu hermano también.

¿Apoyar a su madre? Qué tontería. Su madre es como una roca, como una columna de piedra. No es él quien tiene que ser un apoyo para ella, ¡es ella quien tiene que ser un apoyo para él! Pero ¿por qué estará diciendo la tía Annie estas cosas? Hace como si fuera a morirse cuando lo único que le pasa es que tiene una cadera rota.

Asiente, trata de parecer serio, atento y obediente mientras que en secreto tan solo está esperando que ella lo suelte. Ella pone esa sonrisa llena de connotaciones que pretende señalar los lazos especiales que la unen al primogénito de Vera, unos lazos que él no siente en absoluto, que no reconoce. Tiene los ojos claros, azul celeste, borrosos. Tiene ochenta años y está casi ciega. Ni siquiera con las gafas puede leer bien la biblia, tan solo la sostiene en su regazo y susurra palabras para sí misma.

Afloja la presión; el chico murmura algo y se retira.

Le toca a su hermano, que se resigna a que lo bese.

—Adiós, querida Vera —dice con voz desmayada la tía Annie—. *Mag die Here jou seën, jou en die kinders.* (Que Dios os bendiga a ti y a los niños.)

Son las cinco y está empezando a oscurecer. En el poco familiar bullicio de la hora punta de la ciudad cogen un tren hacia Rosebank. Van a pasar la noche en la casa de la tía Annie: la perspectiva le llena de tristeza.

La tía Annie no tiene frigorífico. Lo único que hay en la despensa son unas cuantas manzanas mustias, media hogaza de pan rancio, un tarro de paté de pescado del que su madre desconfía. Lo manda a la tienda india; cenan pan con mermelada y té.

La taza del váter está marrón de suciedad. Se le revuelve el estómago cuando se imagina a la vieja con las uñas de los pies largas y negras agachándose sobre ella. No quiere usarlo.

—¿Por qué tenemos que quedarnos aquí? —pregunta.

—¿Por qué tenemos que quedarnos aquí? —repite como un eco su hermano.

—Porque sí —dice su madre, inflexible.

La tía Annie utiliza bombillas de cuarenta vatios para ahorrar electricidad. En la luz amarillenta y mortecina de la habitación, su madre empieza a empaquetar la ropa de la tía Annie en cajas de cartón. Es la primera vez que él entra en el cuarto de la tía Annie. Hay cuadros en las paredes, fotografías enmarcadas de hombres y mujeres de mirada dura, adusta: los Brecher, los Du Biel, sus antepasados.

—¿Por qué no puede irse a vivir con el tío Albert?

—Porque Kitty no puede cuidar de dos personas ancianas y enfermas a la vez.

—Yo no quiero que viva con nosotros.

—No va a vivir con nosotros.

—Entonces, ¿dónde va a vivir?

—Le buscaremos una residencia.

—¿Qué quieres decir con «una residencia»?

—Una residencia, una residencia, una residencia para ancianos.

El único cuarto que le gusta del piso de la tía Annie es el de los trastos. En el cuarto de los trastos hay periódicos y cajas de cartón apilados hasta el techo. Las estanterías están repletas de libros, siempre el mismo: un libro pequeño y grueso encuadernado con tapas rojas, impreso en el papel grueso y basto que se usa para los libros en afrikaans y que parece papel secante con motas de broza y cagadas de mosca. El título del lomo es *Ewige Genesing*; en la cubierta aparece el título entero: *Deur 'n gevaarlike krankheid tot ewige genesing*, De una enfermedad incurable a la curación eterna. Lo escribió su bisabuelo, el padre de la tía Annie; a ese libro —ha escuchado la historia muchas veces— ha dedicado ella la mayor parte de su vida, primero traduciendo el manuscrito del alemán al afrikaans, y luego gastando sus ahorros en pagar a una imprenta de Stellenbosch para imprimir cientos de ejemplares, y a un encuadernador para encuadernarlos, y luego llevándolos de una librería a otra de Ciudad del Cabo. Como no pudo convencer a los libreros de que vendieran el libro, ella misma fue de casa en casa. Los que quedan están aquí, en las estanterías del cuarto de los trastos; las cajas contienen los pliegos sin encuadernar.

Él ha intentado leer *Ewige Genesing*, pero es demasiado aburrido. En cuanto Balthazar du Biel emprende la historia de su infancia, la interrumpe con largos informes sobre luces en el cielo y voces que le hablan desde las alturas. Todo el libro parece igual: unos fragmentos sobre su persona seguidos de prolijas descripciones de lo que le decían las voces. Él y su padre bromean buenos ratos sobre la tía Annie y su padre Balthazar du Biel. Repiten el título de su libro con la entonación sentenciosa y cantarina de los predicadores, alargando las vocales: «De unaaa enfermedaaad incuraaable a la curación eteeerna».

—¿El padre de la tía Annie estaba loco? —le pregunta a su madre.

—Sí, supongo que estaba loco.

—Entonces, ¿por qué se gastó ella todo el dinero en imprimir su libro?

—Seguramente tenía miedo de él. Era un viejo alemán terrible, terriblemente cruel y despótico. Todos sus hijos le tenían miedo.

—Pero ¿no había muerto ya?

—Sí, había muerto, pero seguramente sentía que era su deber con él.

La madre no quiere criticar a la tía Annie y su sentimiento de deber con el viejo loco.

Lo mejor del cuarto de los trastos es la prensa de libros. Está hecha de un hierro tan pesado y sólido como la rueda de una locomotora. Convence a su hermano de que ponga sus brazos en la mesa de prensar; luego él gira el gran tornillo hasta que le inmoviliza los brazos y no puede escapar. Después cambian los papeles y su hermano le hace lo mismo.

Una o dos vueltas más, piensa, y se aplastarán los huesos. ¿Qué es lo que les hace detenerse, a los dos?

Durante los primeros meses en Worcester los invitaron a una de las granjas proveedoras de fruta de Standard Canners. Mientras que los adultos bebían té, él y su hermano se dieron una vuelta por el corral. Allí encontraron una trituradora. Convenció a su hermano de que pusiera la mano dentro del embudo donde se echaban los granos de maíz; después accionó la palanca. Por un instante, antes de pararla, pudo sentir de hecho cómo los delgados huesos de los dedos cedían cuando los dientes los machacaban. Su hermano se quedó con la mano atrapada en la máquina, pálido de dolor, con una mirada inquisitiva, de desconcierto, en la cara.

Sus anfitriones los llevaron corriendo al hospital, donde un médico le amputó a su hermano la mitad del dedo corazón de la mano izquierda. Durante un tiempo anduvo con la mano vendada y el brazo en cabestrillo; después llevó un saquito de piel sobre el muñón del dedo. Tenía seis años. Aunque nadie le hizo creer que el dedo crecería de nuevo, no se quejó.

Nunca le ha pedido perdón a su hermano, tampoco le ha reprochado nadie nunca lo que le hizo. Sin embargo, el recuerdo le pesa, el recuerdo de la blanda resistencia de la carne y el hueso, y de cómo se trituraban.

—Al menos puedes sentirte orgulloso de tener a alguien en tu familia que hizo algo con su vida, que dejó algo tras de sí —dice su madre.

—Has dicho que era un viejo horrible. Has dicho que era cruel.

—Sí, pero hizo algo con su vida.

En la fotografía que hay en la habitación de la tía Annie, Balthazar du Biel tiene los ojos ceñudos, penetrantes y los labios finos y tensos. Junto a él, su mujer parece cansada y afligida. Era hija de otro misionero, y Balthazar du Biel la conoció cuando vino a Sudáfrica a convertir a los paganos. Más tarde, cuando fue a Estados Unidos a predicar el Evangelio, se los llevó a ella y a sus tres hijos. En un vapor de ruedas del Mississippi alguien le regaló a su hija Annie una manzana, y ella se la llevó para enseñársela. Él le propinó una paliza por haber hablado con un extraño. Estos son los nuevos hechos que conoce de Balthazar, más lo que contiene el pesado libro de tapas rojas del que hay muchos más ejemplares en el mundo de los que el mundo quiere.

Los tres hijos de Balthazar son Annie, Louisa —la madre de su madre— y Albert, que aparece en las fotografías de la habitación de la tía Annie como un chico de mirada asustada vestido de marinero. Ahora Albert es el tío Albert, un viejo encorvado de carnes blancas pastosas como un champiñón que tembleqea todo el tiempo y tiene que apoyarse en alguien al andar. El tío Albert nunca ha ganado un sueldo decente. Se ha pasado la vida escribiendo libros y cuentos; su mujer ha sido la que ha salido a trabajar.

Le pregunta a su madre por los libros del tío Albert. Ella leyó uno hace tiempo, dice, pero no lo recuerda. «Son muy anticuados. La gente ya no lee libros de esos.»

Encuentra dos libros del tío Albert en el cuarto de los trastos, impresos en el mismo papel grueso que *Ewige Genesing*, pero encuadernados en marrón, el mismo marrón de los bancos de las estaciones de tren. Uno se llama *Kain*, el otro *Die Misdade van die vaders*, Los crímenes de los padres.

—¿Puedo cogerlos? —pregunta a su madre.

—Claro que sí —dice ella—. Nadie va a echarlos en falta.

Intenta leer *Die Misdade van die vaders*, pero no pasa de la página diez, es demasiado aburrido.

«Debes querer a tu madre y ser un apoyo para ella.» Medita sobre los consejos de la tía Annie. «Querer»: pronuncia esa palabra con desagrado. Incluso su madre ha aprendido a no decirle «Te quiero», aunque de vez en cuando deja caer un dulce «Mi amor» cuando le da las buenas noches.

No le encuentra sentido al amor. Cuando los hombres y las mujeres se besan en las películas, y se escucha de fondo el sonido apagado y dulzón de los violines, él se revuelve en el asiento. Se promete que nunca será así: blandengue y tontorrón.

No se deja besar, excepto por las hermanas de su padre, y hace esa excepción porque es costumbre de ellas y no lo entenderían. Los besos son parte del precio que paga por ir a la granja: un rápido roce entre sus labios y los de ellas, que por suerte siempre están secos. La familia de su madre no besa. Tampoco ha visto a su padre y a su madre besarse nunca de verdad. Algunas veces, cuando están en presencia de otros adultos y por alguna razón tienen que fingir, su padre besa a su madre en la mejilla. Ella le ofrece la mejilla de mala gana y enojada, como si la estuvieran forzando; el beso es ligero, rápido, nervioso.

Ha visto el pene de su padre solo una vez. Fue en 1945, cuando su padre acababa de volver de la guerra y toda la familia estaba reunida en Vöelfontein. Su padre y dos de sus hermanos salieron de caza, y lo llevaron con ellos. Era un día caluroso; llegaron a un embalse y decidieron darse un chapuzón. Cuando el chico vio que se estaban bañando desnudos, intentó retirarse, pero no le dejaron. Estaban de buen humor y no paraban de gastarse bromas; querían que se quitara la ropa y se bañara también, pero no lo hizo. Así que vio tres penes juntos, el de su padre más claramente que ninguno, pálido y blanco. Recuerda claramente cuánto se resintió de tener que ver aquello.

Sus padres duermen en camas separadas. Nunca han tenido una cama de matrimonio. La única cama de matrimonio que ha visto el chico es la de la granja, en el dormitorio principal, donde solían dormir sus abuelos. Cree que las camas de matrimonio son algo anticuado, de la época en que las esposas parían un bebé al año, como las ovejas o las cerdas. Está agradecido de que sus padres terminaran con todo ese asunto antes de que lo comprendiera apropiadamente.

Está dispuesto a creer que, hace mucho, en Victoria West, antes de que él naciera, sus padres estuvieron enamorados, puesto que al parecer el amor es una condición previa al matrimonio. Hay fotografías en el álbum que parecen probarlo: los dos sentados muy juntos en un picnic, por ejemplo. Pero todo eso debió de terminar hace años, y para él están mucho mejor así.

En cuanto a él, ¿qué tiene que ver la emoción furiosa y colérica que siente por su madre con el deliquio amoroso de la pantalla en el bioscope? Su madre lo quiere, eso no puede negarlo; pero ese es precisamente el problema, eso es lo que está mal, no lo que está bien, de su actitud hacia él. Su amor sale a la luz, sobre todo, por su desvelo, por estar decidida a precipitarse hacia él y salvarle si alguna vez se encontrara en peligro. Si pudiera elegir (pero nunca lo haría) cedería a sus atenciones y dejaría que ella cargara con él el resto de su vida. Pero, porque está tan seguro de sus atenciones, él se mantiene a la defensiva, nunca afloja, nunca le da la menor oportunidad.

Está deseando quitarse de encima la atención sin desvelo de su madre. Puede que llegue un momento en que para conseguirlo tenga que afirmarse, rechazarla tan brutalmente que, del sobresalto, ella se vea obligada a dar marcha atrás y soltarlo. Sin embargo, simplemente tiene que pensar en ese momento, imaginar su mirada de sorpresa, sentir su dolor, para que lo anegue la culpa. Entonces haría cualquier cosa por suavizar el golpe: consolarla, prometerle que nunca se marchará lejos.

Al sentir su dolor, al sentirlo tan íntimamente como si él fuera una parte de ella, y ella una parte de él, sabe que ha caído en una trampa de la cual no puede escapar. ¿De quién es la culpa? Él la culpa a ella, está enfadado con ella, pero también se avergüenza de su ingratitud. «Querer»: eso es lo que realmente es querer, esta jaula en la que él se revuelve enloquecido, como un pobre mandril. ¿Qué puede saber la inocente e ignorante tía Annie del querer, del amor? Él sabe mil veces más del mundo que ella, que desperdició su vida por el loco manuscrito de su padre. Él tiene un corazón viejo, oscuro y endurecido, un corazón de piedra. Ese es su despreciable secreto.

15

Su madre estuvo un año en la universidad antes de que tuviera que dejarles paso a sus hermanos menores. Su padre es un abogado competente: trabaja para Standard Canners solo porque hacerse con una clientela (eso le cuenta su madre) costaría más dinero del que disponen. Aunque culpa a sus padres por no haberlo criado como a un niño normal, él está orgulloso de la educación que tienen ellos.

Por el hecho de que siempre se habla en inglés en casa, y por ser siempre el primero en inglés en el colegio, se ve a sí mismo como inglés. Aunque su apellido es afrikáner, aunque su padre es más afrikáner que inglés, aunque él mismo habla afrikaans sin acento inglés, nunca podría pasar por afrikáner. El afrikaans que domina es fino e incorpóreo; existe todo un denso mundo de jergas y alusiones que dominan los chicos afrikáners auténticos —del cual las obscenidades solo son una parte— y al que no tiene acceso.

Los afrikáners tienen en común además una determinada forma de ser: mal genio, intransigencia, y, en estrecha relación con esto, la amenaza de la fuerza física (él los ve como rinocerontes, enormes, pesados, muy fibrosos, golpeándose ruidosamente unos contra otros al cruzarse); es una forma de ser que él no comparte y de la que, de hecho, huye. Los afrikáners de Worcester empuñan sus expresiones como un garrote contra sus enemigos. Por la calle conviene evitarlos cuando van en grupo; pero incluso cuando van solos tienen un aire agresivo, amenazante. Algunas veces, cuando los alumnos se alinean por las mañanas en el patio, él examina detenidamente las filas de los chicos afrikáners buscando a alguien que sea diferente, que tenga un toque de dulzura; pero no encuentra a nadie. Resulta impensable que él pueda estar alguna vez entre ellos: lo machacarían, matarían el espíritu que lo habita.

Sin embargo, se da cuenta de que no desea cederles el lenguaje afrikaans a ellos. Recuerda su primera visita a Vöelfontein, cuando tenía cuatro o cinco años y no hablaba una palabra de afrikaans. Su hermano era aún un bebé, lo tenían dentro de casa para que no le tocara el sol; no había nadie con quien jugar que no fueran los niños de color. Con ellos construía barcas con las vainas de los guisantes y las hacía flotar por los canales de riego. Pero él era como una criatura sin habla: tenían que entenderse mediante la mímica; a ratos sentía que iba a reventar por todas las cosas que no podía decir. Entonces un día abrió la boca y se dio cuenta de que podía hablar, hablar con facilidad y fluidez y sin pararse a pensar. Todavía recuerda cómo voló hasta su madre, gritando: «¡Escucha! ¡Sé hablar afrikaans!».

Cuando habla en afrikaans todas las complicaciones de la vida parecen desvanecerse en un minuto. El afrikaans es como una envoltura fantasmal que lo acompaña a todas partes, en la que es libre de introducirse, convirtiéndose al instante en otra persona, con un camino más sencillo, más alegre, más luminoso.

Algo de los ingleses que lo defrauda, que nunca imitará, es su desprecio por el afrikaans. Cuando arquean las cejas y, altivos, pronuncian incorrectamente las palabras afrikaans, como si decir *veld* con «v» fuera un signo de distinción, se aparta de ellos: se equivocan y, peor aún que equivocarse, resultan ridículos. En cuanto a él, no hace concesiones; incluso entre los ingleses pronuncia las palabras afrikaans como deben pronunciarse, con todas sus duras consonantes y sus dificultosas vocales.

Aparte de él, en su clase hay varios chicos con apellidos afrikáner. En las clases de afrikaans, por otro lado, no hay ningún chico con apellido inglés. Entre los alumnos del último año, sabe de un afrikáner apellidado Smith, aunque bien podría ser Smit; eso es todo. Es una pena, pero es comprensible: ¿qué inglés iba a querer casarse con una mujer afrikáner y tener una familia afrikáner cuando las mujeres afrikáners son todas enormes y gordas, de grandes pechos y cuellos hinchados como los de las ranas, o huesudas y deformes?

Le da gracias a Dios por que su madre hable inglés. Sigue desconfiando de su padre, a pesar de Shakespeare y de Wordsworth y de los crucigramas. No entiende por qué su padre sigue esforzándose por ser inglés aquí en Worcester, donde sería tan fácil para él volver a ser afrikáner. No considera que la infancia en Prince Albert, sobre la que escucha bromear a su padre con sus hermanos, sea muy diferente de la vida de un afrikáner en Worcester. Al igual que ocurría allí, consiste en recibir palizas e ir desnudo, en realizar las necesidades corporales delante de otros chicos, en una indiferencia animal con la intimidad.

La idea de que lo conviertan en un chico afrikáner, con la cabeza afeitada y sin zapatos, lo descorazona. Es como si lo encarcelaran, lo encerraran en una vida sin intimidad. Si fuera afrikáner tendría que vivir minuto a minuto en compañía de otros, día y noche. Una idea que se le hace insoportable.

Se acuerda de los tres días en el campamento scout, se acuerda de su suplicio, de su ardiente deseo, continuamente frustrado, de escabullirse hasta su tienda y leer un libro a solas.

Un sábado su padre lo envía a comprar cigarrillos. Puede elegir entre ir en bicicleta hasta el centro de la ciudad, donde hay tiendas adecuadas con escaparates y cajas registradoras, o ir a la cercana tiendecita afrikáner en el cruce de la vía del ferrocarril, que no es más que un cuartucho situado en la parte trasera de una casa con el mostrador pintado de marrón oscuro y las estanterías casi vacías. Elige la más cercana.

Es una tarde calurosa. En la tienda hay ristras de *biltong*, carne magra puesta a secar, que cuelgan del techo. Está a

punto de decirle al chico de detrás del mostrador –un afrikáner mayor que él– que quiere veinte Springbok rubios
cuando se le mete una mosca en la boca. La escupe con
asco. La mosca yace en el mostrador ante él, luchando en
un charco de saliva.

«Sies!», exclama otro de los clientes.

Le entran ganas de protestar: «¿Qué debo hacer? ¿No escupir? ¿Me trago la mosca? ¡Solo soy un niño!». Pero las
explicaciones no sirven de nada entre esta gente sin piedad.
Limpia el escupitajo del mostrador con la mano y rodeado
de un silencio condenatorio paga los cigarrillos.

Recordando los viejos tiempos de la granja, el padre y los
hermanos del padre vuelven una y otra vez al asunto de su
propio padre, el abuelo del chico. «'n Ware ou jintlman», dicen, un señor de los de antes, repitiendo la fórmula que han
creado para él, y se ríen: «Dis wat hy op sy grafsteen sou ge-
wens het». Un granjero y un señor, eso es lo que le hubiera gustado que rezase en su lápida. Se ríen sobre todo porque su padre seguía llevando botas de montar cuando todos
los demás de la granja llevaban *velskoen*, botas camperas.

Su madre, cuando los oye hablar así, hace una mueca de
desprecio. «No olvidéis el miedo que le teníais –dice–. Teníais miedo de encender un cigarrillo en su presencia, incluso cuando erais hombres hechos y derechos.»

Se quedan avergonzados, sin respuesta: está claro que les
ha dado en su punto débil.

Su abuelo, el de las pretensiones de gran señor, no solo
llegó a poseer la granja y la mitad de las acciones del hotel
y el almacén general de comerciantes de Fraserburg Road,
sino también una casa en Merweville con un asta de bandera enfrente en la que izaba la Union Jack el día del cumpleaños del rey.

«'n Ware ou jintlman en 'n ware ou jingo!», añaden los
hermanos: un auténtico patriotero, y de nuevo se ríen.

Su madre tiene razón. Parecen niños diciendo picardías a espaldas de sus padres. En cualquier caso, ¿con qué derecho se ríen de su padre? Si no fuera por él no hablarían nada de inglés: serían como sus vecinos, los Bote y los Nigrini, estúpidos y pesados, sin otro tema de conversación que las ovejas y el tiempo. Al menos, cuando la familia se reúne, hay un intercambio de chistes y risas en una mescolanza de lenguas; mientras que cuando los Nigrini o los Bote van a visitarlos, el ambiente se vuelve enseguida sombrío, pesado e insulso. «Ja-nee», dicen los Bote, suspirando: en fin. «Ja-nee», dicen los Coetzee, y rezan por que sus visitantes se den prisa y se vayan.

¿Y qué pasa con él? Si el abuelo al que venera era un patriotero, ¿debe ser también él un patriotero? ¿Un niño puede ser un patriotero? Presta mucha atención cuando ponen «Dios salve al rey» en el cine y la Union Jack ondea en la pantalla. El son de las gaitas hace que le suba un escalofrío por la espina dorsal, y también las palabras «leal», «valeroso». ¿Debería guardar en secreto su adhesión a Inglaterra?

No puede entender por qué hay tanta gente a su alrededor que desprecia a Inglaterra. Inglaterra es Dunquerque y la batalla de Inglaterra. Inglaterra es hacer lo que uno debe y aceptar el destino que le está reservado en silencio, sin aspavientos. Inglaterra es el muchacho en la batalla de Jutlandia, que resistió él solo con sus armas mientras el puente se incendiaba bajo sus pies. Inglaterra es Lanzarote del Lago y Ricardo Corazón de León y Robin de los Bosques con su arco de tejo y su traje Lincoln verde. ¿Qué tienen los afrikáners para compararse con ellos? Dirkie Uys, que cabalgó en su caballo hasta que este murió. Piet Retief, al que dejó en ridículo Dingaan. Y los Voortrekkers, que llevaron a cabo su venganza disparando sobre miles de zulúes que no tenían escopetas, y se sintieron orgullosos de ello.

En Worcester hay una iglesia de la Iglesia anglicana y un clérigo de pelo gris que siempre lleva una pipa y también hace de jefe de los scouts, al que algunos de los chicos ingleses de su clase –los ingleses de verdad, con apellidos ingleses y casas en la parte antigua y frondosa de Worcester– se refieren familiarmente como padre. Cuando los ingleses hablan así el chico se sume en el silencio. Está el idioma inglés, que él domina con soltura. Está Inglaterra y todo lo que Inglaterra representa, a lo que él cree que es leal. Pero está claro que se exige más que eso antes de ser aceptado como un inglés de verdad: pruebas cara a cara, algunas de las cuales sabe que no pasará.

16

Se ha concertado algo por teléfono, no sabe qué, pero le inquieta. No le gusta la sonrisa reservada, satisfecha del rostro de su madre, esa sonrisa que significa que ha estado entrometiéndose en sus asuntos.

Son los últimos días antes de que dejen Worcester. Son también los mejores días del año escolar, los exámenes han terminado y no hay nada que hacer salvo ayudar al profesor a rellenar su libro de notas.

El señor Gouws lee en voz alta una lista de notas; los chicos las suman, asignatura por asignatura, y luego calculan los porcentajes, dándose prisa por ser los primeros en levantar la mano. El juego consiste en averiguar qué notas pertenecen a quién. Normalmente él reconoce sus notas porque conforman una secuencia que se eleva hasta noventa y cien en aritmética y disminuye a setenta en historia y geografía.

No se le dan bien la historia y la geografía porque odia memorizar. Tanto lo odia que pospone el estudio de la historia y la geografía hasta el último minuto, hasta la noche anterior al examen o incluso hasta la mañana misma del examen. Odia incluso el aspecto del libro de texto de historia, con su rígida cubierta color chocolate y sus largas y aburridas listas de las causas de las cosas (las causas de las guerras napoleónicas, las causas del Gran Trek). Sus autores son Taljaard y Schoeman. Se imagina a Taljaard delgado y enjuto, a Schoeman regordete, calvo y con gafas; Taljaard y Schoeman se sientan a ambos lados de una mesa en una habitación de Paarl, escriben sus páginas malhumoradas y se las van pasando. No puede imaginarse qué motivo les habrá llevado a escribir su libro en inglés, excepto para mortificar a los niños *Engelse* y darles una lección.

La geografía no es mejor: listas de ciudades, listas de ríos, listas de productos. Cuando le piden que nombre los productos de un país siempre concluye su lista con cueros y pieles, esperando estar en lo cierto. No sabe en qué se diferencian el cuero y la piel, pero tampoco los demás.

En cuanto al resto de los exámenes, no desea que empiecen; sin embargo, cuando llegan se sumerge en ellos de buena gana. Se le dan bien los exámenes; si no fuera porque existen los exámenes y a él se le dan bien, tendría poco de especial. Los exámenes le producen un estado embriagador y tembloroso de agitación durante el cual escribe las respuestas rápida y confiadamente. No le gusta el estado en sí mismo, pero reconforta saber que está ahí para sacarle provecho.

A veces, si entrechoca dos piedras y aspira, puede recuperar ese estado de nuevo, su olor, su sabor: pólvora, hierro, calor, un latido sordo y continuado en las venas.

El secreto que ocultan la llamada telefónica y la sonrisa de su madre sale a la luz durante el recreo de media mañana, cuando el señor Gouws le hace quedarse atrás. El señor Gouws tiene un aire de falsedad, una simpatía que le despierta confianza.

El señor Gouws quiere que vaya a tomar el té a su casa. Asiente con torpeza y memoriza la dirección.

No es algo que desee. No es que le disguste el señor Gouws. Si no le inspira tanta confianza como la señora Sanderson, la profesora de cuarto curso, es solo porque el señor Gouws es un hombre, el primer hombre que le ha dado clases, y él es cauteloso con algo que alienta en todos los hombres: un desasosiego, una rudeza apenas refrenada, una sombra de placer ante la crueldad. No sabe cómo comportarse con el señor Gouws ni con los hombres en general: si no ofrecer resistencia y cortejar su aprobación, o si mantener una barrera de tiesura. Con las mujeres es más fácil porque son más bondadosas. Pero el señor Gouws —él no puede negarlo— es tan equitativo como puede serlo cualquier persona. Su dominio del inglés es bueno, y no parece dar muestras de rencor con los ingleses o con los chicos de familias afrikáners que intentan ser ingleses. Durante una de sus muchas ausencias del colegio, el señor Gouws enseñó el análisis de los complementos del predicado. Él tiene problemas para ponerse al día con lo de los complementos del predicado. Si los complementos del predicado carecieran de sentido, como los modismos, los otros chicos también encontrarían dificultades. Pero los otros chicos, o la mayoría de ellos, parecen haber alcanzado un fácil dominio de los complementos del predicado. La conclusión no puede obviarse: el señor Gouws sabe algo acerca de la gramática inglesa que él no sabe.

El señor Gouws utiliza la vara de castigo con tanta frecuencia como cualquier otro profesor. Pero el castigo que prefiere usar, cuando la clase ha estado armando alboroto demasiado tiempo, es pedirles que dejen los bolígrafos, cierren los libros, se pongan las manos detrás de la cabeza, cierren los ojos y no se muevan.

Excepto por los pasos del señor Gouws que vigila recorriendo los pasillos arriba y abajo, reina un silencio absoluto en la habitación. De los eucaliptos repartidos por el patio llega el tranquilo arrullo de las palomas. Es un castigo que él podría soportar para siempre, con serenidad: las palomas, la suave respiración de los chicos que lo rodean.

Disa Road, el lugar donde vive el señor Gouws, también está en Reunion Park, en la nueva extensión al norte del municipio, que él nunca ha explorado. El señor Gouws no solo vive en Reunion Park y va al colegio en una bicicleta de anchos neumáticos: además tiene una esposa, una mujer humilde, oscura, y, lo que todavía es más sorprendente, dos niños pequeños. Eso lo descubre en el salón del número once de Disa Road, donde hay bollos y una tetera esperando en la mesa, y donde, como se temía, al fin lo dejan a solas con el señor Gouws, con la obligación de mantener una conversación violenta, falsa.

Resulta aún peor. El señor Gouws, que ha cambiado la corbata y la chaqueta por unos pantalones cortos y unos calcetines de color caqui, trata de simular que, ahora que el año escolar ha terminado, ahora que está a punto de marcharse de Worcester, los dos pueden ser amigos. De hecho, trata de sugerir que han sido amigos todo el curso: el profesor y el chico más listo, el líder de la clase.

Él está cada vez más tieso y aturullado. El señor Gouws le ofrece un segundo bollo, que él rechaza. «¡Venga!», dice el señor Gouws y, sonriendo, lo coloca en su plato igualmente. Está deseando marcharse.

Le habría gustado irse de Worcester dejándolo todo en orden. Estaba dispuesto a concederle al señor Gouws un lugar en su memoria junto a la señora Sanderson: no exactamente con ella, pero cerca de ella. Ahora el señor Gouws lo está estropeando todo. Desearía que no fuera así.

El segundo bollo se queda en el plato sin comer. No fingirá más: guarda un silencio obstinado. «¿Tienes que irte?», pregunta el señor Gouws. Asiente. El señor Gouws se levanta y lo acompaña a la puerta de entrada, que es una copia de la puerta número doce de Poplar Avenue: de las bisagras surge la misma nota aguda, como un gemido.

Al menos el señor Gouws tiene la prudencia de no darle la mano o hacer cualquier otra sandez de esas.

Se marchan de Worcester. Su padre ha tomado la decisión de que, después de todo, su futuro no está con la Standard Canners, que, según él, ha iniciado su declive. Va a retomar el ejercicio de la abogacía.

Le dan una fiesta de despedida en la oficina, de la que regresa con un reloj nuevo. Poco después de eso parte para Ciudad del Cabo, solo, dejando a su madre para supervisar la mudanza. Ella contrata a un transportista llamado Retief, que, por cincuenta libras, transportará no solo los muebles, sino también a ellos tres en la cabina de su furgoneta. Una ganga.

Los hombres de Retief cargan la furgoneta; su madre y su hermano suben. Él da una última pasada por la casa vacía, despidiéndose. Detrás de la puerta principal está el paragüero donde solía haber dos palos de golf y un bastón, pero ahora está vacío.

–¡Se han dejado el paragüero! –grita.

–¡Ven! –lo llama su madre–. ¡Olvídate de ese viejo paragüero!

–¡No! –le contesta a gritos, y no se mueve hasta que los hombres han cargado el paragüero.

–*Dis net 'n ou stuk pyp* –refunfuña Retief. Solo es un trozo de cañería.

Así se entera de que lo que él creía que era un paragüero no es más que un tubo de desagüe de un metro que su madre ha pintado de verde. Eso es lo que se están llevando a Ciudad del Cabo, junto al cojín lleno de pelos de perro sobre el que dormía Cosaco, y el rollo de tela de alambre del gallinero, y la máquina que echa bolas de críquet, y el palo de madera con el código morse. Subiendo por el paso de montaña de Bain's Kloof, la furgoneta de Retief recuerda al Arca de Noé, portando hacia el futuro los palos y las piedras de su antigua vida.

En Reunion Park pagaban doce libras al mes por la casa. La casa que ha alquilado su padre en Plumstead cuesta veinticinco libras. Está en el límite de Plumstead, da a una explanada de arena y matas enzarzadas donde tan solo una semana después de su llegada la policía encuentra a un bebé muerto en un paquete de papel de embalar. A media hora andando en la otra dirección, está la estación de trenes de Plumstead. La casa es de construcción reciente, como todas las casas de Evremonde Road, con marcos en las ventanas y suelos de parquet. Las puertas están combadas, los cierres no funcionan, hay un montón de cascotes en el patio trasero.

En la puerta contigua vive una pareja de recién llegados de Inglaterra. El hombre lava su coche a todas horas; la mujer, con un pantalón corto y gafas de sol, se pasa el día tumbada en la hamaca, asoleando sus largas piernas blancas.

El objetivo prioritario es encontrar colegio para él y su hermano. Ciudad del Cabo no es como Worcester, donde todos los chicos iban al colegio de chicos y todas las chicas al colegio de chicas. En Ciudad del Cabo hay colegios para elegir, algunos buenos, otros no. Para entrar en un buen colegio se necesitan contactos, y ellos tienen pocos contactos.

Por mediación de Lance, el hermano de su madre, consiguen una entrevista en el instituto para chicos Rondebosch. Impoluto, con sus pantalones cortos, su camisa, su corbata y una chaqueta de franela azul marino con el emblema de la escuela primaria para chicos de Worcester en el bolsillo del pecho, se sienta junto a su madre en un banco a la puerta del despacho del director. Cuando les llega el turno les hacen pasar a una habitación forrada de madera y llena de fotografías de equipos de rugby y críquet. Las preguntas del director van todas dirigidas a su madre: dónde viven, a qué se dedica su padre. Luego llega el momento que él ha estado esperando. Su madre saca del bolso el informe que prueba que era el primero de su clase y que, por tanto, debería abrirle todas las puertas.

El director se pone las gafas de leer. «Así que fuiste el primero de tu clase —dice—. ¡Bien, bien! Pero no lo tendrás tan fácil aquí.»

Habría deseado que lo pusiera a prueba: que le preguntara la fecha de la batalla de Blood River, o, mejor aún, que le pidiera algún cálculo mental. Pero eso es todo, la entrevista ha terminado. «No puedo prometer nada —dice el director—. Su nombre se pondrá al final de la lista de espera, habrá que aguardar a que se produzca alguna baja.»

Su nombre se queda al final de las listas de espera de tres colegios, sin éxito. Ser el primero en Worcester, evidentemente, no es lo bastante bueno para Ciudad del Cabo.

El último recurso es la escuela católica, Saint Joseph's. En Saint Joseph's no hay lista de espera: admiten a cualquiera que pague la matrícula, que en el caso de los alumnos no católicos sube a doce libras y cuarto.

Lo que les están dejando a las claras, a él y a su madre, es que en Ciudad del Cabo hay clases distintas de personas que van a escuelas distintas. Saint Joseph's provee, si no a la clase más baja, a la segunda más baja. El fracaso en el intento de conseguirle un colegio mejor deja a su madre apenada, pero a él no le afecta. No está seguro de a qué clase pertenecen, dónde encajan. Por el momento, está satisfecho porque, al menos, se las va arreglando. La amenaza de que lo envíen a un colegio afrikáner y de que lo sometan a una vida afrikáner se ha alejado; eso es lo que cuenta. Puede estar tranquilo. Ni siquiera tiene que continuar fingiendo que es católico.

Los ingleses de verdad no van a colegios como Saint Joseph's. En las calles de Rondesbosch, yendo y viniendo de sus propios colegios, ve a los auténticos ingleses todos los días, contempla sus cabellos lacios y rubios y sus pieles doradas, sus ropas, que nunca les quedan grandes ni pequeñas, su serena confianza. Se mofan unos de otros (palabra que conoce de los cuentos del colegio público que ha leído) de forma natural, sin la voracidad y la grosería a la que se había acostumbrado. No aspira a unirse a ellos, pero observa atentamente y trata de aprender.

Los chicos del Diocesan College, que son los más ingleses de todos los ingleses y ni siquiera condescienden a jugar al rugby o al críquet contra el Saint Joseph's, viven en zonas selectas de las que, al estar apartadas de la vía férrea, oye hablar pero nunca ha visto: Bishopscourt, Fernwood, Constantia. Tienen hermanas que van a colegios como Herschel y Saint Cyprian's, a las que vigilan y protegen complacientemente. En Worcester rara vez se ha fijado en alguna chica: sus amigos parecían tener siempre hermanos, no hermanas. Ahora vislumbra por primera vez a las hermanas de los ingleses, tan rubias platino, tan bonitas, que no puede creer que sean de este mundo.

Para llegar puntual al colegio a las ocho y media tiene que salir de casa sobre las siete y media: media hora andando hasta la estación, quince minutos en el tren, cinco minutos andando de la estación al colegio, y diez minutos de más por si hay retrasos. Sin embargo, como se siente nervioso ante la idea de llegar tarde, sale de casa a las siete en punto y llega al colegio sobre las ocho. Allí, en la clase recién abierta por el conserje, puede sentarse en su pupitre con la cabeza apoyada en los brazos y esperar.

Tiene pesadillas: se confunde de hora cuando consulta la esfera del reloj, pierde trenes, toma direcciones equivocadas. En sus pesadillas llora sumido en la más desamparada de las desesperaciones.

Los únicos chicos que llegan al colegio antes que él son los hermanos De Freitas, cuyo padre, que es verdulero, los baja al romper el alba de su ajado camión azul, con el que se dirige al mercado de productos de Salt River.

Los profesores de Saint Joseph's pertenecen a la orden de los maristas. Para él estos hermanos, con sus severas sotanas negras y sus alzacuellos blancos de almidón, son gente especial. Su aire de misterio le impresiona: el misterio de su origen, el misterio de los nombres de los que se han desprendido. No le gusta cuando el hermano Augustine, el entrenador de críquet, va al entrenamiento con camisa blanca, pantalones negros y botas de críquet como una persona normal. Le disgusta especialmente que el hermano Augustine, cuando le toca batear, se meta un protector, una «caja», bajo los pantalones.

No sabe lo que hacen los hermanos cuando no están dando clase. El ala del edificio del colegio donde duermen, comen y tienen su vida privada está fuera de los límites; él no desea franquearlos. Le gustaría pensar que allí viven una vida austera, que se levantan a las cuatro de la mañana, pasan horas rezando, comen frugalmente, se zurcen los calcetines. Cuando se portan mal, él hace lo que puede por disculparlos. Cuando el hermano Alexis, por ejemplo, que es gordo y va sin afeitar, comete la grosería de tirarse una ventosidad y se queda dormido en la clase de afrikaans, se dice a sí mismo que el hermano Alexis es un hombre inteligente que considera que lo que se enseña está por debajo de su nivel. Cuando el hermano Jean-Pierre es cesado repentinamente de sus obligaciones en el dormitorio de los niños pequeños, entre rumores de que ha estado haciéndoles «cosas», él simplemente aparta esas historias de su mente. Le parece inconcebible que los hermanos tengan deseos sexuales y sean incapaces de resistirlos.

Como pocos de los hermanos tienen el inglés como primer idioma, han contratado a un seglar católico para impartir las clases de inglés. El señor Whelan es irlandés; odia a los ingleses y apenas disimula su aversión por los protestantes. Tampoco se esfuerza en pronunciar los nombres afrikáners correctamente: aprieta los labios con repugnancia como si fueran incoherencias propias de paganos.

La mayor parte del tiempo de la clase de inglés está dedicada al *Julio César* de Shakespeare, según el método del señor Whelan de asignar a los alumnos personajes y de hacerles leer sus papeles en voz alta. También hacen ejercicios sacados del libro de texto de gramática, y, una vez a la semana, escriben un ensayo. Tienen treinta minutos para escribir el ensayo antes de entregarlo; como no es partidario de llevarse trabajo a casa, el señor Whelan dedica los últimos diez minutos a puntuar todos los ensayos. Sus sesiones de puntuación en diez minutos se han convertido en una de sus *pièces de résistance*, que los chicos observan con sonrisas de admiración. Balanceando su lápiz azul, el señor Whelan revisa rápidamente los montones de ensayos, luego los junta y se los pasa al delegado de la clase. Entonces se oye un murmullo irónico, reprimido, de aclamación.

El nombre del señor Whelan es Terence. Siempre lleva una chaqueta de motorista de piel marrón y un sombrero. Cuando hace frío se deja el sombrero puesto dentro de clase. Se frota las manos pálidas para calentárselas; tiene la cara exangüe de un cadáver. No está claro qué está haciendo en Sudáfrica, por qué no ha vuelto a Irlanda. Parece rechazar el país y todo lo que hay en él.

Para el señor Whelan él escribe ensayos sobre «El personaje de Marco Antonio», «El personaje de Bruto», sobre «La seguridad vial», sobre «El deporte», sobre «La naturaleza». La mayoría de estos ensayos son estúpidos, composiciones mecánicas; pero de vez en cuando siente un brote de emoción mientras escribe, y el bolígrafo empieza a deslizarse sobre la hoja. En uno de sus ensayos un salteador de caminos espera emboscado a la vera de un camino. Su caballo relincha suavemente, su respiración se transforma en vapor en el aire frío de la noche. Un rayo de luz de luna cae como un cuchillo cruzándole la cara; él sostiene la pistola bajo la falda de su abrigo para mantener la pólvora seca.

El bandido no impresiona al señor Whelan. Los ojos apagados del señor Whelan revolotean por la página, su lápiz baja: seis y medio. Seis y medio es la nota que consigue casi todas las veces por sus ensayos; nunca más de siete. Los chicos con nombres ingleses consiguen siete y medio u ocho. A pesar de su nombre raro, un chico que se llama Theo Stavropoulos consigue ochos, porque viste bien y recibe clases de declamación. A Theo también le asignan siempre el papel de Marco Antonio, lo que significa que llega a declamar «Amigos, romanos, compatriotas, prestadme oídos», el famoso discurso de la obra.

En Worcester iba al colegio temeroso pero también emocionado. La verdad es que en cualquier momento podía quedar al descubierto que era un mentiroso, y eso acarrearía terribles consecuencias. Aun así, el colegio era fascinante:

cada día parecía traer consigo nuevas revelaciones de la crueldad y el dolor y la rabia del odio latente bajo la superficie cotidiana de las cosas. Lo que pasaba estaba mal, él lo sabía, no debería permitirse que ocurriera; además, era demasiado joven, demasiado infantil y vulnerable para lo que se le estaba haciendo descubrir. Sin embargo, la pasión y la furia de aquellos días de Worcester se adueñaron de él; estaba horrorizado pero también ansioso de ver más, de ver todo lo que quedaba por ver.

En Ciudad del Cabo, por contraste, siente que está perdiendo el tiempo. El colegio ya no es el sitio donde salen a la luz las grandes pasiones. Es un pequeño mundo angosto, una cárcel más o menos benigna en la que bien podría estar trenzando cestos en lugar de aguantar la rutina de la clase. Ciudad del Cabo no lo está haciendo más listo, lo está haciendo más estúpido. Darse cuenta de esto le causa un pánico profundo. Quienquiera que sea él de verdad, quienquiera que sea el verdadero «Yo» que debería estar emergiendo de las cenizas de su infancia, no lo dejan nacer, lo mantienen raquítico y enfermizo.

Es en las clases del señor Whelan donde siente esto más desesperadamente. Podría escribir mucho más de lo que jamás le permitiría el señor Whelan. Para el señor Whelan escribir no es como extender las alas; por el contrario, es como encogerse en una bola, haciéndose tan pequeño e inofensivo como se pueda.

No tiene el menor deseo de escribir sobre deporte (*mens sana in corpore sano*) o sobre seguridad vial, temas tan tediosos que a la hora de redactar el ensayo no le salen las palabras. Ni siquiera desea escribir sobre salteadores de caminos: tiene la sensación de que las tajadas de luz de luna que caen cruzándoles la cara y las manos de nudillos blancos que empuñan las culatas de las pistolas, independientemente de la impresión momentánea que puedan dar, no vienen de él sino de algún otro sitio, y llegan ya ajadas, rancias. Lo que escribiría si pudiera, si no fuera el señor Whelan quien va a leerlo, sería más oscuro, algo que, una vez que comenzara a fluir de su pluma, se extendería por las páginas sin control, como tinta derramada. Como tinta derramada, como sombras corriendo por la superficie de un remanso, como un relámpago resquebrajando el cielo.

El señor Whelan también tiene asignada la tarea de mantener ocupados a los chicos no católicos de sexto curso mientras los chicos católicos están en catequesis. Él debería estar leyéndoles el Evangelio según san Lucas, o los Hechos de los Apóstoles. En lugar de eso oyen historias sobre Parnell y Roger Casement y sobre la perfidia de los ingleses, una y otra vez. Algunos días el señor Whelan llega a clase con el *Cape Times* del día, hirviendo de rabia por los últimos atropellos de los rusos a sus países satélite. «Han creado en sus escuelas clases de ateísmo donde se les obliga a los niños a escupir sobre Nuestro Salvador —truena—. ¿Podéis creerlo? Y a esos pobres niños que permanecen fieles a su credo los envían a los infames campos de concentración de Siberia. Esa es la realidad del comunismo, que tiene la desfachatez de llamarse la religión del hombre.»

Del señor Whelan reciben noticias de Rusia, del hermano Otto oyen hablar de la persecución de los fieles en China. El hermano Otto no es como el señor Whelan: es tranquilo, se ruboriza fácilmente, hay que engatusarle para que cuente historias. Pero sus historias tienen más crédito porque realmente él ha estado en China. «Sí, lo he visto con mis propios ojos —dice en su inglés titubeante—: gente en celdas muy pequeñas, encerrada, tantas que ya no podían respirar, y morían. Lo he visto.»

Ching-Chong-Chino, llaman los chicos al hermano Otto a sus espaldas. Para ellos, lo que el hermano Otto tiene que decir de China o el señor Whelan de Rusia no es más real que Jan van Riebeeck o el Gran Trek. De hecho, como Jan van Riebeeck y el Gran Trek entran en el programa de sexto curso mientras que el comunismo no, podrían saltarse lo que pasa en China y en Rusia. China y Rusia solo son excusas para hacer hablar al hermano Otto y al señor Whelan.

En cuanto a él, está confundido. Sabe que las historias que cuentan sus profesores deben de ser mentiras –los comunistas son buenos, ¿por qué iban a comportarse tan cruelmente?–, pero no tiene forma de probarlo. Le da rabia tener que aguantar sus charlas como un cautivo, demasiado prudente para protestar o incluso dudar. Él mismo ha leído el *Cape Times*, sabe lo que les pasa a los simpatizantes de los comunistas. No quiere que lo denuncien como compañero de viaje y lo condenen al ostracismo.

Aunque el señor Whelan no se muestre nada entusiasta enseñando las Sagradas Escrituras a los alumnos no católicos, no puede hacer oídos sordos a lo que se dice en los Evangelios. «Al que te hiera en una mejilla, preséntale también la otra», lee en Lucas. «¿Qué quiere decir Jesús? ¿Quiere decir que deberíamos renunciar a defendernos? ¿Quiere decir que deberíamos ser unos cobardes? Por supuesto que no; pero si un matón llega buscando pelea, Jesús dice: no te dejes provocar. Hay mejores maneras de limar diferencias que mediante puñetazos.

»A todo el que te pida, da, y al que tome lo tuyo, no se lo reclames: ¿qué quiere decir Jesús? ¿Quiere decir que el único modo de conseguir la salvación es deshacerse de todo lo que se posee? No. Si Jesús hubiera querido que vagáramos por las calles cubiertos de harapos, habría dicho eso. Jesús habla en parábolas. Nos dice que aquellos de nosotros que crean de verdad, serán recompensados con el cielo, mientras que aquellos que no han creído sufrirán el castigo eterno en el infierno.»

Él se pregunta si el señor Whelan consulta a los hermanos –especialmente al hermano Otto, que es el tesorero y cobra las tasas escolares– antes de predicar estas doctrinas a los no católicos. Está claro que el señor Whelan, el profesor seglar, cree que los no católicos son unos paganos, que están malditos, mientras que los hermanos parecen ser bastante tolerantes.

Su resistencia a las lecciones de las Sagradas Escrituras del señor Whelan va en aumento. Está seguro de que el señor Whelan no tiene ni idea de lo que las parábolas de Jesús significan realmente. Aunque él es ateo y siempre lo ha sido, siente que comprende a Jesús mejor que el señor Whelan. No le gusta especialmente Jesús —Jesús se deja llevar por la cólera con mucha facilidad—, pero está dispuesto a aguantarlo. Al menos Jesús no fingió ser Dios, y murió antes de que pudiera llegar a ser padre. Esa es la fuerza de Cristo; así mantiene Jesús su poder.

Pero hay una parte del evangelio de san Lucas que no le gusta escuchar leer. Cuando llegan a ella se pone tenso, se tapa los oídos. Las mujeres llegan al sepulcro para ungir el cuerpo de Jesús. Jesús no está allí. En su lugar, encuentran a dos ángeles. «¿Por qué buscáis entre los muertos al que está vivo? —preguntan los ángeles—: No está aquí, ha resucitado.» Él sabe que si destapara los oídos y dejara pasar las palabras por ellos, tendría que levantarse del asiento y gritar y bailar de alegría. Tendría que volverse loco para siempre.

No cree que el señor Whelan le desee mal alguno. Sin embargo, la nota más alta que ha conseguido nunca en los exámenes de inglés es setenta sobre cien. Con setenta no puede ser el primero de la clase: los chicos más favorecidos le ganan sin dificultad. Tampoco se le dan bien la historia y la geografía, que le aburren más que nunca. Solo las notas altas que logra en matemáticas y en latín le acercan sutilmente a la cabeza de la lista, por delante de Oliver Matter, el chico suizo que era el más listo de la clase hasta que llegó él.

Ahora que ha encontrado en Oliver un oponente preocupante, su antigua promesa de llevar siempre a casa unas notas que demuestren que es el primero de la clase se convierte en una feroz cuestión de honor personal. Aunque no le cuenta nada de eso a su madre, se está preparando para el día inaceptable, el día que tenga que decirle que es el segundo.

Oliver Matter es un chico de semblante distraído, amable y risueño al que no parece importarle ser el primero o el segundo. Él y Oliver compiten todos los días en el concurso de respuestas rápidas que organiza el hermano Gabriel, que pone a los chicos en una fila que recorre arriba y abajo haciendo preguntas que hay que responder en cinco segundos, y enviando al que falle una respuesta al final de la fila. Al acabar la partida siempre son él u Oliver quienes están a la cabeza.

Luego Oliver deja de ir al colegio. Al cabo de un mes, sin que medie una explicación, el hermano Gabriel hace un anuncio. Oliver está en el hospital, tiene leucemia, todos deben rezar por él. Con la cabeza inclinada, los chicos rezan. Como él no cree en Dios, no reza, solo mueve los labios. Piensa: todo el mundo piensa que yo quiero que Oliver se muera para poder seguir siendo el primero.

Oliver nunca regresa al colegio. Muere en el hospital. Los chicos católicos asisten a una concentración especial para rogar por el reposo de su alma.

La amenaza se aleja. El chico respira más fácilmente; pero el antiguo placer de ser el primero se ha apagado.

17

La vida en Ciudad del Cabo es menos variada de lo que solía serlo en Worcester. Durante los fines de semana, en especial, no hay nada que hacer salvo leer el *Reader's Digest* o escuchar la radio o golpear una bola de críquet por ahí. Ya no monta en bicicleta: no hay ningún lugar interesante adonde ir en Plumstead, solo hay kilómetros de casas en todas las direcciones, y de todas formas se le ha quedado pequeña la Smiths, que está empezando a parecer una bicicleta de niño.

Montar en bicicleta por las calles, de hecho, va resultando tonto. Otras cosas que antes lo absorbían también han perdido su encanto: construir maquetas de Meccano, coleccionar sellos. Ya no entiende por qué malgastó su tiempo con ellos. Pasa horas en el cuarto de baño, analizándose ante el espejo, sin gustarle lo que ve. Deja de sonreír, frunce el entrecejo.

La única pasión que no ha menguado es su pasión por el críquet. Sabe que nadie está tan loco por el críquet como él. Juega al críquet en el colegio, pero eso nunca es suficiente. La casa de Plumstead tiene un porche frontal con el pavimento de pizarra. Ahí juega solo, sosteniendo el bate con la mano izquierda, lanzando la pelota contra el muro con la derecha, golpeándola en el rebote, simulando que está en un campo de críquet. Hora tras hora lanza la bola contra la pared. Los vecinos se quejan a su madre del ruido, pero él no hace caso.

Ha estudiado libros de entrenamiento, se sabe los distintos golpes de memoria, es capaz de ejecutarlos con la posición correcta de las piernas. Pero la verdad es que ha empezado a preferir el juego solitario en el porche al críquet de verdad. La idea de batear en un campo de verdad lo emociona pero también lo intimida. Teme especialmente a los lanzadores rápidos: teme que lo golpeen, teme el dolor. En las ocasiones en que juega al críquet de verdad tiene que concentrarse en no retroceder, en no mostrar que es un cobarde.

Apenas puntúa runs. Si no lo eliminan a la primera, algunas veces puede batear durante media hora sin puntuar, sacando de quicio a todo el mundo, incluidos sus compañeros de equipo. Parece entrar en un estado hipnótico de pasividad en el que le basta, le sobra, con solo esquivar la pelota. Recordando estos fracasos, se consuela a sí mismo con anécdotas de entrenamientos en los que una figura solitaria, habitualmente un hombre de Yorkshire, tenaz, estoico, con los labios apretados, batea durante varios turnos, sin desfallecer, mientras se van desplomando las estacas a su alrededor.

Al abrir el turno de batear contra el Pinelands infantil, los menores de trece años, un viernes por la tarde, se encuentra frente a un chico alto, enteradillo, que, incitado por sus compañeros, lanza tan rápido y con tanta rabia como puede. La pelota sobrevuela todo el lugar, superando las estacas, superándolo a él, al receptor: apenas le concede oportunidad de usar el bate.

En el tercer turno una pelota rebota en la tierra batida que hay alrededor de la esterilla, se eleva y lo golpea en la sien. «¡Esto sí que es demasiado! —piensa para sí, enfadado—. ¡Se ha pasado!» Se da cuenta de que los jugadores del campo lo están mirando extrañados. Todavía puede oír el impacto de la pelota contra el hueso: un chasquido sordo, sin eco. Luego se le pone la mente en blanco y cae.

Está tumbado a un lado del campo. Tiene la cara y el pelo húmedos. Busca con la mirada el bate, pero no lo ve.

—Quédate tumbado y descansa un rato —dice el hermano Augustine. Su voz es bastante alegre—. Te han dejado fuera de combate.

—Quiero batear —murmura, y se incorpora.

Es lo que hay que decir, lo sabe: prueba que no es un cobarde. Pero no puede batear: ha perdido su turno, ya hay alguien bateando en su lugar.

Esperaba que le dieran más importancia. Esperaba un clamor contra el lanzamiento peligroso. Pero el juego continúa, y su equipo lo está haciendo bastante bien. «¿Estás bien? ¿Te duele?», le pregunta un compañero, y luego apenas escucha su respuesta. Se sienta en la banda mirando el resto de los turnos. Más tarde toma posición como jugador de campo. Le gustaría que le doliera la cabeza; le gustaría perder la visión, o desmayarse, o hacer cualquier cosa dramática. Pero se encuentra bien. Se toca la sien. Tiene un pequeño bulto blando. Espera que se hinche y se ponga morado antes de mañana, para probar que de verdad le dieron un golpe.

Como todos en el colegio, también tiene que jugar al rugby. Incluso un chico llamado Shepherd que tiene el brazo izquierdo debilitado por la polio tiene que jugar. Les asignan las posiciones dentro del equipo con bastante arbitrariedad. Le asignan como jugador de tres-cuartos en el equipo infantil B. Juegan los sábados por la mañana. Siempre está lloviendo los sábados: con frío, mojado y triste, se arrastra por el césped empapado de línea a línea, mientras lo empujan los chicos más grandes. Como juega de tres-cuartos, nadie le pasa el balón, algo que agradece, porque tiene miedo de que le hagan un placaje. De todos modos, el balón, que tiene una capa de grasa de caballo para proteger el cuero, es demasiado resbaladizo como para poder sujetarlo.

Se haría el enfermo los sábados si no fuera porque el equipo se quedaría entonces con catorce hombres. No aparecer en un partido de rugby es mucho peor que faltar al colegio.

El equipo infantil B pierde todos los partidos. El equipo infantil A es muy flojo también. De hecho, la mayoría de los equipos de Saint Joseph's pierden siempre. No entiende en absoluto por qué el colegio juega al rugby. Desde luego los hermanos, que son austríacos o irlandeses, no están interesados en el rugby. Las pocas ocasiones que han ido a verlo, parecen confundidos, y no entienden de qué va.

En el cajón de la mesita de noche su madre guarda un libro de tapas negras titulado *El matrimonio ideal.* Trata de sexo; sabe de su existencia desde hace años. Un día lo saca del cajón sin que nadie se dé cuenta y se lo lleva al colegio. Causa conmoción entre sus amigos; parece ser el único cuyos padres tienen un libro así.

Aunque leerlo es una decepción —los dibujos de los órganos se parecen a los esquemas de los libros de ciencias, y ni siquiera en el apartado de posturas hay algo excitante (introducir el órgano masculino en la vagina suena como un enema)–, los otros chicos lo estudian con avidez, le suplican que se lo preste.

Durante la clase de química deja el libro en el pupitre. Cuando regresan al aula, el hermano Gabriel, que por lo general es bastante alegre, tiene una mirada helada, reprobadora. Está convencido de que el hermano Gabriel ha levantado la tapa del pupitre y ha visto el libro; le palpita el corazón mientras espera a que llegue el anuncio y la posterior vergüenza. El anuncio no llega, pero en cada comentario del hermano Gabriel oye una alusión velada a la perversidad que él, un no católico, ha introducido en la clase. Todo se ha fastidiado entre el hermano Gabriel y él. Se lamenta amargamente de haber traído el libro; se lo lleva a casa, lo devuelve al cajón y nunca más lo mira.

Él y sus amigos siguen reuniéndose en un rincón del campo de deportes en los recreos para hablar de sexo un rato. A estas conversaciones él aporta trozos y fragmentos que ha sacado del libro. Pero está claro que no son lo bastante interesantes: pronto los chicos mayores empiezan a darles de lado para conversar entre sí con repentinos cambios de tono, susurros, carcajadas. El centro de estas conversaciones es Billy Owen, que tiene catorce años y una hermana de dieciséis y conoce a chicas y tiene una chaqueta de cuero que lleva a los bailes y seguramente incluso ha tenido experiencias sexuales.

Él se hace amigo de Theo Stavropoulos. Dicen que Theo es un *moffie*, un mariposón, un marica, pero él no está dispuesto a creerlo. Le gusta el estilo de Theo, le gustan su cutis fino, sus cortes de pelo impecables y llamativos, y la manera zalamera con que luce su ropa. Incluso la chaqueta del colegio, con sus inútiles rayas verticales, a él le sienta bien.

El padre de Theo es propietario de una fábrica. Nadie sabe muy bien lo que produce exactamente esa fábrica, pero está relacionado con el pescado. La familia vive en una gran casa en la parte más rica de Rondebosch. Tienen tanto dinero que, si no fuera porque son griegos, seguro que los chicos habrían ido al Diocesan College. Como son griegos y tienen nombres extranjeros, se ven obligados a ir a Saint Joseph's, que, ahora se da cuenta, es una especie de canasta donde se recoge a los chicos que no encajan en ningún otro sitio.

Solo logra vislumbrar al padre de Theo una vez: un hombre alto y elegantemente vestido, con gafas oscuras. A su madre la ve más a menudo. Es bajita, delgada y morena; fuma cigarrillos y conduce un Buick azul que tiene fama de ser el único coche de Ciudad del Cabo —y quizá de Sudáfrica— con cambio de marcha automático. Hay también una hermana mayor tan bonita, tan exquisitamente educada, con tantos pretendientes, que no le permiten exponerse a la mirada de los amigos de Theo.

A los chicos Stavropoulos los llevan al colegio por la mañana en el Buick azul, conducido a veces por su madre pero más a menudo por un chófer de uniforme negro y gorra con visera. El Buick entra majestuosamente en el patio, Theo y su hermano bajan, el Buick se va majestuosamente. No puede entender cómo Theo permite eso. Si él estuviera en su lugar pediría que lo bajaran a una manzana de distancia. Pero Theo se toma las bromas y los chistes con ecuanimidad.

Un día después del colegio Theo lo invita a su casa. Cuando llegan allí se da cuenta de que se espera que coman. Así que a las tres de la tarde se sientan a la mesa del comedor con cubiertos de plata y servilletas limpias, y un mayordomo de uniforme blanco, que se queda en pie detrás de Theo esperando instrucciones, les sirve filete con patatas.

Hace lo que puede por disimular su asombro. Sabe que hay gente a la que sirven criados; no se había dado cuenta de que los niños también podían tener criados.

Después, los padres de Theo y su hermana se van al extranjero —la hermana, según se rumorea, para ser desposada por un baronet inglés—, y Theo y su hermano se convierten en internos. Cree que a Theo le abrumará la experiencia: la envidia y la malicia de los otros internos, la comida pobre, las indignidades de una vida sin intimidad. También cree que Theo se verá obligado a resignarse a llevar el mismo corte de pelo que todos los demás. Sin embargo, de algún modo Theo se las arregla para mantener su elegante peinado; de algún modo, a pesar de su nombre, a pesar de ser torpe para los deportes, a pesar de los comentarios que lo tachan de *moffie*, conserva su sonrisa afable, nunca se queja, nunca se permite a sí mismo que lo humillen.

Theo se ha sentado muy pegado a él, en su mismo pupitre, bajo el cuadro de Jesús abriendo su pecho para mostrar un corazón color rubí incandescente. Deberían estar revisando la lección de historia; en realidad, tienen un pequeño libro de gramática con el que Theo le está enseñando griego antiguo. Griego antiguo con pronunciación de griego moderno: le encanta esta excentricidad. «Aftós —susurra Theo—; evdhemonía.» «Evdhemonía», le responde él en un susurro.

El hermano Gabriel aguza los oídos.

—¿Qué está haciendo, Stavropoulos? —le pregunta.

–Le estoy enseñando griego, hermano –dice Theo con su tono suave, lleno de confianza.

–Vaya y siéntese en su pupitre.

Theo sonríe y camina hasta su pupitre.

A los hermanos no les gusta Theo. Su arrogancia les enoja; al igual que los chicos, piensan que es un malcriado, que tiene demasiado dinero. Esa injusticia lo llena de cólera. Le gustaría luchar de verdad por Theo.

18

Con la intención de sacarlos de apuros hasta que la práctica legal empiece a darles dinero, su madre vuelve a la enseñanza. Para hacer las tareas domésticas contrata a una criada, una mujer flaca sin apenas dientes en la boca llamada Celia. Algunas veces Celia trae consigo a su hermana menor para que le haga compañía. Al llegar a casa una tarde, se las encuentra sentadas en la cocina bebiendo té. La hermana menor, que es más atractiva que Celia, le regala una sonrisa. Hay algo en su sonrisa que lo perturba; no sabe adónde mirar y se retira a su habitación. Las oye reírse y sabe que se están riendo de él.

Algo está cambiando. Parece estar avergonzado todo el tiempo. No sabe dónde poner la vista, qué hacer con las manos, cómo sostener el cuerpo, qué semblante poner. Todo el mundo lo mira, juzgándolo, encontrándole defectos. Se siente como un cangrejo despojado de su caparazón, rosado, herido y obsceno.

Hace mucho tiempo estaba lleno de ideas, ideas de lugares adonde ir, de cosas de las que hablar, de cosas que hacer. Estaba siempre un paso por delante de los demás: era el líder, los otros lo seguían. Ahora, la energía que siempre sintió fluir de él ha desaparecido. A la edad de trece años se está volviendo hosco, ceñudo, taciturno. No le gusta su nuevo y feo yo, quiere que lo saquen de él, pero eso es algo que no puede hacer solo.

Visitan el nuevo bufete de su padre para ver cómo es. El bufete está en Goodwood, que forma parte del nervio de suburbios afrikáners Goodwood-Parow-Bellville. Las ventanas están pintadas de verde oscuro; sobre el verde, en letras doradas, están las palabras Z. COETZEE. ABOGADO PROCURADOR. El interior es lóbrego, con un pesado mobiliario tapizado de crin y cuero rojo. Los libros de derecho que han viajado con ellos por Sudáfrica desde que su padre ejerció la abogacía por última vez en 1937, han salido de sus cajas y ocupan ahora las estanterías. Ociosamente busca «Violación». Los nativos introducen a veces el órgano masculino entre los muslos de la mujer sin penetración, dice una nota a pie de página. La práctica compete al derecho consuetudinario. No constituye una violación.

¿Son estas cosas de las que se encargan en los tribunales de justicia: discutir dónde se meten los penes?, se pregunta.

Parece que el bufete de su padre prospera. No solo contrata a un mecanógrafo sino también a un pasante llamado Eksteen. A Eksteen su padre le deja las tareas rutinarias con las escrituras de traspaso y los testamentos; sus esfuerzos los dedica al emocionante trabajo de actuar en los tribunales como abogado defensor «para librar a la gente». Todos los días vuelve a casa con nuevas historias de gente a la que ha defendido y de lo agradecida que le está.

Su madre está menos interesada en la gente a la que defiende que en la lista creciente de facturas por pagar. Un nombre en particular no para de salir: Le Roux, el vendedor de coches. Ella acosa a su padre: él es abogado, seguramente puede hacer pagar a Le Roux. Seguro que Le Roux liquidará su deuda a final de mes, lo ha prometido, contesta su padre. Pero a final de mes, una vez más, Le Roux no paga.

Le Roux no paga, pero tampoco se escabulle. Por el contrario, invita a su padre a ir de copas, le promete más trabajo, le pinta un futuro prometedor auspiciado por el dinero que harán recuperando coches.

Las discusiones en casa se agrían, pero al mismo tiempo se van haciendo más reservadas. Él le pregunta a su madre qué está pasando. Con amargura ella le dice que Jack le ha estado prestando dinero a Le Roux.

Él no necesita oír más. Conoce a su padre, sabe lo que está pasando. Su padre ansía aprobación, hará cualquier cosa por agradar. En los círculos en los que se mueve su padre, hay dos modos de agradar: invitar a la gente a copas y prestarles dinero.

Los niños no deben entrar en los bares. Pero en el bar del hotel de Fraserburg Road él y su hermano a menudo se sientan a una mesa del rincón, bebiendo zumo de naranja, mientras observan cómo su padre paga rondas de brandy y agua a extraños, dándoles a conocer este otro lado suyo. Él conoce el estado de bondad expansiva que el brandy genera en su padre, el cacareo, las grandes muestras de derroche.

Con ansiedad y melancolía, escucha los monólogos de quejas de su madre. Aunque a él ya no lo engañan los ardides de su padre, no confía en que ella llegue a calarlo: ha visto con demasiada frecuencia en el pasado cómo su padre la engatusa a su manera. «No lo escuches −la advierte−. No hace más que mentirte.»

El problema con Le Roux se agrava. Hay largas conversaciones telefónicas. Empieza a salir un nuevo nombre: Bensusan. Bensusan es formal, dice su madre. Bensusan es judío, no bebe. Bensusan va a rescatar a Jack, va a encauzarlo de nuevo por el buen camino.

Pero resulta que Le Roux no es el único. Hay otros hombres, otros compañeros de copas, a los que su padre ha estado prestándoles dinero. Él no puede creérselo, no puede entenderlo. ¿De dónde sale todo ese dinero, cuando su padre no posee más que un traje y un par de zapatos, y tiene que coger el tren para ir a trabajar? ¿Realmente se consigue tanto dinero librando a la gente?

Él nunca ha visto a Le Roux, pero puede figurarse cómo es con bastante facilidad. Imagina que Le Roux es un afrikáner rubicundo de bigote rubio; lleva traje azul y corbata blanca; está algo gordo y suda mucho y cuenta chistes verdes levantando la voz.

Le Roux se sienta con su padre en un bar de Goodwood. Cuando su padre no lo está mirando, Le Roux, a sus espaldas, les hace un guiño a los demás hombres del bar. Le Roux ha tomado a su padre por un bufón. Le consume la vergüenza de que su padre sea tan estúpido.

El dinero que su padre ha prestado resulta no ser en realidad suyo. Ese es el motivo de que Bensusan se haya involucrado. Bensusan está trabajando para la Sociedad de Derecho. El asunto es serio. El dinero ha sido sacado de la cuenta de crédito.

—¿Qué es una cuenta de crédito? —le pregunta a su madre.

—Es dinero que tiene fiado.

—¿Por qué fía la gente su dinero? —dice él—. Deben estar locos.

Su madre menea la cabeza.

Todos los abogados tienen cuentas de crédito, Dios sabrá por qué, dice.

—Con el dinero, Jack es como un niño.

Bensusan y la Sociedad de Derecho han entrado en escena porque es gente que quiere salvar a su padre, gente de los viejos tiempos, cuando su padre era interventor de alquileres. Tienen buena disposición hacia él, no quieren que vaya a la cárcel. Por los viejos tiempos, y porque tiene esposa y niños, mirarán hacia otro lado ante ciertas cosas, llevarán a cabo ciertos convenios. Puede ir reembolsando lo que debe durante cinco años; una vez que lo haya hecho, se pasará página, el asunto estará olvidado.

Su madre busca asesoría legal. Le gustaría separar sus bienes de los de su marido antes de que les golpee algún nuevo desastre: la mesa del salón, por ejemplo; la cómoda con el espejo; la mesa de madera para el café que le regaló la tía Annie. Le gustaría que el contrato matrimonial, que hace a los dos responsables de las deudas del otro, fuera rectificado.

Pero resulta que los contratos matrimoniales son inamovibles. Si su padre se hunde, su madre se hunde también, ella y sus niños.

A Eksteen y al mecanógrafo se los despacha; el bufete de Goodwood ha cerrado. Nunca llega a descubrir qué ocurre con la ventana verde de las letras doradas. Su madre continúa enseñando. Su padre empieza a buscar trabajo. Todas las mañanas sale puntual a las siete para la ciudad. Pero una hora o dos más tarde —ese es su secreto—, cuando todos los demás han dejado la casa, está de vuelta. Se pone el pijama y vuelve a meterse en la cama con el crucigrama del *Cape Times* y un cuarto de litro de brandy. Luego, hacia las dos de la tarde, antes de que su esposa y sus hijos regresen, se viste y se va al club.

El club se llama Wynberg Club, pero en realidad es solo parte del Wynberg Hotel. Allí su padre come y se pasa la tarde bebiendo. En algún momento pasada la medianoche —el ruido lo despierta, no duerme muy profundamente—, un coche se para ante la casa, la puerta de la entrada se abre, su padre pasa y va directo al lavabo. Poco después, de la habitación de sus padres vienen ráfagas de acalorados murmullos. Por la mañana hay manchas de color amarillo oscuro en el suelo del lavabo y en la tapa del váter, y un olor dulzón nauseabundo.

Escribe una nota y la pone en el retrete: POR FAVOR, LEVANTA LA TAPA. No hacen caso. Orinar sobre la tapa del retrete se convierte en el definitivo acto de desafío de su padre contra una mujer y unos niños que le han vuelto la espalda.

La vida secreta de su padre se le revela un día que no va al colegio porque está enfermo o finge estarlo. Desde su cama escucha el roce de la llave en el cerrojo de la puerta de entrada, escucha a su padre sentarse en la habitación de al lado. Más tarde, culpables, enfadados, se cruzan por el pasillo.

Antes de dejar la casa por las tardes, su padre se encarga de vaciar el buzón y extraer ciertos artículos, que esconde en el fondo de su armario, debajo del forro de papel. Cuando todo se desborda, es el alijo de cartas del armario –facturas de los tiempos de Goodwood, cartas de demanda, cartas de abogados– lo que más amarga a su madre. «Si lo hubiera sabido, al menos podría haber trazado un plan –dice–. Ahora estamos arruinados.»

Hay deudas por todas partes. Los demandantes vienen a todas horas del día y de la noche, demandantes que él no consigue ver. Cada vez que llaman a la puerta, su padre lo encierra en su habitación. Su madre recibe a los visitantes en voz baja, los acomoda en el salón, cierra la puerta. Después la oye despotricar para sí en la cocina.

Se habla de Alcohólicos Anónimos, de que su padre debería ir a Alcohólicos Anónimos para probar su sinceridad. Su padre promete ir, pero no va.

Una soleada mañana de sábado llegan dos empleados de los tribunales para hacer un inventario de lo que contiene la casa. Él se retira a su habitación e intenta leer, pero es en vano: los hombres necesitan acceder a su habitación, a todas las habitaciones. Se va al patio trasero. Incluso allí lo siguen, fisgando a su alrededor, tomando notas en una libreta.

Hierve de rabia constantemente. «Ese hombre», llama a su padre cuando habla con su madre, demasiado lleno de ira como para darle un nombre: ¿Por qué hemos de tener algo que ver con ese hombre? ¿Por qué no dejas que ese hombre vaya a la cárcel?

Tiene veinticinco libras en su libreta de ahorros. Su madre le jura que nadie va a quitarle sus veinticinco libras.

Los visita un tal señor Golding. Aunque el señor Golding es de color, de algún modo está en una posición de poder con respecto a su padre. Se hacen cuidadosos preparativos para la visita. Se recibirá al señor Golding en el cuarto que da a la calle, como a otros demandantes. Se le servirá té en el mismo juego de té. A cambio de tal hospitalidad, se espera que el señor Golding no los lleve a juicio.

El señor Golding llega. Lleva un traje cruzado, no sonríe. Se bebe el té que sirve su madre pero no promete nada. Quiere su dinero.

Después de que se haya ido hay una discusión sobre qué hacer con la taza de té. La costumbre, según parece, es que cuando una persona de color ha bebido en una taza, hay que romperla. Él se sorprende de que la familia de su madre, que no cree en nada, crea en esto. Sin embargo, al final su madre solo lava la taza con lejía.

En el último minuto la tía Girlie de Williston acude al rescate, por el honor de la familia. A cambio de hacerle un préstamo establece ciertas condiciones, una de ellas que Jack no ejerza nunca más como abogado.

Su padre está de acuerdo con las condiciones, accede a firmar el documento. Pero cuando llega la hora, cuesta muchos halagos sacarlo de la cama. Al final comparece, con unos pantalones grises holgados, la parte de arriba del pijama y descalzo. Firma sin decir una palabra; luego se vuelve a la cama otra vez.

Más tarde se viste y sale. No saben dónde pasa la noche; no regresa hasta el día siguiente.

—¿Qué sentido tiene hacerle firmar? —se queja a su madre—. Nunca paga sus otras deudas, así que ¿por qué iba a pagarle a Girlie?

—No te preocupes, yo pagaré por él —le contesta.

—¿Cómo?

—Trabajaré para conseguir el dinero.

Hay algo en el comportamiento de su madre ante lo que el chico no puede seguir tapándose los ojos, algo extraordinario. Con cada nueva y amarga revelación parece hacerse más fuerte, más testaruda. Es como si ella se estuviera cargando de calamidades sin otro propósito que mostrarle al mundo cuánto es capaz de soportar. «Pagaré todas sus deudas —dice—. Pagaré a plazos. Trabajaré.»

Su absurda determinación lo encoleriza hasta tal punto que le entran ganas de golpearla. Está claro lo que se esconde detrás. Quiere sacrificarse por sus hijos. Sacrificio sin fin: está demasiado familiarizado con ese espíritu. Pero una vez que ella se haya sacrificado por entero, una vez que haya vendido toda su ropa, que haya vendido cada uno de sus zapatos, y esté paseándose con los pies ensangrentados, ¿en qué lugar quedará él? Es un pensamiento que no puede soportar.

Llegan las vacaciones de diciembre y su padre todavía no tiene trabajo. Ahora están los cuatro en casa, sin ningún sitio adonde ir, como ratas en una jaula. Se evitan los unos a los otros, escondiéndose en habitaciones separadas. Su hermano lee cómics absorto: el *Eagle*, el *Beano*. El que le gusta a él, su favorito, el *Rover*, con sus historietas de Alf Tupper, el campeón de la milla que trabaja en una fábrica de Manchester y vive a base de varitas de pescado y patatas fritas. Trata de refugiarse en Alf Tupper, pero no puede evitar aguzar los oídos a cada susurro y crujido que suena en la casa.

Una mañana hay un silencio extraño. Su madre está fuera, pero algo en el aire, un olor, un ambiente, una pesadez, le dice que «ese hombre» está todavía aquí. Seguramente ya está despierto. ¿Será posible que, maravilla de las maravillas, se haya suicidado? De ser así, si se ha suicidado, ¿no sería mejor hacer como si no se diera cuenta, de modo que las pastillas contra el insomnio o lo que se haya tomado tengan tiempo de actuar? ¿Y cómo puede impedir que su hermano dé la alarma?

En la guerra que le ha declarado a su padre, nunca ha estado muy seguro del apoyo de su hermano. Desde que tiene memoria, la gente siempre dice que él ha salido a su madre, mientras que su hermano guarda parecido con su padre. En ocasiones sospecha que es posible que su hermano se muestre débil con su padre; sospecha que su hermano, con su cara pálida y preocupada y su tic en el párpado, es débil en general.

En cualquier caso, si su padre se ha suicidado realmente, lo mejor sería evitar la habitación de «ese hombre», de forma que si hay preguntas después, pueda decir «Estaba hablando con mi hermano» o «Estaba leyendo en mi habitación». Aun así, no puede resistir la curiosidad. Se acerca de puntillas hasta la puerta. La empuja, echa un vistazo.

Es una mañana calurosa de verano. Sopla poco viento, tan poco que puede oír el gorjeo de los gorriones fuera, el zumbido de las alas. Las contraventanas están cerradas, las cortinas echadas. Huele a sudor de hombre. En la oscuridad puede distinguir a su padre tumbado en la cama. De las paredes de la garganta le sale un débil sonido de gárgaras cuando respira.

Se acerca. Sus ojos se van acomodando a la penumbra. Su padre tiene puestos los pantalones del pijama y una camiseta de algodón. No se ha afeitado. Tiene una V roja en el cuello, donde el tostado del sol linda con la palidez del pecho. Junto a la cama hay un orinal donde las colillas flotan en la orina pardusca. Es la estampa más asquerosa que ha visto en su vida.

No hay rastro de píldoras. El hombre no se está muriendo, solo duerme. Así pues, no tiene el valor de tomarse una sobredosis de píldoras para dormir, igual que no tiene valor para salir fuera y buscar trabajo.

Desde el día en que su padre regresó de la gran guerra han luchado uno contra el otro en una segunda guerra en la que su padre no ha tenido oportunidad de ganar porque nunca podría haber previsto lo despiadado, lo tenaz que iba a ser su enemigo. Durante siete años esta guerra les ha ido oprimiendo; hoy, por fin, él ha salido victorioso. Se siente como el soldado ruso en la puerta de Brandeburgo, alzando la bandera roja sobre las ruinas de Berlín.

Pero al mismo tiempo desearía no estar aquí, convertido en testigo de esa vergüenza. ¡Injusto!, quiere gritar: ¡Solo soy un niño! Desearía que alguien, una mujer, lo cogiera entre sus brazos, aliviara su dolor, lo tranquilizara diciéndole que solo había sido un mal sueño. Piensa en la mejilla de su abuela, suave y fría y seca como la seda, ofreciéndose a él para besarla. Desearía que su abuela viniera y lo arreglara todo.

Una bola de flema se queda atrapada en la garganta de su padre. Tose, se da la vuelta: los ojos abiertos, los ojos de un hombre totalmente consciente, totalmente seguro de dónde está. Los ojos lo abarcan mientras está allí de pie, donde no debería estar, espiando. Los ojos no enjuician pero tampoco muestran ninguna benevolencia humana.

La mano del hombre desciende perezosamente y acomoda los pantalones del pijama.

Quiere que el hombre diga algo, cualquier cosa normal —«¿Qué hora es?»— para ponérselo más fácil. Pero el hombre no dice nada. Los ojos siguen mirándolo, pacíficos, distantes. Luego se cierran y se duerme de nuevo.

Vuelve a su habitación, cierra la puerta.

Algunas veces, en los días que siguen, la oscuridad se levanta. En el cielo, que habitualmente se cierne terso y pegado a su cabeza, no al alcance de sus manos pero tampoco mucho más lejos, se abre una rendija, y por un momento puede ver el mundo como realmente es. Se ve a sí mismo con su camisa blanca remangada y los pantalones cortos grises que pronto se le quedarán pequeños: no un niño, no lo que cualquier transeúnte llamaría un niño, demasiado crecido para eso ahora, demasiado crecido para utilizar esa excusa, y sin embargo todavía tan estúpido y encerrado en sí mismo como un niño: infantil, lerdo, ignorante, retrasado. En momentos como este puede ver a su padre y a su madre también desde arriba, sin odio: no como dos pesos grises y amorfos que se sientan sobre sus hombros, tramando su desdicha día y noche, sino como un hombre y una mujer que viven las vidas que les han tocado en suerte, insulsas y llenas de problemas. El cielo se abre, él ve el mundo tal como es, luego el cielo se cierra y él es él otra vez, viviendo la única historia que está dispuesto a aceptar, la historia de sí mismo.

Su madre está de pie junto al fregadero, en la parte más lóbrega de la cocina. Está de espaldas a él, con los brazos salpicados de espuma, fregando una olla, sin apurarse. En cuanto a él, está dando vueltas por ahí, hablando de algo, no sabe de qué, hablando con su habitual vehemencia, quejándose.

Su madre deja su tarea; su mirada fluctúa sobre él. Es una mirada considerada, sin ningún cariño. No lo está viendo por primera vez. Más bien lo está viendo como ha sido siempre y como ella siempre ha sabido que era cuando no ha estado cegada por las ilusiones. Lo ve, lo resume, y no le gusta. Está incluso aburrida de él.

Esto es lo que él se teme de ella, de la persona que lo conoce mejor en el mundo, que tiene la gigantesca e injusta ventaja sobre él de conocerlo todo de sus primeros años, los más indefensos, los más íntimos, años de los que, a pesar de todos los esfuerzos, no puede recordar nada; que seguramente, puesto que es preguntona y tiene sus propias fuentes, sabe también los mezquinos secretos de su vida en el colegio. Teme la sentencia de su madre. Teme los fríos pensamientos que deben estar pasándole por la cabeza en momentos como este, cuando se ha desvanecido cualquier pasión con la que colorearlos y no hay ninguna razón para que sus facultades sean otra cosa que claras; teme sobre todo el momento, un momento que no ha llegado todavía, en el que pronuncie su sentencia. Será como el golpe de un rayo; no será capaz de soportarlo. No quiere oírlo. Se niega a oírlo con tal fuerza que puede sentir cómo le sube una mano por el interior de la cabeza para taparle los oídos, para cegarle la vista. Preferiría estar ciego y sordo a saber lo que su madre piensa de él. Preferiría vivir como una tortuga dentro de su caparazón.

Porque no es verdad, como le gusta pensar, que esta mujer fuera traída al mundo con el único propósito de amarlo y protegerlo y satisfacer sus necesidades. Por el contrario, ella tenía una vida antes de que él existiera, una vida en la que no le dedicaba el menor pensamiento. Luego, en un momento determinado de la historia, ella lo parió. Lo dio a luz y decidió amarlo antes de que naciera; sin embargo, decidió amarlo, y por lo tanto también podría decidir dejar de amarlo.

«Espera a que tú tengas hijos —le dice cuando está amargada—. Entonces sabrás lo que es.» ¿Qué sabrá? Es una frase que ella suele usar, una frase que suena como si viniera de un tiempo muy lejano. Quizá es lo que cada generación le dice a la siguiente, como una advertencia, como una amenaza. Pero él no quiere escucharla. «Espera a que tú tengas hijos.» Qué tontería, ¡qué contradicción! ¿Cómo va a tener hijos un niño? De todos modos, lo que sabría si fuera padre, si él fuera su propio padre, es precisamente lo que no quiere saber. No va a adoptar la visión del mundo que ella quiere forzarle a adoptar: una visión seria, decepcionante, desilusionada.

19

La tía Annie ha muerto. Pese a las promesas de los médicos, nunca volvió a andar después de la caída, ni siquiera con muletas. La trasladaron de la cama del hospital Volks a la cama de un asilo de Stikland, en medio de ninguna parte, donde nadie tenía tiempo de ir a visitarla y donde murió sola. Ahora la van a enterrar en el cementerio de Woltemade número tres.

Al principio se niega a ir. Ya tiene bastante con los rezos del colegio, dice, no quiere escuchar más. Expresa su desprecio por las lágrimas que van a derramarse. Organizar un buen funeral para la tía Annie es solo la forma que tienen sus familiares de sentirse mejor. Deberían enterrarla en un hoyo del jardín del asilo. Así se ahorrarían dinero.

En el fondo no siente eso. Pero se siente impulsado a decirle cosas así a su madre; necesita observar cómo su cara se contrae de dolor y agravio. ¿Cuántas cosas más tiene que decirle para que por fin se dé la vuelta y le diga que se calle?

No le gusta pensar en la muerte. Preferiría que cuando la gente envejeciera y se pusiera enferma, sencillamente dejara de existir y desapareciera. No le gustan los cuerpos asquerosos de los ancianos; pensar en los ancianos desvistiéndose le hace estremecerse. Espera que en la bañera de su casa de Plumstead nunca haya estado un viejo.

Su propia muerte es otro asunto. De algún modo siempre está presente después de su muerte, suspendido sobre el espectáculo, disfrutando de la aflicción de quienes la provocaron y que, ahora que es demasiado tarde, desearían que estuviera vivo todavía.

Al final, sin embargo, va con su madre al entierro de la tía Annie. Va porque ella se lo ruega, y a él le gusta que le rueguen, le gusta la sensación de poder que eso le infunde; también porque nunca ha ido a un entierro y quiere ver la profundidad a la que se cava la tumba, cómo bajan el ataúd a su interior.

No es ni mucho menos un funeral imponente. Solo hay cinco dolientes, y un joven pastor protestante con granos. Los cinco son el tío Albert, su mujer y su hijo, y luego su madre y él mismo. Hacía años que no veía al tío Albert. Está el doble de encorvado sobre su bastón; las lágrimas fluyen de sus ojos azul claro; las arrugas le sobresalen del cuello pese a que la corbata ha sido anudada por otras manos.

Llega el coche fúnebre. El director de la funeraria y su ayudante van de negro, de etiqueta, mucho más elegantes que cualquiera de ellos (él lleva puesto el uniforme del colegio Saint Joseph's: no posee ningún traje). El pastor pronuncia una oración en afrikaans por la hermana fallecida; luego el coche fúnebre da marcha atrás hasta la tumba y deslizan el ataúd, apoyado en largas varas, en la fosa. Para su sorpresa, no lo bajan al interior de la tumba —hay que esperar, según parece, a los sepultureros—, pero el director de la funeraria indica discretamente que ellos pueden echar un puñado de tierra encima.

Empieza a lloviznar. Todo ha concluido; pueden irse si quieren, pueden volver a sus propias vidas.

En el camino de regreso hacia la verja, entre hectáreas de tumbas nuevas y viejas, va detrás de su madre y del primo de esta, el hijo del tío Albert, que hablan entre ellos en voz baja. Se da cuenta de que tienen los mismos andares penosos. El mismo modo de levantar las piernas y dejarlas caer pesadamente, la izquierda y luego la derecha, como campesinos con zuecos. Los Du Biel de Pomerania: labriegos del campo, demasiado lentos y pesados para la ciudad; fuera de lugar.

Piensa en la tía Annie, a la que han abandonado aquí en la lluvia, en un Woltemade dejado de la mano de Dios; piensa en las largas garras negras que le cortó la enfermera en el hospital, que nadie cortará más.

«Sabes tanto», le dijo la tía Annie una vez. No era un simple halago: aunque tenía los labios fruncidos en una sonrisa, estaba sacudiendo la cabeza al mismo tiempo. «Tan joven y sin embargo sabes tanto. ¿Cómo vas a poder guardarlo todo en la cabeza?», y se inclinó y le dio unos golpecitos en el cráneo con un dedo huesudo.

El chico es especial, le dijo la tía Annie a su madre, y su madre se lo dijo a él. Pero ¿especial en qué sentido? Nadie lo dice nunca.

Alcanzan la verja. Ahora llueve más fuerte. Antes de que puedan coger sus dos trenes, el tren para Salt River y luego el tren para Plumstead, tendrán que caminar bajo la lluvia hasta la estación de Woltemade.

El coche fúnebre los pasa. Su madre levanta la mano para pararlo, habla con el director de la funeraria. «Nos acercarán al pueblo», dice.

De modo que tiene que subirse al coche fúnebre y sentarse apretujado entre su madre y el director de la funeraria, viajando por la Voortrekker Road, odiándola por ello, rezando por que nadie de su colegio lo vea.

—La señorita era profesora de escuela, creo —dice el director de la funeraria. Habla con acento escocés. Un inmigrante: ¿qué puede saber un inmigrante de Sudáfrica, de gente como la tía Annie?

Nunca ha visto un hombre más velludo. Le brota pelo de la nariz y de los oídos, le sale a manojos de los puños almidonados.

—Sí —dice su madre—. Enseñó durante unos cuarenta años.

—Entonces dejó algo bueno —dice el director de la funeraria—. Una noble profesión, la enseñanza.

—¿Qué pasó con los libros de la tía Annie? —le pregunta a su madre más tarde, cuando están completamente solos de nuevo. Dice los libros, pero está pensando en los numerosos ejemplares de *Ewige Genesing*.

Su madre no lo sabe o no quiere decírselo. Durante todo el trayecto, del piso en el que se rompió la cadera al hospital, de allí al asilo de Stikland y de allí a Woltemade número tres, a nadie se le han pasado por la cabeza los libros excepto quizá a la misma tía Annie, los libros que nadie leerá nunca; y ahora la tía Annie yace bajo la lluvia esperando a que alguien encuentre tiempo para enterrarla. Lo han dejado a él solo con todos los pensamientos. ¿Cómo los guardará todos en su cabeza, todos los libros, toda la gente, todas las historias? Y si él no los recuerda, ¿quién lo hará?

JUVENTUD

Wer den Dichter will verstehen
muß in Dichters Lande gehen.

GOETHE

1

Vive en un apartamento de una sola habitación junto a la estación de ferrocarril de Mowbray que le cuesta once guineas al mes. El último día laborable de cada mes coge el tren para ir a la ciudad, a Loop Street, donde A. & B. Levy, agentes inmobiliarios, tienen su placa metálica y su despacho minúsculo. Al señor B. Levy, el menor de los hermanos Levy, le entrega el sobre con el alquiler. El señor Levy vacía el sobre encima de su mesa abarrotada y cuenta el dinero. Gruñendo y sudando, le hace un recibo.

—¡*Voilà*, joven! —dice, y se lo da haciendo una floritura.

Se esfuerza mucho para no retrasarse con el alquiler porque está en el apartamento de manera fraudulenta. Cuando firmó el contrato de arrendamiento y les pagó la entrada a A. & B. Levy, no rellenó su ocupación con «estudiante», sino con «ayudante de bibliotecario», y dio la biblioteca de la universidad como dirección de trabajo.

No es mentira, o no del todo. De lunes a viernes trabaja atendiendo el mostrador de la sala de lectura por la noche. Es un trabajo que la mayoría de los bibliotecarios, sobre todo mujeres, prefieren no hacer porque por la noche el campus, situado en la ladera de una montaña, resulta demasiado lúgubre y solitario. Incluso él siente un escalofrío cuando abre la cerradura de la puerta y avanza a tientas por el pasillo a oscuras hasta el interruptor central. A un maleante le resultaría muy sencillo esconderse entre las estanterías cuando el personal se va a casa a las cinco en punto, luego desvalijar las oficinas vacías y esperar en la oscuridad para atacarlo a él, el ayudante de noche, y quitarle las llaves.

No hay muchos estudiantes que usen la biblioteca por la noche; en realidad, muy pocos saben que está abierta. Así que no tiene mucho que hacer. Los diez chelines por noche que gana son dinero fácil.

A veces se imagina que una chica guapa con un vestido blanco entra en la sala de lectura y se queda deambulando después de la hora de cierre. Se imagina que él le enseña los misterios del taller de encuadernación y de la sala de catalogación y que luego sale con ella a la noche estrellada. Nunca sucede.

Trabajar en la biblioteca no es su único empleo. Los miércoles por la tarde ayuda en las tutorías de primer año del departamento de matemáticas (tres libras a la semana); los viernes dirige comedias escogidas de Shakespeare con los alumnos de diplomatura de teatro (dos libras con diez), y a última hora de la tarde trabaja en una escuela de refuerzo de Rondebosch enseñando a unos cuantos bobos a pasar el examen de matriculación (tres chelines por hora). Durante las vacaciones trabaja para el municipio (Departamento de Vivienda) sacando datos estadísticos de encuestas a domicilio. En conjunto, cuando suma todo lo que gana, anda bastante holgado de dinero: lo bastante como para pagar el alquiler, las tasas de la universidad, aguantar el tipo e incluso ahorrar un poco. Puede que no tenga más de diecinueve años, pero se las apaña solo y no depende de nadie.

Las necesidades corporales las trata como cuestiones de simple sentido común. Todos los domingos hierve huesos con tuétano, judías y apio para preparar una olla grande de sopa que le dure toda la semana. Los viernes visita el mercado de Salt Lake en busca de una caja de manzanas o guayabas o la fruta que esté de temporada. Todas las mañanas el lechero le deja una pinta de leche en la puerta. Cuando le sobra, la cuelga encima del fregadero en una media vieja de nailon y hace queso. Además, compra pan en la tienda de la esquina. Es una dieta que aprobaría Rousseau, o Platón. En cuanto a la ropa, tiene una chaqueta y unos pantalones buenos que se pone para ir a clase. El resto del tiempo, hace durar la ropa vieja.

Está demostrando algo: que todo hombre es una isla. Que uno no necesita padres.

Algunas noches, mientras camina penosamente por Main Road con su impermeable, sus pantalones cortos y sus sandalias, el pelo aplastado por la lluvia y deslumbrado por los faros de los coches que pasan, es consciente de lo extraño que debe de ser su aspecto. No excéntrico (tener un aspecto excéntrico resulta de alguna forma distinguido), simplemente extraño. El disgusto le hace rechinar los dientes y acelera el paso.

Es delgado y ágil, pero al mismo tiempo es flácido. Le gustaría ser atractivo, pero sabe que no lo es. Le falta algo esencial, algún rasgo bien definido. Sigue teniendo un aire de niño. ¿Cuánto tiempo va a tardar en dejar de ser un niño? ¿Qué le va a curar de la niñez y lo va a convertir en hombre?

Lo que le curaría, si llegara, sería el amor. Puede que no crea en Dios, pero sí cree en el amor y en los poderes del amor. La amada, la señalada por el destino, será capaz de ver de inmediato más allá de su exterior extraño e incluso insulso y percibir el fuego que arde en su interior. Mientras tanto, tener un aspecto insulso o extraño es parte de un purgatorio que tiene que pasar a fin de salir algún día a la luz: la luz del amor y la luz del arte. Porque será artista, eso ya hace tiempo que está decidido. Si de momento tiene que ser desconocido y ridículo, se debe a que el destino del artista es sufrir el anonimato y el ridículo hasta el día en que se revelen sus verdaderos poderes y quienes se burlan y se mofan de él tengan que callarse.

Cada par de sandalias le cuesta dos chelines y seis peniques. Son de goma y las confeccionan en algún lugar de África, quizá en Malawi. Cuando se mojan, resbalan de la planta del pie. En el invierno de Ciudad del Cabo llueve durante semanas seguidas. Cuando camina bajo la lluvia por Main Road, a veces tiene que pararse para recoger una sandalia que se le ha salido. En esos momentos puede ver a los burgueses de Ciudad del Cabo riéndose al pasar cobijados dentro de sus coches. ¡Reíos!, piensa. Pronto me marcharé.

Su mejor amigo se llama Paul y estudia matemáticas igual que él. Paul es alto y moreno y tiene una aventura con una mujer mayor, una mujer llamada Elinor Laurier, pequeña, rubia y bonita de una forma nerviosa, como un pájaro. Paul se queja de los impredecibles cambios de humor de Elinor y por las exigencias que le plantea. A pesar de todo, envidia a Paul. Si él tuviera una amante hermosa y con mucho mundo que fumara con boquilla y hablara francés, no le cabe duda de que pronto viviría una transformación, incluso una transfiguración.

Elinor y su hermana gemela nacieron en Inglaterra; llegaron a Sudáfrica con quince años, tras la guerra. Su madre, según Paul, según Elinor, solía enfrentar a las dos niñas, otorgando su apoyo y amor primero a una y luego a la otra, confundiéndolas, haciendo que dependieran de ella. Elinor, la más fuerte de las dos, conservó la cordura, aunque todavía llora en sueños y guarda un osito de peluche en un cajón. Su hermana, sin embargo, durante un tiempo estuvo lo bastante loca como para que la encerraran. Todavía está en tratamiento, y sigue luchando con el fantasma de la madre muerta.

Elinor enseña en una escuela de idiomas de la ciudad. Desde que empezó con ella, Paul fue absorbido por el grupo de Elinor, un grupo de artistas e intelectuales que viven en los Jardines, visten jerséis negros, vaqueros y sandalias de esparto, beben vino tinto y fuman Gauloises, citan a Camus y García Lorca, escuchan jazz progresivo. Uno de ellos toca la guitarra española y se le puede convencer para que haga una imitación de cante jondo. Al no tener trabajos normales, pasan en vela toda la noche y duermen hasta el mediodía. Detestan a los nacionalistas, pero no están politizados. Si tuvieran dinero, dicen, dejarían la ignorante Sudáfrica y se mudarían a Montmartre o las islas Baleares.

Paul y Elinor le llevaron a una de sus reuniones, organizada en un bungalow de la playa Clifton. La hermana de Elinor, la inestable de quien le habían hablado, es una de las asistentes. Según Paul, la hermana de Elinor tiene una aventura con el propietario del bungalow, un hombre de rostro rubicundo que escribe para el *Cape Times*.

La hermana se llama Jacqueline. Es más alta que Elinor, sus rasgos no son tan delicados, pero aun así es bonita. Está llena de una energía nerviosa, encadena un cigarrillo tras otro, gesticula al hablar. Se lleva bien con ella. Es menos cáustica que Elinor, lo cual para él es un alivio. La gente cáustica le incomoda. Sospecha que intercambian agudezas sobre él a sus espaldas.

Jacqueline propone dar un paseo por la playa. De la mano (¿cómo ha ocurrido?) y a la luz de la luna, pasean por toda la playa. En un rincón solitario entre las rocas ella se gira hacia él, hace un mohín, le ofrece sus labios.

Él responde, pero incómodo. ¿Adónde le conducirá esto? Nunca le ha hecho el amor a una mujer mayor que él. ¿Y si no da la talla?

Le conduce, descubre, hasta el final. Él continúa sin resistirse, hace cuanto puede, sigue con la función, incluso finge al final dejarse llevar.

En realidad no se ha dejado llevar. No solo está la cuestión de la arena, que se cuela por todos lados, también está el insidioso tema de por qué esta mujer, a quien nunca había visto, se le entrega. ¿Resulta creíble que en el decurso de una conversación casual ella detectara la llama que arde oculta en su interior, la llama que lo identifica como artista? ¿O simplemente es una ninfómana y eso era sobre lo que Paul, a su manera delicada, le advertía al decirle que ella continuaba «en tratamiento»?

No es un completo lego en el sexo. Si el hombre no ha disfrutado haciendo el amor, entonces la mujer tampoco habrá disfrutado: eso sí lo sabe, es una de las reglas del sexo. Pero ¿qué ocurre después, entre un hombre y una mujer que han fracasado en el juego? ¿Están condenados a recordar su fracaso cada vez que vuelvan a encontrarse, y a sentirse avergonzados?

Es tarde, la noche se está enfriando. Se visten y regresan en silencio al bungalow, donde la fiesta ha empezado a decaer. Jacqueline recoge los zapatos y el bolso.

—Buenas noches —dice a su anfitrión, besándolo en la mejilla.

—¿Te vas? —pregunta él.

—Sí, voy a llevar a John a casa.

Su anfitrión no parece desconcertado.

—Bueno, pues que lo paséis bien —dice—. Los dos.

Jacqueline es enfermera. Él nunca ha estado con una enfermera, pero le han contado que, por el hecho de trabajar entre enfermos y moribundos y atender a las necesidades corporales, las enfermeras son cínicas en cuestiones morales. Los estudiantes de medicina esperan con ilusión la época en que cubrirán turnos de noche en el hospital. Las enfermeras se mueren por tener relaciones sexuales, dicen. Follan en cualquier sitio, en cualquier momento.

Jacqueline, sin embargo, no es una enfermera cualquiera. Es una enfermera del Guy, se apresura a explicarle ella, formada en obstetricia en el Guy's Hospital de Londres. En la pechera de la casaca, con las insignias rojas, lleva una chapita de bronce, un casco y un guante con la divisa PER ARDUA. No trabaja en Groote Schuur, el hospital público, sino en una clínica de maternidad privada, donde la paga es mejor.

Dos días después del encuentro en la playa de Clifton él se pasa por la residencia de las enfermeras. Jacqueline le está esperando en el vestíbulo principal, vestida para salir, y se van sin demora. Varias caras se asoman a mirarlos desde una ventana del piso superior; se da cuenta de que otras enfermeras le observan con curiosidad. Es demasiado joven, está claro que es demasiado joven para una mujer de treinta años; y con sus ropas sosas y sin coche, también está claro que no es un gran partido.

Al cabo de una semana Jacqueline ha abandonado la residencia de enfermeras y se ha mudado al apartamento con él. Al echar la vista atrás, él no recuerda haberla invitado: sencillamente no supo resistirse.

Nunca ha vivido con nadie antes, desde luego, no con una mujer, una amante. Incluso de niño tenía una habitación propia con cerrojo en la puerta. El piso de Mowbray se compone de una habitación grande, con una entrada que conduce a la cocina y el baño. ¿Cómo va a sobrevivir?

Intenta recibir de forma acogedora a su repentina compañera nueva, intenta dejarle sitio. Pero pasados unos días ha empezado a molestarle la acumulación de cajas y maletas, la ropa tirada por todos lados, el desorden del lavabo. Le tiene pavor al ruido del escúter que anuncia el regreso de Jacqueline tras el turno de día. Aunque todavía hacen el amor, crece el silencio entre los dos, con él sentado a la mesa fingiéndose absorto en sus libros y ella deambulando, sin que nadie le haga caso, suspirando, fumando un cigarrillo tras otro.

Jacqueline suspira mucho. Es el modo en que se expresa su neurosis, si es que se trata de eso, de una neurosis: suspirar y sentirse exhausta y llorar a veces en silencio. La energía, las risas y el descaro de su primer encuentro han quedado en nada. La felicidad de aquella noche fue un simple claro en las nubes de la melancolía, tal vez el efecto del alcohol, o incluso puede que Jacqueline le tomara el pelo.

Duermen juntos en una cama individual. En la cama, Jacqueline habla sin parar de hombres que la han utilizado, de terapeutas que se han apoderado de su mente y la han convertido en su muñeca. Él se pregunta si también es uno de esos hombres. ¿La está utilizando? ¿Hay otro hombre con el que se queje de él? Él se duerme mientras Jacqueline sigue hablando, por la mañana se despierta ojeroso.

Jacqueline es una mujer atractiva, se mire como se mire, más sofisticada, con más mundo de lo que él merece. La cruda verdad es que, de no ser por la rivalidad entre las dos mellizas, no se acostaría con él. Es un peón en la partida de ellas, un juego que antecede con mucho a su entrada en escena: no se engaña al respecto. No obstante, ya que ha sido el elegido, no debería cuestionarse su buena suerte. Comparte apartamento con una mujer diez años mayor que él, una mujer experimentada que durante su época del Guy's Hospital se ha acostado (dice) con ingleses, franceses, italianos, hasta con un persa. Si no puede proclamar que le quieren por sí mismo, al menos tiene la oportunidad de ampliar su educación en el campo de la erótica.

Tales son sus esperanzas. Pero tras un turno de doce horas en la maternidad seguido de una cena consistente en coliflor con bechamel y una velada de silencio taciturno, Jacqueline no se siente muy generosa consigo misma. Cuando le besa, si es que le besa, lo hace por obligación, porque si el sexo no es la razón de que dos adultos se hayan encerrado en un espacio vital tan incómodo y apretado, ¿qué otro motivo pueden tener para estar allí?

La crisis estalla mientras él está fuera. Jacqueline busca su diario y lee lo que él ha escrito sobre su vida en común. Al regresar la encuentra haciendo las maletas.

—¿Qué ocurre? —pregunta él.

Con los labios apretados, Jacqueline señala el diario abierto que hay sobre la mesa.

Él monta en cólera.

—¡No vas a impedir que escriba! —asegura. Es una incongruencia, y lo sabe.

Ella también está enfadada, pero de un modo más frío y profundo.

—Si, tal como dices, te resulto una carga insoportable —dice ella—, si estoy destruyendo tu paz y tu privacidad y tu capacidad de escribir, déjame que te diga que por mi parte he odiado vivir contigo, cada minuto que he pasado aquí, y no veo el momento de ser libre.

Lo que él debería haber dicho es que no deben leerse los papeles privados de los demás. De hecho, debería haber escondido su diario, no dejarlo donde ella pudiera encontrarlo. Pero ahora es demasiado tarde, el mal está hecho.

Contempla a Jacqueline hacer las maletas, la ayuda a asegurar la bolsa en el sillín del escúter.

—Con tu permiso, me quedaré la llave hasta que haya recogido el resto de mis cosas —dice. Se coloca bruscamente el casco—. Adiós. Me has decepcionado, John. Puede que seas listo, yo qué sé, pero todavía te queda madurar mucho.

—Aprieta el pedal. El motor no arranca. Pisa otra vez el pedal, y otra. El olor a gasolina llena el aire. El carburador está inundado; solo puede esperarse a que se seque.

—Entra —le sugiere él. Imperturbable, ella se niega—. Lo siento. Todo.

Él entra en el piso dejándola en el callejón. A los cinco minutos oye el motor y la motocicleta que se aleja.

¿Lo lamenta? Desde luego, lamenta que Jacqueline leyera lo que leyó. Pero la verdadera cuestión es: ¿por qué escribió lo que escribió? ¿Lo escribió tal vez para que ella lo leyera? ¿Dejar sus verdaderos pensamientos donde ella acabaría encontrándolos ha sido su modo de decirle lo que era demasiado cobarde para explicarle a la cara? ¿Cuáles son sus verdaderos pensamientos, de todos modos? Unos días se siente feliz, incluso privilegiado, por vivir con una mujer bella, o al menos por no vivir solo. Otros días se siente de otro modo. ¿Qué es verdad: la felicidad, la infelicidad o un punto medio entre una y otra?

La cuestión de qué debería tener entrada en su diario y ser guardado para siempre afecta al corazón de todo lo que escribe. Si tiene que censurarse la expresión de emociones innobles —el resentimiento ante la invasión de su apartamento o la vergüenza ante sus errores como amante—, ¿cómo van a transfigurarse nunca tales emociones y convertirse en poesía? Y si la poesía no ha de ser el medio que lo transfigure de innoble a noble, ¿para qué interesarse por la poesía? Además, ¿quién dice que los pensamientos que escribe en su diario son sus sentimientos verdaderos? ¿Quién dice que mientras mueve el bolígrafo está siendo en todo momento él mismo de verdad? Puede que en un momento sea él y en otro simplemente esté inventando. ¿Cómo puede estar seguro? ¿Por qué tendría que querer estarlo?

Rara vez las cosas son lo que parecen: esto es lo que debería haberle dicho a Jacqueline. Sin embargo, ¿qué oportunidades tenía de que le entendiera? ¿Cómo iba a creer ella que lo que había leído en el diario no era la verdad, la innoble verdad, de lo que pasaba por la cabeza de su compañero durante esas densas tardes de silencio y suspiros, sino una ficción, una de las muchas ficciones posibles, verdad solo en el sentido en que lo es una obra de arte —verdad con respecto a sí misma, verdad con respecto a sus objetivos inmanentes—, cuando la innoble lectura coincidía tantísimo con su propia sospecha de que su compañero no la amaba, de que a él ni siquiera le gustaba?

Jacqueline no le creerá por la sencilla razón de que él tampoco se lo cree. No sabe lo que cree. A veces piensa que no cree en nada. Pero una vez pasado todo, queda el hecho de que su primer intento de convivencia con una mujer ha terminado en fracaso, en la ignominia. Tiene que volver a vivir solo, lo cual no es poco consuelo. Sin embargo, no puede vivir siempre solo. Tener amantes forma parte de la vida del artista: incluso si esquiva la trampa del matrimonio, tal como se ha jurado hacer, tendrá que encontrar el modo de vivir con mujeres. El arte no puede alimentarse solo con privaciones, añoranza, soledad. Tiene que haber intimidad, pasión, amor.

Picasso, un gran artista, tal vez el más grande, es un ejemplo evidente. Picasso se enamora de mujeres, una tras otra. Una tras otra se van a vivir con él, comparten su vida, posan para él. De la pasión que se enciende de nuevo con cada nueva amante, las Doras y Pilares a quienes la suerte trae hasta la puerta del artista renacen en arte imperecedero. Así es como se hace. ¿Y él? ¿Puede prometer que todas las mujeres de su vida, no solo Jacqueline sino todas las mujeres inimaginables que vendrán, tendrán idéntico destino? Le gustaría creerlo, pero tiene sus dudas. Solo el tiempo dirá si resultará ser tan grande como Picasso, pero una cosa es segura: él no es Picasso. Su sensibilidad es diferente de la de Picasso. Él es más tranquilo, más lúgubre, más del norte. Tampoco tiene los hipnóticos ojos negros de Picasso. Si alguna vez intenta transfigurar a una mujer, no lo hará con tanta crueldad como Picasso, doblando y retorciendo el cuerpo de ella como si fuera metal en un horno feroz. De todos modos, los escritores no son como los pintores: son más obstinados, más sutiles.

¿Es tal el sino de toda mujer que se mezcle con artistas, dejar que extraigan y transformen en ficción lo mejor o lo peor de ella? Piensa en la Elena de *Guerra y paz*. ¿Empezó Elena como amante de Tolstoi? ¿Supuso que, mucho después de muerta, hombres que jamás le habían puesto la vista encima desearían sus bellos hombros desnudos?

¿Tiene que ser todo así de cruel? Seguro que existe alguna forma de cohabitación en la que hombre y mujer comen juntos, duermen juntos, viven juntos y no obstante permanecen inmersos en sus respectivas exploraciones interiores. ¿Por eso la relación con Jacqueline estaba condenada al fracaso: porque, al no ser ella artista, no podía apreciar la necesidad de soledad interior del artista? Si Jacqueline hubiera sido escultora, por ejemplo, si hubieran destinado un rincón del apartamento para que cincelara mármol mientras en otro rincón él se peleaba con las palabras y las rimas, ¿habría florecido el amor? ¿La moraleja del cuento de Jacqueline y él consiste en que es mejor que los artistas tengan aventuras solo con artistas?

2

La aventura con Jacqueline queda relegada al pasado. Tras semanas de intimidad sofocante por fin vuelve a tener una habitación para él solo. Apila las cajas y las maletas de Jacqueline en un rincón y espera a que pasen a recogerlas. No ocurre. En cambio, una noche, reaparece Jacqueline. Ha vuelto, dice ella, no para reanudar su convivencia («Es imposible vivir contigo»), sino para hacer las paces («No quiero que haya mala sangre, me deprime»), unas paces que comportan primero acostarse con él y luego, ya en la cama, arengarle a propósito de lo que dijo de ella en su diario. Jacqueline no se calla: no se van a dormir hasta las dos de la madrugada.

Él se despierta tarde, demasiado tarde para su clase de las ocho. No es la primera que se salta desde que Jacqueline entró en su vida. Se está rezagando en los estudios y no alcanza a vislumbrar cómo logrará ponerse al día. En los dos primeros años de universidad ha sido una de los lumbreras de la clase. Todo le parecía fácil, siempre iba un paso por delante del profesor. Pero últimamente parece que una niebla espesa le embote el cerebro. Las matemáticas que estudian se han vuelto más modernas y abstractas y ha empezado a perderse. Todavía sigue la explicación de la pizarra línea a línea, pero cada vez con más frecuencia se le escapa el razonamiento global. Le dan ataques de pánico en clase que oculta lo mejor que puede.

Curiosamente, parece ser el único afectado. Ni siquiera los compañeros que solo cuentan con su buena voluntad parecen tener más problemas de los habituales. Mientras que las calificaciones de él bajan mes a mes, las de los otros se mantienen estables. En cuanto a los lumbreras, los verdaderas lumbreras, sencillamente le han dejado esforzándose por seguir su estela.

Jamás en la vida ha tenido que recurrir a sus máximas capacidades. Siempre le ha bastado sin tener que hacerlo lo mejor que podía. Ahora lucha a vida o muerte. A menos que se dedique plenamente a su trabajo, se hundirá.

Sin embargo, pasa días enteros rodeado de una niebla gris de cansancio. Se maldice por dejarse atraer de vuelta a una aventura que le cuesta tanto. Si esto es lo que implica tener una amante, ¿cómo se las apañan Picasso y los demás? Sencillamente, carece de la energía para ir de una clase a otra, de un trabajo a otro y después, al final del día, volver su atención a una mujer que oscila desde la euforia a rachas a la melancolía más negra en las que lo destroza todo amargándose con rencores acumulados a lo largo de toda una vida.

Aunque teóricamente ya no vive con él, Jacqueline no tiene reparos en presentarse en su puerta a cualquier hora del día o de la noche. A veces viene a acusarle de alguna palabra que se le ha escapado y cuyo significado velado acaba de ver claro. A veces simplemente se siente deprimida y quiere que la animen. Lo peor son los días de después de la terapia, cuando repite una y otra vez lo que ha ocurrido en la consulta de su terapeuta, examinando las implicaciones del gesto más nimio. Jacqueline suspira y llora, bebe un vaso de vino tras otro, rompe la comunicación en mitad de la relación sexual.

—Deberías ir a terapia —le dice Jacqueline, expulsando humo.

—Me lo pensaré —replica él. A estas alturas ya sabe que no debe contradecirla.

En realidad, no iría a terapia ni en sueños. La meta de la terapia es hacerte feliz. ¿Qué sentido tiene? La gente feliz no es interesante. Mejor aceptar la carga de la infelicidad e intentar transformarla en algo que valga la pena, poesía, música o pintura: es lo que él cree.

No obstante, escucha a Jacqueline con toda la paciencia que puede. Él es el hombre, ella la mujer: él ha obtenido placer de ella, ahora debe pagar el precio. Parece que las aventuras amorosas funcionan así.

La historia de Jacqueline, contada noche tras noche en versiones contradictorias y coincidentes en parte a su oreja aturdida por el sueño, es que le ha robado su verdadero yo un perseguidor que a veces es su tiránica madre, a veces el padre que huyó, a veces un amante sádico u otro, a veces un terapeuta mefistofélico. Lo que estás abrazando, le dice ella, es solo un caparazón de la verdadera Jacqueline, que solo recuperará la capacidad de amar cuando se recupere a sí misma.

Él escucha pero no se la cree. Si ella siente que su terapeuta tiene puestos los ojos en ella ¿por qué no deja de verlo? Si su hermana la menosprecia y denigra, ¿por qué no deja de ver a su hermana? En cuanto a él mismo, sospecha que si Jacqueline ha acabado tratándolo más como a un confidente que como a un amante es porque no es lo bastante bueno como amante, no es lo bastante fogoso o apasionado. Sospecha que de ser él mejor amante Jacqueline recuperaría enseguida su yo y su deseo perdidos.

¿Por qué continúa abriendo la puerta cuando llama Jacqueline? ¿Es porque eso es lo que tienen que hacer los artistas —pasar la noche en vela, extenuarse, complicarse la vida— o es porque, pese a todo, le desconcierta esta mujer elegante de belleza innegable que no se avergüenza de pasear desnuda por el apartamento ante sus ojos?

¿Por qué Jacqueline es tan libre en presencia de él? ¿Es para provocarle (puesto que siente sus ojos clavándose en ella, eso lo sabe) o es que todas las enfermeras se comportan así en privado, dejan caer la ropa, se rascan, hablan con total naturalidad de la excreción, cuentan los mismos chistes soeces que los hombres explican en los bares? Sin embargo, si ella se ha liberado realmente de todas las inhibiciones, ¿por qué hace el amor de forma tan distraída, tan a la ligera, tan decepcionante?

No fue idea de él empezar con esta aventura ni tampoco continuarla. Pero ahora que está en ello carece de la energía para escapar. Le domina el fatalismo. Si la vida con Jacqueline es una especie de enfermedad, mejor dejar que la enfermedad siga su curso.

Paul y él son lo bastante caballerosos como para no comparar amantes. No obstante, él sospecha que Jacqueline Laurier habla de él con su hermana y esta informa a Paul. Le avergüenza que Paul sepa lo que ocurre en su vida íntima. Está seguro de que, de los dos, Paul maneja mejor a las mujeres.

Un día que Jacqueline está trabajando en el turno de noche de la maternidad, él se pasa por el piso de Paul. Le encuentra preparándose para irse a la casa de su madre en Saint James, a pasar el fin de semana. ¿Por qué no te vienes, sugiere Paul, al menos a pasar el sábado?

Pierden el último tren por los pelos. Si insisten en ir a Saint James tendrán que andar veinte kilómetros. La noche es buena. ¿Por qué no?

Paul lleva la mochila y el violín. Ha cogido el violín, dice, porque es más fácil practicar en Saint James, donde los vecinos están más lejos.

Paul ha estudiado violín desde niño, pero nunca ha llegado demasiado lejos. Parece contentarse con tocar los mismos pequeños minués y gigas que hace una década. Las ambiciones musicales de él son mucho mayores. En el piso tiene el instrumento que le compró su madre cuando a los quince años empezó a pedir clases de piano. Las lecciones no fueron un éxito, era demasiado impaciente para el lento método paso a paso de su maestro. De todos modos, está decidido a tocar algún día, por muy mal que lo haga, el opus 132 de Beethoven y después la trascripción Busoni de la *Chacona en re menor* de Bach. Alcanzará sus objetivos sin dar el habitual rodeo por Czerny y Mozart. En lugar de eso ensayará esas dos piezas y nada más, incansablemente, aprendiendo las notas a fuerza de tocarlas primero muy, muy lento e incrementando luego el tempo día a día durante el tiempo que sea necesario. Es su método para aprender a tocar el piano, inventado por él. Mientras siga el programa sin flaquear, no ve por qué no iba a funcionar.

Por desgracia, lo que está descubriendo es que si intenta pasar del muy, muy lento a un simple muy lento, se le tensan y bloquean las muñecas, se le agarrotan las articulaciones de los dedos y le resulta imposible tocar. Entonces se enfurece, aporrea las teclas con los puños y se va presa de la desesperación.

Es más de medianoche y Paul y él todavía no han pasado de Wynberg. Ha disminuido el tráfico, la carretera principal está vacía salvo por el barrendero que va empujando la escoba.

En Diep River se cruzan con la carreta tirada por un caballo del lechero. Se paran a verle detener el caballo, recorrer al trote el sendero de un jardín, dejar un par de botellas llenas, recoger las vacías, sacudir las monedas y regresar corriendo al carro.

—¿Nos vende un vaso de leche? —pregunta Paul, y le entrega cuatro peniques.

El lechero sonríe mientras los observa beber.

El lechero es joven y guapo y rebosa energía. Ni siquiera al gran caballo blanco de cascos peludos parece importarle estar en pie en mitad de la noche.

Él se maravilla. No sabe nada de estos asuntos que se llevan a cabo mientras la gente duerme: se barren las calles y ¡se entrega la leche a la puerta de casa! Pero le desconcierta una cosa. ¿Cómo es que no roban la leche? ¿Por qué no hay ladrones que siguen los pasos del lechero y birlan las botellas que va repartiendo? En una tierra donde la propiedad es delito y todo puede ser robado, ¿qué salva a la leche? ¿El hecho de que sea demasiado fácil robarla? ¿Tienen principios que rijan su conducta los ladrones? ¿O sienten lástima de los lecheros, en su mayoría jóvenes negros y sin recursos?

Le gustaría creer en esta última explicación. Le gustaría creer que, con respecto a los negros, ya se siente bastante lástima por ellos, bastante anhelo por tratarlos de manera íntegra, por compensar la crueldad de las leyes y su miserable suerte. Pero sabe que no es así. Entre los negros y los blancos se abre un abismo. Más profunda que la lástima, más profunda que los tratos íntegros, más profunda que la buena voluntad es la conciencia por ambas partes de que la gente como Paul y él mismo, con sus pianos y violines, están en esta tierra, en la tierra de Sudáfrica, con el más inestable de los pretextos. Incluso este joven lechero, que hace un año debía de ser un niño que cuidaba el rebaño en las profundidades de Transkei, debe de saberlo. De hecho, siente emanar de los africanos en general, incluso los mestizos, una ternura curiosa y divertida: la impresión de que debe de ser bobo y necesitar que lo cuiden si es que imagina que podrá salir adelante a fuerza de miradas directas y tratos íntegros cuando el suelo que pisa está empapado de sangre y las vastas profundidades de la historia pasada resuenan con gritos de ira. ¿Por qué si no este joven, con los primeros indicios del viento diurno acariciando las crines de su caballo, sonríe con amabilidad mientras contempla a los dos hombres beberse la leche que les ha dado?

Llegan a la casa de Saint James al romper el alba. Cae dormido en el sofá al instante y duerme hasta el mediodía, cuando la madre de Paul los despierta y les sirve el desayuno en un porche con vistas a toda la extensión de False Bay.

Paul y su madre cruzan conversaciones en las que él se siente incluido con facilidad. La madre de Paul es fotógrafa con estudio propio. Es de constitución pequeña y viste bien, tiene voz ronca de fumadora y aire inquieto. Después de comer se va: tiene trabajo que hacer, dice.

Él y Paul se acercan a la playa, nadan, vuelven, juegan al ajedrez. Luego él coge el tren de vuelta a casa. Es el primer atisbo de la vida doméstica de Paul, y se siente lleno de envidia. ¿Por qué no puede tener una relación bonita y normal con su madre? Le gustaría que su madre fuera como la de Paul, que tuviera una vida propia fuera del estrecho ámbito familiar.

Fue por escapar de la opresión de la familia por lo que se fue de casa. Ahora rara vez ve a sus padres. Aunque vive a un paseo de su casa, no va a visitarlos. Nunca ha llevado a Paul a verlos, ni a ninguno de sus otros amigos, por no hablar de Jacqueline. Ahora que dispone de ingresos propios, emplea su independencia para excluir a sus padres de su vida. A su madre le angustia esta frialdad, lo sabe, la frialdad con la que él le devuelve el amor que ella le ha dado toda la vida. Toda la vida su madre ha querido mimarle, toda la vida él se ha resistido. Aunque él insiste, su madre no se cree que gane lo suficiente para vivir. Cuando se ven intenta colarle algo de dinero en el bolsillo, un par de libras. «Una nadería», lo llama ella. A poco que le diera ocasión, su madre le cosería cortinas para el apartamento y le haría la colada. Tiene que endurecer su corazón en contra de ella. Ahora no es momento de bajar la guardia.

3

Está leyendo la correspondencia de Ezra Pound. A Ezra
Pound lo despidieron de su puesto en el Wabash College de
Indiana por meter a una mujer en su habitación. Furioso por
semejante estrechez de miras provinciana, Pound abandonó
América. En Londres conoció a la bella Dorothy Shakespear,
con la que se casó, y se trasladaron a Italia. Tras la Segunda
Guerra Mundial fue acusado de ayudar y secundar a los fas-
cistas. Para eludir la pena de muerte alegó demencia y lo re-
cluyeron en un manicomio.

Ahora, en 1959, ya libre, Pound ha regresado a Italia y sigue
trabajando en el proyecto de su vida, los *Cantos*. Todos los *Cantos* publicados hasta la fecha están en la biblioteca de la universidad de Ciudad del Cabo, en ediciones de Faber en las que la
procesión de versos en elegante tipografía queda interrumpida
de vez en cuando, como a golpes de gong, por caracteres chinos enormes. Los *Cantos* le han absorbido; los lee y relee (saltándose con sentimiento de culpa las densas secciones sobre Van
Buren y los Malatesta) con el libro de Hugh Kenner sobre
Pound a modo de guía. T. S. Eliot, de forma magnánima, llamó
a Pound *il miglior fabbro*, el mejor artesano. Pese a lo mucho que
admira la obra de Eliot, cree que el poeta tiene razón.

Ezra Pound ha sido perseguido la mayor parte de su vida:
empujado al exilio, encarcelado, expulsado de su patria por
segunda vez. Sin embargo, pese a ser considerado un loco,
Pound ha demostrado ser un gran poeta, quizá tan grande
como Walt Whitman. Obedeciendo a su genio, ha sacrifica-

do la vida por el arte. Como Eliot, aunque el sufrimiento de Eliot ha sido de una naturaleza más privada. Eliot y Pound han llevado una vida de padecimiento y en ocasiones de ignominia. De esto se extrae una lección, oculta en cada página de la poesía de ambos: de la de Eliot, con la que tuvo su primer encuentro sobrecogedor cuando todavía iba al colegio, y ahora de la de Pound. Como Pound y Eliot, tiene que estar preparado para soportar todo lo que la vida le tenga reservado, incluso si significa el exilio, la labor no reconocida y el oprobio. Y si no supera el supremo examen del arte, si resulta que después de todo no está bendecido con el don, también tiene que estar preparado para soportar eso: el veredicto inapelable de la historia, el destino de ser, pese a todos sus sufrimientos presentes y futuros, un artista menor. Muchos son los llamados y pocos los elegidos. Por cada gran poeta hay una nube de poetas menores, como mosquitos zumbando alrededor de un león.

Solo uno de sus amigos comparte su pasión por Pound, Norbert. Norbert nació en Checoslovaquia, se trasladó a Sudáfrica tras la guerra, y habla inglés con un leve deje alemán. Estudia para convertirse en ingeniero como su padre. Viste con elegante formalidad europea y mantiene un noviazgo de lo más respetable con una guapa muchacha de buena familia con la que sale de paseo una vez por semana. Él y Norbert se reúnen en un salón de té a los pies de la montaña donde comentan los últimos poemas de cada uno y se leen en voz alta sus pasajes favoritos de Pound.

Le sorprende e interesa que Norbert, un futuro ingeniero, y él, un futuro matemático, sean discípulos de Ezra Pound mientras que otros estudiantes poetas que conoce, los que estudian literatura y dirigen la revista literaria de la universidad, siguen a Gerard Manley Hopkins. Él mismo pasó por una breve fase de afición a Hopkins en el instituto durante la cual atiborró sus versos con montones de monosílabos tónicos y evitó las palabras de origen latino. Pero con el tiempo perdió interés por Hopkins, igual que ahora se encuentra en proceso de perderlo por Shakespeare. Los versos de Hopkins están demasiado plagados de consonantes; los de Shakespeare, de metáforas. Hopkins y Shakespeare también dan demasiado valor a las palabras poco frecuentes, en particular a las del inglés antiguo: *maw, reck, pelf*. No ve por qué el verso siempre debe ir ascendiendo hacia una cima declamatoria, por qué no puede contentarse con seguir las flexiones de la lengua hablada ordinaria; de hecho, no ve por qué tiene que ser tan diferente de la prosa.

Ha comenzado a preferir a Pope antes que a Shakespeare, y a Swift antes que a Pope. Pese a la cruel precisión de su fraseo, el cual aprueba, le sigue pareciendo que Pope se encuentra demasiado como en su casa entre enaguas y pelucas, mientras que Swift sigue siendo un salvaje, un solitario.

También le gusta Chaucer. La Edad Media es aburrida, está obsesionada con la castidad, infestada de clérigos; los poetas medievales son en su mayoría tímidos, siempre recurren a los padres latinos en busca de guía. Pero Chaucer mantiene una agradable distancia irónica con respecto a sus maestros. Y, a diferencia de Shakespeare, no suelta una perorata sobre cualquier asunto y empieza a despotricar.

En cuanto a los demás poetas ingleses, Pound le ha enseñado a detectar el sentimiento fácil en el que se regodean los románticos y los victorianos, por no hablar de su descuidada versificación. Pound y Eliot intentan revitalizar la poesía angloamericana devolviéndole la mordacidad de la francesa. Está completamente de acuerdo con ellos. No entiende cómo en otro tiempo Keats pudo emocionarle hasta el punto de imitarle al escribir sonetos. Keats es como la sandía, suave y dulce y carmesí, cuando la poesía debería ser fuerte y clara como una llama. Leer media docena de páginas escritas por Keats es como ceder a la seducción.

Si supiera francés, se sentiría más seguro al tomar a Pound como maestro. Pero todos sus esfuerzos por aprenderlo no le han servido de nada. No tiene sentido de la lengua francesa, cuyas palabras arrancan con brusquedad solo para perderse en un murmullo final. De manera que debe confiar en Pound y Eliot cuando afirman que Baudelaire y Nerval, Corbière y Laforgue marcan el camino a seguir.

Su plan, cuando ingresó en la universidad, consistía en licenciarse en matemáticas, luego marcharse al extranjero y consagrarse al arte. Ahí acababa el plan, tampoco necesitaba más, y hasta la fecha continúa según lo trazado. Mientras perfeccione su destreza poética en el extranjero se ganará la vida con alguna ocupación gris y respetable. Ya que los grandes artistas están destinados a vivir en el anonimato durante un tiempo, imagina que cumplirá sus años de prueba de oficinista, sumando humildemente columnas de cifras en una trastienda. Desde luego no será ningún bohemio, es decir, un borracho gorrón y haragán.

Lo que le atrae de las matemáticas, aparte de los símbolos arcanos que se emplean, es su pureza. Si en la universidad existiera un departamento de Pensamiento Puro es probable que también se inscribiera; pero por lo visto las matemáticas puras son lo más cercano al reino de las formas que la academia ofrece.

Por desgracia, su plan de estudios se enfrenta a un obstáculo: la normativa no permite estudiar matemáticas puras de manera exclusiva. La mayoría de los estudiantes de su clase combinan matemáticas puras, aplicadas y física. Él no se siente capaz de seguir por ahí. Aunque de niño le interesaron vagamente los cohetes y la fisión nuclear, carece de sensibilidad para lo que llaman el mundo real, no logra entender por qué en física las cosas son como son. Por qué, por ejemplo, una pelota que bota acaba por dejar de hacerlo. A sus compañeros de estudios la pregunta no les plantea dificultades: porque su coeficiente de elasticidad es inferior a uno, dicen. Pero ¿por qué tiene que serlo?, se pregunta. ¿Por qué no puede ser exactamente uno o más de uno? Sus compañeros se encogen de hombros. Vivimos en el mundo real, le dicen: en el mundo real el coeficiente de elasticidad es siempre inferior a uno. A él esto no le parece una respuesta.

Puesto que parecería que no siente la menor simpatía por el mundo real, evita las ciencias y rellena los huecos de su currículo con cursos de inglés, filosofía y clásicas. Le gustaría que pensaran en él como en un estudiante de matemáticas que sigue unos cuantos cursos de letras; pero lamentablemente los estudiantes de ciencias le consideran un intruso, un diletante que se presenta en las clases de matemáticas y desaparece para ir Dios sabe adónde.

Como va a ser matemático, debe invertir la mayor parte de su tiempo en las matemáticas. Pero las matemáticas son fáciles y el latín no. Latín es la asignatura que lleva más floja. Años de instrucción en la escuela católica han arraigado en él la lógica de la sintaxis latina; escribe con corrección cuando batalla con la prosa ciceroniana; pero Virgilio y Horacio, con su orden azaroso de las palabras y su repugnante repertorio de términos, continúan frustrándole.

Le asignan un grupo de tutoría de latín en el que la mayoría estudia también griego. Saber griego les facilita el aprendizaje de latín; él tiene que esforzarse para mantener el ritmo, para no quedar en ridículo. Ojalá hubiera ido a una escuela que enseñara griego.

Uno de los atractivos de las matemáticas es que emplea el alfabeto griego. Aunque no conoce más palabras griegas que *hibris*, *areté* y *eleuteria*, pasa horas perfeccionando la caligrafía del alfabeto griego, apretando más en los trazos descendentes para darle el efecto de una Bodoni.

El griego y las matemáticas constituyen a sus ojos las asignaturas más nobles que puedan estudiarse en la universidad. Desde la distancia reverencia a los profesores de griego, a cuyos cursos no puede asistir: Anton Paap, papirólogo; Maurice Pope, traductor de Sófocles; Maurits Heemstra, comentarista de Heráclito. Junto con Douglas Sears, catedrático de matemáticas puras, habitan un reino elevado.

Pese a sus mayores esfuerzos, sus notas de latín nunca son altas. La historia romana le baja siempre la media. El profesor encargado de impartir historia romana es un inglés joven, pálido e infeliz interesado en realidad en *Digenis Akritas*. Los estudiantes de derecho, obligados a estudiar latín, adivinan su falta de carácter y le atormentan. Entran tarde y salen pronto; lanzan aviones de papel; cuchichean en voz alta mientras habla; cuando suelta una de sus flojas agudezas se ríen a voz en cuello y dan golpes con los pies en el suelo sin parar.

La verdad es que a él le aburren tanto como a los estudiantes de derecho, y quizá también al profesor, las fluctuaciones del precio del trigo durante el reinado de Cómodo. Sin hechos no hay historia, y él nunca ha tenido cabeza para los hechos: cuando llegan los exámenes y se le invita a dar su opinión sobre qué causó el qué en el Imperio tardío, se queda mirando la página en blanco con amargura.

Leen a Tácito traducido: áridos recitales sobre los crímenes y excesos de los emperadores donde únicamente la desconcertante prisa por enlazar frase tras frase insinúa cierta ironía. Si va a convertirse en poeta debería estar estudiando a Catulo, poeta del amor, al que traducen en las tutorías; pero es Tácito el historiador, cuyo latín es tan difícil que no puede leerlo en el idioma original, lo que le mantiene ocupado.

Siguiendo el consejo de Pound, ha leído a Flaubert, primero *Madame Bovary* y después *Salambó*, la novela de Flaubert sobre la Cartago de la Antigüedad. Tozudamente, se ha negado a leer a Victor Hugo. Hugo, dice Pound, es un charlatán, mientras que Flaubert aplica a la escritura de la prosa la difícil artesanía joyera de la poesía. Siguen a Flaubert, primero Henry James, después Conrad y Ford Madox Ford.

Le gusta Flaubert. Emma Bovary en particular, con sus ojos negros, su sensualidad inquieta, su disposición a entregarse, le tiene subyugado. Le gustaría acostarse con Emma, oír el famoso cinturón silbar como una serpiente mientras ella se desviste. Pero ¿lo aprobaría Pound? No está seguro de que el hecho de ansiar conocer a Emma sea una razón lo bastante buena para admirar a Flaubert. Sospecha que en su sensibilidad queda todavía algo podrido, algo keatsiano.

Desde luego, Emma Bovary es un personaje de ficción, nunca se la encontrará en la calle. Pero Emma no fue creada de la nada: sus orígenes se remontan a las experiencias de carne y hueso de su autor, experiencias que luego fueron sometidas al fuego transfigurador del arte. Si Emma tuvo un original, o varios, de ello se deduce que en el mundo real deberían existir mujeres como Emma o como su original. E incluso de no ser así, incluso si ninguna mujer del mundo real acaba de ser como Emma, tiene que haber muchas mujeres a quienes la lectura de *Madame Bovary* haya afectado tan hondamente que hayan caído bajo el embrujo de Emma y se hayan transformado en versiones de ella. Tal vez no sean la Emma real pero en cierto sentido se han convertido en su personificación en vida.

Ambiciona leer todo lo que merezca ser leído antes de irse al extranjero, así no llegará a Europa siendo un paleto de provincias. Como guías de lectura confía en Eliot y Pound. Siguiendo la autoridad de estos poetas, desestima sin pensárselo estantería tras estantería de Scott, Dickens, Thackeray, Trollope, Meredith. Tampoco nada salido del siglo XIX alemán, italiano, español o escandinavo merece atención. Puede que Rusia haya producido algunos monstruos interesantes, pero como artistas los rusos no tienen nada que enseñarnos. Desde el siglo XVIII la civilización ha sido un asunto anglofrancés.

Por otra parte, existen reductos de alta civilización en tiempos remotos que uno no puede permitirse obviar: no solo Atenas y Roma, sino también la Alemania de Walther von Vogelweide, la Provenza de Arnaut Daniel, la Florencia de Dante y Guido Cavalcanti, por no hablar de la China Tang, la India mongola y la España almorávide. De manera que, a menos que aprenda chino, persa y árabe, o al menos idiomas suficientes para leer a los clásicos en traducciones, podría considerarse un bárbaro. ¿De dónde sacará tiempo?

Al principio, las clases de inglés no le fueron bien. Su tutor de literatura era un joven galés llamado señor Jones. El señor Jones acababa de llegar a Sudáfrica; era su primer trabajo como Dios manda. Los estudiantes de derecho, que acudían a las clases solo porque el inglés, igual que el latín, eran asignaturas obligatorias, habían olido su falta de seguridad al momento: bostezaban en sus narices, hacían el idiota y parodiaban su manera de hablar hasta que en ocasiones el hombre se desesperaba visiblemente.

El primer ejercicio de tutoría consistió en escribir un análisis crítico de un poema de Andrew Marvell. Pese a no estar seguro de lo que se entendía por análisis crítico, lo hizo lo mejor que pudo. El señor Jones le puso un gamma. No era la peor nota de la escala —por debajo quedaba todavía el gamma bajo, por no hablar de las variantes del delta— pero no era buena. Varios estudiantes, algunos de derecho, obtuvieron betas; incluso hubo un solitario alfa bajo. Por muy indiferente que les resultara la poesía, sus compañeros de clase sabían algo que él desconocía. Pero ¿qué? ¿Cómo se consigue ser bueno en inglés?

El señor Jones, el señor Bryant, la señorita Wilkinson: todos sus profesores eran jóvenes y, en su opinión, desvalidos, sufriendo en impotente silencio las persecuciones de los estudiantes de derecho y esperando en vano que acabaran por cansarse y amainarse. Por su parte, no se compadecía de su difícil situación. Lo que quería de sus profesores era autoridad, no una manifestación de vulnerabilidad.

En los tres años transcurridos desde que tuviera al señor Jones, sus notas en inglés había mejorado lentamente. Pero nunca había sido el primero de la clase, en cierto sentido siempre había tenido que pelear, sin saber con seguridad en qué debería consistir el estudio de la literatura. Comparado con la crítica literaria, el aspecto filológico de la asignatura había supuesto un alivio. Al menos con las conjugaciones verbales del inglés antiguo o los cambios fonéticos del inglés de la Edad Media uno sabe qué terreno pisa.

Ahora, en cuarto de carrera, se ha inscrito en un curso sobre los primeros prosistas ingleses a cargo del catedrático Guy Howarth. Es el único alumno. Howarth tiene reputación de hombre seco y pedante, pero eso a él no le importa. No tiene nada en contra de los pedantes. Los prefiere a los teatrales.

Se reúnen una vez por semana en el despacho de Howarth. Howarth lee la clase en voz alta mientras él toma notas. Al cabo de unas cuantas sesiones, Howarth le presta el texto para que se lo lea en casa.

Los textos, escritos a máquina con una cinta gastada sobre papel crujiente, amarillento, son extraídos de un mueble que parece guardar una carpeta sobre todos los autores ingleses desde Austen a Yeats. ¿Eso es lo que hay que hacer para convertirse en catedrático de inglés: leer a los autores del canon y escribir una clase sobre cada uno de ellos? ¿Cuántos años de vida se te llevará por delante algo así? ¿Qué le hará a tu alma?

Howarth, que es australiano, parece haberle cogido aprecio, aunque él no logra entenderlo. Por su parte, si bien no puede afirmar que le guste Howarth, sí le despierta instinto protector por su torpeza, su falsa creencia de que a los estudiantes sudafricanos les importa mínimamente su opinión acerca de Gascoigne o Lyly, o para el caso, de Shakespeare.

El último día del trimestre, después de la última tutoría, Howarth le invita.

—Pásese mañana a tomar una copa en casa a última hora de la tarde.

Obedece, pero a desgana. Más allá de las conversaciones en torno a los prosistas isabelinos, no tiene nada que decirle a Howarth. Además, no le gusta beber. Hasta el vino, después del primer sorbo, le sabe agrio, agrio, pesado y desagradable. No comprende por qué la gente finge disfrutar con él.

Se sientan en la sala de estar oscura y de techo alto que Howarth tiene en su casa de los Jardines. Por lo visto es el único invitado. Howarth habla de poesía australiana, de Kenneth Slessor y A. D. Hope. La señora Howarth entra y sale a placer. Intuye que a ella le desagrada, que le parece un mojigato, falto de *joie de vivre*, falto de conversación. Lilian Howarth es la segunda mujer de Howarth. No hay duda de que en sus tiempos fue una belleza, pero ahora solo es una mujercita achaparrada de piernas largas y flacas y con demasiado maquillaje. También se dice que es una borrachina propensa a montar escenas cuando está bebida.

Resulta que le han invitado con un fin. Los Howarth se van al extranjero para seis meses. ¿Le importaría quedarse en la casa y cuidarla? No tendrá que pagar alquiler, ni facturas, solo asumir algunas responsabilidades.

Acepta en el acto. Le halaga que se lo pidan, incluso aunque sea solo porque parece soso y de fiar. Además, si deja el apartamento de Mowbray podrá ahorrar más rápido para el pasaje a Inglaterra. Y la casa —un caserón enorme y lleno de recovecos que se yergue al pie del monte con pasillos oscuros y habitaciones húmedas que nadie usa— tiene su encanto.

Hay una pega. El primer mes tendrá que compartirla con unos invitados de los Howarth, una mujer de Nueva Zelanda y su hija de tres años.

La mujer de Nueva Zelanda resulta ser otra bebedora. Al poco de mudarse, la mujer entra en su dormitorio en plena noche y se mete en su cama. Le abraza, se aprieta contra él, le da besos húmedos. Ella no le gusta, no la desea, le repelen sus labios flácidos buscándole la boca. Primero le recorre un escalofrío, luego siente pánico.

—¡No! —chilla él—. ¡Váyase! —Y se acurruca.

Ella sale de la cama con paso inestable.

—¡Hijo de puta! —dice entre dientes, y se va.

Siguen compartiendo la enorme casa hasta final de mes, evitándose, atentos a los crujidos del suelo de madera, apartando la vista cuando sus caminos se cruzan por casualidad. Han hecho el ridículo, pero al menos ella ha sido una tonta temeraria, lo cual es perdonable, mientras que él se ha comportado como un mojigato y un bobo.

Nunca en la vida se ha emborrachado. Aborrece la embriaguez. Se va pronto de las fiestas para evitar la charla torpe, idiota, de la gente que ha bebido demasiado. En su opinión, a los conductores borrachos deberían doblarles la sentencia en lugar de reducírsela. Pero en Sudáfrica todo exceso cometido bajo la influencia del alcohol se trata con indulgencia. Los granjeros pueden azotar a sus trabajadores hasta matarlos siempre y cuando en ese momento estuvieran borrachos. Los feos pueden molestar a las mujeres, las feas pueden insinuarse; si te resistes, no estás jugando limpio.

Ha leído a Henry Miller. Si una mujer borracha se hubiera colado en la cama de Henry Miller, el folleteo y sin duda la bebida se habrían prolongado toda la noche. De haber sido Henry Miller solo un sátiro, un monstruo de apetito indiscriminado, no le habría hecho ni caso. Pero Henry Miller es un artista, y sus historias, por escandalosas que sean y por plagadas de mentiras que probablemente estén, son las historias de una vida de artista. Henry Miller escribe sobre el París de los años treinta, una ciudad de artistas y mujeres que amaban a artistas. Si las mujeres se lanzaban a los brazos de Henry Miller, entonces, *mutatis mutandis*, debían de lanzarse también a los de Ezra Pound, Ford Madox Ford, Ernest Hemingway y todos los grandes artistas que vivieron en París esos años, por no hablar de Pablo Picasso. ¿Qué hará él una vez esté en París o Londres? ¿Seguirá sin jugar limpio?

Además de su horror a la bebida, aborrece la fealdad física. Cuando lee el *Testamento* de Villon, solo puede pensar en lo fea que parece la *belle heaumière*, arrugada, sucia y malhablada. ¿Para ser artista hay que amar a las mujeres de manera indiscriminada? ¿Implica la vida del artista acostarse con todas en nombre de la vida? ¿Si eres un remilgado en el sexo, estás rechazando la vida?

Otra cuestión: ¿qué le hizo pensar a Marie, de Nueva Zelanda, que valía la pena irse a la cama con él? ¿Simplemente el hecho de que estuviera a mano, o le había oído decir a Howarth que era un poeta, un futuro poeta? A las mujeres les gustan los artistas porque arden con una llama interna, una llama que consume y, sin embargo, paradójicamente, renueva todo lo que toca. Cuando se coló en su cama, Marie tal vez habría pensado que la tocaría la llama del arte y experimentaría un éxtasis imposible de explicar en palabras. En lugar de eso, un chico víctima del pánico la echó fuera de la cama. Está claro que de una u otra manera se tomará la revancha. Está claro que en la próxima carta que reciban los Howarth conocerán una versión de los hechos en la que quedará como un pánfilo.

Sabe que condenar a una mujer por fea es moralmente despreciable. Pero afortunadamente, los artistas no tienen que ser gente de moral admirable. Lo único importante es que creen gran arte. En cuanto a él, si su arte tiene que surgir de su lado más deleznable, que así sea. Las flores crecen mejor en los estercoleros, como Shakespeare no se cansa nunca de recordar. Incluso Henry Miller, que se presenta como un tipo de lo más directo, listo para hacerle el amor a cualquier mujer sin tener en cuenta su forma o su tamaño, probablemente tenga un lado oscuro que se cuida de esconder.

A la gente normal le cuesta ser mala. La gente normal, cuando notan que aflora en ellos la maldad, beben, insultan, comenten actos violentos. Para ellos la maldad es como una fiebre: quieren expulsarla de su organismo, quieren volver a la normalidad. Pero los artistas tienen que vivir con su fiebre, de la naturaleza que sea, buena o mala. La fiebre es lo que los hace artistas; hay que mantenerla con vida. Por eso los artistas nunca pueden mostrarse plenamente al mundo: tienen que tener siempre un ojo mirando a su interior. En cuanto a las mujeres que persiguen artistas, no son del todo de fiar. Puesto que así como el espíritu del artista es al tiempo llama y fiebre, la mujer que anhela el roce de las lenguas de fuego hará cuanto pueda por enfriar la fiebre y hacer que el artista tenga los pies en el suelo. Por tanto, hay que resistirse a las mujeres incluso cuando se las ama. No puede permitírseles que se acerquen a la llama lo suficiente para arrancarla.

4

En un mundo perfecto solo se acostaría con mujeres perfectas, mujeres de feminidad perfecta pero con un núcleo oscuro que respondería al yo aún más oscuro de él. Pero no conoce mujeres así. Jacqueline —en cuyo núcleo no ha detectado oscuridad alguna— ha dejado de visitarle sin previo aviso y él ha tenido la sensatez de no intentar descubrir por qué. De modo que tiene que apañárselas con otras mujeres, de hecho, con chicas que todavía no son mujeres y quizá no tengan ningún núcleo verdadero en absoluto o ninguno del que hablar: chicas que se acuestan con un hombre solo de mala gana, porque las han convencido o porque sus amigas lo hacen y no quieren quedarse atrás o porque a veces es la única manera de conservar el novio.

Deja embarazada a una. Cuando la chica telefonea para darle la noticia se queda estupefacto, helado. ¿Cómo puede haber dejado a alguien embarazada? En cierto sentido, sabe exactamente cómo. Un accidente: prisas, confusión, un lío de los que nunca aparecen en las novelas que él lee. Pero al mismo tiempo no se lo cree. En el fondo no se siente mayor que un niño de ocho años, de diez a lo sumo. ¿Cómo puede ser padre de un niño?

A lo mejor no es verdad, se dice. A lo mejor es como uno de esos exámenes que estás seguro de haber suspendido y, sin embargo, cuando salen las calificaciones resulta que después de todo no te ha ido tan mal.

Pero no va así. Otra llamada de teléfono. En un tono

pragmático, la chica le informa de que ha ido al médico. Se produce una pausa mínima, lo bastante larga para que él aproveche la oportunidad y hable. Podría decir «Te apoyaré». Podría decir «Déjamelo a mí». Pero ¿cómo puede decir que la apoyará cuando en realidad lo que significaría apoyarla le llena de aprensión, cuando siente el impulso de colgar el teléfono y salir corriendo?

Se acaba la pausa. Sabe de alguien, continúa ella, que se ocupará del problema. Ha concertado una cita para el día siguiente. ¿Está dispuesto a llevarla en coche hasta el lugar de la cita y traerla de vuelta después, porque le han advertido que después no estará en condiciones de conducir?

Se llama Sarah. Sus amigos la llaman Sally, un nombre que a él no le gusta. Le recuerda el verso «Come down to the sally gardens». ¿Qué diantre serán los «sally gardens»? Sally es de Johannesburgo, de uno de esos barrios residenciales donde la gente pasa los domingos cabalgando por sus fincas y gritándose «¡Divino!» mientras criados negros con guantes blancos les sirven las bebidas. Una infancia de montar a caballo y caerse y hacerse daño pero no llorar ha convertido a Sarah en una persona de confianza. Puede oír a su grupo de Johannesburgo diciendo «Sal es una persona de confianza». No es guapa —tiene la constitución demasiado fornida y una cara demasiado lozana—, pero está sana de pies a cabeza. Y no finge. Ahora que ha estallado el desastre, no se esconde en su habitación fingiendo que todo va bien. Al contrario, se ha enterado de lo que hacía falta enterarse —cómo abortar en Ciudad del Cabo— y se ha encargado de los trámites oportunos. De hecho, le ha dejado en evidencia.

Van a Woodstock en el pequeño coche de Sarah y aparcan delante de una hilera de adosados idénticos. Sarah baja del coche y llama a la puerta de una de las casas. Él no ve quién abre la puerta, pero solo puede ser la abortista en persona. Se imagina a las abortistas como mujeres con un aspecto ordinario y el pelo teñido, el maquillaje resquebrajado y las uñas no demasiado limpias. Le dan a la chica un vaso de ginebra sola, la tumban, luego llevan a cabo alguna manipulación innombrable dentro de ella con un alambre, algo que implica enganchar y arrastrar. Él, sentado en el coche, se estremece. ¡Quién iba a sospechar que en una casa anodina como esa, con hortensias y un enanito de yeso en el jardín, tienen lugar atrocidades así!

Pasa media hora. Se va poniendo cada vez más nervioso. ¿Será capaz de hacer lo que se le pida?

Entonces sale Sarah y la puerta se cierra tras ella. Lentamente, con aire de concentración, se dirige al coche. Cuando está más cerca la ve pálida y sudorosa. Sarah no dice nada.

La lleva a la gran casa de los Howarth y la instala en el dormitorio con vistas a Table Bay y el puerto. Le ofrece un té, una sopa, pero no quiere nada. Sarah se ha traído una maleta; se ha traído toallas y sábanas. Ha pensado en todo. Él no tiene más que estar presente, estar listo por si algo sale mal. Poca cosa.

Sarah pide una toalla caliente. Él mete una en el horno eléctrico. La toalla sale oliendo a chamusquina. Para cuando la sube a la habitación apenas está tibia. Pero Sarah se la coloca en el vientre y cierra los ojos, parece que le alivia.

Cada pocas horas se toma una de las pastillas que le ha dado la mujer acompañada de un vaso de agua tras otro. Por lo demás, permanece tumbada con los ojos cerrados, aguantando el dolor. Consciente de la aprensión de él, Sally le oculta las pruebas de lo que está ocurriendo en el interior de su cuerpo: los paños ensangrentados y demás.

—¿Cómo te encuentras? —pregunta él.

—Bien —musita ella.

Él no tiene ni idea de lo que hará si Sarah deja de encontrarse bien. El aborto es ilegal, pero ¿hasta qué punto? Si llamara a un médico, ¿les denunciaría a la policía?

Duerme en un colchón junto a la cama. Como enfermero es un inútil, peor que un inútil. De hecho, lo que hace no puede calificarse de cuidar a nadie. Es una simple penitencia, una penitencia estúpida e inútil.

A la mañana del tercer día, Sarah aparece en la puerta del estudio de la planta baja, pálida y tambaleante, pero completamente vestida. Está lista para irse a casa, dice.

Él la acompaña en coche a la habitación donde vive, llevando la maleta y la bolsa que presumiblemente contiene las toallas y las sábanas ensangrentadas.

—¿Quieres que me quede un rato?

Ella dice que no con la cabeza.

—Estaré bien —contesta.

Él la besa en la mejilla y se va a casa a pie.

No ha habido por parte de ella ninguna reprobación, ninguna exigencia; incluso ha pagado el aborto. De hecho, Sarah le ha dado una lección de maneras. En cuanto a él, se ha comportado de forma vergonzosa, imposible negarlo. La poca ayuda que le ha prestado ha sido pusilánime y, lo que es peor, incompetente. Reza para que Sarah no se lo cuente nunca a nadie.

No para de pensar en lo que han destruido dentro del cuerpo de Sarah: en el bulto de sangre, el cuerpecillo carnoso. Ve a la pequeña criatura desapareciendo por el inodoro de la casa de Woodstock, girando en el laberinto de cloacas, lanzada finalmente a algún bajío, parpadeando bajo la repentina luz del sol, peleando contra las olas que la empujarán hacia la bahía. Antes no quería vivir y ahora no quiere morir. Sin embargo, aunque saliera corriendo hacia la playa, encontrara la criatura y la salvara del mar, ¿qué haría con ella? ¿Llevarla a casa, darle calor entre algodones, intentar criarla? ¿Cómo podría él, que todavía es un niño, criar a otro?

Anda muy perdido. Apenas acaba de poner el pie en el mundo y ya se ha anotado una muerte en su contra. ¿Cuántos de los hombres con los que se cruza por la calle cargan con niños muertos como patucos colgados del cuello?

Preferiría no volver a ver a Sarah. Si se quedara solo quizá lograra recuperarse, volver a ser el de antes. Pero se pasa todos los días por la habitación de Sarah y se sienta a darle la mano para consolarla durante un rato decoroso. Si no tiene nada que decir es porque carece del valor necesario para preguntarle a ella lo que le ocurre por dentro. ¿Será como una enfermedad, se pregunta, de la que se está recuperando, o como una amputación de la que uno nunca llega a recuperarse? ¿Cuál es la diferencia entre un aborto provocado y uno natural y lo que en los libros llaman perder el niño? En los libros, la mujer que pierde el niño se aísla del mundo y llora su pérdida. ¿Estará Sarah pendiente de entrar en la fase de llorar la pérdida? ¿Y él? ¿También él la llorará? ¿Durante cuánto tiempo se llora, en el caso de que se llore? ¿Se acaba alguna vez de llorar y vuelve uno a ser el mismo de antes, o se lamenta siempre la pérdida de la cosita que cabecea entre el oleaje frente a Woodstock, como el joven grumete que cayó por la borda sin que nadie lo echara en falta? «¡Bua, bua!» llora el grumete que no se hundirá ni será apaciguado.

Para conseguir más dinero, acepta una segunda tutoría por las tardes en el departamento de matemáticas. Los alumnos de primero que asisten a su tutoría pueden hacerle preguntas sobre matemáticas aplicadas, así como de matemáticas puras. Con un solo año de matemáticas aplicadas cursado, apenas sabe más que los estudiantes a los que se supone que debe ayudar: tiene que pasarse varias horas a la semana preparándose.

Aunque no atiende más que a sus propios asuntos, no puede evitar darse cuenta de que el país vive en una gran confusión. Las leyes aprobadas, a las que única y exclusivamente están sujetos los africanos, se están endureciendo aún más y las protestas se generalizan. La policía dispara a la muchedumbre en el Transvaal, y luego, enloquecidos, siguen disparando por la espalda a hombres, mujeres y niños que huyen del lugar. El asunto le asquea de principio a fin: las leyes en sí mismas; la policía macarra; el gobierno, que defiende ruidosamente a los asesinos y denuncia a los muertos; y la prensa, demasiado asustada para dar la cara y decir lo que cualquiera con ojos en la cara puede ver.

Tras la matanza de Sharpeville nada vuelve a ser lo mismo. Incluso en la pacífica Ciudad del Cabo se producen huelgas y manifestaciones. Dondequiera que se organice una manifestación hay policías armados por los alrededores, esperando una excusa para disparar.

La situación llega al punto crítico una tarde mientras él imparte una tutoría. El aula está en silencio; él patrulla de un pupitre a otro comprobando cómo se las arreglan los estudiantes con los ejercicios, intentado ayudar a los que se encuentran en dificultades. La puerta se abre de pronto. Uno de los profesores adjuntos entra a grandes zancadas y da un golpe en la mesa. «¡Presten atención!», grita. Le falla la voz por los nervios y tiene la cara enrojecida. «¡Dejen los bolígrafos y préstenme atención, por favor! En estos momentos, una manifestación de trabajadores recorre De Waal Drive. Por razones de seguridad, se me pide que les comunique que hasta nuevo aviso nadie está autorizado a salir del campus. Repito: no puede salir nadie. Órdenes de la policía. ¿Alguna pregunta?»

Hay como mínimo una pregunta, pero no es el momento oportuno para plantearla: ¿adónde está yendo a parar el país cuando uno no puede dar una tutoría de matemáticas en paz? En cuanto a la orden policial, no cree ni por un momento que la policía esté acordonando el campus por el bien de los estudiantes. Lo acordonan para que los estudiantes de este consabido hervidero de izquierdismo no se sumen a la protesta, así de simple.

No hay ninguna posibilidad de continuar con la tutoría de matemáticas. Un murmullo de conversaciones llena la sala; los estudiantes están recogiendo sus cosas excitados, ansiosos por enterarse de lo que ocurre.

Sigue al gentío hasta el terraplén que da a De Waal Drive. Han cortado el tráfico. Los manifestantes se aproximan por Woolsack Road formando una gruesa serpiente, en columna de diez o veinte en fondo, y luego giran hacia el norte por la autopista. Son hombres, la mayor parte vestidos con ropas monótonas —sobretodos, abrigos de excedentes del ejército, gorras de lana—, algunos llevan palos, todos marchan rápido, en silencio. La vista no alcanza el final de la columna. Si fuera policía, estaría asustado.

«Es el CPA», dice un estudiante de color a su lado. Le brillan los ojos, tiene una mirada concentrada. ¿Está en lo cierto? ¿Cómo lo sabe? ¿Debería uno ser capaz de reconocer ciertos signos? El CPA no es como el CNA. Es peor señal. «¡África para los africanos! —proclama el CPA—. ¡Al mar con los blancos!»

La columna de hombres se abre camino colina arriba, por millares. No parece un ejército, pero lo es, un ejército surgido de repente de los arrabales de Cape Flats. ¿Qué harán cuando lleguen a la ciudad? Sea lo que sea, no hay policías suficientes en el país para detenerlos, ni balas suficientes para matarlos.

Cuando tenía doce años lo metieron en un autobús lleno de colegiales y los condujeron a la calle Adderley, donde les dieron banderas tricolores de papel anaranjado, blanco y azul y les dijeron que las ondearan al paso del desfile de carrozas (Jan van Riebeeck y su esposa con sobrios trajes burgueses, voortrekkers con mosquete, el corpulento Paul Kruger). Trescientos años de historia, trescientos años de civilización cristiana en la punta de África, decían los políticos en sus discursos: demos gracias al Señor. Ahora, ante sus ojos, el Señor está retirando su mano protectora. Contempla deshacerse la historia a la sombra de la montaña.

En el silencio que le envuelve, entre esos productos pulidos y bien vestidos del Instituto Masculino Rondebosch y la Escuela Diocesana, esos jóvenes que hace media hora se ocupaban en calcular ángulos de vector y soñar con su carrera de ingeniero civil, siente la misma sacudida de consternación. Esperaban disfrutar de un espectáculo, reírse de una procesión de jardineros, no contemplar este lúgubre huésped. Les han arruinado la tarde; ya solo quieren irse a casa, tomarse un bocadillo y una Coca-Cola y olvidar lo ocurrido.

¿Y él? No es diferente. ¿Seguirán zarpando los barcos mañana?, es lo único en lo que piensa. ¡Tengo que salir de aquí antes de que sea demasiado tarde!

Al día siguiente, cuando todo ha terminado y los manifestantes se han marchado a casa, los periódicos encuentran modos de abordar el incidente. «Dar rienda suelta a la rabia contenida», lo llaman. «Una más de las numerosas marchas de protesta que siguen la estela de Sharpeville. Disgregada —dicen— gracias (por una vez) a la sensatez policial y la cooperación de los líderes de los manifestantes. El gobierno —dicen— haría bien en tomar nota.» Así minimizan el acontecimiento, presentándolo como menos importante de lo que es. No está decepcionado. Al menor silbido, el mismo ejército de hombres de las chozas y barracas de Cape Flats se alzará, más fuerte que antes, más numeroso. Armado, además, con pistolas chinas. ¿Qué esperanza hay en enfrentarse a ellos cuando no se cree en lo que se defiende?

Está la cuestión de la Fuerza de Defensa. Cuando acabó el colegio reclutaban solo a uno de cada tres muchachos blancos para el servicio militar. Ahora todo está cambiando. Hay normas nuevas. En cualquier momento puede encontrarse una notificación de reclutamiento en el buzón: «Debe presentarse en el Castillo a las 9.00 horas de tal día. Traiga únicamente sus artículos de aseo». Voortrekkerhoogte, en algún lugar del Transvaal, es el campamento del que más ha oído hablar. Es donde envían a los reclutas de Ciudad del Cabo, lejos del hogar, para domarlos. En menos de una semana podría encontrarse tras una alambrada en Voortrekkerhoogte, compartiendo tienda con matones afrikáners, comiendo carne de vaca enlatada, escuchando a Johnnie Ray en Radio Springbok. No podría soportarlo; se cortaría las venas. Solo le queda un camino: la huida. Pero ¿cómo huir antes de licenciarse? Sería como iniciar un largo viaje, el viaje de toda una vida, sin ropa, sin dinero, sin (la comparación se le ocurre de más mala gana) armas.

5

Es tarde, pasada la medianoche. Está tumbado en el sofá de la habitación alquilada de su amigo Paul en Belsize Park, en el saco de dormir azul descolorido que se ha traído de Sudáfrica. En el otro extremo del cuarto, en la cama de verdad, Paul ha empezado a roncar. Entre las cortinas vislumbra el cielo nocturno, de un anaranjado como de sodio con tintes violeta. Aunque se ha tapado los pies con un cojín, siguen helados. No importa: está en Londres.

Hay dos, tal vez tres lugares en el mundo donde se puede vivir con intensidad plena: Londres, París, quizá Viena. París va primero: es la ciudad del amor, la ciudad del arte. Pero para vivir en París tienes que haber estudiado en el tipo de colegio de clase alta donde enseñan francés. En cuanto a Viena, Viena es para los judíos que regresan a reclamar sus derechos de nacimiento: positivismo lógico, música dodecafónica, psicoanálisis. Queda Londres, donde los sudafricanos no necesitan papeles y la gente habla inglés. Puede que Londres sea glacial, laberíntica y fría, pero tras sus muros intimidatorios hombres y mujeres trabajan escribiendo libros, pintando cuadros, componiendo música. Uno se cruza con ellos a diario por la calle sin adivinar su secreto gracias a la famosa y admirable discreción británica.

Por compartir la habitación, consistente en un dormitorio y un anexo con cocina de gas y fregadero con agua fría (en el piso de arriba están el baño y el retrete que usa toda la casa), paga a Paul dos libras por semana. Todos sus ahorros, que ha traído consigo de Sudáfrica, ascienden a ochenta y cuatro libras. Tiene que encontrar un trabajo inmediatamente.

Acude a las oficinas municipales y apunta su nombre en una lista de profesores en paro listos para cubrir vacantes a corto plazo. Le envían a una entrevista de trabajo en una escuela de secundaria de Barnet, al final de la Northern Line. Él se ha licenciado en matemáticas e inglés. El director quiere que enseñe ciencias sociales; además, debería supervisar las clases de natación dos tardes a la semana.

—Pero si yo no sé nadar —objeta.

—Pues entonces tendrá que aprender, ¿no le parece? —dice el director.

Sale de las instalaciones escolares con un ejemplar del libro de ciencias sociales bajo el brazo. Tiene el fin de semana para preparar la primera clase. Para cuando llega a la estación, se maldice a sí mismo por haber aceptado el trabajo. Pero es demasiado cobarde para regresar y anunciar que ha cambiado de opinión. Devuelve el libro de texto con una nota desde la oficina de correos de Belsize Park: «Sucesos inesperados me impiden cumplir con mis obligaciones. Ruego acepte mis más sinceras disculpas».

Un anuncio en el *Guardian* le lleva hasta Rothamsted, la explotación rural en las afueras de Londres donde solían trabajar Halsted y MacIntyre, autores de *El diseño de experimentos estadísticos*, uno de sus libros de texto universitarios. La entrevista, precedida de una visita por los jardines e invernaderos de la explotación, va bien. El puesto que ha solicitado es de agente de experimentos subalterno. Las obligaciones de un AES, le explican, consisten en preparar las cuadrículas para las plantaciones de ensayo, anotar producciones según regímenes distintos y luego analizar los datos en el ordenador de la explotación, todo ello bajo la supervisión de uno de los agentes jefe. El trabajo agrícola lo llevan a cabo jardineros supervisados por agentes agrícolas; no se espera de él que se manche las manos.

A los pocos días recibe una carta confirmando que ha sido aceptado para el puesto con un salario de seiscientas libras anuales. No puede contener la alegría. ¡Menuda suerte! ¡Trabajar en Rothamsted! ¡En Sudáfrica no se lo creerán!

Hay una pega. La carta termina así: «Puede conseguirse alojamiento en el pueblo o en las viviendas subvencionadas por el ayuntamiento». Contesta por correo: acepta la oferta, dice, pero preferiría seguir viviendo en Londres. Irá a Rothamsted en tren.

Recibe una llamada telefónica de la oficina de personal. Le explican que no puede ir y venir de Londres a diario. Lo que se le ofrece no es un trabajo de oficina con horario regular. Algunas mañanas tendrá que empezar muy temprano; otras veces tendrá que trabajar hasta tarde o en fin de semana. Por tanto, como todos los demás agentes, deberá residir cerca de la explotación. ¿Hará el favor de reconsiderar la situación y comunicarles lo que finalmente decida?

Su victoria hecha añicos. ¿Qué sentido tiene ir de Ciudad del Cabo hasta Londres para alojarse en una vivienda municipal subvencionada a varios kilómetros de la ciudad y levantarse al romper el alba a medir la altura de las judías? Quiere unirse al equipo de Rothamsted, quiere descubrirle una utilidad a las matemáticas con las que ha trabajado durante años, pero también quiere acudir a recitales de poesía, conocer a escritores y pintores, tener aventuras amorosas. ¿Cómo iba a conseguir que la gente de Rothamsted –hombres con chaqueta de tweed que fuman en pipa, mujeres de pelo greñudo y grasiento con gafas de sabihondas– lo entendiera? ¿Cómo podría pronunciar delante de ellos palabras como «amor», «poesía»?

Sin embargo, ¿cómo rechazar la oferta? Está muy cerca de conseguir un trabajo de verdad, y en Inglaterra, además. Le basta con decir una palabra –«Sí»– y podrá escribirle a su madre las noticias que ella está esperando escuchar, en concreto que su hijo gana un buen sueldo en una ocupación respetable. Entonces su madre a su vez podrá telefonear a las hermanas del padre de él y anunciar: «John trabaja como científico en Inglaterra». Eso pondría fin a sus críticas y comentarios mordaces. Científico: ¿qué puede haber más sólido que eso?

Solidez es lo que siempre le ha faltado. La solidez es un talón de Aquiles. Inteligencia no le falta (aunque no es tan inteligente como su madre cree y como él mismo solía pensar antes); pero nunca ha sido una persona sólida. Rothamsted le daría, si no solidez, o no de inmediato, por lo menos un título, un despacho, una estructura. Agente de experimentos subalterno, después un día agente de experimentos, luego agente jefe de experimentos: seguro que detrás de una pantalla tan eminentemente respetable, en privado, en secreto, podrá seguir con la labor de transmutar la experiencia en arte, la labor para la que fue traído al mundo.

Es el argumento a favor de la explotación agrícola. El argumento en contra de la explotación agrícola es que no está en Londres, ciudad del romance.

Escribe a Rothamsted. Tras una madura reflexión, dice, y teniendo en cuenta todas las circunstancias, cree que es mejor declinar la oferta.

Los periódicos están llenos de anuncios en busca de programadores informáticos. Se recomienda tener una licenciatura en ciencias, pero no es imprescindible. Ha oído hablar de la programación informática, pero no tiene una idea clara de lo que es. Nunca ha visto un ordenador, excepto en los dibujos animados, donde los ordenadores son objetos parecidos a una caja que escupen rollos de papel. Que él sepa, en Sudáfrica no hay ordenadores.

Responde al anuncio de IBM, puesto que IBM es la mejor y la mayor empresa del ramo, y acude a una entrevista vestido con el traje negro que compró antes de salir de Ciudad del Cabo. El entrevistador de IBM, un hombre de treinta y tantos años, también lleva un traje negro, pero más elegante y de mejor corte.

Lo primero que quiere saber el entrevistador es si ha dejado Sudáfrica para siempre.

–Así es –replica él.

–¿Por qué? –pregunta el entrevistador.

–Porque el país se encamina a la revolución –contesta.

Se produce un silencio. «Revolución»: tal vez no sea la palabra adecuada para los salones de IBM.

—¿Y cuándo diría usted —pregunta el entrevistador— que tendrá lugar esa revolución?

Tiene la respuesta preparada.

—Dentro de cinco años.

Es lo que dice todo el mundo desde lo de Sharpeville. Sharpeville marcó el principio del fin del régimen blanco, del cada vez más desesperado régimen blanco.

Después de la entrevista pasa un test de coeficiente intelectual. Siempre ha disfrutado con este tipo de test, siempre los ha hecho bien. Por lo general se le dan mejor los tests, concursos y exámenes que la vida real.

Al cabo de unos días, IBM le ofrece un puesto de aprendiz de programador. Si le va bien en el cursillo de formación y luego supera el período de prueba, se convertirá primero en programador propiamente dicho y luego, algún día, en programador jefe. Iniciará su carrera en IBM en la oficina de procesamiento de datos de la calle Newman, junto a la calle Oxford, en el corazón del West End. El horario es de nueve a cinco. El salario inicial será de setecientas libras anuales.

Acepta las condiciones sin dudarlo.

El mismo día pasa junto a un cartel en el metro de Londres, un anuncio de trabajo. Se admiten solicitudes para el puesto de aprendiz de jefe de estación, con un salario de setecientas libras al año. Titulación mínima requerida: certificado escolar. Edad mínima: veintiún años.

¿Es que en Inglaterra todos los trabajos se pagan igual?, se pregunta. De ser así, ¿qué sentido tiene licenciarse?

En el cursillo de programación se encuentra con otros dos aprendices —una chica de Nueva Zelanda bastante atractiva y un joven londinense con la cara llena de granos— y con una docena más o menos de clientes de IBM, hombres de negocios. Por derecho debería ser el mejor del grupo, él y quizá la chica de Nueva Zelanda, que también está licenciada en matemáticas; pero de hecho le cuesta entender las clases y no le van bien los ejercicios escritos. Al final de la primera semana hacen un examen, que pasa por los pelos. El instructor no está contento con él y no duda en manifestarlo. Está metido en el mundo de los negocios, y en el mundo de los negocios, descubre, no hay necesidad de ser educado.

La programación tiene algo que le desconcierta y, sin embargo, ni siquiera los hombres de negocios de la clase parecen tener problemas. Inocentemente había imaginado que la programación informática trataría sobre los modos de traducir la lógica simbólica y la teoría a códigos digitales. En cambio, solo se habla de inventarios y salidas de efectivo, de cliente A y cliente B. ¿Qué son los inventarios y las salidas de efectivo, y qué tienen que ver con las matemáticas? Lo mismo podría ser un oficinista clasificando fichas; lo mismo podría ser un aprendiz de jefe de estación.

Al final de la tercera semana se presenta al examen final, aprueba con resultados mediocres y se gradúa para poder trasladarse a la calle Newman, donde lo destinan a una sala con otros nueve programadores jóvenes. Todo el mobiliario de la oficina es de color gris. En el cajón del escritorio encuentra papel, una regla, lápices, un sacapuntas y una pequeña agenda con cubiertas de plástico negro. En la tapa, en mayúsculas, pone PIENSA. PIENSA es el lema de IBM. Lo que tiene de especial IBM, deduce, es su constante compromiso con el hecho de pensar. Los empleados deben pensar todo el tiempo, y así vivir de acuerdo con los ideales del fundador de IBM, Thomas J. Watson. Los empleados que no piensan no pertenecen a IBM, que es la aristocracia del mundo de los negocios de las máquinas. En las oficinas centrales de White Plains, en Nueva York, IBM posee un laboratorio donde se llevan a cabo investigaciones en ciencia informática más punteras que en todas las universidades del mundo juntas. Los científicos de White Plains ganan más que los profesores de universidad y consiguen cualquier cosa que puedan necesitar. Todo lo que tienen que hacer a cambio es pensar.

Aunque el horario de la agencia de la calle Newman es de nueve a cinco, pronto descubre que miran con mala cara a los empleados que dejan las instalaciones a las cinco en punto. Las empleadas con familia a la que atender pueden marcharse a las cinco sin reproches; de los hombres se espera que trabajen al menos hasta las seis. Cuando hay un trabajo urgente cabe la posibilidad de que tengan que trabajar toda la noche, con una pausa para ir al pub a comer algo. Como a él no le gustan los pubs, se limita a trabajar sin descanso. Rara vez llega a casa antes de las diez.

Está en Inglaterra, en Londres; tiene trabajo, un trabajo como Dios manda, mejor que la enseñanza, por el que le pagan un sueldo. Ha escapado de Sudáfrica. Todo va bien, ha alcanzado su primer objetivo, debería estar contento. De hecho, a medida que pasan las semanas, se siente más y más abatido. Tiene ataques de pánico, que le cuesta superar. En la oficina no hay nada más que superficies metálicas a la vista. Bajo el destello sin sombra de la iluminación de neón, siente su alma amenazada. El edificio, un bloque de hormigón y cristal desnudos, parece desprender un gas inodoro, incoloro, que se le cuela en la sangre y lo atonta. IBM, podría jurarlo, le está matando, le está convirtiendo en un zombi.

Pero no puede rendirse. Escuela de secundaria Barnet Hill, Rothamsted, IBM: no se atreve a fracasar por tercera vez. Fracasar sería demasiado propio de su padre. El mundo real le ha puesto a prueba por medio de la agencia gris y sin corazón de IBM. Debe endurecerse y resistir.

6

Se refugia de IBM en el cine. El Everyman de Hampstead le
abre los ojos a películas de todo el mundo, realizadas por directores cuyos nombres le resultan nuevos. Va a ver todo el
ciclo de Antonioni. En una película titulada *El eclipse*, una
mujer deambula por las calles de una ciudad desierta, bañada
por el sol. La mujer está inquieta, ansiosa. No acaba de estar
claro lo que le causa ansiedad; su cara no revela nada.

La mujer es Monica Vitti. Con sus piernas perfectas, sus
labios sensuales y su mirada abstraída, Monica Vitti le persigue; se enamora de ella. Sueña que, de entre todos los hombres
del mundo, él es el elegido para darle consuelo y solaz. Llaman a la puerta. Monica Vitti está de pie frente a él, pidiendo silencio con un dedo en los labios. Él da un paso adelante, la abraza. El tiempo se detiene; Monica Vitti y él son uno
solo.

Pero ¿es el amante que Monica Vitti busca? ¿Calmará la
ansiedad de Monica Vitti mejor que los hombres de las películas? No está seguro. Incluso si encontrara una habitación
para los dos, un lugar secreto en algún barrio londinense tranquilo y dominado por la niebla, sospecha que ella seguiría
escabulléndose de la cama a las tres de la madrugada para
sentarse a la mesa iluminada por una única lámpara, perturbadora, presa de la ansiedad.

La ansiedad que sufren Monica Vitti y otros personajes de
Antonioni es de un tipo que no le resulta familiar. De hecho,
no se trata de ansiedad en absoluto, sino de algo más profun-

do: angustia. A él le gustaría probar la angustia, aunque solo sea para saber cómo es. Pero, por mucho que lo intente, no encuentra en su corazón nada reconocible como angustia. La angustia parece ser una cosa europea, totalmente europea; en Inglaterra todavía está por llegar, no digamos ya en las colonias de Inglaterra.

En un artículo del *Observer* se explica la angustia del cine europeo como una emanación de la incertidumbre derivada de la muerte de Dios. No le convence. No puede creer que lo que empuja a Monica Vitti hacia las calles de Palermo bajo la furiosa esfera solar, cuando lo mismo podría quedarse en la fresca habitación de un hotel y que un hombre le hiciera el amor, es la bomba de hidrógeno o el fracaso de Dios en su intento de hablar con ella. Cualquiera que sea la verdadera explicación, tiene que ser más compleja.

La angustia también corroe a los personajes de Ingmar Bergman. Es la causa de su soledad irremediable. Sin embargo, en relación a la angustia de Bergman, el *Observer* recomienda no tomársela demasiado en serio. Huele a pretenciosidad, dice el *Observer*; se trata de una afectación no sin cierta conexión con los largos inviernos nórdicos, con las noches de excesos alcohólicos y las resacas.

Empieza a pensar que incluso los periódicos supuestamente liberales –el *Guardian*, el *Observer*– se muestran hostiles a la vida del espíritu. Ante algo profundo y serio enseguida adoptan un aire despectivo, se lo quitan de en medio con agudezas. Solo en cotos minúsculos como el *Third Programme* se toma en serio el arte nuevo: la poesía americana, la música electrónica, el expresionismo abstracto. La Inglaterra moderna está resultando ser un país inquietantemente ignorante, muy poco diferente de la Inglaterra de W. E. Henley y las marchas de *Pompa y circunstancia* contra las que Ezra Pound abominaba en 1912.

¿Qué está haciendo, entonces, en Inglaterra? ¿Cometió un gran error al venir? ¿Es demasiado tarde para mudarse? ¿Se sentiría más a gusto en París, ciudad de artistas, si lograra aprender francés? ¿Y Estocolmo? Sospecha que espiritualmente en Estocolmo se sentiría como en casa. Pero ¿qué pasa con el sueco? ¿Y cómo se ganaría la vida?

En IBM tiene que guardarse sus fantasías sobre Monica Vitti para sí, y también el resto de veleidades artísticas. Por razones que no acaba de ver claras, se ha hecho muy amigo de un colega programador llamado Bill Briggs. Bill Briggs es bajo y está lleno de granos; tiene una novia llamada Cynthia con la que se va a casar; espera con ilusión pagar la entrada para un adosado en Wimbledon. Mientras que los otros programadores hablan con acento de escuela privada imposible de ubicar geográficamente y comienzan el día hojeando las páginas financieras del *Telegraph* para comprobar el precio de las acciones, Bill Briggs tiene un marcado acento de Londres e invierte su dinero en una cuenta de ahorro para la vivienda.

Pese a sus orígenes, no hay razón para que Bill Briggs no tenga éxito en IBM. IBM es una empresa norteamericana, que no tolera la jerarquía de clases británica. Ahí radica la fuerza de IBM: hombres de todo tipo pueden alcanzar la cima porque lo único que le importa a IBM es la lealtad y el trabajo duro y concentrado. Bill Briggs trabaja duro y guarda una lealtad incuestionable a IBM. Más aún, Bill Briggs parece captar los objetivos más generales de IBM y del centro de procesamiento de datos de la calle Newman, que es más de lo que puede decirse de él.

Los trabajadores de IBM reciben talonarios con vales para almorzar. Por un vale de tres libras con seis peniques se consigue una comida bastante decente. Él se inclina por el bar-restaurante Lyons, en Tottenham Court Road, con barra libre de ensaladas. Pero el Schmidt's de la calle Charlotte es la presa preferida por los programadores de IBM. De manera que va al Schmidt's con Bill Briggs y come escalope a la milanesa o estofado de liebre. Para variar, a veces van al Athena de la calle Goodge a comer musaka. Después de almorzar, si no llueve, dan un breve paseo por la calle antes de regresar al trabajo.

La gama de temas que él y Bill Briggs han acordado de forma tácita no abordar en sus conversaciones es tan amplia que le sorprende que quede alguno. No hablan sobre sus deseos y aspiraciones. No dicen nada de su vida privada, sus familias o su infancia, ni de política, religión o arte. El fútbol sería aceptable si no fuera por el hecho de que él no sabe nada de los equipos ingleses. Así que les quedan el tiempo, las huelgas de tren, los precios de la vivienda e IBM: los planes de futuro de IBM, los clientes de IBM y los planes de los mismos, quién dice qué en IBM.

Basta para una conversación aburrida, pero tiene su contrapartida. Hace dos meses escasos era un provinciano ignorante desembarcando bajo la llovizna en los muelles de Southampton. Ahora está en el corazón de Londres, imposible de distinguir de cualquier otro oficinista londinense con su uniforme negro, intercambiando opiniones sobre temas cotidianos con un londinense de pura sangre, superando con éxito todas las convenciones de la conversación. Pronto, si continúa progresando y pronuncia con cuidado las vocales, nadie le dedicará una segunda mirada. Entre la multitud pasaría por londinense, y hasta puede que, a su debido tiempo, por inglés.

Ahora que tiene ingresos puede alquilar una habitación para él solo en una casa junto a Archway Road, en la zona norte. La habitación está en el segundo piso, con vistas a un depósito de agua. Tiene un calentador de gas y un pequeño hueco con una cocina de gas y estanterías para la comida y la vajilla. El contador está en un rincón: metes un chelín y obtienes gas por valor de un chelín.

Su dieta no varía: manzanas, gachas de avena, pan y queso y unas salchichas especiadas llamadas «chipolatas», que fríe en la cocina. Prefiere las chipolatas a las salchichas normales porque no necesitan nevera. Tampoco rezuman grasa al freírlas. Sospecha que llevan un montón de harina de patata mezclada con la carne. Pero la harina de patata no hace daño a nadie.

Como por la mañana se va temprano y vuelve a casa tarde, apenas ve a los otros inquilinos. Enseguida se establece una rutina. Pasa los sábados de librerías, museos y cines. Los domingos lee el *Observer* en la habitación, y luego sale a dar una vuelta por el Heath o va a ver una película.

Las tardes de los sábados y los domingos son lo peor. La soledad, que normalmente consigue mantener bajo control, se le echa encima, una soledad indistinguible del tiempo deprimente, gris y húmedo de Londres o del frío duro como el metal de los pavimentos. Nota que la cara se le vuelve rígida y estúpida por el mutismo; hasta IBM y sus intercambios de mero formulismo son mejor que ese silencio.

Tiene la esperanza de que de las multitudes anodinas entre las que se mueve emergerá una mujer que responderá a su mirada fugaz, se deslizará en silencio a su lado, regresará con él (todavía sin decir palabra; ¿cuál podría ser la primera?: es inimaginable) a su habitación alquilada, le hará el amor, se desvanecerá en la oscuridad, reaparecerá a la noche siguiente (él estará sentado leyendo, se oirá un golpe en la puerta), le abrazará de nuevo, otra vez, con las campanadas de medianoche se desvanecerá y seguirá así, transformando su vida y liberando un torrente de versos reprimidos al estilo de los *Sonetos a Orfeo* de Rilke.

Llega una carta de la Universidad de Ciudad del Cabo. Por la excelencia de sus exámenes de licenciatura, dice, se le ha concedido una beca de doscientas libras para estudios de posgrado.

La cantidad es, con mucho, demasiado pequeña para permitirle entrar en una universidad británica. De todos modos, ahora que ha encontrado trabajo no puede plantearse dejarlo. A menos que rechace la beca, le queda una única opción: inscribirse en la Universidad de Ciudad del Cabo como estudiante de un máster *in absentia*. Rellena el formulario de inscripción. Tras meditarlo debidamente, rellena la casilla «Área de estudio» con «Literatura». Estaría bien poner «Matemáticas», pero la verdad es que no es lo bastante listo para seguir con las matemáticas. Tal vez la literatura no sea tan noble como las matemáticas, pero al menos no le intimida. En cuanto al tema de investigación, fantasea con la idea de proponer los *Cantos* de Ezra Pound, pero al final se decanta por las novelas de Ford Madox Ford. Al menos para leer a Ford no hace falta saber chino.

Ford, nacido Hueffer, nieto del pintor Ford Madox Brown, publicó su primer libro en 1891 a los dieciocho años de edad. En adelante y hasta 1939, fecha de su muerte, se ganó el pan por medios exclusivamente literarios. Pound le llamó el estilista más grande de la prosa de su tiempo y vilipendió al público inglés por dejarlo de lado. Por el momento, él ha leído cinco novelas de Ford —*El buen soldado* y los cuatro volúmenes que constituyen *No más desfiles*—, y está convencido de que Pound tiene razón. Le deslumbra la complicada cronología escalonada de los argumentos de Ford, la astucia con que una nota, casual y repetida toscamente, se revela capítulos más adelante como un tema fundamental. También le conmueve el amor entre Christopher Tietjens y la jovencísima Valentine Wannop, un amor que Tietjens se abstiene de consumar pese a la buena disposición de Valentine porque (dice Tietjens) no se debe ir por ahí desflorando vírgenes. La actitud de lacónica decencia elemental de Tietjens le parece del todo admirable, la quintaesencia del inglés.

Si Ford pudo escribir cinco obras maestras como esas, se dice a sí mismo, seguro que todavía quedan otras, no reconocidas, entre el corpus creciente y solo catalogado de sus escritos, obras maestras que él puede ayudar a sacar a la luz. Se embarca de inmediato en la lectura de la obra completa de Ford, se pasa sábados enteros en la sala de lectura del British Museum, además de las dos tardes por semana en que la sala abre hasta tarde. Aunque las obras primerizas resultan decepcionantes, sigue adelante, excusando a Ford porque todavía debía de estar aprendiendo.

Un sábado se pone a charlar con la lectora de la mesa contigua y toman juntos el té en la cafetería del museo. Ella se llama Anna; es de origen polaco y todavía habla con un suave deje. Le cuenta que trabaja como investigadora; las visitas a la sala de lectura forman parte de su trabajo. En la actualidad está buscando material para una biografía de John Speke, descubridor del nacimiento del Nilo. Por su parte, él le habla de Ford y de la colaboración de Ford con Joseph Conrad. Charlan del tiempo que Conrad pasó en África, de sus primeros años de vida en Polonia y de su posterior aspiración a convertirse en un señorito inglés.

Mientras conversan él se pregunta: ¿Es un presagio que él, un estudioso de F. M. Ford, se encuentre en la sala de lectura del British Museum a una compatriota de Conrad? ¿Es Anna su elegida del destino? Desde luego, no es ninguna belleza: es mayor que él; tiene la cara huesuda, incluso demacrada; viste prácticos zapatos planos y falda gris sin forma. Pero ¿quién dice que él merezca algo mejor?

Está a punto de pedirle una cita, tal vez para ir al cine; pero entonces le falta el valor. ¿Y si, a pesar de habérsele declarado, no hay chispa? ¿Cómo se libraría de forma digna?

Hay otros habituales de la sala de lectura tan solitarios, sospecha, como él mismo. Un indio de cara picada, por ejemplo, que huele a forúnculos y vendas. Parece que cada vez que va al lavabo el indio le sigue, a punto de hablarle, pero incapaz de atreverse.

Al final, un día, mientras se lavan las manos, el hombre le habla. «¿Es del King's College?», le pregunta rígido. «No —contesta—, de la Universidad de Ciudad del Cabo.» «¿Le apetece tomar un té?», pregunta el hombre.

Se sientan juntos en la cafetería; el hombre se lanza a dar explicaciones sobre su investigación, que trata sobre la composición social del público del Globe Theatre. Aunque no le interesa especialmente, le presta atención lo mejor que puede.

La vida de la mente, piensa para sí: ¿a eso es a lo que nos hemos dedicado, yo y esos otros trotamundos solitarios en las entrañas del British Museum? ¿Nos espera alguna recompensa? ¿Se disipará nuestra soledad, o la vida de la mente es en sí misma una recompensa?

7

Son las tres de la tarde del sábado. Lleva en la sala de lectura desde que han abierto, leyendo *Mr. Humpty Dumpty* de Ford, una novela tan tediosa que tiene que esforzarse por permanecer despierto.

Falta poco para que la sala de lectura cierre por hoy, todo el gran museo cerrará. Los domingos la sala de lectura no abre; entre hoy y el próximo sábado, la lectura será cuestión de una hora robada aquí y allá al final del día. ¿Debería seguir al pie del cañón hasta la hora de cierre aunque bostece sin parar? De todos modos, ¿qué sentido tiene su empeño? ¿En qué beneficia a un programador informático, si es que la programación va a ser su vida, tener un máster en literatura inglesa? ¿Y dónde están las obras maestras desconocidas que iba a descubrir? Desde luego, *Mr. Humpty Dumpty* no es una de ellas. Cierra el libro, recoge sus cosas.

Fuera, la luz del día se apaga. Recorre con dificultad la calle Great Russell en dirección a Tottenham Court Road, y luego gira hacia el sur camino de Charing Cross. La mayor parte del gentío que llena las aceras son jóvenes. En sentido estricto son sus contemporáneos, pero no se siente así. Se siente de mediana edad, de mediana edad prematura: uno de esos eruditos exhaustos, hinchados, sin sangre, cuya piel se escama al menor roce. Más adentro sigue siendo un niño, desconocedor de cuál es su lugar en el mundo, asustado, indeciso. ¿Qué está haciendo en esta inmensa ciudad fría donde el mero hecho de seguir vivo significa mantenerse en tensión todo el tiempo, intentando no hundirse?

Las librerías de Charing Cross Road abren hasta las seis. Hasta las seis tiene a donde ir. Después se encontrará a la deriva entre los buscadores de diversión del sábado por la noche. Sigue al gentío durante un rato, fingiendo que también busca diversión, fingiendo que va a alguna parte, a ver a alguien; pero al final tendrá que rendirse y coger el último tren a Archway y a la soledad de su cuarto.

Foyles, la librería cuyo nombre se conoce incluso en Ciudad del Cabo, ha resultado decepcionante. Está claro que la fanfarronada de que Foyles almacena todos los libros publicados es mentira, y de todos modos los dependientes, la mayoría más jóvenes que él, no saben dónde encontrar las cosas. Prefiere Dillons, por muy caprichosa que sea la ordenación de las estanterías. Intenta pasarse por Dillons una vez por semana para estar al corriente de las novedades.

Entre las revistas que encuentra en Dillons está *The African Communist*. Ha oído hablar de *The African Communist*, pero hasta ahora nunca la había visto porque en Sudáfrica está prohibida. Para su sorpresa, algunos colaboradores resultan ser contemporáneos suyos de Ciudad del Cabo: estudiantes de los que se pasan el día durmiendo y van a fiestas nocturnas, se emborrachan, sablean a sus padres, suspenden los exámenes y tardan cinco años en sacarse carreras de tres. Sin embargo, ahí los tiene escribiendo artículos con apariencia seria sobre los aspectos económicos de la mano de obra emigrante o los levantamientos de las zonas rurales del Transkei. ¿De dónde han sacado tiempo, entre tanto baile, bebida y libertinaje, para aprender esas cosas?

Pero lo que en realidad va a buscar a Dillons son revistas de poesía. Hay una pila desordenada de revistas detrás de la puerta principal: *Ambit* y *Agenda* y *Pawn*; folletos ciclostilados procedentes de lugares remotos como Keele; números raros, anticuados hace mucho tiempo, de publicaciones americanas. Compra uno de cada y se lleva el montón a su cuarto, donde los estudia minuciosamente, tratando de descubrir quién escribe qué, dónde encajaría él si también intentara publicar.

Las revistas británicas están copadas de poemitas desoladoramente modestos sobre los pensamientos y experiencias cotidianos, poemas que hace medio siglo no habrían provocado ni un levantamiento de ceja. ¿Qué ha ocurrido con las ambiciones de los poetas en Gran Bretaña? ¿No han digerido la noticia de que Edward Thomas y su mundo han desaparecido para siempre? ¿No han aprendido la lección de Pound y Eliot, por no hablar de Baudelaire y Rimbaud, de los epigramistas griegos, de los chinos?

Pero tal vez juzgue a los británicos con demasiada precipitación. Tal vez lee las revistas equivocadas; tal vez haya otras publicaciones más audaces que no tienen cabida en Dillons. O tal vez exista un círculo de espíritus creativos tan pesimistas, dado el clima dominante, que no se molestan en enviar a librerías como Dillons las revistas donde publican. *Botthege Oscure*, por ejemplo: ¿dónde se compra uno *Botthege Oscure*? Si existen esos círculos progresistas, ¿cómo los descubrirá, cómo entrará en ellos?

En cuanto a sus propios escritos, tiene la esperanza de que, en caso de que muriera mañana, dejaría tras de sí un puñado de poemas que, editados por algún estudioso desinteresado e impresos en privado en forma de un pequeño y cuidado panfleto, harían sacudir la cabeza a la gente y murmurar entre dientes: «¡Qué promesa! ¡Qué pérdida!». Tal es su esperanza. La verdad, sin embargo, es que los poemas que escribe no solo son cada vez más cortos, sino –no puede evitar verlo así– también cada vez menos sólidos. Ya no parece ser capaz de producir poesía del tipo que escribía a los diecisiete o dieciocho años, piezas a veces de varias páginas, laberínticas, a ratos faltas de fluidez pero no obstante atrevidas, plagadas de novedades. Aquellos poemas, o la mayor parte de ellos, surgieron de un enamoramiento angustiado, además del torrente de lecturas que se traía entre manos. Ahora, cuatro años después, sigue angustiado, pero su angustia se ha vuelto habitual, incluso crónica, como un dolor de cabeza que se resiste a marcharse. Cualquiera que sea el tema explícito, es él –atrapado, solo, abatido– el que ocupa el centro; sin embargo –no puede evitar verlo–, los poemas nuevos carecen de la energía e incluso del deseo de explorar en serio su punto muerto espiritual.

De hecho, está agotado todo el tiempo. En su mesa gris de la gran oficina de IBM le vencen los ataques de bostezos que se esfuerza por disimular; en el British Museum le bailan las palabras ante los ojos. Solo quiere hundir la cabeza entre los brazos y dormir.

Sin embargo, no puede aceptar que la vida que lleva en Londres carece de proyecto o sentido. Hace un siglo los poetas se enajenaban con opio o alcohol para informar de sus experiencias visionarias desde el borde de la locura. De este modo se convertían en videntes, profetas del futuro. El opio y el alcohol no son para él, le asustan demasiado los efectos que podrían tener en su salud. Pero ¿es que el cansancio y el abatimiento no pueden llevar a cabo el mismo trabajo? ¿Es que vivir al borde del colapso psicológico no equivale a vivir al borde de la locura? ¿Por qué es un sacrificio mayor, una renuncia mayor de la personalidad, esconderse en una buhardilla de la Rive Gauche por la que no pagas alquiler o vagar de café en café, sin afeitar, sucio, maloliente, gorreando copas a los amigos, que vestir un traje oscuro y hacer un trabajo de oficina que te aniquila el alma y rendirse a la soledad hasta la muerte o al sexo sin deseo? Sin duda, la absenta y las ropas harapientas ya han pasado de moda. Y de todas maneras ¿qué tiene de heroico timarle el alquiler al casero?

T. S. Eliot trabajaba en un banco. Wallace Stevens y Franz Kafka trabajaban en una compañía de seguros. A su modo particular, Eliot, Stevens y Kafka sufrieron tanto como Poe o Rimbaud. No tiene nada de deshonroso optar por seguir a Eliot, Stevens y Kafka. Él ha optado por vestir un traje oscuro como ellos, llevarlo como si fuese una camisa en llamas, sin explotar a nadie, sin timar a nadie, pagando a su paso. En la época romántica los artistas enloquecían a escala desmesurada. La locura manaba de ellos en ríos de versos delirantes o grandes goterones de pintura. Esa época ha terminado: la locura de él, si es que su destino ha de ser el de padecer locura, será diferente: tranquila, discreta. Se sentará en un rincón, tenso y encorvado, como el hombre de la toga del grabado de Durero, esperando pacientemente a que acabe su temporada en el infierno. Y cuando haya pasado será más fuerte por haber resistido.

Esta es la historia que se cuenta en sus mejores días. Los otros días, los días malos, se pregunta si emociones tan monótonas como las suyas alimentarán alguna vez grandes poemas. El impulso musical de su interior, en otro tiempo intenso, ya se ha desvanecido. ¿Está ahora en el proceso de perder el impulso poético? ¿Se verá empujado de la poesía a la prosa? ¿Eso es la prosa en el fondo: su segunda mejor opción, el recurso del espíritu creativo en declive?

El único poema que le gusta de los que ha escrito en el último año tiene solo cinco versos.

Las esposas de los pescadores de langostas
se han acostumbrado a despertarse solas,
sus hombres han pescado al alba durante siglos;
pero su sueño no es tan inquieto como el mío.
Si te has ido, ve pues con los pescadores de langostas
                                        portugueses.

«Los pescadores de langostas portugueses»: está satisfecho de haber introducido una expresión tan mundana en un poema, incluso si el poema, mirado de cerca, tiene muy poco sentido. Tiene listas de palabras y expresiones que ha recolectado, mundanas o recónditas, esperando encontrar su lugar. «Férvido», por ejemplo: un día colocará «férvido» en un epigrama cuya historia oculta consistirá en que habrá sido creado para acomodar una sola palabra, igual que un broche puede ser hecho para acomodar una joya en particular. El poema tratará aparentemente sobre el amor o la desesperación y sin embargo habrá florecido a partir de una sola palabra de sonido maravilloso de cuyo significado todavía no estará seguro del todo.

¿Bastarán los epigramas como base para labrarse una carrera en la poesía? En tanto que forma, el epigrama no tiene nada de malo. Todo un mundo de sentimientos puede comprimirse en una sola línea, como los griegos demostraron una y otra vez. Pero sus epigramas no siempre alcanzan la compresión griega. Demasiado a menudo carecen de sentimiento; demasiado a menudo son simplemente librescos.

«La poesía no es un dejar libre la emoción, sino una huida de la emoción», dice Eliot en palabras que él ha copiado en su diario. «La poesía no es una expresión de personalidad, sino una huida de la personalidad.» Luego, a modo de amarga ocurrencia tardía, añade: «Pero solo aquellos que tienen personalidad y emociones saben lo que significa huir de tales cosas».

Le horroriza derramar mera emoción en la página. Una vez ha empezado a derramarse, no sabe cómo detenerla. La prosa, afortunadamente, no requiere emoción: eso puede decirse en su favor. La prosa es como una extensión lisa de agua tranquila sobre la que uno puede ir añadiendo cosas a placer, dibujando sobre la superficie.

Se reserva un fin de semana para su primer experimento en prosa. El cuento que emerge del experimento, si es que eso es lo que es, un cuento, en realidad no tiene argumento. Todo lo importante ocurre dentro de la mente del narrador, un joven sin nombre demasiado parecido a él que lleva a una chica sin nombre a una playa solitaria y la contempla mientras nada. A partir de una nimia acción de la chica, algún gesto inconsciente, de pronto él se convence de que la muchacha le ha sido infiel; más aún, se da cuenta de que ella ha visto que lo sabe y no le importa. Ya está. Acaba así. Eso es todo.

Una vez escrito el cuento, no sabe qué hacer con él. No tiene prisa por enseñárselo a nadie, salvo quizá al modelo original de la chica sin nombre. Pero ha perdido el contacto con ella, y de todos modos ella no le reconocería, no sin ayuda.

El cuento transcurre en Sudáfrica. Le inquieta ver que sigue escribiendo sobre Sudáfrica. Preferiría dejar atrás su yo sudafricano como ha dejado Sudáfrica. Sudáfrica fue un mal comienzo, una desventaja. Una familia rural anodina, una mala educación, el idioma afrikaans: ha escapado, más o menos, de cada una de estas desventajas. Está en el gran mundo ganándose la vida y no le va mal, o al menos no ha fracasado, no estrepitosamente. No necesita que le recuerden Sudáfrica. Si mañana se levantara un maremoto desde el Atlántico y barriera el extremo sur del continente africano, no derramaría ni una sola lágrima. Él se contaría entre los supervivientes.

Aunque ha escrito un cuento menor (de eso no hay duda), no es malo. Aun así, no le ve sentido a intentar publicarlo. Los ingleses no lo entenderían. En la playa de la historia verían la idea inglesa de una playa, unos pocos guijarros bañados por las olas. No verían un espacio deslumbrante de arena al pie de colinas rocosas golpeadas por grandes olas, con gaviotas y cormoranes chillando en lo alto mientras luchan contra el viento.

Por lo visto, hay otros modos en los que la prosa se distingue de la poesía. En poesía la acción puede desarrollarse en todas partes y en ninguna: no importa si las solitarias esposas de los pescadores viven en Kalk Bay, en Portugal o en Maine. La prosa, por otra parte, parece demandar persistentemente un escenario específico.

Todavía no conoce Inglaterra lo bastante bien para recrearla en prosa. Ni siquiera está seguro de que pueda recrear las partes de Londres con las que está familiarizado, el Londres de las multitudes arrastrándose al trabajo, del frío y de la lluvia, de habitaciones alquiladas sin cortinas en las ventanas y bombillas de cuarenta vatios. Si lo intentara, sospecha que lo que saldría no sería distinto del Londres de cualquier otro oficinista soltero. Puede que tenga su propia visión de Londres, pero esa visión no tiene nada único. Si posee cierta intensidad, es solo porque es estrecha, y es estrecha porque no conoce nada fuera de sí misma. No ha dominado Londres. Si alguien domina a alguien, es Londres quien le domina a él.

8

¿Presagia su primera incursión en la prosa un cambio de rumbo en su vida? ¿Está a punto de renunciar a la poesía? No está seguro. Pero si va a escribir prosa, entonces tal vez deba lanzarse a por todas y convertirse en jamesiano. Henry James muestra cómo situarse por encima de la mera nacionalidad. De hecho, no siempre queda claro el escenario en que transcurren sus obras, si es Londres, París o Nueva York, hasta tal punto James está supremamente por encima de los aspectos prácticos de la vida cotidiana. La gente de las obras de James no tiene que pagar el alquiler; desde luego, no tiene que aferrarse a un trabajo; lo único que se les exige es que mantengan conversaciones supersutiles que desencadenarán minúsculos trasvases de poder, cambios tan mínimos como invisibles para todos excepto para un ojo experimentado. Cuando ha tenido lugar un número suficiente de tales cambios, se revela que el equilibrio de poder entre los personajes de la historia (*Voilà!*) ha cambiado de modo repentino e irreversible. Eso es todo: la historia ha cumplido su misión y puede terminar.

Se pone ejercicios al estilo de James. Pero el estilo jamesiano resulta menos fácil de dominar de lo que había pensado. Conseguir que los personajes con los que sueña mantengan conversaciones supersutiles es como intentar que los mamíferos vuelen. Por un instante, tal vez dos, agitan los brazos, se sostienen en el aire. Luego se desploman.

La sensibilidad de James es más refinada que la suya, no cabe duda. Pero eso no basta para explicar su fracaso. James quiere que creamos que las conversaciones, el intercambio de palabras, son lo único que importa. Aunque él está dispuesto a aceptar este credo, descubre que en realidad no puede seguirlo, no en Londres, la ciudad sobre cuyas ruedas grises está siendo desmembrado, la ciudad sobre la que tiene que aprender a escribir, si no ¿por qué está aquí?

Una vez, cuando todavía era un niño inocente, creyó que la inteligencia era el único criterio importante, que mientras fuera lo bastante listo podría conseguir cualquier cosa que deseara. Ir a la universidad le puso en su sitio. La universidad le enseñó que no era el más listo, ni mucho menos. Y ahora se enfrenta a la vida real, donde ni siquiera hay exámenes en los que apoyarse. Por lo visto, en la vida real lo único que sabe hacer bien es sentirse deprimido. En el sufrimiento sigue siendo el mejor de la clase. La cantidad de miserias que es capaz de atraer y mantener parece no tener límite. Incluso mientras camina lenta y pesadamente por las frías calles de esta ciudad extraña, sin rumbo, andando solo para cansarse y que así cuando regrese a su cuarto al menos pueda dormir, no siente en su interior la menor disposición a romper el peso del sufrimiento. El sufrimiento es su elemento. Se siente en casa en el sufrimiento, como pez en el agua. Si abolieran el sufrimiento, no sabría qué hacer con su vida.

La felicidad, se dice, no enseña nada. El sufrimiento, por otra parte, te curte para el futuro. El sufrimiento es la escuela del alma. Entre las aguas del sufrimiento se emerge en la lejana orilla purificado, fuerte, listo para afrontar de nuevo los retos de la vida del arte.

Sin embargo, el sufrimiento no sienta como un baño purificador. Al contrario, te sientes como en una piscina llena de agua sucia. De cada nuevo sufrimiento no se emerge más brillante y más fuerte, sino más tonto y blando. ¿Cómo actúa en realidad la acción limpiadora que se atribuye al sufrimiento? ¿Es que no se ha sumergido uno a suficiente profundidad? ¿Habrá que nadar más allá del mero sufrimiento en pos de la melancolía y la locura? Todavía no ha conocido a nadie que pueda calificarse con propiedad de loco, pero no ha olvidado a Jacqueline, que, en sus propias palabras, «estaba en tratamiento», y con quien compartió a intervalos un apartamento de una sola habitación durante seis meses. En ningún momento Jacqueline resplandeció con el divino y estimulante fuego de la creatividad. Al contrario, estaba obsesionada consigo misma, era impredecible, una compañía agotadora. ¿Esa es la clase de persona con la que debe rebajarse a estar antes de convertirse en artista? Y en cualquier caso, loco o abatido, ¿cómo escribir cuando el cansancio es como una mano enguantada que te agarra el cerebro y te lo estruja? ¿O, de hecho, lo que a él le gusta llamar cansancio es una prueba, una prueba disimulada, una prueba que falla siempre? Después del cansancio, ¿vendrán más pruebas, tantas como círculos hay en el infierno de Dante? ¿Es el cansancio simplemente la primera prueba que tuvieron que pasar los grandes maestros, Hölderlin y Blake, Pound y Eliot?

Ojalá se le concediera la oportunidad de despertar y, solo por un minuto, solo por un segundo, saber lo que es arder con el fuego sagrado del arte.

Sufrimiento, locura, sexo: tres maneras de convocar en él el fuego sagrado. Ha visitado los tramos inferiores del sufrimiento, ha estado en contacto con la locura; ¿qué sabe del sexo? El sexo y la creatividad van juntos, todo el mundo lo dice, y él no lo pone en duda. Porque son creadores, los artistas conocen el secreto del amor. Las mujeres ven el fuego que arde en el artista gracias a una facultad instintiva. Ellas no poseen el fuego sagrado (salvo excepciones: Safo, Emily Brontë). En la búsqueda del fuego que les falta, el fuego del amor, las mujeres persiguen a los artistas y se entregan a ellos. Al hacer el amor los artistas y sus amantes experimentan brevemente, de manera tentativa, la vida de los dioses. De esta experiencia el artista regresa a su trabajo enriquecido y fortalecido, la mujer vuelve a su vida transfigurada.

¿Y entonces él? Si ninguna mujer ha detectado todavía tras su inexpresividad, su adustez, ninguna chispa del fuego sagrado; si ninguna mujer parece entregársele sin los más serios reparos; si la unión amorosa con la que está familiarizado, tanto por parte de la mujer como por la suya, es ansiosa o aburrida o ambas cosas a un tiempo, ¿significa que no es un verdadero artista o significa que todavía no ha sufrido bastante, que todavía no ha pasado suficiente tiempo en un purgatorio que incluye obligatoriamente encuentros sexuales desapasionados?

Henry James, con su altiva despreocupación por el simple hecho de vivir, ejerce una fuerte atracción sobre él. Sin embargo, por mucho que lo intente, no logra sentir la fantasmal mano de James alargándose para tocarle la frente a modo de bendición. James pertenece al pasado: Henry James llevaba muerto veinte años cuando él nació. James Joyce todavía vivía, aunque solo por los pelos. Admira a Joyce, hasta sabe recitar pasajes del *Ulises* de memoria. Pero Joyce está demasiado ligado a Irlanda y a lo irlandés para entrar en su panteón. Ezra Pound y T. S. Eliot, por mucho que vacilen y por mucho que los rodee el mito, aún viven, uno en Rapallo, el otro aquí, en Londres. Pero si va a dejar la poesía (o la poesía lo va a dejar a él), ¿de qué ejemplo pueden servirle Pound y Eliot?

Eso le deja solo con una de las grandes figuras del presente: D. H. Lawrence. Lawrence también murió antes de que él naciera, pero puede considerarse un accidente, puesto que Lawrence murió joven. Leyó a Lawrence por primera vez en el colegio, cuando *El amante de lady Chatterley* era el libro prohibido de peor fama. Al llegar al tercer año de universidad ya había leído todo Lawrence, a excepción de las obras primerizas. También sus compañeros estaban asimilando a Lawrence. De Lawrence estaban aprendiendo a romper el precario caparazón de las convenciones civilizadas y a dejar emerger el corazón secreto de su ser. Las chicas se ponían vestidos floreados y bailaban bajo la lluvia y se entregaban a hombres que les prometían conducirlas hasta su corazón más negro. Descartaban con impaciencia a los que no lo conseguían.

Él había recelado de convertirse en un seguidor del culto a Lawrence. Las mujeres de los libros de Lawrence le incomodaban; se las imaginaba como insectos sin remordimientos, arañas o mantis. Bajo la mirada penetrante de las pálidas sacerdotisas universitarias del culto ataviadas de negro se sentía nervioso, un minúsculo insecto soltero y escurridizo. Le habría gustado irse a la cama con algunas, no podía negarlo —al fin y al cabo, solo conduciendo a una mujer hasta su negro corazón podía un hombre alcanzar el suyo—, pero le asustaban demasiado. Los éxtasis de esas mujeres serían volcánicos; él era demasiado enclenque para sobrevivir a ellos.

Además, las mujeres que se enamoraban de Lawrence seguían un código de castidad propio. Caían en largos períodos de frialdad durante los cuales únicamente deseaban estar a solas o con sus hermanas, períodos durante los que la idea de ofrecer sus cuerpos equivalía a una violación. Solo podía despertarlas de su sueño glaciar la llamada imperiosa del yo oscuro del macho. Él no era ni oscuro ni imperioso, o al menos su oscuridad y su imperiosidad estaban todavía por emerger. Así que lo hacía con otras chicas, chicas que todavía no se habían convertido en mujeres y que no tenían ningún corazón negro o al menos ninguno del que mereciera la pena hablar, chicas que por dentro no querían hacerlo, igual que en lo más profundo de su corazón tampoco podría decirse que él quisiera.

En las últimas semanas que pasó en Ciudad del Cabo había iniciado una aventura amorosa con una chica llamada Caroline, una estudiante de teatro que ambicionaba subirse a los escenarios. Habían ido juntos al teatro, habían pasado noches enteras debatiendo sobre los méritos de Anouilh frente a Sartre, de Ionesco frente a Beckett; habían dormido juntos. Su preferido era Beckett, pero no el de Caroline: Beckett era demasiado fúnebre, decía ella. Él sospechaba que la verdadera razón era que Beckett no escribía papeles femeninos. Animado por Caroline, incluso había llegado a embarcarse en una obra, un drama en verso sobre Don Quijote. Pero pronto llegó a un punto muerto –la mente del viejo español le resultaba demasiado remota, no lograba abrirse camino en ella– y lo dejó.

Ahora, meses después, Caroline se presenta en Londres y le llama. Quedan en Hyde Park. Ella conserva todavía el bronceado del hemisferio sur, está llena de vitalidad, eufórica por estar en Londres, eufórica también por verle a él. Pasean por el parque. Ha llegado la primavera, las tardes se alargan, los árboles han echado hojas. Cogen un autobús de vuelta a Kensington, donde ella vive.

Caroline le ha impresionado, por su energía y empuje. Unas semanas en Londres y ya se ha habituado. Tiene trabajo; todos los agentes teatrales tienen ya su currículo; y vive en un apartamento en un barrio de moda, que comparte con tres chicas inglesas. Cómo ha conocido a sus compañeras de piso, pregunta él. Amigas de amigas, responde ella.

Reanudan su relación, pero desde el principio la cosa es difícil. Caroline trabaja de camarera en un club nocturno del West End; el horario es impredecible. Ella prefiere que vaya a verla a su apartamento, que no pase a recogerla por el club. Como las otras dos chicas ponen reparos a darle las llaves a desconocidos, tiene que esperar en la calle. Así que al final de la jornada laboral coge el metro de regreso a Archway Road, cena pan con salchichas en su cuarto, lee durante una o dos horas o escucha la radio y luego coge el último autobús a Kensington y espera. A veces Caroline regresa del club a medianoche, a veces a las cuatro de la madrugada. Pasan un rato juntos, se duermen. A las siete en punto suena el despertador: tiene que salir del apartamento antes de que las amigas de Caroline se despierten. Coge el autobús de vuelta a Highgate, desayuna, se pone el uniforme negro y sale hacia la oficina.

Pronto se convierte en rutina, una rutina que, cuando es capaz de alejarse un momento y reflexionar, le sorprende. Está teniendo una aventura en la que las reglas las dicta la mujer, única y exclusivamente. ¿Esto es lo que la pasión hace con un hombre: robarle el orgullo? ¿Siente pasión por Caroline?

No lo habría imaginado. Durante el tiempo que pasaron separados apenas pensó en ella un momento. Entonces, ¿por qué esta docilidad, esta cobardía vil? ¿Quiere que lo hagan infeliz? ¿En eso se ha convertido para él la infelicidad: una droga sin la que no puede pasarse?

Lo peor son las noches en que Caroline no vuelve a casa. Él camina de un lado a otro por la acera o, cuando llueve, se acurruca en la entrada. ¿De veras está trabajando hasta tarde, se pregunta desesperado, o el club de Bayswater es una gran patraña y en ese mismo instante Caroline está en la cama con otro?

Cuando la acusa directamente, no obtiene más que excusas vagas. Ha sido una noche agobiante en el club, ha estado abierto hasta el amanecer, dice ella. O no tenía dinero para el taxi. O tenía que ir a tomar una copa con un cliente. En el mundo del espectáculo, le recuerda ella con aspereza, los contactos son importantísimos. Sin contactos su carrera nunca despegará.

Todavía hacen el amor, pero ya no es como antes. Caroline tiene la cabeza en otro lado. Peor aún: él se está convirtiendo en una carga con sus melancolías y enfurruñamientos, lo nota. Si le quedara algo de sentido común rompería de inmediato, se largaría. Pero no lo hace. Tal vez Caroline no sea la amada misteriosa de ojos oscuros que vino buscando a Europa, tal vez no sea más que una chica de Ciudad del Cabo de orígenes tan aburridos como los suyos, pero por el momento es lo único que tiene.

9

En Inglaterra las chicas no le prestan atención, quizá porque su persona todavía desprende cierto aire de torpeza colonial, quizá sencillamente porque no lleva la ropa adecuada. Cuando no se pone uno de sus trajes IBM, solo tiene los pantalones de franela gris y la cazadora verde que se trajo de Ciudad del Cabo. Los jóvenes que ve en el metro y en la calle, en cambio, llevan pantalones negros estrechos, zapatos puntiagudos y chaquetas ceñidas con muchos botones. También llevan el pelo largo, caído sobre la frente y las orejas, mientras que él todavía lleva el peinado corto por los lados y la nuca y con raya bien definida que le inculcaron de niño los barberos de la ciudad rural y al que IBM dio el visto bueno. En los vagones, los ojos de las chicas resbalan sobre él o lo miran fugazmente con desdén.

Su situación no acaba de ser justa: protestaría si supiera dónde y a quién. ¿Qué clase de trabajo tienen sus rivales que les permite vestir como quieran? Y, de todos modos, ¿por qué debería seguir la moda? ¿Es que las cualidades internas no cuentan nada?

Lo sensato sería comprarse ropa como la de los demás y ponérsela los fines de semana. Pero cuando se imagina vestido de esa guisa, con una indumentaria que no solo le parece ajena a su carácter sino latina más que inglesa, nota crecer su resistencia. No puede hacerlo: sería como rendirse a una farsa, puro teatro.

Londres está lleno de chicas guapas. Vienen de todo el mundo: como *au-pairs*, estudiantes de inglés o simples turistas.

El pelo les tapa las mejillas, se maquillan los ojos, tienen un aire de sofisticado misterio. Las más guapas son las suecas, altas y con la piel color de miel; pero las italianas, menudas y de ojos almendrados, también tienen su encanto. Imagina que las italianas hacen el amor de forma brusca y apasionada, de un modo muy distinto a las suecas, que deben de mostrarse lánguidas y sonrientes. Pero ¿alguna vez tendrá la oportunidad de descubrirlo en persona? Si alguna vez lograra reunir el valor para hablar con una de esas bellas extranjeras, ¿qué diría? ¿Mentiría si se presentara como matemático en lugar de simple programador informático? ¿Impresionarían las atenciones de un matemático a una chica europea o sería mejor decirle que, pese a su exterior aburrido, es poeta?

Lleva un libro de poemas con él en el bolsillo, a veces Hölderlin, a veces Rilke, a veces Vallejo. En los vagones lo saca ostensiblemente y se concentra en la lectura. Es una prueba. Solo una chica excepcional apreciará lo que está leyendo y reconocerá en él a otro espíritu excepcional. Pero ninguna de las chicas de los vagones le presta la menor atención. Por lo visto, es una de las primeras cosas que las chicas aprenden al llegar a Inglaterra: no prestar atención a las señales masculinas.

Lo que llamamos belleza es sencillamente un primer presentimiento de terror, le cuenta Rilke. Nos postramos ante la belleza para agradecerle que renuncie a destruirnos. ¿Le destruirían si se aventurara a acercase demasiado a esas bellas criaturas de otros mundos, o les parecería demasiado insignificante para eso?

En una revista de poesía —*Ambit* quizá, o *Agenda*— encuentra el anuncio de un taller semanal organizado por la Sociedad Poética en apoyo de los escritores jóvenes que aún no han publicado nada. Se presenta a la hora y en el lugar anunciados vestido con su traje negro. La mujer de la puerta lo repasa con desconfianza, le pregunta la edad.

—Veintiuno.

Es mentira: tiene veintidós.

Sus colegas poetas, sentados en círculo en butacas de cuero, le pasan revista, le saludan con gesto distante. Parecen conocerse entre ellos; es el único nuevo. Son más jóvenes que él, de hecho son todos adolescentes, salvo un hombre de mediana edad con cojera que parece ser alguien en la Sociedad Poética. Leen por turnos sus poemas más recientes. El poema que lee él acaba con las palabras «los furiosos embates de mi incontinencia». El hombre de la cojera juzga la elección de palabras desafortunada. Para cualquiera que haya trabajado en un hospital, dice, la incontinencia significa incontinencia urinaria o algo peor.

Vuelve a la semana siguiente, y después de la sesión toma café con una chica que ha leído en voz alta un poema sobre la muerte de un amigo en accidente de coche, a su modo un buen poema, sereno, nada pretencioso. Cuando no escribe poesía, le cuenta la chica, estudia en el King's College de Londres; viste con la severidad adecuada una falda oscura y medias negras. Acuerdan volverse a ver.

Quedan en Leicester Square un sábado por la tarde. Tenían casi decidido ir a ver una película; pero en tanto que poetas están obligados a vivir al límite, así que en lugar de al cine van a la habitación que ella tiene junto a la calle Gower, donde le deja desvestirla. Le maravilla la hermosa forma de su cuerpo desnudo, la blancura de marfil de su piel. ¿Son todas las inglesas así de guapas sin ropa?, se pregunta.

Se acuestan desnudos abrazándose uno al otro, pero sin calidez; y la calidez, queda claro, no surgirá. Al final la chica se despega de él, cruza los brazos sobre los pechos, estira las manos, sacude la cabeza en silencio.

Podría intentar convencerla, inducirla, seducirla; hasta puede que lo consiguiera; pero le falta ánimo. Después de todo no solo es una mujer, con intuiciones de mujer, sino que además es artista. Él trata de atraerla a una mentira; seguro que ella lo sabe.

Se visten en silencio.

—Lo siento —dice ella.

Él se encoge de hombros. No está enfadado. No la culpa. También él tiene sus intuiciones. El veredicto al que ha llegado sobre él sería el mismo que él dictaría.

Después de este episodio deja de acudir a la Sociedad Poética. De todas maneras, nunca se ha sentido bienvenido.

No tiene más suerte con las chicas inglesas. En IBM hay chicas inglesas de sobra, secretarias y operadoras de perforadoras, y oportunidades para charlar con ellas. Pero nota cierta resistencia, como si no estuvieran seguras de quién es él, cuáles son sus motivos, qué va a hacer en su país. Otros flirtean con ellas con un jovial estilo inglés, con mucha mano izquierda. Ellas responden al flirteo, es evidente: se abren como flores. Pero él no ha aprendido a flirtear. Ni siquiera está seguro de que le parezca bien. Y, de todas maneras, no puede permitir que las chicas de IBM sepan que es poeta. Se reirían entre ellas, propagarían el cuento por todo el edificio.

Su máxima aspiración, por encima de una novia inglesa, por encima incluso de una sueca o una italiana, es conseguir una chica francesa. Si mantuviera un apasionado romance con una francesa está seguro de que la gracia del idioma francés, la sutileza del pensamiento francés, le conmovería y mejoraría. Pero ¿por qué iba a dignarse una chica francesa, con más razón aún que una inglesa, a hablarle? Y, de todos modos, tampoco ha visto tantas francesas en Londres. Las francesas, al fin y al cabo, tienen Francia, el país más bello del mundo. ¿Por qué iban a venir a la fría Inglaterra en busca de nativos?

Los franceses son el pueblo más civilizado del mundo. Todos los escritores que respeta se han empapado de cultura francesa; la mayoría consideran Francia su patria espiritual; Francia y, hasta cierto punto, Italia, pese a que Italia parece estar pasando por una mala época. Desde los quince años, cuando envió un giro postal de cinco libras y diez chelines al Instituto Pelman y recibió a cambio un libro de gramática y un juego de ejercicios para hacer y remitir al instituto para que los corrigieran, intenta aprender francés. En el baúl que ha traído desde Ciudad del Cabo tiene quinientas tarjetas en las que ha escrito vocabulario francés básico, una palabra por tarjeta, para llevarlas encima y memorizarlas; por su cabeza se pasean varias locuciones francesas: *je viens de*, acabo de; *il me faut*, tengo que.

Pero tanto esfuerzo no le ha llevado a ninguna parte. No tiene sentido del francés. Cuando escucha discos franceses, la mayor parte del tiempo no sabe dónde acaba una palabra y empieza la siguiente. Aunque puede leer textos en prosa sencilla, no logra imaginar cómo suenan. El idioma se le resiste, le excluye; no encuentra la manera de entrar en él.

En teoría, el francés tendría que resultarle fácil. Sabe latín; a veces lee pasajes latinos en voz alta por puro placer; no del latín de las épocas dorada o de plata, sino del latín de la Vulgata, con su indiferencia desenvuelta hacia el orden clásico de las palabras. Capta el español sin problemas. Lee a César Vallejo en edición bilingüe, lee a Nicolás Guillén, lee a Pablo Neruda. El español está plagado de palabras de sonido brutal cuyo significado ni siquiera acierta a adivinar, pero da igual. Al menos se pronuncian todas las letras, hasta la erre doble.

Sin embargo, el idioma para el que descubre una verdadera facilidad es el alemán. Sintoniza las emisiones de Colonia y, cuando no son demasiado tediosas, también las de Berlín Oriental, y entiende la mayor parte; lee poesía alemana y la sigue bastante bien. Aprueba el modo en que el alemán concede a cada sílaba el peso debido. Con el fantasma del afrikaans todavía en sus oídos, se siente como en casa con la sintaxis alemana. De hecho, disfruta de la longitud de las frases, del complejo amontonamiento de verbos al final. Hay veces en que, al leer alemán, olvida que es un idioma aprendido.

Lee una y otra vez a Ingeborg Bachmann; lee a Bertolt Brecht, a Hans Magnus Enzensberger. El alemán esconde un trasfondo sardónico que le atrae aunque no está seguro de entender qué hace ahí; de hecho, se pregunta si no se lo estará imaginando. Podría preguntarlo, pero no conoce a nadie más que lea poesía alemana, como tampoco conoce a nadie que hable francés.

Sin embargo, en esta inmensa ciudad tiene que haber miles de personas empapadas de literatura alemana, miles más que lean poesía en ruso, húngaro, griego, italiano; que la lean, la traduzcan, incluso que la escriban: poetas exiliados, hombres de pelo largo y gafas de carey, mujeres de rostro marcadamente extranjero y labios apasionados y carnosos. En las revistas que compra en Dillons descubre pruebas suficientes de su existencia: traducciones que deben de ser obra de ellos. Pero ¿cómo conocerlos? ¿Qué hacen estos seres especiales cuando no están leyendo, escribiendo y traduciendo? ¿Se sienta con ellos sin saberlo en Hampstead Heath?

Movido por un impulso, sigue a una pareja prometedora por el Heath. El hombre es alto y con barba, la mujer lleva una larga melena rubia peinada hacia atrás con descuido. Está seguro de que son rusos. Pero cuando se acerca lo suficiente para escuchar a escondidas resultan ser ingleses; charlan sobre el precio de los muebles en Heal's.

Queda Holanda. Al menos posee un conocimiento privilegiado del holandés, al menos cuenta con esa ventaja. Entre todos los círculos londinenses, ¿existe también un círculo de poetas holandeses? De ser así, ¿le dará acceso inmediato su conocimiento del idioma?

La poesía holandesa siempre le ha parecido más bien aburrida, pero el nombre de Simon Vinkenoog aparece constantemente en las revistas especializadas. Vinkenoog es el único poeta holandés que parece haber alcanzado reconocimiento internacional. Lee todo lo que encuentra de Vinkenoog en el British Museum, y no le entusiasma. Los escritos de Vinkenoog son estentóreos, burdos, faltos de cualquier tipo de misterio. Si Vinkenoog es todo lo que Holanda tiene que ofrecer, sus peores sospechas se confirman: de todas las naciones, la holandesa es la más apagada, la más antipoética. Otro tanto puede decirse de su herencia neerlandesa. Para el caso podría ser monolingüe.

De vez en cuando Caroline le telefonea de nuevo al trabajo y concierta una cita. Una vez juntos, sin embargo, no oculta su impaciencia con él. ¿Cómo puede haber hecho todo el camino hasta Londres, le dice Caroline, y luego pasarse los días sumando números en una máquina? Mira alrededor, le dice: Londres es una galería de novedades, placeres y diversiones. ¿Por qué no sales de tu caparazón y te diviertes?

–Algunos no hemos nacido para la diversión –replica él.

Ella se lo toma a broma, no intenta comprenderle.

Caroline todavía no le ha explicado nunca de dónde saca el dinero para el piso de Kensington y los modelitos siempre nuevos con los que se presenta. Su padrastro, que vive en Sudáfrica, trabaja en el negocio del automóvil. ¿El negocio del automóvil es lo bastante lucrativo para financiarle una vida de placer a una hijastra en Londres? ¿Qué hace en realidad Caroline en el club donde pasa las noches? ¿Cuelga abrigos en el guardarropía y recoge propinas? ¿Lleva bandejas con bebidas? ¿O trabajar en un club es un eufemismo?

Uno de los contactos que ha hecho en el club, le informa, es Laurence Olivier. Laurence Olivier se interesa por su carrera artística. Le ha prometido un papel en una obra todavía por concretar; también la ha invitado a su casa de campo.

¿Qué deducir de esta información? Lo del papel en una obra suena a mentira; pero ¿miente Laurence Olivier a Caroline o Caroline a él? A estas alturas, Laurence Olivier debe de ser un viejo con dentadura postiza. ¿Sabe Caroline protegerse de Laurence Olivier, si es que el hombre que la ha invitado a su casa de campo es realmente Olivier? ¿Qué hacen los hombres de esa edad con las chicas para divertirse? ¿Es correcto sentir celos de un hombre que probablemente ya no pueda mantener una erección? En cualquier caso, ¿los celos son un sentimiento anticuado aquí, en Londres, en 1962?

Lo más probable es que Laurence Olivier, si es que es él, le administre el tratamiento de casa de campo completo, incluido chófer que pase a recogerla por la estación y mayordomo que les sirva la cena. Luego, cuando el clarete la haya aturdido, se la llevará a la cama y la toqueteará, y ella le dejará hacer, por educación, para agradecerle la velada y también por el bien de su carrera. ¿Se molestará Caroline en comentar en sus encuentros que existe un rival, un oficinista que trabaja para una empresa de máquinas de sumar y vive en una habitación junto a Archway Road en la que a veces escribe versos?

No entiende por qué Caroline no rompe con él, el novio oficinista. Mientras se arrastra hacia casa en la oscuridad de la madrugada después de pasar la noche juntos, solo ruega que Caroline no vuelva a llamarle. Y de hecho, a veces pasa una semana sin tener noticias suyas. Luego, justo cuando empieza a pensar en su aventura como agua pasada, le telefonea y el ciclo vuelve a empezar.

Él cree en el amor apasionado y su poder transfigurador. Sin embargo, su experiencia dice que las relaciones amorosas le comen el tiempo, le cansan y paralizan su trabajo. ¿Es posible que no esté hecho para amar a las mujeres, que en realidad sea homosexual? Si fuera homosexual, eso explicaría sus tribulaciones de principio a fin. No obstante, desde que cumplió los dieciséis se ha sentido fascinado por la belleza femenina, por el aire de misteriosa inaccesibilidad de las mujeres. De estudiante sufría la fiebre continua de la enfermedad del amor, unas veces por culpa de una chica, otras por culpa de otra, en ocasiones a causa de dos al mismo tiempo. Leer a los poetas solo le subía la fiebre. A través del éxtasis cegador del sexo, decían los poetas, se alcanza un resplandor incomparable, el corazón del silencio; te haces uno con las fuerzas elementales del universo. Aunque hasta la fecha no ha alcanzado el resplandor incomparable, no duda ni por un momento que los poetas tengan razón.

Una noche se deja abordar en la calle por un hombre. El tipo es mayor que él; de hecho, de otra generación. Van en taxi a Sloane Square, donde vive el hombre —al parecer solo— en un piso lleno de cojines adornados con borlas y tenues lamparillas de mesa.

Apenas hablan. Deja que el hombre le toque a través de la ropa; no le da nada a cambio. Si el hombre tiene un orgasmo, consigue llevarlo con discreción. Después se va y vuelve a casa.

¿Eso es la homosexualidad? ¿Eso es todo? Incluso aunque haya algo más, parece una actividad penosa comparada con el sexo con mujeres: rápida, ausente, carente de pavor pero también de atractivo. Parece que no haya nada en juego: nada que perder, pero tampoco nada que ganar. Un juego para gente temerosa de participar en la gran liga; un juego para perdedores.

10

El plan que tenía en mente al venir a Inglaterra, en la medida en que tenía un plan, consistía en encontrar trabajo y ahorrar dinero. Cuando tuviese suficiente dinero dejaría el trabajo y se dedicaría a escribir. Cuando se le acabaran los ahorros buscaría otro trabajo y vuelta a empezar.

Pronto descubre lo inocente del plan. El salario bruto de IBM es de sesenta libras mensuales, de las cuales logra ahorrar diez como máximo. Un año de trabajo le reportaría dos meses de libertad; gran parte de este tiempo libre se lo comería la búsqueda del siguiente empleo. El dinero de la beca de Sudáfrica apenas le llegará para pagar la matrícula de estudios.

Más aún, descubre que no es libre para cambiar de empleo a voluntad. Las nuevas normativas que afectan a los extranjeros en Inglaterra especifican que cualquier cambio de empleo debe ser aprobado por el Ministerio de Exteriores. Está prohibido vivir libre como el viento: si se despide de IBM tiene que encontrar otro trabajo enseguida o abandonar el país.

Ya lleva en IBM el tiempo suficiente para haberse acostumbrado a la rutina. Sin embargo, todavía le cuesta soportar la jornada laboral. Pese a que a sus compañeros y a él se les recuerda continuamente en reuniones y memorandos que están a la cabeza de los profesionales del procesamiento de datos, se siente como un oficinista aburrido en una novela de Dickens, sentado en un taburete copiando documentos mohosos.

Las únicas interrupciones del tedio diario llegan a las once y a las tres y media, cuando la señora del té aparece con su carrito a dejar una taza de cargado té inglés delante de cada uno de ellos («¡Aquí tienes, cariño!»). Solo cuando ha pasado el trajín de las cinco –las secretarias y perforadoras se marchan a las cinco en punto, con ellas ni se plantean las horas extras– y avanza la tarde puede levantarse de la mesa, pasear y relajarse. La sala de máquinas de abajo, dominada por los inmensos armarios de memoria del 7090, está vacía la mayor parte de las veces; sabe utilizar programas en el pequeño ordenador 1401, e incluso, a escondidas, se entretiene con juegos de ordenador.

En tales ocasiones su trabajo le resulta no solo llevadero, sino agradable. No le importaría pasarse la noche entera en el despacho, utilizando programas de su propia invención hasta que le venciera el sueño, lavarse luego los dientes en el lavabo y extender un saco de dormir debajo de la mesa. Sería mejor que coger el último tren y subir por Archway Road hasta su cuarto solitario. Pero a IBM no le gustaría un comportamiento tan irregular.

Traba amistad con una de las perforadoras. Se llama Rhoda; tiene los muslos algo gruesos, pero también una tez cetrina sedosamente atractiva. Rhoda se toma en serio el trabajo; a veces él se queda de pie en la puerta, observándola encorvada sobre el teclado. Ella es consciente de que la mira, pero no parece importarle.

Nunca habla con Rhoda de nada más que de trabajo. El inglés de ella, con sus triptongos y oclusiones glóticas, no es fácil de entender. Es nativa de un modo que sus colegas programadores, con su educación privada, no lo son; la vida que lleva fuera de las horas de trabajo es un libro cerrado.

Al llegar al país estaba preparado para enfrentarse a la famosa frialdad británica. Pero las chicas de IBM no le parecen frías en absoluto. Poseen una acogedora sensualidad propia, la sensualidad de los animales criados juntos en la misma guarida húmeda, acostumbrados a los hábitos corporales de cada uno.

Aunque no pueden competir en glamour con las suecas y las italianas, a él le atraen estas chicas inglesas por su ecuanimidad y su falta de gracia. Le gustaría conocer mejor a Rhoda. Pero ¿cómo? Rhoda es de otra tribu. Las barreras que tendría que superar, por no hablar de las convenciones del cortejo tribal, le frustran y descorazonan.

La eficiencia de la sede de la calle Newman se mide por el uso que hace del 7090. El 7090 es el corazón de la oficina, la razón de su existencia. Cuando el 7090 no trabaja se habla de tiempo ocioso. El tiempo ocioso significa ineficiencia, y la ineficiencia es pecado. El fin último de la oficina es mantener el 7090 en funcionamiento noche y día; los clientes más valorados son los que ocupan el 7090 durante horas enteras. Tales clientes forman el feudo de los programadores superiores; él no tiene nada que hacer.

Un día, sin embargo, uno de los clientes importantes tiene dificultades con sus tarjetas de datos y le ordenan ayudarle. El cliente se llama señor Pomfret, un hombrecillo con traje arrugado y gafas. Viene a Londres los jueves desde algún lugar del norte de Inglaterra con cajas y más cajas de tarjetas perforadas; tiene una reserva regular de seis horas en el 7090 a partir de medianoche. Por los cotilleos de la oficina se entera de que las tarjetas contienen datos sobre el túnel aerodinámico de un nuevo bombardero británico, el TSR-2, en el que está trabajando la RAF.

El problema del señor Pomfret, y el problema de sus compañeros del norte, es que los resultados de las sesiones de las dos últimas semanas son anómalos. No tienen sentido. O bien los datos de las pruebas están mal, o bien hay algún error en el diseño del avión. A él se le ha encargado que repase las tarjetas del señor Pomfret en la máquina auxiliar, la 1401, y realice diversas comprobaciones para determinar si han sido mal perforadas.

Trabaja hasta pasada la medianoche. Serie a serie, pasa las tarjetas del señor Pomfret por el lector de tarjetas. Al final puede informar de que no hay ningún error de perforación. Los resultados eran anómalos; el problema existe.

El problema existe. De la manera más casual, más nimia, ha entrado en el proyecto TSR-2, ha entrado a formar parte de las fuerzas de defensa británicas; ha favorecido los planes británicos de bombardear Moscú. ¿Para esto vino a Inglaterra: para participar en el mal, un mal sin recompensa, ni siquiera imaginaria? ¿Qué tiene de romántico pasar la noche en vela para que el señor Pomfret, ingeniero aeronáutico, con su aire indefenso y blando y su maletín lleno de tarjetas, pueda coger el primer tren al norte para volver a tiempo a la reunión de los viernes por la mañana en el laboratorio?

Menciona en una carta a su madre que ha estado trabajando en datos del túnel aerodinámico para el TSR-2, pero su madre no tiene la menor idea de lo que es el TSR-2.

Finalizan las pruebas del túnel aerodinámico. Cesan las visitas del señor Pomfret a Londres. Busca más noticias sobre el TSR-2 en los periódicos, pero no hay nada. El TSR-2 parece haber desaparecido en el limbo.

Ahora que es demasiado tarde, se pregunta qué habría ocurrido si, mientras tenía las tarjetas del TSR-2 en sus manos, hubiera adulterado los datos. ¿Habría provocado una confusión general del proyecto o los ingenieros del norte habrían detectado la intromisión? Por una parte, le gustaría aportar su granito de arena para salvar a Rusia de ser bombardeada. Por otra, ¿tiene derecho moral a disfrutar de la hospitalidad británica mientras sabotea sus fuerzas aéreas? Y, en cualquier caso, ¿cómo iban a enterarse los rusos de que un oscuro simpatizante de una oficina londinense de IBM les había conseguido unos días de tranquilidad en la guerra fría?

No entiende qué tienen los ingleses en contra de los rusos. Gran Bretaña y Rusia han compartido bando en todas las guerras de las que tiene noticia desde 1854. Los rusos nunca han amenazado con invadir Gran Bretaña. Entonces, ¿por qué los británicos se alían en el bando de los estadounidenses, que se comportan como matones en Europa, al igual que en el resto del mundo? No es como si a los británicos les gustaran de verdad los norteamericanos. Los caricaturistas de la prensa siempre están metiéndose con los turistas norteamericanos, con sus puros, sus barrigotas, sus camisas hawaianas y los puñados de dólares de los que van alardeando. En su opinión, los británicos deberían desmarcarse de los franceses y salir de la OTAN, abandonar a los norteamericanos y a sus nuevos compinches, los alemanes del oeste, en su ajuste de cuentas con los rusos.

Los periódicos vienen llenos de noticias sobre la CDN, la Campaña pro Desarme Nuclear. Las fotografías que publican de tipos enclenques y mujeres feas de pelo enmarañado ondeando pancartas y gritando consignas no le predisponen en favor de la CDN. Por otro lado, Jruschov acaba de asestar un golpe estratégico maestro: ha construido lanzamisiles en Cuba para contraatacar a los misiles norteamericanos que cercan Rusia. Ahora Kennedy amenaza con bombardear Rusia si no retira sus misiles de Cuba. Es contra lo que protestan los de la CDN: un ataque nuclear en el que participarían las bases estadounidenses en Gran Bretaña. Él no puede apoyar su postura.

Los aviones espía norteamericanos fotografían cargueros rusos que cruzan el Atlántico en dirección a Cuba. Según los norteamericanos, estos buques transportan más misiles. En las fotografías, los misiles —formas vagas cubiertas por lonas— se destacan con círculos blancos. A él le parece que también podrían ser botes salvavidas. Le sorprende que los periódicos no cuestionen la versión norteamericana.

¡Despertad!, clama la CDN, estamos al borde de la aniquilación nuclear. ¿Podría ser verdad?, se pregunta. ¿Vamos a perecer todos?

Acude a una gran concentración de la CDN en Trafalgar Square, con cuidado de permanecer al margen para demostrar que solo ha ido de mirón. Es la primera manifestación masiva a la que acude: los puños alzados, las consignas coreadas, en general el exaltamiento de las pasiones le repelen. Solo el amor y el arte son, en su opinión, dignos de una entrega sin reservas.

El mitin culmina una marcha de ochenta kilómetros de los incondicionales de la CDN que partió hace una semana de las afueras de Aldermaston, la central de armamento nuclear británico. Durante días el *Guardian* ha mostrado fotografías de manifestantes empapados en la carretera. Ahora, en Trafalgar Square, reina el pesimismo. Mientras escucha los discursos se da cuenta de que estas personas, o al menos algunas de las presentes, creen de verdad lo que dicen. Creen que van a bombardear Londres; creen que van a morir todos.

¿Tienen razón? De ser así, parece terriblemente injusto: injusto para los rusos, injusto para la gente de Londres, pero sobre todo injusto para él, que será incinerado por culpa de la belicosidad norteamericana.

Piensa en el joven Nikolai Rostov en el campo de batalla de Austerlitz, contemplándolo todo como un conejo hipnotizado mientras los granaderos franceses cargan contra él con sus macabras bayonetas. ¿Cómo es posible que quieran matarme, protesta para sus adentros, a mí, que le gusto tanto a todo el mundo?

¡Salió del fuego para caer en las brasas! ¡Qué ironía! ¡Haber escapado de los afrikáners que querían forzarle a entrar en el ejército y de los negros que querían empujarlo al mar para acabar en una isla que pronto terminará convertida en cenizas! ¿Qué tipo de mundo es este? ¿Dónde puedes ir para librarte de la furia política? Solo Suecia parece estar por encima del conflicto. ¿Debería dejarlo todo y coger el primer barco a Estocolmo? ¿Hay que hablar sueco para entrar en Suecia? ¿Necesitan programadores informáticos en Suecia? ¿Tienen ordenadores en Suecia?

Acaba el mitin. Regresa a su habitación. Debería estar leyendo *La copa dorada* o trabajando en sus poemas, pero ¿qué sentido tendría, qué sentido tiene nada?

Luego, al cabo de unos días, de repente la crisis ha pasado. Jruschov capitula ante las amenazas de Kennedy. Ordena a los cargueros que den marcha atrás. Desarma los misiles que ya tenía en Cuba. Los rusos dan una explicación formal de su actuación, pero está claro que han sido humillados. Los únicos que salen bien parados de este episodio histórico son los cubanos. Impertérritos, los cubanos prometen solemnemente que, con misiles o sin ellos, defenderán su revolución mientras les quede un aliento de vida. A él le gustan los cubanos y Fidel Castro. Al menos Fidel no es un cobarde.

Se pone a charlar en la Tate Gallery con una chica a la que toma por turista. Es fea, con gafas, de aspecto cabal, la clase de chica que no le interesa pero que probablemente le corresponde. Se llama Astrid, le dice. Es de Austria; de Klagenfurt, no de Viena.

Resulta que Astrid no es turista, sino *au-pair*. Al día siguiente la lleva al cine. Enseguida se da cuenta de que tienen gustos bastante diferentes. No obstante, cuando lo invita a acompañarla a la casa donde trabaja, no le dice que no. Echa un breve vistazo a su cuarto: una buhardilla con cortinas de algodón a cuadros azules y colcha a juego y un oso de peluche sobre la almohada.

Toma el té en la planta baja con Astrid y su patrona, una inglesa que le repasa de arriba abajo con una mirada fría y juzga que no da la talla. Esta es una casa europea, dicen los ojos de la mujer: no necesitamos a ningún tosco oriundo de las colonias, y encima bóer.

No es un buen momento para los sudafricanos en Inglaterra. Con grandes demostraciones de superioridad moral, Sudáfrica se ha declarado república y acto seguido ha sido expulsada de la Commonwealth. El mensaje de la expulsión no deja lugar a los equívocos. Los británicos están hartos de los bóers y la Sudáfrica que lideran, una colonia que siempre ha dado más problemas que alegrías. Les encantaría que Sudáfrica se desvaneciera silenciosamente en el horizonte. Desde luego, no quieren tener a sudafricanos blancos desesperados llamando a sus puertas como huérfanos en búsqueda de padre. No le cabe duda de que esta sutil inglesa informará indirectamente a Astrid de que él no es un tipo aconsejable.

La soledad, quizá también la lástima que le despierta esa infeliz extranjera sin gracia y un pésimo inglés, le empuja a quedar con ella otra vez. Después, sin ninguna razón, la convence para que vaya a su habitación. Astrid no tiene ni siquiera dieciocho años, todavía es una cría; él nunca ha estado con alguien tan joven, con una niña, en realidad. Cuando la desnuda nota su piel fría y pegajosa. Ha cometido un error, lo sabe. No la desea; en cuanto a Astrid, a pesar de que las mujeres y sus necesidades suelen parecerle un misterio, está seguro de que tampoco le desea. Pero han llegado demasiado lejos, los dos, para echarse atrás, así que siguen adelante.

Durante las semanas siguientes pasan varias noches juntos. Pero tienen problemas de tiempo. Astrid solo puede salir después de acostar a los hijos de la patrona; como mucho consiguen pasar juntos una hora apresurada antes de que parta el último tren hacia Kensington. Un día, Astrid se atreve a pasar toda la noche fuera. Él finge disfrutar de tenerla a su lado, pero la verdad es que no es así. Duerme mejor solo. Comparte la cama tenso e inmóvil toda la noche, y se despierta agotado.

11

Hace años, cuando era todavía un niño de una familia que se esforzaba por ser normal, sus padres solían salir a bailar los sábados por la noche. Él les miraba prepararse; si se quedaba despierto hasta tarde, interrogaba a su madre a la vuelta. Pero nunca llegó a ver lo que realmente ocurría en el salón de baile del hotel Masónico de Worcester: qué tipo de bailes bailaban sus padres, si fingían mirarse a los ojos mientras bailaban, si solo bailaban juntos o si, como en las películas norteamericanas, se permitía que un desconocido tocara el hombro de la mujer y se la robara a su compañero, que tenía que buscar otra pareja o quedarse en un rincón fumando un cigarrillo de mal humor.

Le costaba entender por qué gente que ya estaba casada tenía que tomarse la molestia de vestirse de fiesta e ir a un hotel a bailar cuando podrían haber hecho lo mismo en el salón de casa con música de la radio. Pero, por lo visto, para su madre las noches de sábado en el hotel Masónico eran importantes, tan importantes como montar a caballo o, cuando no había caballo, en bicicleta. Bailar y montar representaban la vida que había llevado antes de casarse, antes de, en su versión de la historia de su vida, convertirse en prisionera («¡No seré una prisionera en mi propia casa!»).

La firmeza de su madre no le llevó a ningún sitio. Quien fuera que les animara en la oficina de su padre a ir a los bailes del sábado por la noche se mudó o dejó de acudir. El vestido azul brillante con una aguja de plata, los guantes blancos, el divertido sombrerito que su madre se ponía ladeado, desaparecieron en roperos y cajones, y fin de la historia.

En cuanto a él, se alegró de que los bailes acabaran, aunque no lo dijo. No le gustaba que su madre saliera, no le gustaba el aire ausente que tenía al día siguiente. De todos modos, no le veía ningún sentido a bailar. Evitaba las películas que prometían incluir números de baile, repelido por la cara sentimentaloide y boba que se le ponía a la gente.

–Bailar es un buen ejercicio –insistía su madre–. Aprendes ritmo y equilibrio.

No le convenció. Si la gente necesitaba ejercicio, podía hacer calistenia o levantar pesas o correr alrededor de la manzana.

En los años transcurridos desde que Worcester quedara atrás no ha cambiado de opinión con respecto al baile. Cuando en su época de estudiante universitario le avergonzaba demasiado ir a las fiestas y no saber bailar, se apuntó a unos cursillos en una escuela de baile pagados de su propio bolsillo: *quickstep*, vals, twist, chachachá. No funcionó: a los pocos meses lo había olvidado todo, en un acto de mala memoria premeditada. Sabe perfectamente el porqué. Nunca, ni por un momento, se aplicó de lleno al baile durante las clases. Aunque seguía los pasos, por dentro permanecía siempre rígido. Y así sigue: en lo más hondo sigue sin ver la razón por la que la gente necesita bailar.

Bailar solo cobra sentido cuando se interpreta como otra cosa, algo que la gente prefiere no admitir. Esa otra cosa es lo verdaderamente importante: el baile no es más que la máscara. Sacar a bailar a un chica significa hacerle proposiciones; aceptar la invitación a bailar significa el consentimiento a las proposiciones; y bailar es la representación y prefiguración de la relación. Las correspondencias son tan obvias que se pregunta por qué la gente se molesta en bailar. ¿Para qué arreglarse, para qué los movimientos rituales, para qué la gran parodia?

La música de baile antigua con sus ritmos torpes, la música del hotel Masónico, siempre le ha aburrido. En cuanto a la burda música norteamericana con la que baila la gente de su generación, simplemente no le gusta.

En Sudáfrica, todas las canciones que sonaban en la radio eran norteamericanas. En la prensa se seguían de manera obsesiva las payasadas de las estrellas de cine estadounidenses, se imitaban ciegamente las modas norteamericanas como el *hula hoop*. ¿Por qué? ¿Por qué mirar a Norteamérica para todo? Repudiados por los holandeses y ahora por los británicos, ¿habían decidido los sudafricanos convertirse en norteamericanos de pega pese a que la mayoría nunca en la vida le había puesto la vista encima a uno de verdad?

Él había esperado perder de vista Norteamérica en Gran Bretaña: la música norteamericana, las modas norteamericanas. Pero, para su consternación, los británicos no están menos ansiosos por imitar a Norteamérica. La prensa popular lleva fotografías de chicas gritando como posesas en los conciertos. Hombres con melenas hasta los hombros berrean y aúllan con acentos norteamericanos falsos y luego hacen añicos sus guitarras. La cosa le supera.

Lo que salva a Gran Bretaña es el *Third Programme*. Si hay algo que espera con ilusión tras pasar el día en IBM es llegar a casa, a la tranquilidad de su cuarto, encender la radio y disfrutar de música que nunca antes había escuchado o de una charla inteligente, fresca. Noche tras noche, sin excepción y sin coste, las puertas se abren a su paso.

El *Third Programme* se emite solo en onda larga. Si fuera en onda corta tal vez podría haberlo sintonizado en Ciudad del Cabo. En tal caso, ¿qué necesidad habría tenido de venir a Londres?

En la serie «Poetas y poesía» emiten un charla sobre un ruso llamado Joseph Brodsky. Acusado de parásito social, Joseph Brodsky ha sido sentenciado a cinco años de trabajos forzados en un campo de la península Arjanguelsk, en el gélido norte. La sentencia está en curso. Mientras él permanece sentado en su cálido cuarto londinense, sorbiendo café, mordisqueando un postre de uvas y almendras, un hombre de su misma edad, poeta como él, pasa los días cortando troncos, cuidando de sus dedos congelados, remendando las botas con harapos, alimentándose de sopa de repollo con cabezas de pescado.

«Oscuro como el interior de una aguja», escribe Brodsky en uno de sus poemas. No puede sacarse el verso de la cabeza. Si se concentrara, si se concentrara de verdad, noche tras noche, si convocara mediante la pura atención el don de la inspiración, quizá lograra dar con algo que estuviera a la altura. Porque está en él, lo sabe, su imaginación es del mismo color que la de Brodsky. Pero ¿cómo hablar después con Arjanguelsk?

A partir tan solo de los poemas que ha escuchado en la radio, y nada más, conoce a Brodsky, lo conoce al dedillo. Es el poder de la poesía. La poesía es verdad. Pero Brodsky no puede saber nada de él, que está en Londres. ¿Cómo contarle al hombre helado que está con él, a su lado, día a día?

Joseph Brodsky, Ingeborg Bachmann, Zbigniew Herbert: desde solitarias balsas bamboleantes en los oscuros mares de Europa lanzan sus palabras al viento, y con la radio las palabras corren hacia su cuarto, las palabras de los poetas de su tiempo, hablándole de lo que puede ser la poesía y por tanto de lo que él puede ser, haciendo que se alegre por vivir en el mismo mundo que ellos. «Señal recibida en Londres: por favor, continúen transmisión»: les enviaría este mensaje si pudiera.

En Sudáfrica había escuchado una o dos piezas de Schoenberg y de Berg: *Noche transfigurada*, el *Concierto para violín*. Ahora escucha por primera vez la música de Anton von Webern. Le han advertido en contra de Webern. Ha leído que Webern va demasiado lejos: lo que Webern escribe ya no es música, solo sonidos al azar. Escucha inclinado sobre la radio. Primero una nota, luego otra, luego otra más, frías como cristales de hielo, tensas como estrellas en el cielo. Un minuto o dos de este embelesamiento, y luego todo ha terminado.

Un soldado norteamericano mató a Webern en 1945. Un malentendido, dijeron, un accidente de guerra. El cerebro que planificaba aquellos sonidos, aquellos silencios, aquel sonido-y-silencio, se extinguió para siempre.

Visita una exposición de expresionistas abstractos en la Tate Gallery. Permanece un cuarto de hora de pie frente a un Jackson Pollock, dándole la oportunidad de que le penetre, intentando aparentar que tiene criterio por si acaso algún sofisticado londinense echa un vistazo divertido a este ignorante provinciano. No le ayuda. El cuadro no significa nada para él. Hay algo que no acaba de captar.

En la sala siguiente, en lo alto de una pared, cuelga un cuadro enorme consistente solo en una mancha negra alargada sobre un fondo blanco. *Elegía por la República española nº 24*, obra de Robert Motherwell, informa el rótulo. Queda petrificado. Amenazadora y misteriosa, la forma negra le conquista. La mancha emite un sonido similar al golpe de un gong, dejándole tembloroso; le fallan las rodillas.

¿De dónde procede el poder de esta mancha amorfa sin ningún parecido con España ni con nada y que sin embargo ha agitado el pozo de oscuros sentimientos de su interior? No es bella, sin embargo habla como la belleza, imperiosamente. ¿Por qué Motherwell posee este poder y Pollock no, o Van Gogh o Rembrandt? ¿Es el mismo poder que hace que el corazón le dé un salto cuando ve a una mujer y no a otra? ¿Concuerda *Elegía por la República española* con alguna forma que habita su alma? ¿Y la mujer que le depara el destino? ¿Guarda ya su femenina forma en su oscuridad interior? ¿Cuánto habrá que esperar a que se manifieste? ¿Cuando lo haga, estará preparado?

No sabe la respuesta. Pero si puede reconocerla como a una igual, a ella, a la Destinada, entonces la manera de hacer el amor de los dos no tendrá precedentes, está seguro, será un éxtasis cercano a la muerte; y cuando después él vuelva a la vida será un ser nuevo, transformado. Un fogonazo de excitación como el contacto de dos polos opuestos, como la unión de dos gemelos; luego seguirá el lento renacer. Tiene que estar listo. La disposición es esencial.

En el cine Everyman programan una temporada sobre Satyajit Ray. Ve la trilogía de Apu en noches sucesivas en un estado de embelesamiento. En la madre de Apu, amargada, atrapada, en su padre atractivo, irresponsable, reconoce, con un aguijonazo de culpa, a sus propios padres. Pero lo que le engancha por encima de todo es la música, interacciones de complejidad mareante entre tambores e instrumentos de cuerda, largas arias de flauta cuya escala o modo —no sabe bastante de teoría musical para estar seguro de cuál— le roban el corazón, arrastrándolo a un estado de melancolía sensual que perdura mucho después de acabada la película.

Hasta ahora ha encontrado en la música occidental, sobre todo en Bach, todo lo que necesita. Ahora encuentra algo que Bach no tiene, aunque incluye algunas imitaciones: una feliz complacencia de la mente racional, dominadora, con el baile de los dedos.

Busca en las tiendas de discos y en una encuentra un álbum de un músico que toca el sitar llamado Ustad Vilayat Khan, con su hermano —más joven, a juzgar por la foto— a la vina y un desconocido a la tabla. No tiene tocadiscos, pero escucha los diez primeros minutos en la tienda. Ahí está todo: la exploración de las secuencias tonales, la emoción estremecida, los arrebatos de éxtasis. No acaba de creerse su buena suerte. Un continente nuevo… ¡por tan solo nueve chelines! Se lleva el disco a su cuarto, lo guarda en la funda de cartón hasta el día en que pueda volver a escucharlo.

En la habitación de debajo vive una pareja india. Tienen un bebé que a veces llora quedamente. Se saluda con el hombre cuando se cruzan en la escalera. La mujer apenas sale.

Una noche llaman a la puerta. Es el indio. ¿Le apetecería cenar con ellos?

Acepta, pero con dudas. No está acostumbrado a las especias fuertes. ¿Podrá comer sin resoplar ni quedar en ridículo?

Pero enseguida le tranquilizan. La familia procede del sur de la India; son vegetarianos. Las especias picantes no forman parte esencial de la comida india, le explica su anfitrión: fueron introducidas solo para disimular el sabor de la carne en mal estado. La comida del sur es bastante suave. Y, efectivamente, lo es. Lo que le ponen delante —sopa de coco con cardamomo y clavo y una tortilla— es decididamente lechoso.

Su anfitrión es ingeniero. Su mujer y él llevan varios años en Inglaterra. Son felices aquí, dice. Su alojamiento actual es el mejor que han tenido hasta la fecha. La habitación es espaciosa, la casa silenciosa y ordenada. Desde luego, no les entusiasma el clima inglés. Pero —se encoge de hombros— unas cosas compensan otras.

La mujer apenas interviene en la conversación. Les sirve sin comer, luego se retira al rincón donde el bebé descansa en la cuna. No habla bien inglés, explica su marido.

Su vecino ingeniero admira la ciencia y la tecnología occidentales, se queja del retraso de la India. Aunque las odas a las máquinas suelen aburrirle, no le lleva la contraria al anfitrión. Son los primeros en Inglaterra en invitarle a su casa. Más aún: son gente de color, conscientes de que es sudafricano, y aún así le han tendido la mano. Está agradecido.

La cuestión es qué debería hacer con esa gratitud. ¿Es inconcebible que deba invitarlos, al marido, su mujer y, sin duda, al bebé llorón, a su habitación del último piso a comer sopa envasada seguida de, ya que no salchichas, macarrones con salsa de queso? Pero ¿cómo retornar si no su hospitalidad?

Pasa una semana sin que haga nada, luego otra semana. Cada vez se siente más avergonzado. Empieza a escuchar a través de la puerta por las mañanas, esperando a que el ingeniero se vaya a trabajar para salir al rellano.

Tiene que haber algo que pueda hacer, algún acto sencillo de reciprocidad, pero no se le ocurre, o no quiere que se le ocurra, y de todos modos empieza a ser demasiado tarde. ¿Qué le pasa? ¿Por qué las cosas más normales le resultan complicadísimas? Si la respuesta es que se trata de una cuestión de carácter, ¿qué tiene de bueno ser como es? ¿Por qué no cambiar?

Pero ¿es cuestión de carácter? Lo duda. No tiene esa impresión, tiene la impresión de que es una enfermedad, una enfermedad moral: tacañería, pobreza de espíritu, de esencia similar a su frialdad con las mujeres. ¿Puede obtenerse arte de una enfermedad así? Si no, ¿qué se deduce sobre el arte?

En el tablón de anuncios de una inmobiliaria de Hampstead lee: «Se busca inquilino para compartir piso en Swiss Cottage con tres personas más. Habitación propia, cocina compartida».

No le gusta compartir piso. Prefiere vivir solo. Pero mientras siga viviendo solo no saldrá nunca de su aislamiento. Telefonea, concierta una cita.

El hombre que le enseña el piso es unos años mayor que él. Lleva barba, y una chaqueta tipo Nehru azul con botones dorados por toda la pechera. Se llama Miklos y viene de Hungría. El piso está limpio y aireado; la habitación que sería la suya es más amplia que la que tiene ahora y más moderna.

—Me la quedo —le dice a Miklos sin dudarlo—. ¿Dejo algo de depósito?

Pero no es tan sencillo.

—Deje su nombre y dirección y le apuntaré en la lista —dice Miklos.

Espera tres días. Al cuarto telefonea. Miklos no está, dice la chica que contesta. ¿La habitación? Oh, la habitación ya está alquilada hace días.

La voz de la chica tiene una leve ronquera extranjera; sin duda es bella, inteligente, sofisticada. No le pregunta si también es húngara. Pero si hubiera conseguido la habitación ahora compartirían piso. ¿Quién es ella? ¿Cómo se llama? ¿Era el amor que le estaba destinado y ahora se le ha escapado el destino? ¿Quién es el afortunado que ha conseguido la habitación y el futuro que habían de ser los suyos?

Cuando visitó el piso tuvo la impresión de que Miklos se lo enseñó por obligación. Piensa que Miklos buscaba a alguien que aportara algo más a la economía doméstica que una cuarta parte del alquiler, alguien que ofreciera también alegría, estilo o posibilidad de romance. Al calarle de una mirada, Miklos le consideró falto de alegría, estilo y posibilidad de romance, y le rechazó.

Debería haber tomado la iniciativa. «No soy lo que parezco —debería haberle dicho—. Puede que parezca un oficinista, pero en realidad soy poeta, o un proyecto de poeta. Además, pagaré mi parte del alquiler puntualmente, que es más de lo que harían la mayor parte de los poetas.» Pero no dijo nada, no defendió, por lamentable que hubiera podido parecer, su persona y su vocación; y ahora es demasiado tarde.

¿Cómo consigue un húngaro disponer de un piso en el moderno Swiss Cottage, vestir a la última, despertarse tarde por las mañanas con la bella muchacha de voz ronca a su lado mientras que él tiene que regalar su día a IBM y vivir en una habitación deprimente junto a Archway Road? ¿Cómo ha conseguido Miklos las llaves que abren la puerta a los placeres londinenses? ¿De dónde saca esa gente el dinero para costearse una vida de lujo?

Nunca le ha gustado la gente que se salta las reglas. Si no se siguen las reglas la vida deja de tener sentido: lo mismo podría uno devolver su billete y retirarse, como Iván Karamazov. Sin embargo, Londres parecer estar lleno de gente que se salta las reglas y no tiene problemas. Por lo visto, es el único lo bastante idiota para jugar de acuerdo con las reglas, él y los demás oficinistas apresurados de traje oscuro y gafas que ve en el metro. Entonces, ¿qué debería hacer? ¿Debería seguir el ejemplo de Iván? ¿El de Miklos? Decida lo que decida, sale perdiendo. Porque carece de talento para mentir, engañar o saltarse las normas, igual que tampoco lo tiene para el placer y la ropa moderna. Solo tiene talento para la tristeza, la tristeza sincera y aburrida. ¿Qué va a hacer si esta ciudad no recompensa la tristeza?

12

Todas las semanas recibe una carta de su madre, un sobre azul pálido de correo aéreo con la dirección escrita en mayúsculas. Le exasperan estas muestras del amor inmutable de su madre. ¿Es que su madre nunca entenderá que cuando se fue de Ciudad del Cabo cortó todos los lazos con el pasado? ¿Cómo puede hacerle entender que el proceso de convertirse en otra persona que inició cuando tenía quince años seguirá adelante sin remordimientos hasta que se haya extinguido todo recuerdo de la familia y el país que dejó atrás? ¿Cuándo comprenderá que ha crecido tan lejos de ella que podría ser un total desconocido?

En las cartas su madre le cuenta noticias de la familia, le informa de sus últimos trabajos (va de escuela en escuela sustituyendo a maestros de baja por enfermedad). Acaba las cartas deseándole buena salud, que no haya sucumbido a la gripe que ha oído que arrasa Europa. Por lo que respecta a los problemas de Sudáfrica, no le escribe sobre el tema porque él le ha dejado claro que no le interesa.

Menciona que ha perdido los guantes en un tren. Error. De inmediato recibe un paquete por correo aéreo: un par de manoplas de piel de borrego. Los sellos cuestan más que las manoplas.

Su madre escribe las cartas los domingos a última hora de la tarde y las envía a tiempo para la recogida del lunes por la mañana. A él no le cuesta nada imaginar la escena, en el piso al que sus padres y su hermano se mudaron cuando tuvieron que vender la casa de Rondebosch. Han terminado de cenar. Ella recoge la mesa, se pone las gafas, se acerca la lámpara. «¿Qué haces?», pregunta su padre, que teme las tardes del domingo, cuando ya ha leído de cabo a rabo el *Argus* y no tiene nada más que hacer. «Tengo que escribirle a John», responde ella con los labios enfurruñados, haciéndole callar. «Queridísimo John», empieza.

¿Qué espera conseguir con las cartas esta mujer obstinada y sin gracia? ¿Es que no ve que las pruebas de su fidelidad, por mucho que se emperre, nunca le harán ablandarse y regresar? ¿Es que no puede aceptar que su hijo no es normal? Debería concentrar su amor en su hermano y olvidarse de él. Su hermano es un ser mucho más simple e inocente. Su hermano tiene un corazón tierno. Que cargue él con la responsabilidad de quererla; que le digan a su hermano que de ahora en adelante es el primogénito, el más querido de su madre. Entonces él, el olvidado, podrá llevar la vida que le plazca.

Eso es lo peor. La trampa que su madre ha construido, una trampa de la que todavía no ha encontrado el modo de escapar. Si cortara todas las ataduras, si no escribiera nunca, su madre deduciría lo peor, la peor conclusión posible; y solo pensar en el dolor que la atravesaría en ese momento le da ganas de taparse los ojos y los oídos. Mientras viva su madre él no se atreve a morir. Mientras viva su madre, por tanto, su vida no le pertenece. No puede derrocharla. Aunque no se quiere demasiado a sí mismo, debe cuidarse por su madre, hasta el punto de abrigarse, comer sano y tomar vitamina C. En cuanto al suicidio, no cabe ni planteárselo.

Las únicas noticias sobre Sudáfrica que recibe le llegan a través de la BBC y del *Manchester Guardian*. Lee los artículos del *Guardian* con terror. Un granjero ata a un árbol a uno de sus trabajadores y lo azota hasta matarlo. La policía dispara al azar a la multitud. Un prisionero aparece muerto en su celda, colgado de una tira de sábana, con la cara amoratada y ensangrentada. Un horror tras otro, una atrocidad tras otra, sin descanso.

Sabe lo que piensa su madre. Su madre cree que el mundo no entiende a Sudáfrica. En Sudáfrica los negros tienen mucho más dinero que en cualquier otro lugar de África. Las huelgas y las protestas están fomentadas por agitadores comunistas. Por lo que respecta a los trabajadores del campo que reciben el salario en forma de maíz y tienen que vestir a sus hijos con bolsas de yute para protegerlos del frío invernal, su madre admite que es una desgracia. Pero esas cosas solo ocurren en el Transvaal. Son los afrikáners del Transvaal, con sus odios, sus resentimientos y sus corazones insensibles, los que dan mal nombre al país.

Él opina, como no duda en comunicarle a su madre, que en lugar de dar un discurso tras otro en Naciones Unidas, los rusos deberían invadir Sudáfrica sin más dilación. Deberían lanzar paracaidistas sobre Pretoria, capturar a Verwoerd y sus compinches, alinearlos contra una pared y dispararles.

Lo que los rusos tendrían que hacer luego, después de matar a Verwoerd, no lo dice, porque aún no lo ha pensado. Hay que hacer justicia, es lo único que importa; el resto es política, y a él no le interesa la política. Hasta donde llega su memoria, los afrikáners han pisoteado a la gente porque, según ellos, una vez también fueron pisoteados. Bueno, pues que la rueda gire, que se responda a la fuerza con una fuerza mayor. Se alegra de estar fuera.

Sudáfrica es como un albatros alrededor del cuello. Quiere que se lo quiten, le da igual cómo, para poder respirar.

No tiene que comprar el *Manchester Guardian*. Hay otros periódicos más fáciles: *The Times*, por ejemplo, o el *Daily Telegraph*. Pero puede confiar en que el *Manchester Guardian* no se saltará ninguna noticia de Sudáfrica que haga que se le encoja el corazón. Al menos, leyendo el *Manchester Guardian* puede estar seguro de estar al corriente de lo peor.

No se ha puesto en contacto con Astrid desde hace semanas. Ahora ella le telefonea. La estancia de Astrid en Inglaterra ha terminado, se vuelve a Austria.

—Supongo que no volveré a verte –dice ella–, así que he llamado para despedirme.

Intenta no parecer afectada, pero tiene la voz llorosa. Sintiéndose culpable, le propone a Astrid una nueva cita. Toman café juntos; ella le acompaña a su habitación y pasa la noche con él («nuestra última noche», lo llama Astrid), llorando quedamente sin soltarlo un momento. Por la mañana temprano (es domingo) la oye escabullirse de la cama y dirigirse de puntillas al baño del rellano para vestirse. Cuando regresa finge estar dormido. Bastaría la menor insinuación para que ella se quedara. Si él prefiriera hacer otras cosas antes de prestarle atención, como por ejemplo leer el periódico, Astrid se sentaría a esperar en silencio en un rincón. Parece que a las chicas de Klagenfurt les enseñan a comportarse así: no pedir nada, esperar a que el hombre esté listo y entonces servirle.

Le gustaría ser más amable con Astrid, que es muy joven y está muy sola en una gran ciudad. Le gustaría secarle las lágrimas, hacerla sonreír; le gustaría demostrarle que su corazón no es tan duro como parece, que es capaz de responder a su buena voluntad con buena voluntad, con la buena voluntad de abrazarla como ella quiere ser abrazada y de escuchar las historias sobre su madre y sus hermanos. Pero tiene que ir con cuidado. Demasiada calidez y Astrid podría cancelar su billete, quedarse en Londres, mudarse a su casa. Dos derrotados dándose cobijo uno en los brazos del otro, consolándose: la perspectiva es demasiado humillante. Lo mismo podrían casarse y pasar luego el resto de la vida cuidando el uno del otro como inválidos. Así que no insinúa nada, sino que permanece tumbado con los ojos bien cerrados hasta que oye el crujido de las escaleras y el ruido de la puerta principal al cerrarse.

Es diciembre, y el tiempo ha empeorado. Nieva, la nieve se convierte en nieve fangosa, la nieve fangosa se congela: hay que andar por las aceras buscando puntos de apoyo como un montañero. Un manto de niebla cubre la ciudad, niebla cargada de sulfuro y polvo de carbón. Hay cortes de electricidad; los trenes se detienen; los ancianos mueren congelados en sus casas. El peor invierno en siglos, anuncian los periódicos.

Sube por Archway Road resbalando y patinando sobre el hielo, cubriéndose la cara con una bufanda, tratando de no respirar. Le huele la ropa a sulfuro, tiene mal sabor de boca, cuando tose expulsa una flema negruzca. En Sudáfrica es verano. Si estuviera allí estaría en la playa de Strandfontein, corriendo kilómetros y kilómetros sobre arena blanca y bajo un gran cielo azul.

Por la noche revienta una cañería de la habitación. El suelo está inundado. Se despierta rodeado de una capa de hielo.

Los periódicos aseguran que es otra vez como durante el bombardeo de la Segunda Guerra Mundial. Publican historias de sopas bobas para pobres organizadas por voluntarias, de brigadas de reparaciones trabajando toda la noche sin descanso. Dicen que la crisis está sacando a relucir lo mejor de los londinenses, que se enfrentan a la adversidad con fortaleza serena y rapidez de reacción.

En cuanto a él, tal vez vista como un londinense, vaya a trabajar como un londinense, sufra el frío como un londinense, pero no es de reacciones rápidas. Los londinenses no le tomarían por auténtico ni por casualidad. Al contrario, los londinenses le reconocen en el acto como uno de esos extranjeros que por razones que ellos sabrán deciden vivir en un lugar al que no pertenecen.

¿Cuánto tiempo tendrá que vivir en Inglaterra hasta que le tomen por auténtico, por inglés? ¿Bastará con conseguir el pasaporte británico, o un apellido extranjero que suena extraño le excluirá para siempre? Y, de todos modos, ¿qué significa «convertirse en inglés»? Inglaterra son dos naciones: tendrá que elegir, elegir si quiere ser inglés de clase media o inglés de clase obrera. Por lo visto, ya ha elegido. Viste el uniforme de la clase media, lee periódicos de clase media, imita el habla de la clase media. Pero no bastará con detalles externos como esos para ganarse la admisión, ni mucho menos. Por lo que sabe, la admisión en la clase media –la admisión de pleno derecho, no una entrada temporal válida para ciertas horas del día en determinados días al año– se decidió hace años, incluso generaciones, de acuerdo con reglas que él nunca entenderá.

En cuanto a la clase obrera, no comparte sus diversiones, apenas les entiende cuando hablan y nunca se ha sentido bienvenido en lo más mínimo. Las chicas de IBM tienen novios de clase obrera, no piensan más que en casarse y tener hijos y una casa de protección oficial, y responden con frialdad a sus acercamientos. Puede que viva en Inglaterra, pero desde luego no por invitación de la clase obrera inglesa.

Hay más sudafricanos en Londres, miles, según dicen. También hay canadienses, australianos, neozelandeses, hasta estadounidenses. Pero no son inmigrantes, no están aquí para quedarse, para convertirse en ingleses. Han venido a divertirse o a estudiar o a ganar algo de dinero antes de salir de viaje por Europa. Cuando hayan tenido bastante del Viejo Mundo se volverán a casa y reanudarán sus vidas reales.

En Londres también hay europeos, no solo estudiantes de idiomas, sino también refugiados del bloque del Este y, desde hace más tiempo, de la Alemania nazi. Pero su situación es diferente. Él no es un refugiado; o mejor, aunque presentara una petición de asilo político en el Ministerio de Exteriores no se lo otorgarían. ¿Quién le tiene oprimido?, preguntarían en el Ministerio. ¿De qué huye? Del aburrimiento, respondería. De la ignorancia. De la atrofia moral. De la vergüenza. ¿Adónde le llevaría una petición así?

Además, está Paddington. Pasea por Maida Vale o Kilburn High Road a las seis de la tarde y, a la fantasmal luz de las farolas de sodio, ve multitud de antillanos que vuelven a casa protegiéndose del frío. Caminan con la espalda encorvada, con las manos hundidas en los bolsillos, tienen la piel de un tono grisáceo, como el polvo. ¿Qué les traerá de Jamaica y Trinidad hasta esta ciudad sin corazón donde el frío se filtra desde las piedras de la calle, donde las horas de luz diurna se pasan en un trabajo monótono y los anocheceres acurrucado alrededor de una estufa de gas en alguna habitación alquilada con el papel de las paredes pelado y los muebles combados? Seguro que no están todos aquí para convertirse en poetas famosos.

La gente con la que trabaja es demasiado educada para manifestar su opinión sobre los visitantes extranjeros. No obstante, por sus silencios sabe que no le quieren en el país, no de verdad. Sobre la cuestión de los antillanos también mantienen silencio. Pero puede leer lo que piensan. En las paredes hay pintadas que dicen NEGRATAS FUERA. En las ventanas de las pensiones se anuncia ABSTENERSE GENTE DE COLOR. Mes a mes, el gobierno endurece las leyes de inmigración. Se detiene a los antillanos en el puerto de Liverpool y se les retiene hasta desesperarlos, y luego se les embarca de vuelta al lugar de donde vinieron. Si a él no le hacen sentirse tan indefenso e inoportuno como a ellos es solo gracias a su coloración protectora: traje Moss Brothers, piel blanca.

13

«Tras considerarlo seriamente he llegado a la conclusión...»
«Después de meditarlo profundamente he llegado a la conclusión...»

Lleva más de un año al servicio de IBM: invierno, primavera, verano, otoño, otro invierno y ahora comienzos de otra primavera. Incluso dentro de la agencia de la calle Newman, un edificio con ventanas selladas y aspecto de caja, nota el suave cambio del aire. No puede seguir así. No puede seguir sacrificando su vida según el principio de que los seres humanos deben padecer los sinsabores del trabajo para ganarse el pan, un principio que por lo visto comparte sin saber dónde lo aprendió. No puede pasarse la vida demostrándole a su madre que se ha labrado una vida sólida y que por tanto ya puede dejar de preocuparse por él. Normalmente no sabe lo que quiere, no se molesta en averiguarlo. Saber demasiado bien lo que se quiere augura, en su opinión, la muerte de la chispa creativa. Pero en este caso no puede permitirse seguir vagando a la deriva en su indecisión habitual. Tiene que dejar IBM. Tiene que escapar, por muy humillante que sea.

En los últimos años su caligrafía ha ido empequeñeciendo sin que pudiera controlarlo, empequeñeciendo y volviéndose más hermética. Ahora, sentado a la mesa de trabajo, escribiendo lo que será la notificación de su dimisión, intenta a conciencia hacer las letras más grandes, los bucles más anchos y transmitir más confianza.

«Tras reflexionarlo largamente —escribe al fin—, he llegado a la conclusión de que mi futuro no está en IBM. Por lo tanto, y de acuerdo con lo señalado en el contrato, aviso de mi dimisión con un mes de antelación.»

Firma la carta, la sella, la dirige al doctor B. L. McIver, director de la división de programación, y la deja discretamente en la bandeja de correo interno. En la oficina nadie le dedica ni una mirada. Vuelve a sentarse.

Hasta las tres en punto, cuando pasan a recoger el correo, tiene tiempo para reconsiderar la decisión, tiempo para recuperar la carta de la bandeja y romperla. Una vez hayan repartido la carta, sin embargo, la suerte estará echada. Mañana la noticia se habrá extendido por todo el edificio: uno de los chicos de McIver, uno de los programadores de la segunda planta, el sudafricano, ha dimitido. Nadie querrá que le vean hablar con él. Le enviarán a Coventry. Así van las cosas en IBM. Sin resentimientos. Le catalogarán de rajado, perdedor, impuro.

A las tres en punto aparece la mujer del correo. Él se concentra en sus papeles, le va a estallar el corazón.

Media hora más tarde lo convocan al despacho de McIver. McIver es presa de una furia fría.

—¿Qué es esto? —dice, señalando la carta abierta que está sobre su mesa.

—He decidido presentar la dimisión.

—¿Por qué?

Había supuesto que McIver se lo tomaría a mal. McIver es la persona que le entrevistó para el puesto, el que le aceptó y le dio el visto bueno, el que se tragó el cuento de que no era más que un tipo normal de las colonias que planeaba hacer carrera en el mundo de los ordenadores. McIver también tiene jefes a los que tendrá que explicar su error.

McIver es alto. Viste con pulcritud, habla con acento de Oxford. No le interesa la programación como ciencia, habilidad, oficio o lo que sea. Simplemente es directivo. Es lo que sabe hacer bien: asignar tareas a la gente, organizarles el tiempo, dirigirlos, hacerlos rentables.

—¿Por qué? —vuelve a preguntar McIver con impaciencia.

—No me parece que trabajar en IBM sea demasiado gratificante a nivel humano. No me llena.

—Siga.

—Esperaba algo más.

—¿Como qué?

—Esperaba amistad.

—¿Considera que el ambiente es poco amigable?

—No, poco amigable no, en absoluto. La gente ha sido muy amable. Pero la amabilidad y la amistad no son lo mismo.

Había esperado que le permitieran que la carta fuera su última palabra. Pero había sido una esperanza ingenua. Debería haberse dado cuenta de que la recibirían como el primer disparo de la guerra.

—¿Qué más? Si tiene algo más en mente, este es el momento de decirlo.

—Nada más.

—Nada más. Comprendo. Echa de menos tener amigos. No ha hecho amigos.

—Sí, exacto. No culpo a nadie. Probablemente sea culpa mía.

—Y por eso quiere dimitir.

—Sí.

Ahora que lo ha dicho le parece una estupidez, es una estupidez. Le están manipulando para que diga estupideces. Pero debería haberlo supuesto. Así le harán pagar el que los rechace a ellos y al trabajo que le han dado, un trabajo en IBM, el líder del mercado. Como un ajedrecista principiante, arrinconado en las esquinas y al que han hecho mate en diez movimientos, en ocho, en siete. Una lección de dominación. Bien, adelante. Que muevan sus fichas, que él seguirá con sus movimientos de retirada estúpidos, fácilmente previsibles, fácilmente rebatibles, hasta que se aburran del juego y le dejen marchar.

McIver da por terminada la entrevista con brusquedad. De momento ya está. Puede regresar a su mesa. Por una vez ni siquiera tiene la obligación de trabajar hasta tarde. Puede salir a las cinco, con toda la tarde para él.

A la mañana siguiente, a través de la secretaria de McIver —se ha cruzado con McIver, que no le ha devuelto el saludo—, se le ordena que informe sin dilación a la oficina central de IBM en la City, al departamento de personal.

Está claro que al hombre de personal que atiende su caso le han contado su queja sobre las amistades que IBM ha sido incapaz de ofrecerle. Tiene una carpeta abierta sobre la mesa; empieza el interrogatorio, va marcando temas tratados. ¿Cuánto hace que no es feliz en el trabajo? ¿En algún momento habló de su insatisfacción con su superior? Si no fue así, ¿por qué no lo hizo? ¿Sus colegas de la calle Newman han sido abiertamente antipáticos? ¿No? ¿Podría ampliar entonces el motivo de su queja?

Cuanto más repiten las palabras «amigo», «amistad», «amigable», más raras suenan. Se imagina al hombre diciéndole que si está buscando amigos, se inscriba en un club, juegue a bolos, haga volar maquetas de aviones o coleccione sellos. ¿Por qué esperar que su empresa, IBM, International Business Machines, fabricante de calculadoras electrónicas y ordenadores, se los proporcione?

Por supuesto, el hombre tiene razón. ¿Qué derecho tiene a quejarse, sobre todo en este país, donde todos son fríos con los demás? ¿Acaso no es por eso por lo que admira a los ingleses, por su contención emocional? ¿No es por eso por lo que escribe, en su tiempo libre, una tesis sobre la obra de Ford Madox Ford, un fanático medio alemán del laconismo inglés?

Confuso y dubitativo, explica mejor su queja. Su explicación le resulta tan impenetrable al tipo de personal como lo es la queja en sí misma. «Malentendido»: esa es la palabra que el hombre anda buscando. «Ha sido un malentendido del empleado»: esta formulación le parecería apropiada. Pero a él no le apetece ayudarle. Que busquen ellos solos la manera de encasillarlo.

Lo que el hombre tiene un mayor interés en descubrir es lo que hará a continuación. ¿Es toda su cháchara sobre la falta de amistades una simple tapadera para pasarse de IBM a uno de los competidores de IBM en el campo de las máquinas de empresa? ¿Se le han hecho promesas, se le han ofrecido incentivos?

No podría mostrarse más contundente en sus negativas. No tiene otro empleo a la vista, ni con un competidor ni con nadie. No ha ido a ninguna entrevista. Se va de IBM simplemente para irse de IBM. Quiere libertad, nada más.

Cuanto más habla, más tonto parece, más fuera de lugar en el mundo de los negocios. Pero al menos no dice «Me voy de IBM para convertirme en poeta». Como mínimo sigue siendo su secreto.

Cuando menos lo esperaba, en mitad de todo esto, recibe una llamada de Caroline. Está de vacaciones en la costa sur, en Bognor Regis, sin nada que hacer. ¿Por qué no coge el tren y pasa el sábado con ella?

Pasa a recogerle a la estación. Alquilan unas bicicletas en una tienda de la calle Main; pronto están pedaleando por solitarios caminos rurales entre campos de trigo tierno. Hace un calor excepcional. Suda. No va vestido para la ocasión: pantalones de franela gris y chaqueta. Caroline lleva un túnica corta de color tomate y sandalias. Su melena rubia brilla, sus largas piernas relucen mientras pedalea; parece una diosa.

¿Qué está haciendo en Bognor Regis?, le pregunta a Caroline. Visitar a una tía, una tía inglesa a la que hace tiempo que no veía. No le pregunta más.

Se paran en la cuneta, cruzan una cerca. Caroline ha traído bocadillos; encuentra sitio a la sombra de un castaño y comen. Después nota que a ella no le importaría que le hiciera el amor. Pero está inquieto, está al aire libre, donde en cualquier momento un granjero o incluso un policía podría verlos y preguntarles qué se creen que están haciendo.

—He dejado IBM —dice.

—Bien. ¿Qué vas a hacer?

—No sé. Estaré un tiempo sin hacer nada, creo.

Caroline espera más explicaciones, espera oír sus planes. Pero él no tiene nada más que decir, ni planes, ni ideas. ¡Será zopenco! ¿Por qué una chica como Caroline se molesta en tenerle a remolque, una chica que se ha aclimatado a Inglaterra, ha tenido éxito en la vida, le ha superado en todos los sentidos? Solo se le ocurre una explicación: todavía le ve como era en Ciudad del Cabo, cuando aún podía presentarse como poeta en ciernes, cuando no se había convertido en lo que hoy es, en lo que IBM ha hecho de él: un eunuco, un zángano, un chico preocupado por no perder el tren de las 8.17 a la oficina.

En otros lugares de Gran Bretaña se organiza una despedida para los empleados que se van: si no se les regala un reloj de oro, al menos se celebra una reunión durante la pausa para el té, se le ofrece un discurso, una ronda de aplausos y buenos deseos, sean sinceros o no. Lleva suficiente en el país para saberlo. Pero no en IBM. IBM no es Gran Bretaña. IBM es la nueva ola, las nuevas maneras. Por eso IBM va a abrirse camino entre la oposición británica. La oposición sigue atrapada en las viejas, ineficientes y relajadas costumbres británicas. IBM, por el contrario, es eficiente, dura e inmisericorde. Así que no tiene despedida el último día de trabajo. Recoge su mesa en silencio, se despide de los colegas programadores.

—¿Qué vas a hacer? —le pregunta con cautela uno de ellos. Todos han oído el cuento de las amistades, que los incomoda.

—Bueno, ya veré.

Resulta interesante levantarse a la mañana siguiente sin tener que ir a ningún sitio en particular. Es un día soleado: coge un tren a Leicester Square, da una vuelta por las librerías de Charing Cross Road. Lleva barba de un día; ha decidido dejársela crecer. A lo mejor con barba no queda tan fuera de lugar entre los jóvenes elegantes y las chicas guapas que salen de las escuelas de idiomas y viajan en metro. Dejemos que la cosa siga su curso.

Ha decidido que en adelante buscará la suerte en cada esquina. Las novelas están plagadas de encuentros fortuitos que acaban en romance; en romance o en tragedia. Está listo para el romance, listo incluso para la tragedia, de hecho, está listo para lo que sea siempre y cuando le consuma y renueve. Al fin y al cabo, para eso está en Londres: para deshacerse de su antiguo yo y dar vida al nuevo, al verdadero y apasionado; y ahora ya no hay ningún impedimento.

Pasan los días y hace simplemente lo que le viene en gana. Técnicamente hablando, su situación es ilegal. Enganchado al pasaporte tiene el permiso de trabajo que le autoriza a residir en Gran Bretaña. Ahora que no tiene empleo, el permiso carece de valor. Pero si no llama la atención, quizá las autoridades, la policía o quienquiera que sea el responsable, le pasen por alto.

En el horizonte asoma el problema monetario. Sus ahorros no durarán indefinidamente. No tiene nada que vender. Prudentemente, deja de comprar libros; cuando el tiempo acompaña pasea en lugar de coger el tren; se alimenta de pan con queso y manzanas.

La suerte no le acompaña. Pero la suerte es impredecible, hay que darle tiempo. Solo puede estar preparado para el día en que la suerte le sonría.

14

Libre para hacer cuanto le plazca, pronto ha leído hasta el final el gran corpus de escritos de Ford. Se acerca el momento de emitir un juicio. ¿Qué dirá? En ciencias se pueden presentar resultados negativos, la imposibilidad de confirmar una hipótesis. ¿Y en letras? Si no tiene nada nuevo que decir sobre Ford, ¿lo correcto, lo honorable, sería confesar que ha cometido un error, renunciar a la beca y devolver el dinero, o sería permisible entregar en lugar de una tesis un informe del chasco que se ha llevado con el tema, de lo decepcionado que está de su héroe?

Maletín en mano, sale del British Museum y se suma a la muchedumbre que recorre la calle Great Russell: miles de almas y a ninguna de ellas le importa un pimiento lo que piense de Ford Madox Ford ni de cualquier otra cosa. Cuando llegó a Londres solía mirar fijamente a la cara de los transeúntes a la caza de la esencia única de cada uno. Era una forma de decir: «¡Mira, te estoy mirando!». Pero las miradas descaradas no le llevaron a ninguna parte en una ciudad donde, enseguida lo descubrió, ni hombres ni mujeres le devolvían la mirada, sino que, al contrario, la esquivaban con frialdad.

Cada rechazo a su mirada le sentaba como un pinchazo con un cuchillo minúsculo. Una y otra vez le veían, notaban su espera y le rechazaban. Pronto empezó a perder los nervios, a estremecerse antes incluso de que llegara el rechazo. Con las mujeres le resultaba más fácil mirar de modo encubierto, robar miradas. Cualquiera diría que así era como se miraba en

Londres. Pero las miradas robadas tenían algo de sospechosas, sucias; no conseguía quitarse de encima esa sensación. Era preferible no mirar. Era preferible no sentir curiosidad por los vecinos de uno, ser indiferente.

Ha cambiado mucho en el tiempo que lleva aquí; no está seguro de si para bien. Durante el invierno recién terminado hubo ocasiones en que pensó que moriría de frío, tristeza y soledad. Pero lo ha superado, a su manera. Para cuando llegue de nuevo el invierno, el frío y la tristeza tendrán menos poder sobre él. Entonces estará en camino de convertirse en un verdadero londinense, duro como una piedra. Convertirse en una piedra no era uno de sus objetivos, pero tal vez tenga que acostumbrarse.

En general, Londres está resultando una gran lección. Sus ambiciones son ya más moderadas de lo que solían, mucho más moderadas. Los londinenses le decepcionaron al principio por su falta de ambición. Ahora va camino de unírseles. Cada día la ciudad le alecciona, le castiga; está aprendiendo como un perro, a fuerza de palos.

No sabiendo qué quiere decir sobre Ford, si es que quiere decir algo, cada día se queda en la cama hasta más tarde. Cuando finalmente se sienta a la mesa, es incapaz de concentrarse. El verano contribuye a su confusión. El Londres que conoce es una ciudad invernal donde vas tirando con la única expectativa de que caiga la noche y la hora de dormir para olvidar. En los días de verano, que parecen pensados para la buena vida y la diversión, la prueba continúa: lo que ya no tiene claro es qué parte está a prueba. A veces le parece que se le pone a prueba por el placer de hacerlo, para comprobar si lo soportará.

No lamenta haber dejado IBM. Pero ahora no tiene a nadie con quien hablar, ni siquiera Bill Briggs. Pasan días y días sin que por sus labios salga una sola palabra. Empieza a marcarlos en su diario con una S: días de silencio.

Junto a la salida del metro choca sin querer contra un viejo que vende diarios.

—¡Perdón!

—¡Mire por dónde va! —gruñe el hombre.

—¡Perdón! —repite.

«Perdón»: le cuesta pronunciar esta palabra, pesada como una piedra. ¿Una palabra de clase gramatical indeterminada cuenta como hablar? ¿Lo que ha ocurrido entre el viejo y él puede considerarse un ejemplo de contacto humano, o es mejor describirlo como una mera interacción social, como un roce de antenas entre hormigas? Desde luego, para el viejo no ha sido nada. El viejo pasa todo el día allí con su pila de periódicos, refunfuñando consigo mismo; siempre a la espera de poder meterse con algún transeúnte. Mientras que en su caso el recuerdo de una sola palabra persistirá durante semanas, quizá durante el resto de su vida. Chocarse con la gente, pedir perdón, ser insultado: una treta, una manera barata de forzar una conversación. Cómo engañar a la soledad.

Está en el valle de las pruebas y no le está yendo demasiado bien. Sin embargo, no puede ser el único que está a prueba. Tiene que haber otras personas que hayan atravesado el valle y llegado al otro lado; tiene que haber personas que hayan esquivado las pruebas. También él podría ahorrárselas si quisiera. Por ejemplo, podría salir huyendo hacia Ciudad del Cabo y no regresar jamás. Pero ¿es lo que quiere? Por supuesto que no, aún no.

Pero ¿y si se queda y fracasa en las pruebas, fracasa vergonzosamente? ¿Y si a solas en su cuarto se echa a llorar y no puede parar? ¿Y si una mañana descubre que le falta valor para levantarse, descubre que es más fácil pasar el día en la cama: ese día y el siguiente, y el otro, entre sábanas cada vez más mugrientas? ¿Qué le ocurre a la gente así, a la gente que no está a la altura de las pruebas y se viene abajo?

Conoce la respuesta. Los facturan a algún lugar para se ocupen de ellos: a algún hospital, asilo, institución. En su caso se limitarían a facturarlo de vuelta a Sudáfrica. Los ingleses ya tienen bastante con ocuparse de los suyos, ya tienen bastante gente que fracasa en las pruebas. ¿Por qué tendrían que ocuparse también de los extranjeros?

Se entretiene delante de un portal en la calle Greek, en el Soho. «Jackie: Modelo», anuncia la placa de encima del timbre. Necesita contacto humano: ¿qué hay más humano que el contacto sexual? Los artistas han frecuentado prostitutas desde tiempo inmemorial y no por ello son peores, artistas y prostitutas comparten bando en el campo de batalla social. Pero «Jackie: Modelo»... ¿En este país las modelos son siempre prostitutas, o en el negocio de venderse existen gradaciones, gradaciones de las que nadie le ha hablado? ¿Es posible que en la calle Greek «modelo» signifique algo muy especializado, gustos especiales: una mujer posando desnuda bajo un foco, por ejemplo, rodeada por hombres en chubasquero que la miran furtivamente entre las sombras, con lascivia? En cuanto haya llamado al timbre, ¿habrá manera de preguntar, de descubrir lo que es antes de que lo hagan entrar? ¿Y si resulta que Jackie es vieja o gorda o fea? ¿Y el protocolo? ¿Es así como se visita a alguien como Jackie —sin anunciarse—, o se supone que hay que telefonear antes y concertar una cita? ¿Cuánto se paga? ¿Existen unas tarifas que todos los hombres en Londres conocen, todos menos él? ¿Y si ven de inmediato que es un paleto, un bobo, y le cobran de más?

Titubea, se bate en retirada.

En la calle se cruza con un hombre de traje negro que parece reconocerle, parece a punto de pararse a hablar. Es uno de los programadores superiores de su época en IBM, alguien con quien no tuvo mucho trato pero al que siempre consideró con buena disposición hacia él. Duda, y luego, con gesto incómodo, aprieta el paso.

«Y así qué, ¿a qué te dedicas ahora? ¿Llevas una vida de placer?», le habría preguntado el hombre con una sonrisa cordial. ¿Qué podría contestarle? ¿Que no se puede estar siempre trabajando, que la vida es corta, que hay que disfrutar de los placeres mientras se pueda? ¡Menuda broma! ¡Y qué escándalo para las vidas miserables y tenaces que llevaron sus antepasados, sudando con sus ropas negras bajo el calor y el polvo del Karoo para acabar en esto: un joven que se pasea como si tal cosa por una ciudad extranjera, se come sus ahorros, va de putas, finge ser artista! ¿Cómo ha podido traicionarlos tan tranquilamente y esperar que escaparía de sus fantasmas vengadores? Esos hombres y mujeres no estaban hechos para ser felices y disfrutar, y él tampoco. Él es su hijo, condenado de nacimiento a ser sombrío y sufrir. ¿De dónde si no surge la poesía, salvo del sufrimiento, como sangre extraída a una piedra?

Sudáfrica es una herida interna. ¿Cuánto tiempo más tardará en dejar de sangrar? ¿Cuánto más seguirá teniendo que apretar los dientes y aguantar antes de poder decir «Hace tiempo vivía en Sudáfrica, pero ahora vivo en Inglaterra»?

De vez en cuando, por ejemplo, se ve desde fuera: un chico-hombre preocupado, susurrante, tan aburrido y normal que uno nunca lo miraría dos veces. Estos instantes de iluminación le perturban; no intenta alargarlos, trata de enterrarlos en la oscuridad, olvidarlos. ¿Es el yo que ve en esos momentos la persona que parece ser o lo que es en realidad? ¿Y si Oscar Wilde tiene razón y no hay verdad más profunda que la apariencia? ¿Se puede ser aburrido y normal no solo en la superficie sino también en lo más hondo y aun así ser artista? ¿Es posible, por ejemplo, que T. S. Eliot fuera en el fondo un aburrido y que su afirmación de que la personalidad del artista es irrelevante para su obra no fuese más que una estratagema para ocultar su sosería?

Es posible, pero no lo cree. Si la cuestión se reduce a elegir entre creerse a Wilde o a Eliot, elige creer a Eliot. Si Eliot elige parecer aburrido, elige vestir traje y trabajar en un banco y llamarse a sí mismo J. Alfred Prufrock, tiene que ser un disfraz, parte de la malicia que el artista necesita en la era moderna.

A veces, para descansar de pasear por las calles de la ciudad, se retira a Hampstead Heath. Allí se respira un aire cálido y agradable, los senderos están llenos de madres jóvenes con cochecitos o charlando entre ellas mientras los niños retozan. ¡Tanta paz y satisfacción! Solían impacientarle los poemas sobre flores brotando y brisas de céfiro. Ahora, en la tierra donde fueron escritos, empieza a comprender la profunda alegría que puede nacer con el regreso del sol.

Una tarde de domingo, cansado, pliega la chaqueta a modo de cojín, se estira en la pradera y cae en un sueño o duermevela en que la conciencia no se desvanece, sino que continúa planeando. Es un estado que no conocía: parece notar en la sangre la rotación constante de la tierra. Los gritos lejanos de los niños, el canto de los pájaros y el zumbido de los insectos se unen en un himno de alegría. Le da un vuelco el corazón. ¡Por fin!, piensa. ¡Por fin ha llegado el momento de unidad extasiada con el Todo! Temeroso de que se le escape el momento, intenta frenar el traqueteo de pensamiento, intenta ser simplemente un conductor de la gran fuerza universal que no tiene nombre.

Este acontecimiento señalado no dura más que unos segundos de reloj. Pero cuando se incorpora y sacude la chaqueta, se siente fresco, renovado. Viajó a la gran ciudad tenebrosa para ser puesto a prueba y transformado y, aquí, en esta parcela de césped bajo el suave sol primaveral, por fin han llegado, sorprendentemente, señales de que progresa. Si no ha sido totalmente transfigurado, al menos ha sido bendecido con la insinuación de que pertenece a este mundo.

15

Debe encontrar maneras de ahorrar dinero. El alquiler es su único gasto importante. Se anuncia en la sección de clasificados del periódico local de Hampstead: «Se ofrece profesional responsable para cuidar casa por poco o mucho tiempo». A los dos interesados que responden les da la dirección de IBM como referencia y espera que no comprueben si todavía trabaja. Intenta transmitir impresión de estricto decoro. Le sale lo bastante bien para conseguir cuidar un piso en Swiss Cottage durante el mes de junio.

No tendrá el piso para él solo, lástima. El piso pertenece a una divorciada con una hija pequeña. Mientras la mujer está en Grecia, la niña y su niñera quedarán a su cargo. Sus responsabilidades serán simples: atender al correo, pagar las facturas, estar disponible en caso de emergencia. Tendrá habitación propia y derecho a cocina.

El cuadro incluye también un ex marido. El ex marido aparecerá los domingos para recoger a la niña. En palabras de la patrona, el hombre es «un poco temperamental» y no debe permitírsele «que se salga siempre con la suya». ¿Qué puede querer el marido?, pregunta él. Quedarse a la niña toda la noche, le informan. Cotillear por el piso. Llevarse cosas. Bajo ningún concepto, no importa el cuento con el que le venga —la divorciada le lanza una mirada elocuente—, debe permitírsele que se lleve algo.

De modo que empieza a entender por qué le necesitan. La niñera, originaria de Malawi, no muy lejos de Sudáfrica, es perfectamente capaz de limpiar el piso, hacer la compra, alimentar a la niña, llevarla a la guardería y pasar a recogerla. Incluso quizá sea capaz de pagar las facturas. De lo que no es capaz es de plantarle cara al hombre que hasta hace poco era su patrón y al que todavía se refiere como «el señor». El trabajo que ha aceptado es, de hecho, el de guarda, guarda el piso y lo que contiene del hombre que hasta fecha reciente solía vivir allí.

El primer día de junio coge un taxi y se muda con el baúl y la maleta desde los sórdidos alrededores de Archway Road a la discreta elegancia de Hampstead.

El piso es grande y aireado; la luz del sol entra a raudales por las ventanas; hay moquetas blancas y suaves, estanterías llenas de libros prometedores. Es todo bastante diferente de lo que ha visto en Londres hasta ahora. No puede creerse la suerte que tiene.

Mientras deshace el equipaje, la niña, su nueva responsabilidad, vigila desde la puerta todos sus movimientos. Nunca ha tenido que cuidar de un niño. ¿Tiene un vínculo natural con los niños porque en cierto sentido es joven? Despacio, con suavidad y la más reconfortante de sus sonrisas le cierra la puerta a la niña. Al cabo de un rato ella la vuelve a abrir y sigue inspeccionándolo con gravedad. Mi casa, parece estar diciendo. ¿Qué haces tú en mi casa?

Se llama Fiona. Tiene cinco años. Un poco más tarde intenta trabar amistad con ella. En el salón, mientras la niña juega, se arrodilla y acaricia al gato, un macho enorme, lento, capado. El gato le deja hacer, por lo visto tolera todo tipo de atenciones.

—¿Querrá leche? ¿Le traemos algo de leche al gatito?

La niña no se inmuta, no parece haberle oído.

Él va a la nevera, sirve leche en el cuenco del gato, regresa y se lo coloca delante. El gato olisquea la leche fría pero no se la bebe.

La cría está enrollando las muñecas con un cordón, las embute en una bolsa para la colada y las vuelve a sacar. Si es un juego, es un juego cuyo significado no alcanza a imaginar.

—¿Cómo se llaman las muñecas?

La niña no contesta.

—¿Cómo se llama el muñequito negro?

—No es negro —dice la niña.

Se rinde.

—Tengo trabajo —dice, y se retira.

Le han dicho que la niñera se llama Theodora. Theodora todavía no ha comunicado cómo le llamará: desde luego no será «el señor». Ocupa un cuarto al final del pasillo, cerca del de la niña. Se sobreentiende que esos dos cuartos y el de la ropa son territorio de Theodora. El salón es territorio neutral.

Theodora aparenta cuarenta y pico años. Lleva al servicio de los Merrington desde la última temporada que los señores pasaron en Malawi. El ex marido temperamental es antropólogo; los Merrington estaban en el país de Theodora en viaje de campo, grabando música tribal y reuniendo instrumentos. Enseguida Theodora se convirtió, en palabras de la señora Merrington, «no solo en una ayuda para la casa, sino en una amiga». Se la trajeron a Londres por los lazos que había establecido con la niña. Cada mes envía a casa dinero para alimentar, vestir y escolarizar a sus hijos.

Y ahora, de pronto, un desconocido al que este tesoro dobla en edad ha sido puesto al cargo de los dominios de Theodora. Theodora le da a entender con sus modales y sus silencios que no le agrada su presencia.

No la culpa. La cuestión es: ¿su resentimiento esconde algo más que orgullo herido? Debe saber que no es inglés. ¿Le molesta que sea sudafricano, blanco, afrikáner? Seguro que sabe lo que son los afrikáners. Hay afrikáners —barrigudos de nariz roja con pantalón corto y sombrero, gordinflonas con vestidos amorfos— por toda África: en Rodesia, Angola, Kenia y, desde luego, en Malawi. ¿Hay algo que pueda hacer para que comprenda que no es uno de ellos, que se ha ido de Sudáfrica y está decidido a dejarla atrás para siempre? África te pertenece, puedes hacer con ella lo que quieras: si se lo dijera, sin venir a cuento, desde el otro lado de la mesa de la cocina, ¿cambiaría de opinión sobre él?

África es tuya. Lo que parecía perfectamente natural mientras todavía consideraba su hogar ese continente, desde la perspectiva europea empieza a parecer cada vez más ridículo: que un puñado de holandeses hubiesen desembarcado en la playa de Woodstock y reclamaran en propiedad un territorio extranjero que jamás habían visto y que sus descendientes ahora consideren suyo el territorio por derechos de nacimiento. Doblemente absurdo, dado que el grupo que llevó a cabo el primer desembarco entendió mal las órdenes o eligió entenderlas mal. Las órdenes eran cavar un huerto y criar espinacas y cebollas para la flota de las Indias Orientales. Dos acres, tres, cinco a lo sumo: no necesitaban más. Nunca hubo intención de que robaran la mejor zona de África. Solo con que hubieran obedecido las órdenes él no estaría aquí, ni tampoco Theodora. Theodora estaría feliz moliendo mijo bajo el cielo de Malawi y él estaría… ¿haciendo qué? Estaría sentado a la mesa de un despacho de la lluviosa Rotterdam, añadiendo anotaciones en un libro de contabilidad.

Theodora está gorda, de los pies a la cabeza, desde los mofletes gordezuelos hasta los tobillos hinchados. Al caminar se bambolea de un lado a otro, resollando por el esfuerzo. Dentro de casa calza zapatillas; cuando lleva a la niña al colegio por la mañana embute los pies en unas deportivas, se pone un abrigo largo y negro y un sombrero de punto. Trabaja seis días a la semana. Los domingos va a misa, pero por lo demás pasa su día de asueto en casa. Nunca llama por teléfono; no parece tener vida social. Es inimaginable lo que hace cuando está sola. Él no se atreve a entrar en el cuarto de Theodora ni en el de la niña, ni siquiera cuando no están en casa: a cambio espera que ellas no curioseen en el suyo.

Entre los libros de los Merrington encuentra un volumen de láminas pornográficas de la China imperial. Hombres con sombreros de formas extrañas se abren la ropa y apuntan con grosería sus penes erectos hacia los genitales de mujeres minúsculas que separan y levantan las piernas atentamente. Las mujeres son pálidas y de aspecto suave, como larvas de abeja; sus piernas enclenques parecen pegadas con cola al abdomen. ¿Todavía tienen este aspecto las chinas desnudas, se pregunta, o la reeducación y el trabajo en los campos les han dado cuerpos adecuados, piernas adecuadas? ¿Qué oportunidades tiene de descubrirlo algún día?

Como ha conseguido alojamiento gratis simulando ser un profesional de fiar, debe mantener la farsa de que tiene un empleo. Se levanta temprano, más de lo que acostumbra, para desayunar antes de que Theodora y la niña empiecen a molestar. Luego se encierra en su cuarto. Cuando Theodora vuelve de acompañar a la niña a la escuela, sale de manera ostentosa para ir a trabajar. Al principio hasta se pone el traje negro, pero enseguida prescinde de esa parte del disfraz. Regresa a las cinco, a veces a las cuatro.

Es una suerte que sea verano, que no esté limitado al British Museum, las librerías y el cine, sino que pueda pasear por los parques. Más o menos así debió de vivir su padre en los largos períodos en que no tenía trabajo: vagando por la ciudad con su ropa de trabajo o sentado en los bares mirando girar las agujas del reloj, esperando a que fuera una hora prudente para regresar a casa. ¿Es que al final va a acabar siendo como su padre? ¿Es muy profunda su vena irresponsable? ¿Acabará convertido también él en bebedor? ¿Se necesita un temperamento concreto para darse a la bebida?

Su padre bebía brandy. Él lo probó una vez, pero no recuerda nada salvo un regusto metálico desagradable. En Inglaterra la gente bebe cerveza, cuyo amargor tampoco le gusta. Si no le gustan los licores, ¿está salvado, vacunado contra la posibilidad de convertirse en alcohólico? ¿Le esperan otros medios, todavía por descubrir, por los que se manifestará en él su padre?

El ex marido no tarda mucho en hacer acto de presencia. Es domingo por la mañana, dormita en la cama, cómoda y grande, cuando llaman de pronto al timbre de la puerta principal y se oye una llave en la cerradura. Salta de la cama maldiciéndose. «¡Hola, Fiona, Theodora!», llama alguien. Se oye un correteo. Luego su puerta se abre sin previo aviso y los tiene a los dos allí, al hombre con su hija en brazos. Casi no ha tenido tiempo de ponerse los pantalones. «¡Caramba! –dice el hombre–. ¿Qué tenemos aquí?»

Es una de esas expresiones que usan los ingleses; un policía inglés, por ejemplo, al atrapar a alguien con las manos en la masa. Fiona, que podría explicar qué tenemos aquí, decide no hacerlo. En cambio, desde lo alto de los brazos paternos, le mira con frialdad evidente. Es la hija de su padre: tiene los mismos ojos fríos, el mismo ceño.

–Cuido del piso en ausencia de la señora Merrington –dice.

–Ah, sí, el sudafricano. Lo había olvidado. Permítame que me presente. Richard Merrington. Solía ser el señor de esta casa. ¿Qué le parece el sitio? ¿Está a gusto?

–Sí, estoy bien.

–Bien.

Theodora aparece con el abrigo y las botas de la niña. El hombre baja a la niña.

–Haz pipí –le dice– antes de subir al coche.

Theodora y la niña se van. Se quedan los dos solos, él y ese hombre guapo y bien vestido en cuya cama ha estado durmiendo.

–¿Cuánto tiempo piensa quedarse? –pregunta el hombre.

–Solo hasta fin de mes.

–No, quiero decir en el país.

–Ah, de manera indefinida. He dejado Sudáfrica.

–La cosa pinta mal por allí abajo, ¿eh?

–Sí.

–¿Incluso para los blancos?

¿Cómo se responde a una pregunta como esa? ¿«Uno se marcha para no morir de vergüenza»? ¿«Uno se marcha para escapar del cataclismo inminente»? ¿Por qué en este país las grandes palabras parecen fuera de lugar?

—Sí. Eso creo, al menos.

—Lo cual me recuerda… —El hombre cruza la habitación hacia la hilera de discos, rebusca y elige uno, dos, tres.

Es exactamente contra lo que le previnieron, exactamente lo que no debe permitir que ocurra.

—Perdone —dice—, la señora Merrington me pidió específicamente…

El hombre se levanta cuan alto es y le mira de frente.

—¿Qué le pidió específicamente Diana?

—Que no saliera nada del piso.

—Tonterías. Estos discos son míos, ella no los quiere para nada. —Reanuda la búsqueda sin inmutarse, eligiendo más discos—. Si no me cree, telefonéela.

La niña entra en la habitación haciendo ruido con las botas.

—¿Listos para irnos, cielo? —pregunta el hombre—. Adiós. Espero que vaya todo bien. Adiós, Theodora. No te preocupes, volveremos antes de la hora del baño.

Y se va, con su hija y los discos.

16

Llega una carta de su madre. Su hermano se ha comprado un coche, dice, un MG que había tenido un accidente. En lugar de estudiar, su hermano se pasa el día reparando el coche, intentando ponerlo en marcha. También ha hecho amigos nuevos, que no le presenta a su madre. Uno parece chino. Se sientan a fumar en el garaje; su madre sospecha que los amigos traen alcohol. Está preocupada. Su hermano va por el mal camino; ¿cómo puede salvarlo?

Por su parte, está intrigado. Así que por fin su hermano ha empezado a soltarse del abrazo materno. Aunque ha elegido un modo curioso de hacerlo: ¡la mecánica! ¿De veras su hermano sabe arreglar coches? ¿Dónde ha aprendido? Siempre había pensado que, de los dos, él era el más habilidoso con las manos, el más dotado para la mecánica. ¿Siempre estuvo equivocado? ¿Qué más esconde en la manga su hermano?

La carta incluye más noticias. Su prima Ilse y una amiga llegarán en breve a Inglaterra de camino a Suiza, adonde van de acampada. ¿Les enseñará Londres? Su madre le manda la dirección del hostal de Earls Court donde se hospedarán.

Le sorprende que, después de todo lo que le ha dicho a su madre, ella todavía crea que quiere tener contacto con sudafricanos y, en particular, con la familia de su padre. No ha visto a Ilse desde que eran niños. ¿Qué podría tener en común con su prima, una chica que fue a la escuela en un lugar perdido en ninguna parte y a la que no se le ocurre nada mejor que hacer con unas vacaciones por Europa —vacaciones que sin duda pagan sus padres– que patearse la *gemütliche* Suiza, un país que en toda su historia no ha dado ni un solo gran artista?

Sin embargo, ahora que le han recordado su nombre, no puede sacarse a Ilse de la cabeza. La recuerda como una niña largirucha y de pies ligeros con la melena rubia recogida en una cola de caballo. Ahora debe de tener como mínimo dieciocho años. ¿En qué se habrá convertido? ¿Y si la vida al aire libre ha hecho de ella, aunque sea por un fugaz momento, una belleza? Ha presenciado este fenómeno muchas veces en los hijos de los granjeros: una primavera de perfección física antes de que empiece el proceso de engorde y embrutecimiento que los convertirá en copias de sus padres. ¿Debería realmente rechazar la oportunidad de pasearse por las calles de Londres con una alta cazadora aria a su lado?

Reconoce el cosquilleo erótico de su fantasía. ¿Qué tienen sus primas, incluso la mera idea de ellas, que le despierta el deseo? ¿Es sencillamente que están prohibidas? ¿Así opera el tabú: creando deseo mediante la prohibición? ¿O la génesis de su deseo es menos abstracta: recuerdos de peleas, chico contra chica, cuerpo contra cuerpo, almacenados desde la infancia y liberados ahora en una descarga de deseo sexual? Eso y quizá la promesa de facilidad, de naturalidad: dos personas con una historia en común, un país, una familia, una intimidad de siempre encarnada desde antes de pronunciar la primera palabra. No se necesitan instrucciones, ni tanteos.

Deja un mensaje en la dirección de Earls Court. Al cabo de unos días recibe una llamada: no de Ilse, sino de su amiga, la compañera, que habla inglés con dificultad y confunde «es» y «son». Tiene malas noticias: Ilse está enferma, con una gripe que ha desembocado en neumonía. Está hospitalizada en Bayswater. Han pospuesto sus planes de viaje hasta que Ilse mejore.

Va a visitar a Ilse en la clínica. Todas sus esperanzas se van a pique. Ilse no es ninguna belleza, ni siquiera es alta, es solo una chica normal de cara redonda y pelo castaño que resuella al hablar. La saluda sin besarla por miedo a la infección.

La amiga también está en la habitación. Se llama Marianne; es baja y rellenita; lleva pantalones de pana y botas y rebosa buena salud. Durante un rato hablan todos en inglés, luego él se relaja y cambia al idioma de la familia, el afrikaans. Aunque lleva un año sin hablar afrikaans, nota que se siente mejor al instante, como si se metiera en un baño de agua templada.

Había previsto poder alardear de su conocimiento de Londres. Pero el Londres que Ilse y Marianne quieren ver no es el Londres que él conoce. No puede decirles nada del museo de madame Tussaud, de la Torre de Londres, de la catedral de San Pablo, porque no ha visitado ninguno de esos lugares. No tiene ni idea de cómo llegar a Stratford-on-Avon. Lo que sí es capaz de decirles —qué cines pasan películas extranjeras, qué librerías son las mejores según para qué— no les interesa.

Ilse toma antibióticos; tardará días en recuperarse. Entretanto, Marianne no tiene nada que hacer. Él le propone dar un paseo por la orilla del Támesis. Con sus botas de escalada y su peinado estúpido, Marianne de Fricksburg está fuera de lugar entre las modernas chicas de Londres, pero a ella no parece importarle. Tampoco le importa que la gente la oiga hablar afrikaans. En cuanto a él, preferiría que Marianne bajara la voz. Le entran ganas de decirle que hablar afrikaans en este país es como hablar nazi, si tal lengua existiera.

Estaba equivocado con las edades. No son unas niñas: Ilse tiene veinte años, Marianne veintiuno. Están en el último curso de la Universidad del Estado Libre de Orange estudiando trabajo social. No le da su opinión, pero para él el trabajo social —ayudar a las ancianas a hacer la compra— no es materia digna de ser impartida en la universidad.

Marianne nunca ha oído hablar de la programación informática y tampoco le interesa. Pero sí que le pregunta cuándo volverá, como ella dice, a casa, *tuis*.

No lo sabe, le contesta. A lo mejor nunca. ¿Es que no le preocupa el camino que lleva Sudáfrica?

Marianne ladea la cabeza. Sudáfrica no está tan mal como dice la prensa inglesa. Los negros y los blancos se llevarían bien si los dejaran en paz. De todos modos, no le interesa la política.

La invita a ver una película en el Everyman. Es *Bande à part* de Godard, una película que él ya ha visto pero que podría ver muchas veces más porque la protagoniza Anna Karina, de quien ahora está tan enamorado como lo estuvo hace un año de Monica Vitti. Puesto que no es una película pedante, no de manera obvia, sino una historia sobre una banda de criminales aficionados e incompetentes, no ve razón para que a Marianne no le guste.

Marianne no es quejica, pero la nota inquieta durante toda la proyección. Cuando la mira fugazmente, la ve mordiéndose las uñas, sin mirar la pantalla. «¿No te ha gustado?», le pregunta después. «No he entendido de qué iba», contesta. Resulta que nunca había visto una película con subtítulos.

A la vuelta la lleva a su piso, o al piso que por el momento es el suyo, a tomar una taza de café. Son casi las once; Theodora se ha acostado. Se sientan con las piernas cruzadas en la gruesa moqueta del salón con la puerta cerrada, hablan en voz queda. Marianne no es su prima, pero es la amiga de su prima, es de casa, la rodea un excitante aire de ilegitimidad. La besa; no parece molestarle que la besen. Se tumban cara a cara en la moqueta; empieza a desabotonarla, desligarla, a bajarle cremalleras. El último tren al sur sale a las 23.30. Está claro que lo perderá.

Marianne es virgen. Lo descubre cuando por fin la tiene desnuda sobre la cama doble. Nunca antes se ha acostado con una virgen, nunca le ha dedicado un solo pensamiento a la virginidad como estado físico. Ahora aprende la lección. Marianne sangra mientras hacen el amor y sigue sangrando después. Con riesgo de despertar a la criada, Marianne tiene que salir al baño para lavarse. Mientras está fuera él enciende la luz. Hay manchas de sangre en las sábanas, tiene sangre por todo el cuerpo. Han estado —la imagen le viene con gran desagrado— retozando en sangre como cerdos.

Marianne regresa envuelta en una toalla de baño.

—Tengo que irme —dice.

—El último tren ya ha salido —contesta él—. ¿Por qué no te quedas a pasar la noche?

No para de sangrar. Marianne se duerme envuelta en la toalla, cada vez más empapada y llena de sangre entre las piernas. Él permanece tumbado a su lado poniéndose nervioso. ¿Debería llamar a una ambulancia? ¿Puede hacerlo sin despertar a Theodora? Marianne no parece preocupada, pero ¿y si solo lo finge por él? ¿Y si es demasiado inocente o demasiado confiada para juzgar lo que pasa?

Está convencido de que no dormirá, pero se queda dormido. Le despiertan voces y el sonido del correr del agua. Son las cinco en punto; los pájaros cantan en los árboles. Se levanta atontado y escucha a través de la puerta: oye la voz de Theodora, luego la de Marianne. No consigue entender lo que dicen, pero seguro que él no sale bien parado.

Aparta la ropa de cama. La sangre ha penetrado hasta el colchón, ha dejado una mancha irregular enorme. Sintiéndose culpable y enfadado, da la vuelta al colchón. Solo es cuestión de tiempo que descubran la mancha. Para entonces será mejor que no esté, se asegurará de haberse marchado.

Marianne regresa del lavabo con un camisón que no es suyo. Le desconciertan el silencio y la mirada enfadada de él.

—No me habías dicho que no lo hiciera —dice Marianne—. ¿Por qué no iba a hablar con ella? Es una anciana encantadora. Una vieja *aia*.

Él telefonea a un taxi, y luego, de forma harto significativa, espera en la puerta principal mientras Marianne se viste. Cuando llega el taxi él evita su abrazo, pone un billete de libra en su mano. Ella se queda mirando el billete desconcertada. «Tengo mi propio dinero», dice. Él se encoge de hombros, le abre la puerta del taxi.

Durante el resto de los días de su estancia, evita a Theodora. Se va por la mañana temprano y vuelve a casa tarde. Si hay mensajes para él, no lo pregunta. Cuando aceptó el trabajo, se comprometió a cuidar la casa de las visitas del marido y a estar en general «disponible». Ha incumplido sus obligaciones una vez y ahora las está incumpliendo de nuevo, pero no le importa. La inquietante relación sexual, las mujeres cuchicheando, las sábanas ensangrentadas, el colchón manchado: le gustaría olvidar todo el asunto, pasar página.

Llama al hostal de Earls Court disimulando la voz y pregunta por su prima. Se ha ido, le dicen, ella y su amiga. Cuelga el teléfono y se relaja. Están lejos, no tendrá que volver a verlas.

Queda la cuestión de qué deducir del episodio, de cómo encajarlo en la historia de su vida, la que se cuenta a sí mismo. Se ha comportado de forma deshonrosa, no cabe duda, se ha comportado como un bellaco. Puede que la palabra sea anticuada, pero es exacta. Se merece que le abofeteen, incluso que le escupan a la cara. A falta de alguien que le dé el bofetón, no duda de que le remorderá la conciencia. *Agenbyte of inwit.* Ese será el trato con los dioses, pues: se castigará a sí mismo, y a cambio espera que la historia de su mal comportamiento no se conozca.

Sin embargo ¿qué importa al final que la historia no se conozca? Él pertenece a dos mundos separados herméticamente. En el mundo de Sudáfrica no es más que un fantasma, una voluta de humo que se va perdiendo rápidamente y pronto se habrá desvanecido para siempre. En cuanto a Londres, aquí es igual de desconocido. Ya ha empezado a buscarse otro alojamiento. Cuando haya encontrado una habitación cortará todo contacto con Theodora y el hogar de los Merrington y desaparecerá en un mar de anonimato.

Pero este triste asunto implica más cosas que la simple vergüenza. Ha venido a Londres para hacer lo que en Sudáfrica es imposible: explorar las profundidades. Sin descender a las profundidades no se puede ser artista. Pero ¿qué son exactamente las profundidades? Había creído que recorrer calles heladas con el corazón aturdido por la tristeza. Pero quizá las profundidades de verdad son otras y se presentan con formas inesperadas: como un arranque de maldad contra una chica a primera hora de la madrugada, por ejemplo. Quizá las profundidades en las que quería zambullirse han estado dentro de él todo el tiempo, encerradas en su pecho: profundidades de frialdad, crueldad, bellaquería. ¿Dar rienda suelta a las inclinaciones, a los vicios, y después torturarse, como hace él ahora, le ayuda a uno a ser artista? En ese momento, no ve cómo.

Al menos el episodio ha terminado, está cerrado, consignado al pasado, sellado en la memoria. Pero no es cierto, no del todo. Recibe una carta con matasellos de Lucerna. La abre sin pensárselo dos veces y empieza a leerla. Está en afrikaans. «Querido John, pensé que debía hacerte saber que estoy bien. Marianne también. Al principio ella no entendía por qué no llamabas, pero al poco tiempo se animó y lo estamos pasando muy bien. No quiere escribirte, pero he pensado en hacerlo yo para decirte que espero que no trates igual a todas tus chicas, ni siquiera en Londres. Marianne es una persona especial, no se merece que la traten así. Deberías reconsiderar la vida que llevas. Tu prima, Ilse.»

«Ni siquiera en Londres.» ¿Qué quiere decir? ¿Que incluso para los estándares londinenses se ha comportado con deshonor? ¿Qué saben Ilse y su amiga, recién salidas de las inmensidades del Estado Libre de Orange, de Londres y sus normas? Quiere decirle: Londres empeora. Si estás aquí un tiempo, en lugar de escapar a las praderas y los cencerros, lo descubrirías por ti misma. Pero en realidad no cree que Londres tenga la culpa. Ha leído a Henry James. Sabe lo fácil que es ser malo, que basta con relajarse para que emerja la maldad.

Los momentos más dolorosos de la carta son el principio y el final. Uno no se dirige a un miembro de la familia con *Beste John*, es la fórmula empleada para los desconocidos. Y «Tu prima, Ilse»: ¡quién iba a imaginar que una granjera daría estocadas tan certeras!

Durante días y semanas, incluso después de haberla arrugado y tirado, la carta de su prima le persigue; no las palabras exactas de la página, que enseguida consigue borrar, sino el recuerdo del instante en que, pese a haberse fijado en el sello suizo y en la infantil caligrafía redondeada, abrió el sobre y leyó. ¡Qué tonto! ¿Qué se esperaba: un panegírico de agradecimiento?

No le gustan las malas noticias. En particular, no le gustan las malas noticias sobre él. Ya soy lo bastante duro conmigo mismo, se dice; no necesito la ayuda de los demás. Es un sofisticado truco en el que se apoya de tanto en tanto cuando quiere acallar las críticas. Aprendió su utilidad cuando Jacqueline, desde la perspectiva de una mujer de treinta años, le dijo lo que pensaba de él como amante. Ahora, en cuanto una relación empieza a perder fuelle, se retira. Detesta las escenas, los estallidos de mal humor, las verdades desagradables (¿Quieres saber la verdad sobre ti?), y hace todo lo que está en su mano por evitarlos. De todos modos, ¿qué es la verdad? Si él es un misterio para sí mismo, ¿cómo puede no serlo para los demás? Ha pensado en un pacto que está dispuesto a ofrecerles a las mujeres de su vida: si le tratan como a un misterio, las tratará como a un libro cerrado. Solo y exclusivamente sobre esta base se podrá comerciar.

No es tonto. Sabe que su currículo amatorio es del montón. Nunca ha despertado la pasión de un corazón femenino, lo que él llamaría una gran pasión. De hecho, al mirar atrás, no puede recordar haber sido objeto de pasión, de una verdadera pasión de ningún grado. Seguro que esto dice algo de él. En cuanto al sexo en sí, entendido en su sentido más concreto, sospecha que lo que él da es bastante pobre; y lo que obtiene a cambio también. Si la culpa es de alguien, es suya. Porque si no pone corazón, y si se contiene, ¿por qué no habría de hacer lo mismo la mujer?

¿El sexo es el baremo para todo? Si fracasa en el sexo, ¿fracasa en la prueba global de la vida? Las cosas serían más fáciles si esto no fuese cierto. Pero cuando mira alrededor, no encuentra a nadie que no reverencie al dios del sexo, salvo quizá algunos dinosaurios, vestigios de la época victoriana. Hasta Henry James, tan correcto en la superficie, tan victoriano, tiene páginas en las que sugiere que todo, al final, es sexo.

De todos los escritores que admira, en el que más confía es Pound. En Pound hay pasión a raudales –el dolor de la ausencia, el fuego de la consumación–, pero es pasión apacible, sin un lado oscuro. ¿Cuál es la clave de la ecuanimidad de Pound? ¿Es que, como adorador de los dioses griegos en lugar del dios hebreo, Pound es inmune a la culpa? ¿O está tan empapado de gran poesía que su ser físico se halla en armonía con sus emociones, una armonía que se comunica inmediatamente a las mujeres y abre su corazón? ¿O, al contrario, el secreto de Pound es simplemente cierto brío vital, un brío atribuible a su educación americana más que a los dioses o a la poesía y que las mujeres reciben como signo de que el hombre sabe lo que quiere y de un modo firme pero amistoso tomará el mando de hacia dónde van los dos? ¿Eso quieren las mujeres: que se las domine, que se las guíe? ¿Por eso los bailarines siguen el código que siguen, donde el hombre marca el paso y la mujer le sigue?

Su propia explicación de sus fracasos amorosos, ya manida y cada vez menos creíble, es que todavía no ha encontrado a la mujer adecuada. La mujer adecuada verá, a través de la superficie opaca que presenta al mundo, hasta las profundidades interiores; la mujer adecuada liberará las intensidades de pasión escondidas en él. Hasta que dicha mujer aparezca, hasta el día destinado, se limita a pasar el tiempo. Por eso puede olvidarse de Marianne.

Todavía le corroe una cuestión, que no va a dejarle en paz. ¿La mujer que libere la pasión almacenada en su interior, si es que esa mujer existe, liberará también el flujo de poesía bloqueado o, por contra, depende de él convertirse en poeta y demostrar que es digno de su amor? Estaría bien que la primera opción fuera la buena, pero sospecha que no lo es. Igual que se ha enamorado a distancia de Ingeborg Bachmann en cierto sentido y de Anna Karina en otro, sospecha que la mujer que busca tendrá que reconocerle por sus obras, tendrá que enamorarse de su arte antes de llegar a ser tan loca como para enamorarse de él.

17

Recibe una carta del profesor Guy Howarth, que le supervisa la tesis en Ciudad del Cabo, pidiéndole algunas tareas académicas. Howarth está trabajando en la biografía del dramaturgo del siglo XVII John Webster: quiere que saque copias de ciertos poemas de la colección de manuscritos del British Museum que Webster podría haber escrito de joven y, ya puestos, de cualquier poema manuscrito que encuentre firmado con las iniciales I. W. que parezca una posible obra de Webster.

Aunque los poemas que lee no tienen un mérito especial, le halaga el encargo, porque implica que se le considera capaz de reconocer al autor de *La duquesa de Malfi* solo por el estilo. De Eliot ha aprendido que la prueba del crítico es su habilidad para discriminar. De Pound ha aprendido que el crítico debe ser capaz de reconocer la voz del auténtico maestro entre el balbuceo de la moda. Ya que no sabe tocar el piano, al menos cuando enciende la radio distingue entre Bach y Telemann, Haydn y Mozart, Beethoven y Spohr, Bruckner y Mahler; ya que no sabe escribir, al menos tiene un oído que Eliot y Pound aprobarían.

La cuestión es: ¿Ford Madox Ford, en quien está invirtiendo un tiempo considerable, es un auténtico maestro? Pound promocionó a Ford como el único heredero en Inglaterra de Henry James y Flaubert. Pero ¿habría estado tan seguro Pound si hubiese leído la obra completa de Ford? Si Ford era un escritor tan bueno, ¿por qué hay tanta basura mezclada con sus cinco novelas excelentes?

Aunque se le supone escribiendo sobre la ficción de Ford, le interesan menos las novelas menores de Ford que sus libros sobre Francia. Para Ford no existe felicidad mayor que pasar los días junto a una buena mujer en una casa soleada al sur de Francia, con un olivo frente a la puerta trasera y buen *vin du pays* en la bodega. Provenza, dice Ford, es la cuna de todo lo que de gracioso, lírico y humano hay en la civilización europea; en cuanto a las mujeres de Provenza, con su temperamento fogoso y su bello aspecto aquilino, dejan en ridículo a las mujeres del norte.

¿Hay que creer a Ford? ¿Verá Provenza algún día? ¿Le prestarán alguna atención las fogosas mujeres provenzales, a él, con su notable falta de pasión?

Ford afirma que la civilización de Provenza debe su ligereza y su gracia a una dieta de pescado y aceite de oliva y ajo. En su nuevo alojamiento de Highgate, por deferencia a Ford, compra barritas de pescado en lugar de salchichas, las fríe en aceite de oliva en lugar de mantequilla y las sazona con sal al ajo.

La tesis que está escribiendo no dirá nada nuevo sobre Ford, está claro. Sin embargo, no quiere abandonar. Abandonar cosas es el estilo de su padre. No va a ser como su padre. De modo que empieza a reducir los cientos de páginas con anotaciones en letra minúscula a una red de prosa conexa.

En los días en que, sentado en la gran sala de lectura de techo abovedado, se encuentra demasiado cansado o aburrido para seguir escribiendo, se permite el lujo de hojear libros sobre la Sudáfrica de los viejos tiempos, libros que solo se encuentran en grandes bibliotecas, memorias de gente que visitó Ciudad del Cabo como Dapper y Kolbe, Sparrman, Barrow o Burchell, publicados en Holanda, Alemania o Inglaterra hace dos siglos.

Le produce una sensación extraña e inquietante sentarse en Londres a leer sobre calles —Waalstraat, Buitengracht, Buitencingel— por las que únicamente él, de todos los que le rodean con la cabeza hundida entre libros, ha paseado. Pero más aún que las historias sobre la antigua Ciudad del Cabo le cautivan los relatos de aventuras por el interior, exploraciones en carro tirado por bueyes por el desierto del Gran Karoo, donde un viajero podía andar durante días seguidos sin ver un alma. Zwartberg, Leeuwrivier, Dwyka: está leyendo sobre su país, el país de su corazón.

Patriotismo: ¿estará empezando a aquejarle? ¿Está demostrando ser incapaz de vivir sin un país? Después de haberse sacudido el polvo de la fea Sudáfrica actual de los pies, ¿añora la Sudáfrica de los viejos tiempos, cuando el Edén todavía era posible? ¿Los ingleses que le rodean sienten el mismo tirón en la fibra sensible cuando se menciona el monte Rydal o la calle Baker en un libro? Lo duda. Este país, esta ciudad, viven envueltos en siglos de palabras. A los ingleses no les extraña pasear por los mismos sitios que Chaucer o Tom Jones.

Sudáfrica es distinta. Si no fuera por el puñado de libros que ha encontrado, no estaría seguro de si el Karoo no es algo que soñó ayer. Por eso se centra en Burchell en particular, en su dos gruesos volúmenes. Puede que Burchell no sea un maestro como Flaubert o James, pero lo que escribe ocurrió de verdad. Bueyes de verdad los transportaron a él y a sus cajas de especímenes botánicos de parada en parada por el Gran Karoo; estrellas de verdad brillaron sobre su cabeza y la de sus hombres mientras dormían. Se marea solo de pensarlo. Burchell y sus hombres estarán muertos y sus carros reducidos a polvo, pero vivieron de verdad, sus viajes fueron de verdad. La prueba es el libro que tiene entre las manos, el libro titulado para abreviar *Los viajes de Burchell*, y concretamente el ejemplar depositado en el British Museum.

Si *Los viajes de Burchell* demuestra que los viajes de Burchell ocurrieron de verdad, ¿por qué otros libros no habrían de hacer reales otros viajes, viajes que de momento solo son hipotéticos? La lógica, por supuesto, es engañosa. No obstante, le gustaría hacerlo: escribir un libro tan convincente como el de Burchell y depositarlo en esta biblioteca que define a todas las bibliotecas. Si, para que su libro sea convincente, tiene que haber un bote de grasa bamboleándose bajo el suelo del carro mientras el vehículo va dando botes sobre las piedras del Karoo, pondrá un bote de grasa. Si tiene que haber cigarras cantando en el árbol bajo el que se detengan a mediodía, pondrá cigarras. El traqueteo del bote de grasa, el canto de las cigarras: confía en que sabrá conseguirlos. La parte difícil será dar al conjunto el aura que lo colocará en las estanterías y por tanto en la historia del mundo: el aura de lo verdadero.

No se está planteando una falsificación. Ya se ha intentado antes: simular encontrar, en un arcón del ático de alguna casa de campo, un diario amarilleado por el tiempo y manchado de humedad donde se describe una expedición por los desiertos tártaros o los territorios del Gran Mogol. Esa clase de engaños no le interesan. El reto al que se enfrenta es puramente literario: escribir un libro cuyo horizonte de conocimiento sea el de la época de Burchell, la década de 1820, y cuya respuesta al mundo siga no obstante viva de un modo en que Burchell, pese a su energía, inteligencia, curiosidad y sangre fría, no podría haber conseguido porque era un inglés en un país extranjero, con la mente puesta parcialmente en Pembrokeshire y las hermanas que había dejado atrás.

Tendrá que aprender a escribir desde la década de 1820. Antes de lograrlo necesitará saber menos de lo que ahora sabe; tendrá que olvidar cosas. Sin embargo, antes de poder olvidar tendrá que saber qué olvidar; antes de poder saber menos tendrá que saber más. ¿Dónde encontrará lo que necesita saber? No tiene formación de historiador, y de todas maneras lo que persigue no son libros de historia, puesto que esta pertenece a lo mundano, tan común como el aire que respira. ¿Dónde encontrará los conocimientos comunes de un mundo pasado, unos conocimientos demasiado humildes para saber que lo son?

18

Lo que ocurre a continuación es un visto y no visto. En el correo de la mesa del recibidor aparece un sobre beis con las siglas OHMS (Al Servicio de Su Majestad) dirigido a él. Se lo lleva a su cuarto y lo abre con el corazón encogido. Tiene veintiún días, le dicen en la carta, para renovar su permiso de trabajo, pasados los cuales se le retirará el permiso de residencia en el Reino Unido. Puede renovar el permiso presentándose con el pasaporte y una copia del formulario I-48, rellenado por su patrón, en las oficinas del Ministerio del Interior de Holloway Road cualquier día laborable de 9.00 a 12.30 y de 13.30 a 16.00.

De modo que IBM le ha delatado. IBM ha comunicado al Ministerio del Interior que ha dejado su empleo.

¿Qué tiene que hacer? Tiene dinero para un viaje de ida a Sudáfrica. Pero es inconcebible reaparecer en Ciudad del Cabo como un perro con el rabo entre las piernas, derrotado. De todos modos, ¿qué le espera en Ciudad del Cabo? ¿Reanudar las tutorías en la universidad? ¿Cuánto tiempo podría aguantar? Es demasiado mayor para las becas, tendría que competir con estudiantes más jóvenes y con expedientes mejores. El hecho es que si regresa a Sudáfrica no volverá a escapar jamás. Se convertirá en una de esas personas que se reúnen en la playa Clifton al atardecer a beber vino y charlar de los viejos tiempos en Ibiza.

Si quiere permanecer en Inglaterra, se le ocurren dos vías posibles. Puede apretar los dientes e intentar dar clases de nuevo o puede volver a la programación.

Existe una tercera opción, hipotética. Podría dejar su residencia actual y fundirse con las masas. Podría vivir de la prostitución en Kent (para eso no se necesitan papeles), trabajar en la construcción. Puede dormir en albergues juveniles, en cocheras. Pero sabe que no lo hará. Es demasiado incompetente para vivir fuera de la ley, demasiado mojigato, tendría demasiado miedo de que le pillaran.

Los anuncios laborales de los periódicos están llenos de ofertas de trabajo para programadores informáticos. Cualquiera diría que Inglaterra nunca tiene bastantes. La mayoría son para vacantes en departamentos de nóminas. Los pasa por alto, solo responde a las empresas informáticas, a los competidores, grandes o pequeños, de IBM. Al cabo de unos días consigue una entrevista con International Computers, cuya oferta acepta sin dudarlo. Está exultante. Vuelve a tener trabajo, está a salvo, no le expulsarán del país.

Hay una pega. Aunque International Computers tiene su sede central en Londres, el puesto que le ofrecen es en el campo, en Berkshire. Para llegar allí tiene que ir hasta Waterloo, viajar una hora en tren, y luego un rato en autobús. No podrá vivir en Londres. Otra vez la historia de Rothamsted.

International Computers está dispuesta a prestar a los empleados nuevos la entrada para una casa modesta. En otras palabras, con un golpe de bolígrafo podría convertirse en propietario (¡propietario, él!) y por tanto comprometerse a pagar una hipoteca que le ataría al trabajo durante los diez o quince años siguientes. Dentro de quince años será viejo. Bastaría una decisión precipitada y habría renunciado a su vida, renunciado a cualquier oportunidad de convertirse en artista. Con una casita en propiedad en una hilera de casitas de ladrillo rojizo sería absorbido sin dejar rastro por la clase media británica. Lo único que haría falta para completar el cuadro serían el coche y la mujercita.

Inventa una excusa para no firmar el préstamo hipotecario. En cambio, firma un contrato de arrendamiento del piso superior de una casa en las afueras del pueblo. El casero es un ex oficial del ejército, en la actualidad agente de bolsa, al que le gusta que le llamen mayor Arkwright. Le explica al mayor Arkwright lo que son los ordenadores, la programación informática, la sólida carrera que prometen («La industria está a punto de experimentar una enorme expansión»). El mayor Arkwright le llama «cerebrito» con intención jocosa («Nunca habíamos tenido a un cerebrito en el piso de arriba»), designación que acepta sin rechistar.

Trabajar para International Computers no se parece en nada a trabajar para IBM. Para empezar, puede empaquetar el traje negro. Tiene despacho propio, un cubículo en un cobertizo prefabricado del jardín trasero de la casa que International Computers ha convertido en laboratorio informático. La Casa Solariega, la llaman: una casona vieja y laberíntica al final de un camino de tres kilómetros sembrado de hojas en las afueras de Bracknell. Se supone que tiene una historia, aunque nadie la conoce.

Pese a la designación «laboratorio informático», en las instalaciones no hay ningún ordenador. Para probar los programas que debe confeccionar tendrá que ir a la Universidad de Cambridge, que posee uno de los tres ordenadores Atlas que existen, todos ligeramente distintos entre sí. El ordenador Atlas –lo lee en las instrucciones que le entregan la primera mañana– es la réplica británica a IBM. En cuanto los ingenieros y programadores de International Computers hayan acabado los prototipos, Atlas será el mayor ordenador del mundo, o al menos el más grande que se pueda comprar en el mercado libre (los militares norteamericanos tienen ordenadores propios, de capacidad desconocida, y presumiblemente también el ejército ruso). Gracias a Atlas la industria informática británica asestará un golpe del que IBM tardará años en recuperarse. Es lo que hay en juego. Por eso International Computers ha reunido un equipo de programadores jóvenes y brillantes, del que ahora él forma parte en su retiro campestre.

Lo que Atlas tiene de especial, lo que le hace único entre todos los ordenadores del mundo, es que posee cierta conciencia de sí mismo. A intervalos regulares –cada diez segundos, o incluso cada segundo– se interroga, se pregunta qué tareas está realizando y si las realiza con eficiencia óptima. Si no las está realizando de manera eficiente, las reordena y las lleva a cabo en otro orden mejor, y así ahorra tiempo y, por tanto, dinero.

Él se encargará de confeccionar la rutina que deberá seguir la máquina al final de cada cambio de cinta magnética. ¿Debería leer otra tira de cinta magnética?, tendría que preguntarse el ordenador. ¿O, por el contrario, debería partirla y leer una tarjeta perforada o una tira de cinta de papel? ¿Debería escribir parte de las salidas acumuladas en otra cinta magnética o debería optar por una ráfaga de computación? Estas preguntas deben contestarse de acuerdo con el principio de eficiencia preponderante. Dispondrá de todo el tiempo que necesite (pero preferiblemente solo seis meses, porque International Computers se ha embarcado en una carrera contrarreloj) para verter las preguntas y respuestas a un código que la máquina sepa leer y para comprobar que estén formuladas de manera óptima. Todos sus colegas programadores tienen tareas comparables y un calendario similar. Entretanto, los ingenieros de la Universidad de Manchester trabajarán día y noche para perfeccionar el hardware electrónico. Si todo sale conforme a lo previsto, Atlas entrará en producción en 1965.

Una carrera contrarreloj. Una carrera contra los norteamericanos. Esto puede entenderlo, puede comprometerse con algo así con más empeño del que podía poner en el objetivo de IBM de ganar más y más dinero. Y la programación es interesante. Exige ingenio mental; para hacerla bien exige un dominio virtuoso del lenguaje binario internacional del Atlas. Por las mañanas llega al trabajo con ganas de cumplir con las tareas asignadas. Para mantenerse alerta bebe una taza de café tras otra; le martillea el corazón, le bulle el cerebro; pierde conciencia del tiempo, tienen que llamarlo para almorzar.

Por la tarde se lleva los papeles a sus habitaciones y trabaja por la noche.

Así que, sin saberlo, ¡se estaba preparando para esto! ¡Esto era a lo que le conducían las matemáticas!

El otoño se convierte en invierno; apenas se da cuenta. Ya no lee poesía. En su lugar lee libros de ajedrez, sigue las partidas de los grandes maestros, soluciona los problemas de ajedrez del *Observer*. Duerme mal; a veces sueña con programación. Observa este desarrollo interior con interés distante. ¿Se convertirá en uno de esos científicos cuyo cerebro resuelven problemas mientras duermen?

Nota otra cosa. Ha dejado de estar anhelante. Ya no le preocupa buscar a la desconocida bella y misteriosa que había de liberar su pasión interior. En parte, sin duda, porque Bracknell no tiene nada que ofrecer en comparación con el desfile de chicas de Londres. Pero no puede evitar ver la conexión entre el final de su anhelo y el fin de la poesía. ¿Significa que está madurando? ¿En eso se resume madurar: superar los anhelos, la pasión, todas las intensidades del alma?

La gente con la que trabaja –hombres todos, sin excepción– son más interesantes que la gente de IBM: más despiertos, puede que también más listos, de un modo que entiende, de un modo muy similar a como se es listo en la escuela. Almuerzan juntos en la cantina de la Casa Solariega. No se andan con tonterías con la comida: pescado con patatas fritas, salchichas con puré, salchichas en pasta, repollo con patatas, pastel de ruibarbo con helado. Le gusta la comida, repite si puede, convierte el almuerzo en la comida principal del día. Por la noche, en casa (es lo que ahora son sus habitaciones en casa de los Arkwright) no se molesta en cocinar, simplemente come pan con queso mientras juega al ajedrez.

Uno de sus compañeros es un indio llamado Ganapathy. Ganapathy llega tarde al trabajo a menudo; algunos días ni siquiera se presenta. Cuando va, no parece trabajar demasiado: se sienta en su cubículo con los pies sobre la mesa y aire soñador. Explica sus ausencias con las excusas más someras

(«No me encontraba bien»). Sin embargo, no le reprenden. Resulta que Ganapathy es una adquisición particularmente valiosa de International Computers. Ha estudiado en Norteamérica, tiene una licenciatura norteamericana en informática.

Ganapathy y él son los dos únicos extranjeros del grupo. Cuando el tiempo lo permite, pasean juntos por los terrenos de la casa después de almorzar. Ganapathy desdeña International Computers y todo el proyecto Atlas. Se equivocó al volver a Inglaterra, dice. Los ingleses no saben pensar a lo grande. Debería haberse quedado en Norteamérica. ¿Cómo es la vida en Sudáfrica? ¿Tendría futuro en Sudáfrica?

Disuade a Ganapathy de probar suerte en Sudáfrica. Sudáfrica está muy atrasada, le cuenta, no hay ordenadores. No le cuenta que los foráneos no son bienvenidos a menos que sean blancos.

Llega una racha de mal tiempo, llueve y hace viento un día detrás de otro. Ganapathy no va a trabajar. Puesto que nadie más se pregunta el porqué, decide investigar. Como él, Ganapathy ha esquivado la opción de comprarse una casa. Vive en un piso de la tercera planta de un bloque de protección oficial. Tarda mucho en contestar a la puerta. Al final Ganapathy abre. Lleva una bata sobre el pijama y calza sandalias; del interior emana un chorro de aire caliente y olor a podrido.

–¡Adelante, adelante! –dice Ganapathy–. ¡Entra, que hace frío!

En el salón no hay más muebles que un sillón delante de un televisor y dos estufas eléctricas encendidas. Detrás de la puerta se amontona una pila de bolsas de basura negras. De ahí procede el mal olor. Con la puerta cerrada el olor resulta nauseabundo.

–¿Por qué no sacas las bolsas?

Ganapathy se muestra evasivo. Tampoco tiene intención de explicar por qué no va a trabajar. De hecho, no parece que tenga ganas de charlar.

Él se pregunta si Ganapathy tendrá una chica en el dormitorio, una chica local, una de las coquetas mecanógrafas o dependientas de los pisos de protección oficial que ve en el autobús. O, quizá, una chica india. Quizá sea la explicación a todas las ausencias de Ganapathy: vive con una bonita india y prefiere hacerle el amor, practicar el tantra, postergar el orgasmo durante horas, a escribir lenguaje de máquinas para el Atlas.

Sin embargo, cuando se dispone a marcharse, Ganapathy sacude la cabeza.

—¿Quieres un vaso de agua? —le ofrece.

Ganapathy le ofrece agua del grifo porque se le han acabado el café y el té. También se ha quedado sin comida. Resulta que no compra comida, a excepción de plátanos, porque no cocina: no le gusta cocinar, no sabe cocinar. Las bolsas de basura contienen sobre todo pieles de plátano. Vive a base de plátanos, chocolatinas y, cuando lo tiene, té. No es el estilo de vida que le gustaría tener. En India vivía en casa, y su madre y sus hermanas cuidaban de él. En Norteamérica, en Columbus, Ohio, vivía en una residencia donde la comida aparecía en la mesa a intervalos regulares. Si tenías hambre entre horas salías y te comprabas una hamburguesa. Había un lugar donde vendían hamburguesas abierto las veinticuatro horas del día en la calle de la residencia. En Norteamérica siempre estaba todo abierto, no como en Inglaterra. Nunca debería haber vuelto a Inglaterra, un país sin futuro donde ni siquiera funciona la calefacción.

Le pregunta a Ganapathy si está enfermo. Ganapathy le quita importancia a la situación: va en pijama para estar calentito, nada más. Pero él no está convencido. Ahora que sabe lo de los plátanos, ve a Ganapathy de otro modo. Ganapathy está como un palillo, no le sobra ni un gramo de carne. Está demacrado. Si no está enfermo, como mínimo se está muriendo de hambre. He aquí que en Bracknell, en lo más profundo de la periferia londinense, un hombre se muere de hambre porque es demasiado incompetente para alimentarse a sí mismo.

Invita a almorzar a Ganapathy al día siguiente, dándole instrucciones precisas de cómo llegar a casa del mayor Arkwright.

Luego se marcha, busca una tienda que abra el sábado por la tarde y compra lo que encuentra: pan en bolsa de plástico, fiambres, guisantes congelados. A mediodía del día siguiente sirve la mesa y espera. Ganapathy no llega. Como Ganapathy no tiene teléfono, no puede hacer nada, aparte de llevarle la comida a su piso.

Absurdo, pero tal vez sea lo que quiere Ganapathy: que le lleven la comida. Como él, Ganapathy es un chico listo y malcriado. Como él, Ganapathy ha huido de su madre y la vida fácil que le ofrecía. Pero en el caso de Ganapathy, parece haber agotado toda su energía en la huida. Ahora espera a que lo rescaten. Quiere que su madre o alguien como ella venga a salvarle. De lo contrario, se consumirá hasta morir en su piso lleno de basura.

International Computers debería estar al corriente de la situación. Han confiado a Ganapathy una misión clave, la lógica de las rutinas que planifican las tareas. Si Ganapathy cae, todo el proyecto Atlas se retrasará. Pero ¿cómo hacer entender a International Computers el mal que aqueja a Ganapathy? ¿Cómo podría entender alguien en Inglaterra lo que trae a la gente desde rincones remotos del planeta a morir en una isla húmeda y triste que detestan y a la que nada les ata?

Al día siguiente Ganapathy está en su mesa como si nada. No da ninguna explicación de por qué no acudió a la cita. A la hora del almuerzo, en la cantina, está de buen humor, excitado, incluso. Participa en una rifa para un Morris Mini, dice. Ha comprado cien boletos: ¿qué iba a hacer si no con el enorme salario que le paga International Computers? Si gana, podrán ir juntos en coche a Cambridge para las pruebas de programación en lugar de coger el tren. O podrían ir a pasar el día a Londres.

¿Hay algo en todo este asunto que no ha acabado de entender, algo indio? ¿Pertenece Ganapathy a una casta para la que es tabú comer en la mesa de un occidental? Si es así, ¿qué está haciendo con un plato de bacalao con patatas en la cantina de la Casa Solariega? ¿Debería haberle invitado de manera más formal y confirmado la invitación por escrito? Al no presentarse, ¿estaba Ganapathy ahorrándole la vergüenza de encontrarse en la puerta con un convidado al que había invitado por impulso pero al que realmente no deseaba recibir? ¿Dio de algún modo la impresión, al invitar a Ganapathy, de que la invitación no iba de veras, no iba en serio, sino que era un simple gesto y que la buena educación por parte de Ganapathy consistiría en agradecer el gesto sin poner a su anfitrión en el compromiso de darle de comer? ¿Tiene el mismo valor la comida teórica que iban a compartir (fiambres y guisantes congelados hervidos con mantequilla) que los fiambres y los guisantes congelados hervidos ofrecidos y consumidos de verdad? ¿Las cosas entre Ganapathy y él están como antes, mejor que antes o peor?

Ganapathy ha oído hablar de Satyajit Ray, pero cree que no ha visto ninguna de sus películas. Solo un pequeño sector del público indio, dice, se interesaría por ese tipo de cine. En general, dice, los indios prefieren ver películas norteamericanas. Las películas indias todavía son muy primitivas.

Ganapathy es el primer indio que conoce un poco, si es que se puede considerar que lo conoce: juegan al ajedrez y comparan desfavorablemente Inglaterra con Norteamérica, además de la visita sorpresa al piso de Ganapathy. Sin duda, la conversación ganaría mucho si Ganapathy fuera un intelectual en lugar de simplemente listo. Sigue sorprendiéndole que la gente pueda ser tan lista como lo es en la industria informática y que sin embargo no tengan otros intereses más allá de los precios de la vivienda y los coches. Había creído que se trataba de una manifestación de la famosa ignorancia de la clase media inglesa, pero Ganapathy no es mejor.

¿Esta indiferencia hacia el mundo es consecuencia de un exceso de trato con máquinas que parecen pensar? ¿Cómo le iría a él si un día dejara la industria de la informática y regresara a la sociedad civilizada? Después de invertir sus mejores energías durante tanto tiempo en jugar con máquinas, ¿sería capaz de mantener una conversación? ¿Habría ganado algo en todos los años pasados entre ordenadores? ¿No habría aprendido al menos a pensar de forma lógica? Para entonces, ¿no se habría convertido la lógica en su segunda naturaleza?

Le gustaría creer que sí, pero no puede. En el fondo no siente el menor respeto por ninguna versión de pensamiento que pueda materializarse en el sistema de circuitos de un ordenador. Cuanto más se mete en la informática, más le recuerda al ajedrez: un mundo pequeño y cerrado definido por reglas inventadas que atrae a chicos con cierto temperamento susceptible y los vuelve medio locos, igual que él está medio loco, para que en todo momento piensen, engañados, que están jugando cuando en realidad el juego está jugando con ellos.

Es un mundo del que puede escapar: todavía no es demasiado tarde. Si no, podría hacer las paces con él, como ve que hacen los jóvenes que le rodean, uno tras otro: conformarse con el matrimonio, la casa y el coche, conformarse con lo que la vida tiene que ofrecer siendo realistas, concentrar toda su energía en el trabajo. Le disgusta ver lo bien que opera el principio de realidad, cómo, aguijoneado por la soledad, el chico de los granos se conforma con la chica del pelo sin brillo y los muslos gruesos, cómo todo el mundo, por improbable que parezca, al final encuentra un compañero. ¿Es ese su problema, así de simple: que todo este tiempo ha sobreestimado su valía en el mercado, engañándose con la idea de que le correspondían las escultoras y las actrices cuando en realidad le corresponde la maestra de guardería del piso de protección oficial o la aprendiza de la zapatería?

Matrimonio: ¡quién habría imaginado que sentiría la tentación, por leve que sea, del matrimonio! No piensa rendirse, todavía no. Pero es una opción que se plantea en las largas tardes de invierno, comiéndose su pan con salchichas delante de la estufa de gas en casa del mayor Arkwright y escuchando la radio mientras de fondo la lluvia golpetea la ventana.

19

Llueve. Ganapathy y él están solos en la cantina, jugando al ajedrez rápido con el juego de bolsillo de Ganapathy. Ganapathy le está dando una paliza, como de costumbre.

—Deberías irte a Norteamérica —dice Ganapathy—. Aquí estás perdiendo el tiempo. Todos nosotros estamos perdiendo el tiempo.

Él niega con la cabeza.

—No eres realista —le contesta.

Ha pensado más de una vez en intentar buscar trabajo en Norteamérica y ha decidido que no. Una decisión prudente, pero correcta. No tiene dotes especiales como programador. Sus colegas del equipo Atlas tal vez no tengan licenciaturas, pero sí mentes más claras que la suya, entienden los problemas computacionales más rápido y mejor de lo que él los entenderá nunca. En las discusiones apenas da el pego; siempre tiene que estar simulando que comprende las cosas cuando en realidad no las entiende; luego las descubre por sí solo. ¿Para qué iban a querer a alguien como él en Norteamérica? Norteamérica no es Inglaterra. América es dura y sin piedad: si por algún milagro consiguiera trabajo allí, le descubrirían enseguida. Además, ha leído a Allen Ginsberg, ha leído a William Burroughs. Sabe lo que Norteamérica hace con los artistas: los vuelve locos, los encierra, los expulsa.

—Podrías conseguir una beca en la universidad —dice Ganapathy—. A mí me dieron una, no tendrías problemas.

Le mira fijamente. ¿De verdad Ganapathy es tan ingenuo?

Hay una guerra fría en marcha. Estados Unidos y Rusia compiten por el corazón y la mente de indios, iraquíes, nigerianos; las becas universitarias son parte de los incentivos que les ofrecen. El corazón y la mente de los blancos no les interesan; desde luego, no el corazón y la mente de unos pocos blancos fuera de lugar en África.

–Lo pensaré –dice, y cambia de tema. No tiene ninguna intención de pensárselo.

En una fotografía de primera plana del *Guardian* un soldado vietnamita con uniforme estadounidense mira impotente un mar de llamas. TERRORISTAS SUICIDAS SIEMBRAN EL PÁNICO EN EL SUR DE VIETNAM, dice el titular. Un grupo de zapadores del Vietcong se han abierto camino a través de la alambrada que rodea la base aérea norteamericana de Pleiku, han volado veinticuatro aviones y han prendido fuego a los tanques de almacenaje de combustible. Han perdido la vida en la acción.

Ganapathy, que le muestra el periódico, está exultante; él mismo siente la necesidad de reinvindicar sus derechos. Desde que llegó a Inglaterra, los periódicos británicos y la BBC incluyen historias de las proezas del ejército norteamericano en las que los vietcongs mueren por millares mientras que los norteamericanos salen indemnes. Si alguna vez se insinúa alguna crítica a Estados Unidos, se hace de la manera más imperceptible. Apenas consigue forzarse a leer las noticias sobre la guerra del asco que le dan. Ahora el Vietcong ha respondido de forma heroica e innegable.

Ganapathy y él nunca han hablado del Vietnam. Como Ganapathy estudió en Estados Unidos, él ha dado por sentado que el indio apoya a los norteamericanos o que no le interesa la guerra, como ocurre con todos los demás en International Computers. Ahora, de pronto, ve en la sonrisa y el brillo de sus ojos la cara oculta de Ganapathy. Pese a su admiración por la eficiencia norteamericana y su añoranza por las hamburguesas norteamericanas, Ganapathy está de parte de los vietnamitas porque son sus hermanos asiáticos.

Ya está. Fin de la historia. No vuelven a mencionar la guerra. Pero él se pregunta más que nunca qué está haciendo Ganapathy en Inglaterra, en la periferia de Londres, trabajando en un proyecto por el que no siente ningún respeto. ¿No estaría mejor en Asia, combatiendo contra los norteamericanos? ¿Debería tener una conversación con Ganapathy, decírselo?

¿Y qué pasa con él? Si el destino de Ganapathy está en Asia, ¿dónde está el suyo? ¿Pasaría por alto el Vietcong sus orígenes y le aceptaría a su servicio, si no como soldado u hombre bomba, pues como humilde camillero? Si no, ¿qué tal los amigos y aliados del Vietcong, los chinos?

Escribe a la embajada china en Londres. Puesto que sospecha que los chinos no necesitan ordenadores, no menciona la programación informática. Está listo para enseñar inglés en China, dice, como contribución a la lucha mundial. No le importa lo que cobre.

Envía la carta y espera respuesta. Mientras tanto se compra *Aprenda chino usted mismo* y empieza a practicar los extraños sonidos mascullados del mandarín.

Pasan varios días; no tiene noticias de los chinos. ¿Han interceptado y destruido la carta los servicios secretos británicos? ¿Interceptan y destruyen todas las cartas dirigidas a la embajada? Si es así, ¿qué sentido tiene que les dejen tener una embajada en Londres? ¿O, después de interceptar la carta, los servicios secretos la han pasado al Ministerio del Interior con una nota para comunicar que el sudafricano que trabaja para International Computers en Bracknell ha delatado sus inclinaciones comunistas? ¿Va a perder el empleo y a ser expulsado de Inglaterra por culpa de la política? Si ocurre, no protestará. El destino habrá hablado; está preparado para aceptar la palabra del destino.

En sus viajes a Londres todavía va al cine, pero sus problemas de vista le estropean cada vez más la diversión. Tiene que sentarse en primera fila para poder leer los subtítulos e, incluso así, tiene que forzar la vista.

Visita a un óptico y sale con un par de gafas de carey negro. En el espejo se parece aún más al cerebrito cómico del mayor Arkwright. Por otra parte, al mirar por la ventana descubre asombrado que distingue las hojas de los árboles una a una. Los árboles han sido un borrón verde desde que tiene uso de razón. ¿Habría tenido que llevar gafas toda la vida? ¿Explica esto que fuera un pésimo jugador de críquet, que la pelota siempre pareciera acercársele salida de ninguna parte?

Acabamos pareciéndonos a nuestro yo ideal, dice Baudelaire. Poco a poco la cara que deseamos, la cara de nuestros sueños secretos, arrolla a la cara con la que nacemos. ¿Es la cara del espejo la cara de sus sueños, esta cara larga y lúgubre con una boca flácida y vulnerable y unos ojos que ahora se parapetan tras unos cristales?

La primera película que ve con las gafas nuevas es *El Evangelio según san Mateo*, de Pasolini. Resulta una experiencia perturbadora. Después de cinco años de educación católica, había creído superado para siempre el atractivo del mensaje cristiano. Pero no es así. El pálido y huesudo Jesús de la película, que retrocede encogido ante el contacto de otros, que camina descalzo profiriendo profecías y diatribas, es real de un modo en que nunca lo fue el Jesús de corazón sangrante. Se estremece cuando le clavan las manos a Jesús; cuando el sepulcro aparece vacío y el ángel anuncia a las mujeres llorosas «No miréis aquí, porque ha resucitado», y empieza la misa luba y las gentes de la tierra, los cojos y lisiados, los despreciados y rechazados, llegan corriendo o renqueando, con los rostros iluminados por la alegría, a compartir la buena nueva, también su corazón quiere estallar; lágrimas de exaltación que no entiende le corren por las mejillas, lágrimas que tiene que secarse a escondidas antes de poder regresar al mundo.

En otra de sus excursiones a la ciudad, en el aparador de una librería de segunda mano de Charing Cross Road, descubre un pequeño pero grueso libro con la cubierta violeta: *Watt*, de Samuel Beckett, publicado por Olympia Press. Olympia Press tiene mala fama: publica pornografía en inglés para suscriptores de Inglaterra y Norteamérica desde su refugio parisino. Pero, como actividad suplementaria, publica también los escritos más audaces de la vanguardia; *Lolita*, de Vladimir Nabokov, por ejemplo. Es muy poco probable que Samuel Beckett, autor de *Esperando a Godot* y *Fin de partida*, escriba pornografía. Entonces, ¿qué tipo de libro será *Watt*?

Lo hojea. Está impreso en la misma serif de cuerpo denso que los *Poemas escogidos* de Pound, un tipo que para él evoca intimidad, solidez. Compra el libro y se lo lleva a casa del mayor Arkwright. Desde la primera página sabe que ha dado con algo. Recostado en la cama con la luz colándose por la ventana, lee sin parar.

Watt no se parece a las obras de teatro de Beckett. No hay enfrentamiento, no hay conflicto, únicamente el flujo de una voz contando una historia, un flujo continuamente asaltado por dudas y escrúpulos, con el ritmo exactamente acompasado con el ritmo de la mente. *Watt* también es divertido, tan divertido que se desternilla de risa. Cuando llega al final lo empieza otra vez por el principio.

¿Por qué nadie le dijo que Beckett escribía novelas? ¿Cómo pudo haber imaginado que quería escribir a la manera de Ford cuando Beckett rondaba por ahí todo el tiempo? En Ford ha encontrado siempre un componente de camisa almidonada que no le gustaba, pero que dudaba en reconocer, algo relacionado con el valor que Ford otorga a saber en qué lugar del West End se compran los mejores guantes para automóviles o cómo distinguir un Médoc de un Beaune; mientras que en Beckett no hay clases, o, como él preferiría, Beckett es un desclasado.

La comprobación de los programas que confecciona tiene que realizarse en la máquina Atlas de Cambridge durante la noche, cuando los matemáticos que disfrutan de preferencia sobre el ordenador duermen. Así que cada dos o tres semanas coge el tren a Cambridge, cargado con una cartera de papeles y rollos de cinta perforada, además del pijama y el cepillo de dientes. Mientras está en Cambridge se aloja en el hotel Royal, con cargo a International Computers. Trabaja en el Atlas de seis de la tarde a seis de la mañana. A primera hora de la mañana regresa al hotel, desayuna y se va a la cama. Tiene la tarde libre para vagar por la ciudad, para ver películas. Luego debe volver al laboratorio matemático, el inmenso edificio con aspecto de hangar donde se guarda el Atlas, para reanudar la jornada nocturna.

Es una rutina que le va al dedillo. Le gusta viajar en tren, le gusta el anonimato de los hoteles, le gustan los abundantes desayunos ingleses a base de beicon con salchichas y huevos y tostadas con mermelada y café. Como no tiene que llevar traje, puede mezclarse sin dificultad con los estudiantes de la calle, hasta pasar por uno más. Y pasar la noche con el gran Atlas, solos él y el ingeniero de guardia, observando cómo el lector lee el rollo de código informático que él mismo ha confeccionado, cómo los discos de cinta magnética empiezan a girar y las luces de la consola a brillar a una orden suya: le proporciona una sensación de poder que sabe que es infantil pero en la que, como no le ve nadie, puede deleitarse.

A veces tiene que quedarse en el laboratorio matemático hasta la mañana para hablar con los miembros del departamento de matemáticas. Porque todo lo verdaderamente innovador del software del Atlas no procede de International Computers, sino de un puñado de matemáticos de Cambridge. Desde cierto punto de vista, él no es más que un miembro de un equipo de programadores profesionales de la industria informática que el Departamento de Matemáticas de Cambridge ha contratado para aplicar sus ideas, igual que, desde el mismo punto de vista, International Computers es una firma de ingenieros contratada por la Universidad de Manchester para construir un ordenador según sus diseños. Desde ese punto de vista, él es un simple trabajador a sueldo de la universidad, no un colaborador con derecho a hablar en igualdad de condiciones con esos científicos jóvenes y brillantes.

Porque son realmente brillantes. A veces sacude la cabeza sin acabar de creerse lo que ocurre. Aquí está él, un licenciado del montón de una universidad colonial de segunda fila, dirigiéndose por el nombre de pila a hombres con doctorados en matemáticas, hombres que, en cuanto se ponen a hablar, le dejan atrás y aturdido. Problemas con los que él ha estado semanas batallando torpemente, ellos los solucionan en un abrir y cerrar de ojos. Con frecuencia, detrás de lo que él había creído que era un problema ellos ven el problema de verdad y simulan por él que también él lo había detectado.

¿Realmente están tan perdidos en las altas esferas de la lógica computacional que no ven lo estúpido que es o —por razones que a él se le escapan, ya que no debe de ser nadie para ellos— tienen la deferencia de cuidar de que pueda mantener las apariencias en su presencia? Puede creérselo de Japón; ¿es aplicable también a Inglaterra? En cualquier caso, ¡verdaderamente admirable!

Está en Cambridge, en las instalaciones de una universidad antigua, codeándose con los grandes. Hasta le han dado una llave del laboratorio matemático, una llave de la puerta lateral, para que pueda entrar y salir. ¿Qué más podría esperar? Pero debe ir con cuidado de no dejarse llevar, de no hacerse ideas exageradas. Está aquí por suerte y nada más. Nunca habría podido estudiar en Cambridge, no era lo bastante bueno para obtener una beca. Debe seguir pensando en sí mismo como en mano de obra contratada: si no, se convertirá en un impostor, igual que Jude Fawley entre los chapiteles de Oxford. Un día de estos, pronto, su trabajo habrá terminado, tendrá que devolver la llave, las visitas a Cambridge se acabarán. Pero al menos que le dejen disfrutar mientras pueda.

20

Es su tercer verano en Inglaterra. Después de almorzar, en el césped de detrás de la Casa Solariega, los programadores se han acostumbrado a jugar al críquet con una pelota de tenis y un bate viejo que encontraron en un armario de la limpieza. No juega al críquet desde que acabó el colegio, cuando decidió dejarlo al considerar que los deportes de equipo eran incompatibles con la vida de un poeta e intelectual. Ahora descubre sorprendido lo mucho que sigue gustándole. No solo disfruta, sino que es bueno jugando. Todos los golpes que de niño se esforzó sin éxito en dominar vuelven espontáneamente, con una facilidad y una fluidez nuevas porque sus brazos son más fuertes y porque no hay razón para temer una bola blanda. Es mejor, mucho mejor bateador y lanzador que sus compañeros. ¿Cómo pasaban los días de colegio estos jóvenes ingleses?, se pregunta. ¿Tiene que venir él, un oriundo de las colonias, a enseñarles a jugar a su propio juego?

Su obsesión por el ajedrez va declinando, está empezando a leer otra vez. Aunque la biblioteca de Bracknell es pequeña y poco adecuada, los bibliotecarios le encargan cualquier libro que desee de la red del condado. Está leyendo la historia de la lógica, siguiendo la intuición de que la lógica es un invento humano, no una parte de la estructura del ser, y por tanto (hay muchos pasos intermedios, pero ya los rellenará luego) los ordenadores son meros juguetes inventados por niños (encabezados por Charles Babbage) para divertir a otros chicos. Está convencido de que existen muchas lógicas alternativas (pero ¿cuántas?), todas tan buenas como la lógica del «o... o...». La amenaza del juguete con el que se gana la vida, la amenaza que lo convierte en algo más que un simple juguete, consiste en que grabará rutas «o... o...» en los cerebros de los usuarios, condenándolos así, de manera irreversible, a la lógica binaria.

Devora Aristóteles, Peter Ramus, Rudolf Carnap. No entiende la mayor parte de lo que lee, pero está acostumbrado a no entender las cosas. De momento solo está buscando el momento histórico en que se eligió «o... o...» y se descartó «y / o».

Tiene sus libros y sus proyectos (la tesis sobre Ford, casi terminada, el desmantelamiento de la lógica) para llenar las tardes, el críquet a mediodía y, cada dos semanas, unos días en el hotel Royal con las noches de lujo a solas con el Atlas, el ordenador más imponente del mundo. ¿Puede ser mejor la vida de soltero, si es que ha de ser de soltero?

Solo hay un pero. Hace un año que escribió su último verso. ¿Qué le ha pasado? ¿Es verdad que el arte solo surge en la tristeza? ¿Debe volver a sufrir para escribir? ¿No existe también una poesía del éxtasis, incluso una poesía del críquet a la hora del almuerzo como forma de éxtasis? ¿Importa de dónde nazca el ímpetu poético mientras sea poesía?

Aunque el Atlas no ha sido creado para manejar textos, él aprovecha las horas muertas de la noche para imprimir miles de líneas al estilo de Pablo Neruda, usa como léxico una lista de las palabras más poderosas de «Alturas del Machu Picchu», en traducción de Nathaniel Tarn. Se lleva el fajo de papel al hotel Royal y lo lee. «La nostalgia de las teteras.» «El ardor de las persianas.» «Jinetes furiosos.» Ya que de momento es incapaz de escribir poesía que emane del corazón, si su corazón no está en el estado adecuado para generar poesía propia, ¿puede al menos hilar seudopoemas compuestos de frases generadas por la máquina y así, repasando los movimientos de la escritura, aprender otra vez a escribir? ¿Es justo emplear ayudas mecánicas para escribir: justo para otros poetas, justo para los maestros muertos? Los surrealistas escribían palabras en trocitos de papel y los mezclaban en un sombrero, después sacaban palabras al azar para construir versos. William Burroughs cortaba páginas en pedazos, los barajaba y unía los trozos. ¿Acaso él no está haciendo algo parecido? ¿O estos grandes recursos —qué otro poeta en Inglaterra, en el mundo, tiene a su disposición una máquina de este tamaño— convierten la cantidad en calidad? Sin embargo, ¿no podría argüirse que la invención del ordenador ha modificado la naturaleza del arte al hacer del autor y el estado de su corazón elementos irrelevantes? Ha oído en *Third Programme* música de los estudios de Radio Colonia, música ensamblada a partir de chillidos y crujidos electrónicos y ruidos de la calle, fragmentos de habla y de grabaciones viejas. ¿No es hora de que la poesía se ponga a la altura de la música?

Envía una selección de sus poemas de Neruda a un amigo de Ciudad del Cabo, que los publica en la revista que dirige. Un periódico local reproduce uno de los poemas del ordenador con un comentario burlón. Durante un par de días, es conocido en Ciudad del Cabo como el bárbaro que quiere reemplazar a Shakespeare por una máquina.

Además de los ordenadores Atlas de Cambridge y Manchester, existe un tercer Atlas. Se encuentra en el centro de investigación atómica del Ministerio de Defensa, a las afueras de Aldermaston, no muy lejos de Bracknell. Una vez comprobado y aprobado en Cambridge el software del Atlas, se instala en la máquina de Aldermaston. Los instaladores son los mismos programadores que lo escribieron. Pero primero tienen que superar un control de seguridad. Se les entrega un largo cuestionario sobre su familia, historia personal, experiencia laboral; reciben en casa la visita de unos hombres que se presentan como policías, pero que lo más probable es que pertenezcan al servicio secreto.

Todos los programadores británicos reciben el visto bueno y acreditaciones con su fotografía para colgárselas del cuello durante las visitas. Después de presentarse en la entrada de Aldermaston y dirigirse escoltados al edificio donde está el ordenador, pueden moverse más o menos con total libertad.

Sin embargo, Ganapathy y él no reciben la autorización porque son extranjeros o, como dice Ganapathy, extranjeros no norteamericanos. Por tanto, en la verja de entrada se les asigna un guardia a cada uno que los acompaña de un sitio a otro, los vigila todo el tiempo y se niega a dar conversación. Cuando van al lavabo, el guardia espera de pie junto a la puerta del cubículo; cuando comen, el guarda espera de pie detrás de ellos. Tienen permiso para hablar con otros miembros del personal de International Computers, pero con nadie más.

Su relación con el señor Pomfret en los tiempos de IBM y su colaboración en el desarrollo del bombardero TSR-2, vistas en retrospectiva, le parecen ahora tan triviales, incluso cómicas, que no le cuesta tranquilizar su conciencia. Aldermaston es harina de otro costal. Trabaja un total de diez días repartidos en varias semanas. Cuando por fin termina, las rutinas de planificación magnética funcionan igual de bien que lo hacían en Cambridge. Su trabajo ha concluido. Sin duda había otras personas que podían haber instalado las rutinas, pero no tan bien como él, que las escribió y se las conoce al dedillo. Otros podrían haber hecho el trabajo, pero no lo han hecho. Aunque podría haberse librado (por ejemplo, podría haber sacado a relucir lo antinatural de tener a un guardia con cara de póquer observando todos sus actos y el efecto de esta circunstancia en su estado mental), no lo hizo. Tal vez el señor Pomfret hubiera sido una broma, pero no puede fingir que Aldermaston lo sea.

Nunca había visto un lugar como Aldermaston. El ambiente dista mucho del de Cambridge. El cubículo donde trabaja, como todos los demás cubículos y objetos que contienen, es barato, funcional y feo. Toda la base, compuesta de edificios bajos de ladrillo dispersos por el recinto, es fea con la fealdad de un lugar que sabe que nadie se molestará en mirarlo; quizá con la fealdad de un lugar que sabe que en caso de guerra será borrado de la faz de la tierra.

Sin duda, en el complejo hay tipos listos, tan listos como los matemáticos de Cambridge, o casi. Sin duda, de todos los que ve por los pasillos, supervisores de operaciones, agentes de investigaciones, agentes técnicos de grado I, II y III, agentes técnicos superiores, gente con la que no le está permitido hablar, algunos son licenciados por Cambridge. Él ha creado las rutinas que está instalando, pero la planificación previa fue obra de la gente de Cambridge, gente que no podía ignorar que la máquina del laboratorio matemático tenía una siniestra hermana en Aldermaston. La gente de Cambridge no tiene las manos mucho más limpias que él. No obstante, al cruzar estas puertas, al respirar el aire de este lugar, ha colaborado en la carrera armamentística, se ha convertido en cómplice de la guerra fría, y encima del bando equivocado.

Parece que en estos tiempos las pruebas ya no se avisan con una antelación prudencial como hacían cuando era un colegial, o ni siquiera se anuncian. Pero en este caso es difícil excusarse en que le pilló desprevenido. Desde la primera vez que se pronunció la palabra «Aldermaston» supo que Aldermaston sería una prueba y supo que no la iba a pasar, que iba a faltarle lo que había que tener para pasarla. Al trabajar para Aldermaston se ha prestado al mal y, desde cierto punto de vista, se ha prestado con más culpabilidad que sus colegas ingleses, quienes de haberse negado a participar habrían arriesgado sus carreras mucho más que él, un intruso temporal en la pelea entre Gran Bretaña y Estados Unidos, por un lado, y Rusia, por el otro.

«Experiencia.» Es la palabra en la que se gustaría apoyarse para justificarse ante sí mismo. El artista debe probar todas las experiencias, desde la más noble hasta la más baja. Igual que el destino del artista es experimentar la alegría creativa suprema, también debe estar preparado para cargar con todo lo que en la vida hay de miserable, escuálido, ignominioso. En nombre de la experiencia padeció Londres; los días muertos en IBM, el gélido invierno de 1962, una humillación tras otra: etapas, todas, de la vida del poeta que pone a prueba su alma. De idéntica manera Aldermaston –el cubículo espantoso en el que trabaja, con su mobiliario de plástico y su vista a la parte de atrás de una caldera y el hombre armado a sus espaldas– puede considerarse simplemente como una experiencia, como otra etapa más del viaje hacia las profundidades.

Es una justificación que no le convence ni por un momento. Es sofistería, nada más, sofistería deleznable. Y si va a seguir afirmando que, igual que acostarse con Astrid y su osito de peluche fue conocer la miseria moral, contarse a uno mismo mentiras para justificarse es conocer la miseria intelectual de primera mano, la sofistería solo devendrá más deleznable todavía. Nada puede decirse a su favor; tampoco, para ser verdaderamente sincero, nada puede decirse a favor de que no tenga nada que decir. En cuanto a la sinceridad despiadada, la sinceridad despiadada no es un truco difícil de aprender. Al contrario, es la cosa más fácil del mundo. Del mismo modo que un sapo venenoso no se envenena a sí mismo, así enseguida endurecemos la piel contra nuestra propia sinceridad. ¡Muerte a la razón, muerte al habla! Lo único importante es hacer lo que debes, ya sea por la razón correcta, por la equivocada o por ninguna.

No es difícil adivinar qué es lo que debes hacer. No necesita pensar mucho para saber qué debe hacer. Si quisiera, podría hacer lo correcto con precisión casi infalible. Lo que le da que pensar es si puede seguir siendo poeta mientras hace lo correcto. Cuando trata de imaginar el tipo de poesía que fluiría de hacer lo correcto una y otra vez, solo ve un rotundo vacío. Lo correcto es aburrido. De modo que se encuentra en un punto muerto: preferiría ser malo a aburrido, no respeta a las personas que preferirían ser malas a aburridas y tampoco respeta el ingenio que le permite ser capaz de plantear este dilema en palabras claras.

Pese al críquet y los libros, pese a los pájaros siempre contentos saludando al alba con sus gorjeos desde el manzano de debajo de su ventana, los fines de semana se le hacen muy duros, en particular los domingos. Teme despertarse los domingos por la mañana. Hay algunos rituales que ayudan a pasar el domingo, principalmente salir a comprar el periódico, leerlo en el sofá y recortar los entretenimientos de ajedrez. Pero el periódico no dura mucho más allá de las once de la mañana; y, de todos modos, leer los suplementos dominicales es un modo demasiado evidente de matar el tiempo.

Está matando el tiempo, está intentando matar el domingo para que el lunes llegue antes y con él el alivio que proporciona el trabajo. Pero, en un sentido más amplio, el trabajo también es un modo de matar el tiempo. Todo lo que ha hecho desde que desembarcó en Southampton ha sido matar el tiempo mientras espera a que se cumpla su destino. El destino no iría a buscarle a Sudáfrica, se dijo; solo saldría a su encuentro (¡como una novia!) en Londres, París o tal vez Viena, porque solo en las grandes ciudades de Europa reside el destino. Durante casi dos años esperó y sufrió en Londres, y el destino no llegó. No ha sido lo bastante fuerte para seguir soportando Londres y se ha batido en retirada hacia el campo, una retirada estratégica. No está seguro de si el destino visita el campo, ni siquiera tratándose de la campiña inglesa, ni siquiera aunque esté a apenas una hora en tren de Waterloo.

Por supuesto, en el fondo sabe que el destino no irá a visitarle a menos que él lo obligue. Tiene que sentarse y escribir, es la única manera. Pero no puede empezar a escribir hasta el momento adecuado, y da igual lo escrupulosamente que se prepare, vaciando la mesa, colocando la lámpara, dibujando un margen con regla en la página en blanco, sentándose con los ojos cerrados, dejando la mente en blanco: pese a todo, no le vendrán las palabras. O mejor dicho, le vendrán muchas palabras, pero no las correctas, la frase que reconocerá en el acto, por su peso, por su aplomo y equilibrio, como la destinada.

Detesta estas confrontaciones con la página en blanco, las detesta hasta el extremo de empezar a evitarlas. No soporta el peso de la desesperación que se abate sobre él después de cada sesión infructífera, el darse cuenta de que ha vuelto a fracasar. Es mejor no torturarse de esta manera, una y otra vez. Podría dejar de ser capaz de responder cuando por fin llegue la hora, podría estar demasiado débil, ser demasiado cobarde.

Es muy consciente de que su fracaso como escritor y su fracaso como amante van tan estrechamente ligados que muy bien podrían ser la misma cosa. Es el hombre, el poeta, el hacedor, el principio activo, y se supone que el hombre no debe esperar a que la mujer se le aproxime. Al contrario, es la mujer la que se supone que debe esperar al hombre. La mujer es la que duerme hasta que el beso del príncipe la despierta; la mujer es el capullo que se abre bajo la caricia de los rayos solares. A menos que se disponga a actuar, nunca ocurrirá nada, ni en el amor ni en el arte. Pero no confía en su fuerza de voluntad. Igual que no puede empujarse a escribir sino que debe esperar la ayuda de alguna fuerza del exterior, una fuerza que solía llamarse musa, tampoco puede obligarse a aproximarse a una mujer sin algún indicio (¿de dónde?, ¿de ella?, ¿de él?, ¿de arriba?) de que ella es su destino. Si se acerca a una mujer con otro ánimo, el resultado es un enredo como la desastrosa aventura con Astrid, un enredo del que trató de escapar casi antes de que empezara.

Hay otra manera más brutal de decir lo mismo. De hecho, hay mil maneras: podría pasarse el resto de la vida escribiendo una lista. Pero la más brutal es decir que tiene miedo: miedo de escribir, miedo de las mujeres. Tal vez ponga mala cara a los poemas que lee en *Ambit* y *Agenda*, pero al menos están impresos, están en el mundo. ¿Cómo va a saber si los hombres que los escribieron se pasaron años debatiéndose con las mismas exigencias que él ante la página en blanco? Se debatieron, pero al final recuperaron la compostura y escribieron lo mejor que pudieron lo que tenían que escribir, y lo enviaron por correo y sufrieron la humillación del rechazo o la humillación equivalente de ver sus efusiones en fría impresión, en toda su pobreza. Del mismo modo, estos hombres habrían encontrado una excusa, por pobre que fuera, para hablar con alguna chica guapa en el metro, y si ella girase la cabeza o dejase caer algún comentario mordaz en italiano a alguna amiga, bueno, habrían encontrado el modo de sufrir el revés en silencio y al día siguiente lo habrían vuelto a intentar con otra chica. Así es como se hace, así es como funciona el mundo. Y un día, estos hombres, estos poetas, estos amantes, tendrán suerte: la chica, no importa la excelencia de su belleza, les responderá, y una cosa llevará a la otra y su vida se transformará, la de ambos, y punto. ¿Qué más hace falta sino una especie de obstinación estúpida e insensata como amante y escritor unida a la buena disposición para fracasar una y otra vez?

Su problema es que no está preparado para el fracaso. Quiere una A, un alfa, o un cien por cien en cada intento, con un gran «¡Excelente!» al margen. ¡Ridículo! ¡Infantil! No tienen que decírselo: lo ve él solito. No obstante. No obstante, no puede hacerlo. Hoy no. Tal vez mañana. Tal vez mañana estará de humor, tendrá valor.

Si fuera una persona más cálida, no hay duda de que todo le resultaría más sencillo: la vida, el amor, la poesía. Pero no es su carácter. De todos modos, de la calidez no nace la poesía. Rimbaud no era cálido. Baudelaire no era cálido. Ardiente, sí, eso sí, cuando hacía falta —ardiente en la vida, ardiente en el amor—, pero no cálido. Él también puede ser ardiente, nunca ha dejado de creerlo. Pero, por el momento, por un tiempo indefinido, es frío: frío, gélido.

¿Y en qué queda toda esta falta de calor, esta falta de corazón? El resultado es que está sentado solo un domingo por la tarde en la habitación de arriba de una casa en las profundidades de la campiña de Berkshire, con cuervos graznando en los campos y una neblina gris pendida en lo alto, jugando al ajedrez contra sí mismo, envejeciendo, esperando a que caiga la noche para poder freírse unas salchichas con pan para la cena sin tener mala conciencia. A los dieciocho años pudo haber sido un poeta. Ahora no es poeta, ni escritor, ni artista. Ahora es programador informático, un programador informático de veinticuatro años en un mundo donde no hay programadores informáticos de treinta años. A los treinta estás demasiado viejo para ser programador: te conviertes en otra cosa —una especie de hombre de negocios— o te pegas un tiro. Solo porque es joven, porque las neuronas de su cerebro todavía disparan más o menos con puntería infalible, ha conseguido entrar en la industria informática británica, en la sociedad británica, en Gran Bretaña. Ganapathy y él son dos caras de la misma moneda: Ganapathy no se muere de hambre porque haya cortado los lazos con la madre India, sino porque no come lo suficiente, porque pese a su máster en ciencia computacional no sabe nada de vitaminas, minerales y aminoácidos; y él está atrapado en un final atenuante, empujándose con cada movimiento un poco más hacia el rincón, hacia la derrota. Un día de estos los hombres de la ambulancia llamarán al piso de Ganapathy y lo sacarán en un camilla con la cara cubierta por una sábana. Cuando hayan acabado con Ganapathy podrían pasar a buscarle a él

VERANO

CUADERNOS DE NOTAS
1972-1975

22 de agosto de 1972
En el *Sunday Times* de ayer, una noticia desde Francistown, en Botswana. La semana pasada, en plena noche, un coche, un modelo norteamericano de color blanco, se detuvo ante una casa de una zona residencial. Bajaron unos hombres con pasamontañas, derribaron la puerta a patadas y empezaron a disparar. Cuando finalizaron los disparos, prendieron fuego a la casa y se marcharon. Los vecinos sacaron siete cadáveres de entre las brasas: dos hombres, tres mujeres y dos niños.

Los asesinos parecían ser negros, pero uno de los vecinos les oyó hablar entre ellos en afrikaans y estaba convencido de que eran blancos con la cara ennegrecida. Los muertos eran sudafricanos, refugiados que se habían mudado a la casa solo unas semanas atrás.

Cuando piden un comentario, a través de un portavoz, al ministro sudafricano de Asuntos Exteriores, dice del informe que «no ha sido verificado». Añade que habrá investigaciones para determinar si los fallecidos eran realmente ciudadanos sudafricanos. En cuanto al ejército, una fuente no especificada niega que la Fuerza de Defensa de Sudáfrica haya tenido que ver con el incidente. Sugiere que lo más probable es que los asesinatos hayan respondido a un asunto interno del Consejo Nacional Africano y que reflejen las «tensiones en curso» entre facciones.

Una semana tras otra se habla de sucesos similares en las zonas fronterizas, asesinatos seguidos de anodinos desmentidos.

Él lee las noticias y se siente sucio. ¡De modo que es a esto a lo que ha regresado! Sin embargo, ¿en qué lugar del mundo puede uno esconderse donde no se sienta sucio? ¿Acaso se sentiría más limpio en las nieves de Suecia, leyendo desde la lejanía acerca de su gente y las diabluras más recientes a que se entregaban?

Cómo librarte de la suciedad: no es una cuestión nueva. Es una vieja cuestión que te roe como una rata, que no te suelta, que te deja una herida asquerosa y supurante.

—Veo que la Fuerza de Defensa vuelve a las andadas —le comenta a su padre—. Esta vez en Botswana.

Pero su padre es demasiado cauteloso para picar el anzuelo. Cuando abre el periódico, se lo salta todo hasta llegar a las páginas deportivas, dejando de lado la política… la política y las matanzas.

Su padre solo siente desdén hacia el continente que se extiende al norte de donde ellos se encuentran. A los dirigentes de los estados africanos los despacha con la palabra «bufones»: tiranuelos que a duras penas saben escribir su propio nombre, que van de un banquete a otro en sus Rolls Royces con chófer, que visten uniformes al estilo de Ruritania festoneados de medallas que ellos mismos se han concedido. África: un territorio de masas hambrientas y bufones homicidas que las tratan con prepotencia.

—Han entrado en una casa de Francistown y matado a todo el mundo —insiste él de todos modos—. Los han ejecutado, incluso a los niños. Mira. Lee la noticia. Viene en primera plana.

Su padre se encoge de hombros. No puede encontrar palabras lo bastante amplias para abarcar la repugnancia que le causan, por un lado, unos matones que asesinan a mujeres y niños inocentes y, por otro, unos terroristas que guerrean desde refugios situados al otro lado de la frontera. Resuelve el problema enfrascándose en los resultados del críquet. Como reacción a un problema moral, es inadecuada. Sin embargo, ¿acaso es mejor su propia manera de reaccionar, esos accesos de rabia y desesperación?

En otro tiempo pensaba que los hombres que idearon la versión sudafricana del orden público, que crearon el vasto sistema de reservas de trabajadores, pasaportes internos y distritos satélite segregados, habían basado su sueño en una trágica mala interpretación de la historia. Habían malinterpretado la historia porque, nacidos en granjas o en pequeñas poblaciones del interior, y aislados dentro de un lenguaje que no se hablaba en ningún otro lugar del mundo, no tenían noción alguna de la escala de las fuerzas que, desde 1945, habían arrastrado al viejo mundo colonial. Sin embargo, decir que habían malinterpretado la historia era en sí mismo engañoso, pues no leían textos sobre historia. Al contrario, le daban la espalda, desechándola como una masa de calumnias reunidas por extranjeros que despreciaban a los afrikáners y que harían la vista gorda si fueran asesinados por los negros, hasta la última mujer y el último niño. Solos y sin amigos en el remoto extremo de un continente hostil, erigían su Estado-fortaleza y se retiraban tras sus muros: allí mantendrían encendida la llama de la civilización cristiana occidental hasta que por fin el mundo recuperase el juicio.

De este modo, más o menos, se expresaban los hombres que dirigían el Partido Nacional Africano y el Estado en que la seguridad se imponía a cualquier otra consideración, y durante mucho tiempo él creyó que lo decían con el corazón en la mano. Pero ya no es así. Ahora tiende a pensar que, cuando hablaban de salvar la civilización, sus palabras nunca fueron más que un engaño. En este mismo momento, detrás de una cortina de humo de patriotismo, están sentados y calculando durante cuánto tiempo podrían seguir representando la función (las minas, las fábricas) antes de que tengan que hacer el equipaje, destruir todos los documentos incriminatorios y volar a Zurich, Mónaco o San Diego, donde, al amparo de empresas con nombres como Algro Trading o Handfast Securities, años atrás se compraron chalets y pisos como un seguro contra el día del Juicio Final (*dies irae, dies illa*).

Según esta nueva y revisada manera de pensar, los hombres que ordenaron a la patrulla asesina actuar en Francistown no tenían una visión equivocada, y mucho menos trágica, de la historia. A decir verdad, lo más probable es que se rieran con disimulo de unas personas tan necias como para tener cualquier clase de visiones. En cuanto al destino de la civilización cristiana en África, siempre les ha importado un rábano. ¡Y estos, precisamente estos, son los hombres bajo cuyo inmundo poder él vive!

A desarrollar: la reacción de su padre a los tiempos comparada con la suya: sus diferencias, sus (primordiales) similitudes.

1 de septiembre de 1972

La casa en la que vive con su padre data de la década de 1920. Las paredes, construidas con ladrillos en parte cocidos pero en general de barro y paja, están ahora tan deterioradas por la humedad que se filtra desde la tierra que han empezado a desmoronarse. Aislarlas de la humedad es una tarea imposible; lo mejor que puede hacerse es instalar un lienzo de hormigón impermeable alrededor del perímetro de la casa y confiar en que se sequen lentamente.

Una guía de reformas domésticas le informa de que cada metro de hormigón requerirá tres sacos de arena, cinco sacos de piedra y un saco de cemento. Calcula que si el lienzo alrededor de la casa tiene diez centímetros de profundidad, necesitará treinta sacos de arena, cincuenta sacos de piedra y diez sacos de cemento, lo cual supondrá seis viajes al almacén de materiales de construcción y seis cargas completas en un camión de una tonelada.

Mediada la primera jornada de trabajo, se da cuenta de que ha cometido un error desastroso. O bien ha malinterpretado las indicaciones de la guía o bien en sus cálculos ha confundido metros cúbicos con metros cuadrados. Va a necesitar mucho más que diez sacos de cemento, más arena y piedra, para colocar un lienzo de noventa y seis metros cuadrados de hormigón. Va a necesitar más de seis viajes al almacén de materiales de construcción; va a tener que dedicar más que unos pocos fines de semana de su vida.

Una semana tras otra, utilizando una pala y una carretilla, mezcla arena, piedra, cemento y agua; bloque tras bloque, vierte hormigón líquido y lo nivela. Le duele la espalda, tiene tan rígidos los brazos y las muñecas que apenas puede sujetar una pluma. Sin embargo, no se siente desdichado. Observa que está haciendo lo que las personas como él deberían haber hecho desde 1652, a saber, su propio trabajo sucio. De hecho, cuando uno se olvida del tiempo que invierte, el trabajo empieza a producir un placer peculiar, el de haber colocado bien una placa, con una perfección que está a la vista de todo el mundo. Las placas que él está colocando seguirán ahí cuando él ya no sea el inquilino de la casa, incluso es posible que sigan ahí cuando él ya no exista, en cuyo caso podría decirse que en cierto sentido habrá engañado a la muerte. Uno podría pasarse el resto de su vida colocando placas, y sumirse cada noche en el más profundo de los sueños, fatigado y dolorido por la dura y honesta tarea.

¿Cuántos de los andrajosos trabajadores que pasan por su lado en la calle son los autores secretos de obras que les sobrevivirán: carreteras, muros, torres metálicas? Al fin y al cabo, una clase de inmortalidad, una inmortalidad limitada, no es tan difícil de lograr. ¿Por qué insiste entonces en hacer unas marcas en papel, con la leve esperanza de que personas que aún no han nacido se tomen la molestia de descifrarlas?

A desarrollar: su disposición a meterse de lleno en proyectos mal concebidos; la presteza con que se retira del trabajo creativo para dedicarse a una actividad mecánica.

16 de abril de 1973
El mismo *Sunday Times* que, entre revelaciones de tórridas aventuras amorosas de profesores y alumnas de poblaciones rurales, entre fotos de jóvenes actrices aspirantes al estrellato que

llevan exiguos biquinis y fruncen los labios, sale con revelaciones de las atrocidades cometidas por las fuerzas de seguridad, informa de que el ministro del Interior ha concedido a Breyten Breytenbach un visado para que pueda regresar a su país natal y visitar a sus padres enfermos. A esto se le llama un visado compasivo, y es extensible a la esposa de Breytenbach.

Breytenbach abandonó el país años atrás para vivir en París, y poco después estropeó de antemano su oportunidad al casarse con una vietnamita, es decir, una mujer que no era blanca, una asiática. No solo se casó con ella, sino que, si uno da crédito a los poemas en los que figura su mujer, está apasionadamente enamorado de ella. A pesar de lo cual, dice *The Sunday Times*, el compasivo ministro permitirá a la pareja una estancia de treinta días durante la cual la llamada señora Breytenbach será tratada como si fuese una persona blanca, una blanca temporal, una blanca honoraria.

Desde el momento en que Breyten y Yolanda llegan a Sudáfrica, él moreno y apuesto, ella de una delicada belleza, la prensa los persigue. Los teleobjetivos captan cada momento íntimo, mientras meriendan con unos amigos junto a un arroyo de montaña.

Los Breytenbach realizan una aparición pública en una conferencia literaria que tiene lugar en Ciudad del Cabo. La sala está llena a rebosar de mirones. En su discurso, Breyten llama bastardos a los afrikáners. Dice que por el hecho de ser bastardos y avergonzarse de su bastardía han inventado ese plan —propio de gente que vive en las nubes—, de la separación obligatoria de las razas.

Su discurso recibe grandes aplausos. Poco después, él y Yolanda emprenden el vuelo de regreso a París, y los periódicos dominicales vuelven a su menú de ninfas traviesas, esposos infieles y crímenes de Estado.

A explorar: la envidia de Breytenbach que sienten los hombres sudafricanos, por su libertad para explorar el mundo y su ilimitado acceso a una hermosa y exótica compañera sexual.

2 de septiembre de 1973

Anoche, en el cine Empire de Muizenberg, una de las primeras películas de Kurosawa, *Vivir*. Un soso burócrata se entera de que padece cáncer y solo le quedan unos meses de vida. Se queda aturdido, no sabe qué hacer consigo mismo, adónde dirigirse.

Lleva a su secretaria, una joven llena de vida pero tonta, a tomar el té. Cuando ella intenta marcharse, él la retiene, asiéndola del brazo. «¡Quiero ser como tú! —le dice—. ¡Pero no sé cómo!» A ella le repele la franqueza de su súplica.

Pregunta: ¿cómo reaccionaría él si su padre le asiera el brazo de ese modo?

13 de septiembre de 1973

Recibe una llamada telefónica de una oficina de empleo a la que ha entregado sus datos. Un cliente busca el consejo de un experto en cuestiones de lenguaje, pagará por horas… ¿Le interesa? Él pregunta cuál es la naturaleza de esas cuestiones de lenguaje. La oficina no puede decírselo.

Llama al número que le han dado y concierta una cita en una dirección de Sea Point. Su cliente es una sexagenaria viuda cuyo esposo se ha ido de este mundo dejando su considerable herencia a un fideicomiso controlado por su hermano. Indignada, la viuda ha decidido recusar el testamento. Pero todos los abogados a los que ha consultado le han aconsejado que no lo intente. Dicen que el testamento carece de lagunas. Sin embargo, ella no quiere darse por vencida. Está convencida de que los abogados han malinterpretado el texto del testamento. Así pues, ha prescindido de los abogados y en su lugar ha solicitado el asesoramiento de un experto en el aspecto lingüístico.

Con una taza de té junto a su codo, él examina el último testamento del fallecido. Su significado está perfectamente claro.

La viuda se queda con el piso de Sea Point y recibe una suma de dinero. El resto de la herencia va a un fideicomiso en beneficio de los hijos que el difunto marido tuvo de un matrimonio anterior.

—Me temo que no puedo ayudarle —le dice a la viuda—. En el texto no hay ambigüedad alguna. Solo puede leerse de una manera.

—¿Qué me dice de esto? —replica ella. Se inclina por encima de su hombro y pone un dedo en el texto. Tiene la mano pequeña, la piel con manchas; en el dedo anular luce un brillante en un engaste extravagante—. Donde dice «sin perjuicio de lo anteriormente expuesto».

—Dice que, si puede usted demostrar dificultades financieras, tiene derecho a solicitar una ayuda económica al fideicomiso.

—¿Y qué me dice de «sin perjuicio de»?

—Significa que lo declarado en esta cláusula es una excepción a lo que se ha declarado antes y tiene prioridad sobre ello.

—Pero también significa que el fideicomiso no puede oponerse a mi petición. ¿O no es así?*

—Mire, el significado de «sin perjuicio de lo anteriormente expuesto» no deja lugar a dudas. Tiene usted que entenderlo así.

Ella suelta un bufido de impaciencia.

—Le pago por sus servicios como experto en inglés, no como abogado —le dice la viuda—. El testamento está escrito en inglés. Con palabras inglesas. ¿Qué significan las palabras? ¿Qué significa esta frase?

«Una loca —piensa él—. ¿Cómo voy a salir de esta?» Pero ella no está loca, claro. Tan solo le embarga la rabia y la codicia:

---

* La frase original es *notwithstanding the aforesaid. Notwithstanding* significa «a pesar de», «no obstante», mientras que *withstand* significa «resistirse a», «oponerse a». La mujer, de una manera absurda pero lingüísticamente factible, entiende que la partícula negativa ante *withstand* quiere decir que los fideicomisarios no pueden oponerse a su petición. La traducción exacta del intercambio entre ambos personajes en torno a esta confusión es imposible en castellano. *(N. del T.)*

rabia hacia el marido que se ha librado de ella, codicia de su dinero.

—Tal como yo entiendo la cláusula —le dice la mujer—, si hago una reclamación nadie, ni siquiera mi cuñado, puede oponerse, porque eso es lo que significa esta frase: no puede resistirse. De lo contrario, ¿a qué viene utilizar esta expresión?

—Comprendo lo que quiere decir —responde él.

Sale de la casa con un cheque por diez rands en el bolsillo. Una vez ha entregado su informe, su informe de experto, al que él habrá adjuntado una copia, avalada por un notario, del diploma que le convierte en experto comentarista del significado de las palabras inglesas, incluida la expresión «sin perjuicio de», recibirá los treinta rands restantes de sus honorarios.

No entrega ningún informe. Renuncia al dinero que le deben. Cuando la viuda le telefonea para preguntarle qué ocurre, él cuelga el aparato sin decir nada.

Rasgos de su carácter que se desprenden de la anécdota: a) integridad (se niega a leer el testamento como su empleadora quiere que lo haga); b) ingenuidad (pierde una ocasión de ganar un dinero que necesita mucho).

31 de mayo de 1975
Sudáfrica no se encuentra formalmente en estado de guerra, pero es como si lo estuviera. A medida que ha aumentado la resistencia, el imperio de la ley ha sido suspendido paso a paso. A estas alturas la policía y quienes la dirigen (como los cazadores dirigen jaurías de perros) tienen más o menos libertad para hacer lo que quieran. Como si fueran noticias, la radio y la televisión transmiten las mentiras oficiales. Sin embargo, sobre el lamentable y criminal espectáculo se cierne una atmósfera de ranciedad. Los viejos gritos de las concentraciones («¡Defendamos la civilización cristiana blanca!», «¡Honremos los sacrificios de los antepasados!») han perdido toda su fuerza. Los jugadores de ajedrez han llegado al final de la partida, y todo el mundo lo sabe.

Sin embargo, mientras la partida va perdiendo fuerza, todavía se consumen vidas humanas… se las consume y defeca. De la misma manera que el destino de ciertas generaciones es que la guerra las destruya, así el de la generación actual es, según parece, que la política las avasalle.

Si Jesús se hubiera rebajado a hacer política podría haberse convertido en un hombre clave de la Judea romana, un gran negociador. Precisamente porque era indiferente a la política, e hizo patente su indiferencia, lo liquidaron. Cómo vivir tu vida al margen de la política, y tu muerte también: ese fue el ejemplo que dio a sus seguidores.

Es curioso que considere a Jesús como un guía. Pero ¿dónde podría encontrar uno mejor?

Precaución: eludir llevar demasiado lejos su interés por Jesús y transformar esto en un relato sobre encontrar el verdadero camino.

2 de junio de 1975
La casa al otro lado de la calle tiene nuevos propietarios, una pareja más o menos de su edad con hijos pequeños y un BMW. Él no les presta atención hasta que un día llaman a su puerta.

—Hola, soy David Truscott, tu nuevo vecino. Me he dejado la llave dentro de casa y no puedo entrar. ¿Me permitirías llamar por teléfono? —Y entonces, como una ocurrencia tardía—: ¿No te conozco?

Se produce el reconocimiento. En efecto, ambos se conocen. En 1952, David Truscott y él iban a la misma clase de sexto curso en la escuela secundaria Saint Joseph. Él y David Truscott podrían haber avanzado uno al lado del otro durante el resto de la enseñanza media, de no ser porque David suspendió sexto y se quedó rezagado. No era difícil ver por qué había fallado. En sexto se estudiaba álgebra y David no entendía ni papa de álgebra, ni siquiera lo más esencial, que la x, la y y la z estaban allí para liberarte del tedio de la aritmética. David tampoco acabó de manejarse con el latín… con el subjuntivo, por ejemplo. Incluso a edad tan temprana, le parecía evidente que estaría mejor fuera de la escuela, lejos del latín y el álgebra, contando billetes en un banco o vendiendo zapatos.

Pero, a pesar de que le abroncaban continuamente por no comprender las cosas (broncas que él aceptaba con filosofía, aunque de vez en cuando las lágrimas le empañaban las gafas), David persistió en sus estudios, sin duda porque sus padres le obligaban a ello. Pese a las dificultades, se las arregló para superar sexto y luego séptimo y así hasta décimo, y ahora helo aquí, veinte años después, pulcro, vivaz y próspero, y, según se revela, tan absorto en sus asuntos profesionales que por la mañana, al salir de casa para ir a la oficina, se ha olvidado la llave dentro y, puesto que su mujer se ha llevado a los niños a una fiesta, no puede entrar en su vivienda.

—¿Y a qué te dedicas? —le pregunta a David, más que curioso.

—Al marketing. Trabajo en el grupo Woolworth. ¿Y tú qué haces?

—Pues me encuentro entre una cosa y otra. He dado clases en una universidad de Estados Unidos, y ahora estoy buscando un puesto aquí.

—Bueno, hemos de reunirnos. Deberías venir a tomar una copa, a cambiar impresiones. ¿Tienes hijos?

—Soy un hijo. Quiero decir que vivo con mi padre. Se está haciendo mayor, necesita que cuiden de él. Pero pasa, hombre. El teléfono está ahí.

Así pues, David Truscott, que no entendía la x y la y, es un floreciente experto en marketing, mientras que él, que no tuvo la menor dificultad para entender la x, y la y, junto con otras muchas cosas más, es un desempleado intelectual. ¿Qué indica esto sobre el funcionamiento del mundo? Lo más evidente que parece indicar es que el camino que conduce a través del latín y el álgebra no es el camino hacia el éxito material. Pero también puede indicar más: que comprender las cosas es una pérdida de tiempo, que si quieres tener éxito en el mundo, una familia feliz, una bonita casa y un BMW no deberías tratar de comprender las cosas, sino tan solo sumar las cifras o pulsar los botones o hacer cualquier otra cosa que haga la gente de marketing y por la que son tan espléndidamente recompensados.

El caso es que David Truscott y él no se reunieron para tomar la copa prometida y mantener la charla prometida. Si algún atardecer resulta que él se encuentra en la parte delantera del jardín rastrillando hojas a la hora en que David Truscott regresa del trabajo, los dos se saludan como buenos vecinos, agitando la mano o inclinando la cabeza desde el otro lado de la calle, pero eso es todo. Él ve un poco más a la señora Truscott, una mujer menuda y pálida que siempre está metiendo prisa a los niños para que suban o bajen del segundo coche, pero David no se la ha presentado y él no ha tenido ocasión de hablar con ella. La vía Tokai es una avenida de mucho tráfico, peligrosa para los niños. No hay ninguna buena razón para que los Truscott crucen a su lado o para que él cruce al de ellos.

3 de junio de 1975

Desde donde viven él y los Truscott hay solo un paseo de más o menos un kilómetro en dirección sur hasta dar con Pollsmoor. Este edificio, al que nadie se molesta en llamar Prisión de Pollsmoor, es un centro carcelario rodeado de altos muros con alambre de espino y torres de vigilancia. En el pasado se alzaba solitario en un desierto de arena y matorrales. Pero con el transcurso de los años, primero de una manera dubitativa y luego con más confianza, las urbanizaciones del extrarradio se han ido aproximando, hasta que ahora, rodeada por pulcras hileras de viviendas de las que cada mañana salen rectos ciudadanos para jugar su papel en la economía nacional, es Pollsmoor la que se ha convertido en la anomalía en el paisaje.

Por supuesto, es una ironía que el *gulag* sudafricano asome de una manera tan obscena en los barrios residenciales blancos, que el mismo aire que respiran él y los Truscott haya tenido que pasar por los pulmones de sinvergüenzas y delincuentes. Pero, como ha señalado Zbigniew Herbert, la ironía es como la sal: la haces crujir entre los dientes y disfrutas de un sabor momentáneo, pero cuando el sabor ha desaparecido, los hechos irracionales siguen aún ante ti. Así pues, ¿qué hace uno con el hecho irracional de Pollsmoor una vez ha agotado la ironía?

Continuación: los furgones del Servicio de Prisiones que pasan por la vía Tokai camino de los juzgados; atisbos de rostros, dedos que aferran las ventanillas con rejas; lo que los Truscott les dicen a sus hijos para explicar esas manos y caras, unas desafiantes, otras acongojadas.

JULIA

Doctora Frankl, ha tenido usted oportunidad de leer las páginas que le envié de los cuadernos de notas de John Coetzee correspondientes a los años 1972-1975, más o menos los años en que eran ustedes amigos. A fin de entrar en materia, quisiera saber si ha reflexionado sobre esas anotaciones. ¿Reconoce en ellas al hombre con quien se relacionó? ¿Reconoce el país y los tiempos que describe?

Sí, recuerdo Sudáfrica, recuerdo la vía Tokai, recuerdo los furgones atestados de presos camino de Pollsmoor. Lo recuerdo todo con absoluta claridad.

Naturalmente, Nelson Mandela estuvo encarcelado en Pollsmoor. ¿No le sorprende que Coetzee no mencione a Mandela como una persona que vivía allí?

A Mandela no lo trasladaron a Pollsmoor hasta más adelante. En 1975 seguía en la isla de Robben.

Claro, lo había olvidado. ¿Y qué me dice de las relaciones de Coetzee con su padre? Él y su padre vivieron juntos durante cierto tiempo tras la muerte de su madre. ¿Conoció usted al padre?

Nos vimos varias veces.

¿Vio usted al padre reflejado en el hijo?

¿Quiere decir si John era como su padre? Físicamente, no. Su padre era más bajo y más delgado: un hombrecillo pulcro, apuesto a su manera, aunque era evidente que no estaba bien de salud. Bebía y fumaba a hurtadillas y, en general, no se cuidaba, mientras que John era un abstemio convencido.

¿Y en otros aspectos? ¿Eran similares en otros aspectos?

Ambos eran solitarios. Socialmente ineptos. Reprimidos, en el sentido más amplio de la palabra.

¿Y cómo conoció a John Coetzee?

Se lo diré dentro de un momento. Pero primero, hay algo que no he comprendido sobre las páginas que me envió de sus diarios. Esos pasajes en cursiva, «A desarrollar», etcétera, ¿quién los escribió? ¿Lo hizo usted?

No, los escribió el mismo Coetzee. Son recordatorios dirigidos a sí mismo. Los escribió en 1999 o 2000, cuando pensaba en transformar esos diarios en un libro. Posteriormente desechó la idea.

Comprendo. En cuanto a cómo conocí a John: tropecé con él por primera vez en un supermercado. Corría el verano de 1972, no mucho después de que John se hubiera trasladado a El Cabo. Parece ser que en aquel entonces yo pasaba mucho tiempo en los supermercados, incluso a pesar de que nuestras necesidades, me refiero a mis necesidades y las de mi hija, eran muy básicas. Iba de compras porque me aburría, porque necesitaba alejarme de la casa, pero sobre todo porque el supermercado me ofrecía paz y placer: el edificio espacioso y aireado, la blancura, la limpieza, el hilo musical, el suave siseo de las ruedas de los carritos. Y luego estaba aquella gran variedad: esta salsa de espaguetis contra aquella otra salsa, este dentífrico o ese de al lado, y así sucesivamente, algo interminable. Me relajaba. Otras mujeres a las que conocía jugaban al tenis o practicaban yoga. Yo compraba.

Los años setenta eran los del apogeo del *apartheid*, así que no veías a muchas personas de color en el supermercado, excepto, claro está, el personal. Tampoco veías a muchos hombres. Eso contribuía al placer de ir de compras. No tenía que actuar. Podía ser yo misma.

No veías a muchos hombres, pero en la sucursal de Pick'n' Pay de la vía Tokai había uno en el que me fijaba una y otra vez. Me fijaba en él, pero él no se fijaba en mí, pues estaba demasiado absorto en su compra. Eso me parecía muy bien. Por su aspecto no era lo que la mayoría de la gente llamaría atractivo. Era flacucho, llevaba barba y gafas de montura metálica, y calzaba sandalias. Parecía fuera de lugar, como un pájaro, una de esas aves que no vuelan; o como un científico abstraído que ha salido por error de su laboratorio. También tenía un aire de sordidez, un aire de fracaso. Sospeché que no había ninguna mujer en su vida, y resultó que estaba en lo cierto. Lo que necesitaba claramente era alguien que se encargara de él, una hippy veterana con collares de cuentas, los sobacos sin depilar y la cara sin maquillar, que le hiciera la compra, le cocinara, se encargara de la limpieza y quizá también le proveyera de droga. No me acerqué a él lo suficiente para mirarle los pies, pero estaba dispuesta a apostar que no tenía las uñas arregladas.

En aquella época yo siempre notaba cuándo un hombre me miraba. Sentía una presión en los miembros, en los pechos, la presión de la mirada masculina, unas veces sutil y otras no tanto. Usted no comprenderá de qué le hablo, pero las mujeres sí. Con aquel hombre no había ninguna presión detectable. En absoluto.

Pero eso cambió un día. Yo estaba de pie ante los estantes de la sección de papelería. La Navidad estaba a la vuelta de la esquina, y yo me dedicaba a seleccionar papel de regalo, ya sabe, papel con alegres motivos navideños, velas, abetos, renos. Un rollo se me cayó por accidente y, cuando me agachaba para recogerlo, se me cayó un segundo rollo. Oí una voz de hombre a mis espaldas: «Yo los recojo». Era, por supuesto, su hombre,

John Coetzee. Recogió los dos rollos, que eran bastante largos, tal vez de un metro, y me los devolvió, y al hacerlo, no puedo decirle si intencionadamente o no, me los acercó a un pecho. Durante uno o dos segundos, a través de la longitud de los rollos, podría haberse dicho con propiedad que me había tocado un pecho.

Yo estaba indignada, por supuesto. Al mismo tiempo, lo ocurrido carecía de importancia. Procuré no mostrar ninguna reacción: no bajé los ojos, no me ruboricé y, desde luego, no sonreí. «Gracias», le dije en un tono neutral, y entonces me di la vuelta y seguí con lo mío.

Sin embargo, era un acto personal, no tenía sentido fingir que no lo era. Que fuera a desvanecerse y perderse entre todos los demás momentos personales solo el tiempo lo diría. Pero no podía pasar por alto fácilmente aquel íntimo e inesperado toqueteo. De hecho, cuando llegué a casa, hasta me quité el sujetador y me examiné el pecho en cuestión. Como es natural, no tenía ninguna marca. No era más que un pecho, un inocente pecho de mujer joven.

Entonces, un par de días después, cuando iba a casa en coche, vi al señor Sobón caminando penosamente por la vía Tokai cargado con las bolsas de la compra. Sin pensarlo dos veces, me detuve y me ofrecí a llevarlo (usted es demasiado joven para saberlo, pero en aquel entonces aún te ofrecías para llevar a alguien en coche).

En la década de 1970, Tokai era lo que podríamos llamar un nuevo barrio residencial en ascenso, donde se instalaban familias cada vez más acomodadas. Aunque el terreno no era barato, se estaba construyendo mucho. Pero la casa donde vivía John era de una época anterior, una de esas casitas de campo en las que habían vivido los braceros cuando Tokai era todavía tierra de labor. Le habían añadido la instalación eléctrica y cañerías, pero como hogar seguía siendo bastante básico. Le dejé en la puerta, y él no me invitó a entrar.

Transcurrió el tiempo. Entonces, un día pasé por casualidad por delante de su casa, que estaba en la misma vía Tokai, una avenida principal, y lo vi, subido en la parte trasera de una pick-up, vertiendo paladas de arena en una carretilla. Vestía pantalón corto. Estaba pálido y no tenía aspecto de ser muy fuerte, pero parecía arreglárselas bien.

Lo que resultaba curioso de aquella escena era que en aquel entonces no era corriente que un blanco hiciera un trabajo manual, un trabajo no cualificado. Trabajo de cafre, solía llamársele, una tarea para la que pagabas a otros. No es que fuese vergonzoso que te vieran cargando una carretilla de arena pero, desde luego, resultaba embarazoso que uno de los tuyos hiciera eso, no sé si comprende usted lo que quiero decir.

Me ha pedido que le dé una idea de cómo era John en aquella época, pero no puedo presentarle un retrato sin un contexto, porque de lo contrario habría cosas que usted no podría comprender.

Comprendo. Quiero decir que acepto lo que me plantea.

Pasé en el coche, como he dicho, pero no reduje la velocidad ni lo saludé. El asunto habría terminado ahí, esa habría sido toda la relación que tuvimos y usted no estaría aquí escuchándome, estaría en otro país escuchando las divagaciones de otra mujer. Pero resulta que me lo pensé mejor y di la vuelta.

—Hola, ¿qué estás haciendo? —le pregunté.

—Pues ya ves: cargando arena —me respondió.

—Pero ¿para qué?

—Trabajo de construcción. ¿Quieres que te enseñe?

Y bajó de la pick-up.

—Ahora no —le dije—. Otro día. ¿Es tuya esta pick-up?

—Sí.

—En ese caso, no tienes necesidad de ir andando a las tiendas. Podrías conducir.

—Sí. —Entonces me preguntó—: ¿Vives por aquí?

—Más lejos —repliqué—. Más allá de Constantiaberg. En el monte.

Era una broma, la clase de broma que hacían los sudafricanos blancos en aquellos días. Porque, naturalmente, no era cierto que vivía en el monte. Los únicos que vivían en el monte, el auténtico monte, eran los negros. Lo que él debía comprender era que yo vivía en una de las urbanizaciones más nuevas que ocupaban el ancestral monte de la península de El Cabo.

—Bueno, no te haré perder más tiempo —le dije—. ¿Qué estás construyendo?

—No construyo nada, solo hormigoneo —respondió—. No soy lo bastante inteligente para construir.

Tomé estas palabras por un chistecito suyo como reacción al mío. Porque si no era ni rico ni apuesto ni atractivo (y no era ninguna de estas cosas), si carecía de inteligencia, no quedaba nada. Pero, desde luego, tenía que ser inteligente. Incluso lo parecía, a la manera en que los científicos que se pasan la vida encorvados sobre un microscopio parecen inteligentes: una clase de inteligencia estrecha, miope, que armoniza con las gafas de montura de carey.

Debe creerme si le digo que nada (¡nada!) podía haber estado más lejos de mi mente que coquetear con aquel hombre, porque él no tenía la menor presencia sexual. Era como si lo hubieran rociado de la cabeza a los pies con un espray neutralizador, un espray castrador. Desde luego, había sido culpable de tocarme un pecho con un rollo de papel de regalo navideño: eso no lo había olvidado, mi pecho retenía el recuerdo. Pero me decía que casi con toda seguridad no había sido más que un torpe accidente, la acción de un pobre desgraciado.

¿Por qué, entonces, me lo pensé mejor? ¿Por qué di la vuelta? No es una pregunta fácil de responder. Si es cierto eso de que una persona se prenda de otra, no estoy segura de que me prendara de John, no fue así durante largo tiempo. No era fácil prendarte de John, su postura ante el mundo era demasiado cautelosa, demasiado a la defensiva para que te prendaras de él. Supongo que a su madre debió de gustarle, cuando era pequeño, y que lo amó, porque para eso están las madres. Pero era difícil imaginar que le gustara a alguien más.

No le importará un poco de charla sincera, ¿verdad? Entonces permítame que le amplíe los datos. Yo tenía entonces veintiséis años, y me había relacionado carnalmente con solo dos hombres. Dos. El primero fue un chico al que conocí cuando tenía quince. Durante años, hasta que le llamaron a filas, los dos fuimos uña y carne. Cuando él se marchó, pasé algún tiempo alicaída, sin relacionarme apenas con nadie, y entonces encontré otro novio. Con el nuevo novio fuimos uña y carne durante toda la época estudiantil. Nada más licenciarnos, nos casamos, con la bendición de ambas familias. Tanto en uno como en otro caso, era o todo o nada. Mi naturaleza siempre ha sido así: todo o nada. Así que a los veintiséis años de edad era inocente en muchos aspectos. Por ejemplo, no tenía la menor idea de lo que una debía hacer para seducir a un hombre.

No me malinterprete. No es que llevara una vida resguardada. Una vida resguardada era imposible en la clase de círculos en los que mi marido y yo nos movíamos. Más de una vez, en los cócteles, algún hombre, en general un conocido de mi marido en el mundo de los negocios, se las ingeniaba para llevarme a un rincón e, inclinándose hacia mí, me preguntaba en voz baja si no me sentía sola en aquella urbanización alejada, con Mark fuera de casa tanto tiempo, si no me gustaría salir a comer un día de la semana siguiente. Por supuesto, yo me negaba a seguirle el juego, pero deduje que así era como se iniciaban las aventuras extramatrimoniales. Un desconocido te invitaba a comer y luego te llevaba en su coche a un chalet en la playa, propiedad de un amigo y del que resultaba que tenía la llave, o a un hotel en la ciudad, donde se realizaba la parte sexual de la transacción. Entonces, al día siguiente, el hombre te telefoneaba para decirte lo bien que lo había pasado contigo y cuánto le gustaría verte de nuevo el próximo martes. Y así seguían las cosas, un martes tras otro, las discretas comidas, los episodios en la cama, hasta que el hombre dejaba de llamarte o tú dejabas de responder a sus llamadas. Y a la suma de todo ello se le llamaba tener una aventura.

En el mundo de los negocios (dentro de un momento le diré más cosas sobre mi marido y sus negocios), los hombres se sentían apremiados, o por lo menos así era entonces, a tener esposas presentables y, por lo tanto, las mujeres a ser presentables; a ser presentables y también complacientes, dentro de unos límites. Por esta razón, aunque mi marido se irritaba cuando le contaba las insinuaciones de sus colegas, seguía teniendo unas relaciones cordiales con ellos. Nada de muestras de indignación ni puñetazos ni duelos al amanecer, sino tan solo, de vez en cuando, unos accesos de callado enojo y un humor de perros dentro del hogar.

Ahora, al rememorarlo, la cuestión de quién se acostaba con quién en aquel mundo pequeño y cerrado me parece más oscura de lo que nadie estaba dispuesto a admitir, más oscura y siniestra. A los hombres les gustaba y les desagradaba al mismo tiempo que otros hombres codiciaran a sus mujeres. Se sentían amenazados, pero de todos modos estaban excitados. Y las mujeres, las esposas, también lo estaban: habría que haber estado ciego para no ver eso. Excitación por todas partes, una envoltura de libidinosa excitación, de la que yo me apartaba expresamente. En las fiestas de que le hablo acudía tan presentable como era preciso, pero jamás me mostraba complaciente.

El resultado era que no hacía amigas entre las esposas, las cuales, en consecuencia, hablaban entre ellas y llegaban a la conclusión de que yo era fría y altanera. Más aún, se aseguraban de que su veredicto acerca de mí llegara a mis oídos. Por mi parte, me gustaría decir que no habría podido importarme menos, pero mentiría, pues era demasiado joven y estaba demasiado insegura de mí misma.

Mark no quería que me acostara con otros hombres. Al mismo tiempo quería que otros hombres vieran la clase de mujer con la que se había casado y que le envidiaran. Me temo que lo mismo podría decirse de sus amigos y colegas: querían que las esposas de otros hombres cedieran a sus insinuaciones, pero que su propia mujer se mantuviera casta... casta y atractiva. Algo que carecía de sentido lógico, que era insostenible como microsistema social. Sin embargo, se trataba de hombres de negocios, lo que los franceses llaman «hombres de *affaires*», ya me entiende, astutos, diestros (en otro sentido de la palabra «diestro»), hombres que entendían de sistemas, de qué sistemas son sostenibles y cuáles no. Por eso digo que el sistema de lo ilícito lícito del que todos participaban era más oscuro de lo que estaban dispuestos a admitir. A mi modo de ver, solo podía seguir funcionando a un coste psíquico considerable, y solo mientras ellos se negaran a reconocer lo que en cierto nivel debían de haber sabido.

Al comienzo de nuestro matrimonio, cuando Mark y yo estábamos tan seguros el uno del otro que no creíamos que nada pudiera afectarnos, pactamos que ninguno de los dos tendría secretos para el otro. Por lo que a mí respecta, el pacto sigue vigente en este momento. No le oculté nada a Mark, y no lo hice porque no tenía nada que ocultar. Mark, en cambio, cierta vez cometió una transgresión. La cometió, tuvo que confesarla y cargar con las consecuencias. Después de aquel mal trago llegó a la conclusión de que le convenía más mentir que decir la verdad.

Mark trabajaba en el campo de los servicios financieros. Su compañía identificaba oportunidades de inversión para los clientes y administraba sus inversiones. Los clientes eran en su mayoría sudafricanos ricos que trataban de sacar su dinero del país antes de que el país implosionara (es la palabra que utilizaban) o que explotara (la palabra que yo prefería). Por razones que nunca tuve claras, pues al fin y al cabo en aquella época existía el teléfono, el trabajo de Mark requería que viajara a la sucursal de Durban una vez a la semana, a fin de realizar lo que él llamaba «consultas». Si suma usted las horas y los días, resultaba que se pasaba tanto tiempo en Durban como en casa.

Uno de los colegas a los que Mark necesitaba consultar en la sucursal de Durban era una mujer llamada Yvette, mayor que él, afrikáner, divorciada. Al principio, él me hablaba de ella sin tapujos. Yvette incluso le telefoneó a casa, por asuntos de negocios, dijo él. Pero entonces dejó de mencionarla por completo.

—¿Hay algún problema con Yvette? —le pregunté a Mark.

—No —me respondió.

—¿Te parece atractiva?

—La verdad es que no.

Su actitud evasiva me hizo suponer que algo se estaba fraguando. Empecé a prestar atención a detalles extraños: mensajes que inexplicablemente no le llegaban, vuelos perdidos, cosas por el estilo.

Un día, cuando volvió tras una de las largas ausencias, se lo planteé sin ambages.

—Anoche no pude comunicar contigo en el hotel. ¿Estabas con Yvette?

—Sí —admitió.

—¿Te acostaste con ella?

—Sí —respondió (*Lo siento, pero no puedo mentir*).

—¿Por qué?

Él se encogió de hombros.

—¿Por qué? —repetí.

—Porque sí.

—Bien, que te den por el saco —le dije y, dándole la espalda, me encerré en el baño.

No lloré, ni siquiera me pasó por la mente la idea de llorar, sino que, por el contrario, rebosante del deseo de venganza, apreté hasta vaciarlos en el lavabo un tubo de dentífrico y otro de espuma para el cabello, abrí el grifo de agua caliente sobre la mezcla, la agité con un cepillo para el pelo y dejé que desapareciera por el desagüe.

Tales fueron los antecedentes. Después de ese episodio, después de que su confesión no le valiera la aprobación que esperaba, él se dedicó a mentir.

—¿Todavía ves a Yvette? —le pregunté después de otro de sus viajes.

—He de verla, no tengo alternativa, trabajamos juntos —replicó.

—Pero ¿sigues viéndola de esa manera?

—Lo que llamas «esa manera» ha terminado —me dijo—. Ocurrió una sola vez.

—Una o dos veces.

—Una sola —insistió él, cimentando la mentira.

—Así que no ha sido más que una de esas cosas que pasan —comenté.

—Exacto. Nada más que una de esas cosas que pasan.

Y acto seguido las palabras cesaron entre Mark y yo, las palabras y todo lo demás, por aquella noche.

Cada vez que Mark me mentía, no descuidaba mirarme fijamente a los ojos. «Estoy siendo franco con Julia»: así era cómo debía de considerarlo. Gracias a esa franca mirada suya yo podía saber de una manera infalible que me estaba mintiendo. No podrá usted creer lo mal que Mark mentía, lo mal que mienten los hombres en general. Qué lástima que yo no tenga nada sobre lo que mentir, me dije. Podría haberle enseñado a Mark una o dos cosas, en el aspecto técnico.

Desde el punto de vista cronológico, Mark era mayor que yo, pero no lo veía así. Tal como yo lo veía, era la mayor en nuestra familia, seguida por Mark, que tenía unos trece años, seguido por nuestra hija Christina, que iba a cumplir dos años. En consecuencia, respecto a la madurez, mi marido estaba más cercano a la niña que a mí.

En cuanto al señor Sobón, el señor Mano Larga, el hombre que recogía arena a paladas en la caja de la pick-up, por volver a él, no tenía ni idea de su edad. Que yo supiera, podría ser otro chaval de trece años. O bien, *mirabile dictu*, realmente podría ser un adulto. Tendría que esperar y ver.

—Me equivoqué por un factor de seis —me estaba diciendo (o tal vez fueran dieciséis, solo le escuchaba a medias)—. En lugar de una tonelada y media de grava, diez toneladas. Debía de estar loco.

—Debías de estar loco —repetí, ganando tiempo mientras averiguaba de qué me estaba hablando.

—Para cometer semejante error.

—Yo cometo continuamente errores con los números. Pongo el punto decimal en el lugar equivocado.

—Sí, pero un factor de seis no es como equivocarte en la colocación del punto decimal. No lo es, a menos que seas sumerio. En cualquier caso, la respuesta a tu pregunta es que esto no se va a terminar nunca.

¿Qué pregunta?, me pregunté. ¿Y qué era eso que no iba a terminar nunca?

—Bueno, debo irme —le dije—. Tengo una niña que me espera para que le dé la comida.

—¿Tienes hijos?

—Sí, tengo una hija. ¿Por qué no habría de tenerla? Soy una mujer adulta con un marido y una hija a los que he de alimentar. ¿Por qué te sorprendes? ¿Qué otro motivo tendría para pasar tanto tiempo en el Pick'n'Pay?

—¿La música? —sugirió él.

—¿Y tú? ¿No tienes familia?

—Tengo un padre que vive conmigo o con quien vivo, pero no familia en el sentido convencional. Mi familia ha volado.

—¿Ni esposa ni hijos?

—Ni esposa ni hijos. Vuelvo a ser un hijo.

Siempre me habían interesado estos intercambios entre congéneres, cuando las palabras no tienen nada que ver con el tráfico de los pensamientos por la mente. Por ejemplo, mientras hablábamos, mi memoria vomitaba la imagen del desconocido repulsivo de veras, con gruesos y negros pelos que le brotaban en los lóbulos de las orejas y por encima del botón superior de la camisa, que en la barbacoa más reciente me había tocado el trasero con toda naturalidad mientras me estaba sirviendo ensalada: no una caricia ni un pellizco, sino su manaza ahuecada para amoldarse a mi nalga. Si esa imagen llenaba mi mente, ¿qué podría llenar la mente de aquel otro hombre menos hirsuto? ¡Y qué suerte que la mayoría de la gente, incluso personas que carecen de habilidad para mentir abiertamente, sean por lo menos lo bastante competentes en el arte de la ocultación para no revelar lo que ocurre en su interior, sin el más leve temblor de la voz ni dilatación de la pupila!

—Bueno, adiós —le dije.

—Adiós.

Fui a casa, pagué a la asistenta, le di de comer a Chrissie y la acosté para que hiciera la siesta. Entonces horneé dos bandejas de galletas de chocolate. Mientras todavía estaban calientes, fui en el coche a la casa de la vía Tokai. Hacía un día hermoso, sin viento. Su hombre (recuerde que por entonces no sabía cómo se llamaba) estaba en el jardín, haciendo algo con madera, un martillo y clavos, desnudo de cintura para arriba. El sol le había enrojecido los hombros.

—Hola —le dije—. Deberías ponerte una camisa, el sol no te conviene. Mira, te he traído unas galletas, para ti y tu padre. Son mejores que las que venden en Pick'n'Pay.

Con una expresión de suspicacia, mejor dicho, con una expresión claramente irritada, dejó a un lado sus herramientas y tomó el paquete.

—No puedo invitarte a entrar —me dijo—. La casa está patas arriba. —Con toda evidencia, allí no era bienvenida.

—No importa —repliqué—. En cualquier caso, no puedo quedarme, he de volver con mi hija. Solo ha sido un gesto de buena vecindad. ¿Por qué no venís a cenar una noche tú y tu padre? ¿Una cena de buena vecindad?

Él sonrió, la primera vez que le veía sonreír. No era una sonrisa atractiva: demasiado tensa. Le avergonzaban sus dientes, que estaban deteriorados.

—Gracias, pero primero tendré que planteárselo a mi padre. No le gusta trasnochar.

—Dile que no será necesario que trasnoche —repuse—. Podéis comer y marcharos, no me ofenderé. Solo seremos los tres. Mi marido está fuera.

Imagino que se está usted preocupando, señor Vincent. «¿Para qué me he metido en esto? —debe de preguntarse—. ¿Cómo puede esta señora pretender que recuerda en su totalidad conversaciones triviales que tuvieron lugar hace tres o cuatro décadas? ¿Y cuándo irá al grano?» Así pues, permítame que le sea franca. Estoy inventando las palabras, el diálogo, sobre la marcha, lo cual supongo que me permitirá usted, puesto que estamos hablando de un escritor. Tal vez lo que le cuento no sea cierto al pie de la letra, pero es fiel al espíritu de la letra, no le quepa duda de ello. ¿Puedo continuar?

[Silencio.]

Garabateé a toda prisa mi número de teléfono en la caja de galletas.

—Y permíteme también que te diga mi nombre, por si te preguntabas cuál era —le dije—. Me llamo Julia.

—Julia. Con qué suavidad fluye la licuefacción de su ropa.

—Desde luego —repliqué. Licuefacción. ¿Que quería decir?

Llegó a la noche siguiente, como había prometido, pero sin su padre.

—Mi padre no se encuentra bien —me explicó—. Ha tomado una aspirina y se ha acostado.

Cenamos sentados a la mesa de la cocina, yo con Chrissie en el regazo.

—Saluda al tío —le dije a Chrissie, pero ella no quería saber nada del desconocido. Un niño sabe cuándo se está preparando algo. Lo nota en el aire.

Lo cierto es que Christina nunca le cobró cariño a John, ni entonces ni más adelante. De pequeña era rubia y con los ojos azules, como su padre, totalmente distinta a mí. Le enseñaré una foto. A veces tenía la sensación de que, como no se parecía a mí físicamente, no me tendría afecto. Otras veces tenía la sensación de que yo era la única que repartía afecto y cuidados en la casa, y, sin embargo, comparada con Mark era la intrusa, la extraña, la rara.

El tío. Así llamaba a John delante de ella. Luego lo lamenté. Hay algo sórdido en hacer pasar a un amante por alguien de la familia.

En cualquier caso, comíamos, charlábamos, pero yo empezaba a perder el entusiasmo, la excitación, y eso me dejaba baja de moral. Aparte del incidente con el papel de regalo en el supermercado, tanto si lo malinterpreté como si no, era yo la que había hecho todas las proposiciones, la que le había invitado. «Basta, ya está bien —me dije a mí misma—. Ahora le toca a él tomar la iniciativa o no tomarla.»

La verdad es que no tenía madera de seductora. Ni siquiera me gustaba esa palabra, con su trasfondo de ropa interior de encaje y perfume francés. Precisamente con el fin de evitar el papel de seductora no me había puesto elegante para la ocasión. Llevaba la misma blusa de algodón blanca y pantalones de terileno (sí, terileno) verdes que había llevado aquella mañana en el supermercado. Lo que ves es lo que hay.

No sonreía. Soy plenamente consciente de hasta qué punto me conducía como un personaje de una novela, como una de esas jóvenes altruistas de Henry James, por ejemplo, decidida, pese a los dictados de su instinto, a hacer lo difícil, lo moderno. Sobre todo cuando mis compañeras, las esposas de los colegas de Mark en la empresa, buscaban orientación no en Henry James ni en George Eliot sino en *Vogue* o *Marie Claire* o *Fair Lady*. Claro que ¿para qué son los libros si no es para cambiar nuestra vida? ¿Habría hecho usted todo el trayecto hasta la lejana Ontario para escuchar lo que tengo que decir si no creyera que los libros son importantes?

No, no lo habría hecho.

Exactamente. Y no podía decirse de John que fuese un dechado de elegancia. Tan solo unos pantalones buenos, tres camisas blancas, un par de zapatos: un verdadero hijo de la Depresión. Pero permítame volver a lo que le estaba contando.

Aquella noche preparé para cenar una sencilla lasaña. Sopa de guisantes, lasaña, helado: ese fue el menú, lo bastante suave para una criatura de dos años. La lasaña era más chapucera de lo que debería haber sido porque estaba hecha con requesón en vez de *ricotta*. Podría haber hecho una segunda escapada a la tienda en busca de *ricotta*, pero no la hice por principio, de la misma manera que por principio no me cambié de indumentaria.

¿De qué hablamos durante la cena? De poca cosa. Me concentré en dar de comer a Chrissie, pues no quería que tuviera la sensación de que no le hacía caso. Y John no era un gran conversador, como usted ya debe de saber.

No lo sé. No le he conocido en persona.

¿No le ha conocido en persona? Me sorprende que me diga eso.

Nunca traté de ponerme en contacto con él. Ni siquiera intercambiamos correspondencia. Pensé que lo mejor sería no sentirme en deuda con él. Así tendría libertad para escribir lo que deseara.

Pero sí que trató de ponerse en contacto conmigo. Su libro se ocupa de él, y sin embargo prefiere no conocerle en persona. Su libro no va a ocuparse de mí y me ha pedido una entrevista. ¿Cómo lo explica?

Porque usted fue una figura prominente en su vida. Fue importante para él.

¿Cómo sabe eso?

Tan solo repito lo que él dijo. No a mí, sino a mucha gente.

¿Ha dicho que he sido una figura importante en su vida? Eso me sorprende. Me produce una gran satisfacción. Me satisface no el hecho de que haya pensado tal cosa, pues estoy de acuerdo, realmente tuve cierto impacto en su vida, sino que se lo haya dicho a otras personas.

Permítame que le haga una confesión. Cuando usted se puso en contacto conmigo por primera vez, estuve a punto de rechazarle, de negarle la entrevista. Pensé que sería un entrometido, un cazanoticias intelectual que se había hecho con una lista de las mujeres de John, sus conquistas, y que ahora estaba recorriendo la lista, punteando los nombres, con la esperanza de ensuciar un poco su nombre.

No tiene usted una opinión muy elevada de los investigadores académicos.

No, no la tengo. Por eso he intentado aclararle que no fui una de sus conquistas. En todo caso, él fue una conquista mía. Pero dígame, por curiosidad, ¿a quién le dijo él que fui importante?

A varias personas. En sus cartas. No la nombra, pero es muy fácil identificarla. Además, conservaba una fotografía suya. La encontré entre sus papeles.

¡Una fotografía! ¿Puedo verla? ¿La tiene aquí?

Haré una copia y se la enviaré.

Sí, claro que fui importante para él. A su manera, estaba enamorado de mí. Pero hay una manera importante de ser importante y una manera que no es importante, y tengo mis dudas de que yo llegara al nivel importante que es importante. Quiero decir que jamás escribió sobre mí. Nunca he aparecido en sus libros, lo cual me indica que nunca florecí del todo en su interior, nunca empecé a funcionar del todo.

[Silencio.]

¿Ningún comentario? Usted ha leído sus libros. ¿En cuál de ellos hay huellas de mi presencia?

No puedo responderle a eso. No la conozco lo bastante bien para decírselo. ¿No se reconoce usted misma en ninguno de sus personajes?

No.

Tal vez se encuentre en sus libros de una manera más difusa, no detectable de inmediato.

Tal vez. Pero tendrían que convencerme de eso. ¿Seguimos adelante? ¿Por dónde iba?

La cena. La lasaña.

Sí. La lasaña. Las conquistas. Le serví lasaña y entonces terminé de conquistarlo. ¿Hasta qué punto es necesario que sea explícita? Como está muerto, ya no puede afectarle ninguna indiscreción por mi parte. Utilizamos la cama de matrimonio. Pensé que, si iba a profanar mi matrimonio, bien podía hacerlo a conciencia. Y una cama es más cómoda que el sofá o el suelo.

En cuanto a la experiencia en sí (me refiero a la experiencia de la infidelidad, que es lo que aquella experiencia fue, sobre todo para mí), me resultó más extraña de lo que había esperado, y terminó antes de que hubiera podido acostumbrarme a ella. Sin embargo, fue excitante, de eso no hay duda, desde el principio hasta el final. Tenía el corazón desbocado. Es algo que no olvidaré jamás. He mencionado a Henry James. En sus obras hay muchas traiciones, pero no recuerdo que haya nada sobre la excitación, la conciencia de ti misma agudizada, durante el acto en sí… con lo cual me refiero al acto de la traición. A James le gustaba presentarse a sí mismo como un gran traidor, pero yo me pregunto: ¿lo experimentó alguna vez en la realidad, experimentó una infidelidad física y real?

¿Mis primeras impresiones? Mi nuevo amante era más huesudo y más liviano que mi marido. Recuerdo que pensé: «No come lo suficiente». Él y su padre juntos en esa miserable casita de la vía Tokai, un viudo y su hijo soltero, dos incompetentes, dos vidas fracasadas, cenando a base de mortadela, galletas y té. Puesto que no quería traer a su padre a mi casa, ¿tendría que empezar a ir yo a la suya con cestas de buenos alimentos?

En la imagen que conservo de él, se inclina sobre mí con los ojos cerrados y me acaricia, cejijunto y concentrado, como si tratara de memorizarme solo por medio del tacto. Su mano se deslizaba arriba y abajo, adelante y atrás. En aquel entonces, yo estaba muy orgullosa de mi figura. El footing, la calistenia, la dieta: si no hay una compensación cuando te desnudas para un hombre, ¿cuándo va a haber una compensación? Puede que no fuese una belleza, pero por lo menos debía de ser un placer tocarme: esbelta y bien formada, un auténtico cuerpazo.

Si esta clase de conversación le resulta embarazosa, dígamelo y me refrenaré. Me dedico a una profesión íntima, de modo que la conversación franca no me apura siempre que no le apure a usted. ¿No? ¿Ningún problema? ¿Sigo adelante?

Esa fue la primera vez que estuvimos juntos. Una experiencia interesante de veras, pero no trascendental. Claro que no había esperado que lo fuese, no con él.

Estaba decidida a evitar el enredo sentimental. Una simple aventura sería una cosa; una relación amorosa, otra completamente distinta.

Estaba bastante segura de mí misma. No iba a entregar mi corazón a un hombre del que apenas sabía nada. Pero ¿qué decir de él? ¿Tal vez era la clase de hombre que rumiaba lo ocurrido entre nosotros, dándole más importancia de la que realmente tenía? Debes estar alerta, me dije.

Sin embargo, pasaron los días sin que tuviera ninguna noticia suya. Cada vez que pasaba ante la casa de la vía Tokai, reducía la velocidad y miraba con atención, pero no le veía. Tampoco me encontraba con él en el supermercado. Solo podía llegar a una conclusión: me estaba evitando. En cierta manera, eso era una buena señal, pero de todos modos me irritaba. Incluso me dolía. Le escribí una carta, una carta anticuada, la franqueé y la eché al buzón. «¿Me estás evitando? —le preguntaba—. ¿Qué debo hacer para convencerte de que solo quiero que seamos buenos amigos?» No hubo respuesta.

Lo que no mencioné en la carta, y desde luego no mencionaría la próxima vez que le viera, fue cómo pasé el primer fin de semana después de su visita. Mark y yo nos apareamos como conejos, hicimos el amor en la cama, en el suelo, en la ducha, en todas partes, incluso mientras la pobre e inocente Chrissie, totalmente despierta en su camita, gimoteaba y me llamaba.

Mark tenía sus propias ideas sobre la razón de que estuviera tan excitada. Creía que yo notaba intuitivamente el efecto de la mujer que tenía en Durban y quería demostrarle hasta qué punto yo era mucho más... ¿cómo podría decirlo?... mucho más experta que ella. El lunes, después de ese fin de semana, él tenía que volar a Durban, pero se echó atrás, canceló el vuelo y llamó a la oficina para decir que estaba enfermo. Entonces volvimos a la cama.

No se cansaba de mí. Le extasiaba de veras la institución del matrimonio burgués y las oportunidades que aportaba a un hombre de estar en celo tanto fuera como dentro del hogar.

En cuanto a mí, me sentía (escojo las palabras con cautela) insoportablemente excitada al tener dos hombres tan cerca el uno del otro. Bastante escandalizada, me decía a mí misma: «¡Te estás comportando como una puta! ¿Es eso lo que eres, por naturaleza?». Pero en realidad estaba muy orgullosa de mí misma, del efecto que podía ejercer. Aquel fin de semana atisbé por primera vez la posibilidad de desarrollo sin fin en el reino de lo erótico. Hasta entonces había tenido una imagen bastante trillada de la vida erótica: llegas a la pubertad, te pasas uno, dos o tres años dudando al borde de la piscina y entonces te lanzas y chapoteas hasta que encuentras una pareja que te satisface, y ese es el final, el término de tu búsqueda. Lo que descubrí aquel fin de semana fue que, a los veintiséis años de edad, mi vida erótica apenas había empezado.

Entonces recibí por fin una respuesta a mi carta. Una llamada telefónica de John. Primero me sondeó cautamente: ¿Me encontraba sola? ¿Estaba fuera mi marido? Siguió la invitación: ¿Te gustaría venir a cenar, temprano, y traer a tu hija?

Llegué a la casa con Chrissie en su cochecito. John me esperaba en la puerta, con uno de esos delantales de carnicero azul y blanco.

—Ven por la parte trasera —me dijo—. Estamos haciendo una barbacoa.

Así fue como conocí a su padre. Estaba sentado y encorvado sobre el fuego, como si tuviera frío, cuando la noche era todavía muy cálida. No sin emitir algún crujido, se levantó para saludarme. Parecía frágil, aunque resultó que solo tenía sesenta y tantos. «Encantado de conocerla —me dijo, con una sonrisa muy amable. Desde el principio nos llevamos bien—. ¿Y esta es Chrissie? ¡Hola, pequeña! Vienes a visitarnos, ¿eh?»

Al contrario que su hijo, hablaba con un fuerte acento afrikaans, pero su inglés era perfectamente aceptable. Me enteré de que se había criado en una granja, en el Karoo, con muchos hermanos. Como no había ninguna escuela cerca, una profesora particular, una señorita Jones o Smith, procedente de la madre patria, les enseñó inglés.

En la finca rodeada por una valla donde Mark y yo vivíamos, cada casa tenía una barbacoa de obra en el patio trasero. Allí, en la vía Tokai, no había esas comodidades, sino tan solo un redondel de ladrillos con el fuego en el centro. Parecía de una estupidez increíble encender una fogata desprotegida cuando habría una criatura al lado, sobre todo una niña como Chrissie, cuya postura bípeda aún era inestable. Fingí que tocaba la parrilla, fingí que gritaba de dolor, retiré la mano y me la llevé a la boca. «¡Caliente! —le dije a Chrissie—. ¡Cuidado! ¡No lo toques!» ¿Por qué recuerdo este detalle? Porque me lamí la mano. Porque era consciente de que John me estaba mirando y, en consecuencia, prolongué el momento. En aquel entonces, y perdóneme por la jactancia, tenía una bonita boca, muy atractiva para besarla. Me apellidaba Kiš, que en Sudáfrica, donde nadie sabía nada de extraños signos diacríticos, se deletreaba K-I-S. «Kiss-kiss», solían sisear las chicas en la escuela, cuando querían provocarme. «Kiss-kiss», risitas y un húmedo chasquido de los labios. Me traía totalmente sin cuidado. Me decía que no hay nada malo en tener la boca muy atractiva para besarla. Fin de la digresión. Sé muy bien que desea que le hable de John, no de mí y de mi época escolar.

Salchichas a la parrilla y patatas horneadas: ese era el menú que aquellos dos hombres habían preparado de una manera tan imaginativa. Para las salchichas, un frasco de salsa de tomate; para las patatas, margarina. Menos mal que me había traído un par de esos potitos Heinz para la niña.

Aduciendo el escaso apetito propio de una dama refinada, me limité a poner una sola salchicha en mi plato. Como Mark se pasaba tanto tiempo fuera de casa, yo cada vez consumía menos carne. Pero aquellos dos hombres comían carne y patatas nada más. Comían de la misma manera, en silencio, zampándose la comida como si fueran a arrebatársela en cualquier momento. Se notaba que comían en soledad.

—¿Qué tal va el hormigoneo? —pregunté.

—Otro mes y estará listo, Dios mediante —respondió John.

—Está mejorando mucho la casa —terció el padre—. De eso no hay ninguna duda. Es mucho menos húmeda que antes. Pero ha sido un trabajo enorme, ¿verdad, John?

Reconocí enseguida el tono de un padre deseoso de enorgullecerse de su hijo. Me solidaricé con el pobre hombre. ¡Un hijo treintañero, y nada que decir de él salvo que era capaz de colocar capas de hormigón! ¡Qué duro también para el hijo, la presión de ese anhelo en el padre, el anhelo de sentirse orgulloso! Si había una razón por la que yo destacaba en la escuela, era para dar a mis padres, que llevaban una vida tan solitaria en este extraño país, algo de lo que estar orgullosos.

Como he dicho, su inglés, el del padre, era perfectamente aceptable, pero estaba claro que no era su lengua materna. Cuando decía un modismo, como «de eso no hay ninguna duda», lo hacía con una ligera floritura, como si esperase que le aplaudieran.

Le pregunté a qué se dedicaba, y me dijo que era contable y que trabajaba en la ciudad.

—Debe de ser una paliza ir desde aquí a la ciudad —comenté—. ¿No les iría mejor vivir más cerca?

Él musitó una respuesta que no entendí. Se hizo el silencio. Era evidente que había puesto el dedo en la llaga. Cambié de tema, pero no sirvió de nada.

No había esperado gran cosa de la velada, pero la monotonía de la conversación, los largos silencios y algo más que flotaba en la atmósfera, discordia o irritación entre ellos, todo ello era más de lo que estaba dispuesta a encajar. La comida había sido deprimente, las brasas se estaban convirtiendo en ceniza, yo tenía frío, había empezado a oscurecer, los mosquitos se cebaban en Chrissie. Nada me obligaba a seguir sentada en aquel jardín trasero lleno de hierbajos, nada me obligaba a participar en las tensiones familiares de personas a las que a apenas conocía, aun cuando, en un sentido técnico, una de ellas fuese o hubiese sido mi amante. Así que tomé a Chrissie en brazos y la puse en el cochecito.

—No te vayas todavía —me dijo John—. Haré café.

—Tengo que irme —repliqué—. Ya hace rato que Chrissie debería estar acostada.

En la cancela intentó besarme, pero yo no estaba de humor.

El relato que me conté a mí misma aquella noche, el relato por el que me decidí, era el de que las infidelidades de mi marido me habían provocado hasta tal extremo que, para salvaguardar mi amor propio, había llegado a cometer yo misma una breve infidelidad. Ahora que era evidente lo errónea que había sido esa infidelidad, por lo menos en la elección de un cómplice, la infidelidad de mi marido aparecía bajo una nueva luz, también como una probable equivocación, y, por lo tanto, indigna de que me hiciera mala sangre por ella.

Creo que al llegar aquí correré un recatado velo sobre los fines de semana en que mi marido estaba en mi casa. Ya he dicho bastante. Permítame recordarle tan solo que mis relaciones con John durante los días laborales tenían lugar contra el telón de fondo de esos fines de semana. Si John se sentía bastante intrigado y hasta encaprichado de mí, era porque había encontrado una mujer en el apogeo de sus poderes femeninos, que llevaba una vida sexual muy activa, una vida que a decir verdad tenía poco que ver con él.

Mire, señor Vincent, sé perfectamente que usted quiere que le hable de John, no de mí. Pero la única historia en la que aparece John que puedo contarle, o la única que estoy dispuesta a contarle, es esta, a saber, la historia de mi vida y el papel que él tuvo en ella, cosa que es del todo distinta, es un asunto diferente, de la historia de su vida y el papel que tuve en ella. Mi historia, mi historia personal, comenzó años antes de que John entrara en escena y prosiguió durante años después de su salida. En la fase de la que ahora le estoy hablando, Mark y yo éramos, para ser exactos, los protagonistas, John y la mujer de Durban personajes secundarios del reparto. De modo que debe usted escoger. ¿Acepta lo que tengo que ofrecerle? ¿Prosigo con mi narración o lo dejo en este mismo momento?

Prosiga.

¿Está seguro? Porque quiero dejar clara otra cosa, y es la siguiente: comete un grave error si piensa que la diferencia entre los dos relatos, el que deseaba escuchar y el que le estoy contando, no será más que una cuestión de perspectiva, que mientras desde mi punto de vista la historia de John puede no haber sido más que un episodio entre muchos otros en la larga narración de mi matrimonio, sin embargo, mediante un rápido capirotazo, una rápida manipulación de la perspectiva, seguida de una corrección inteligente, puede trasformarlo en un relato acerca de John y una de las mujeres que pasaron por su vida. Pues no es así, no es así. Se lo advierto de veras: si empieza a juguetear con su texto, cortando palabras aquí y añadiendo otras allá, toda esta historia se convertirá en ceniza entre sus dedos. Es cierto que yo fui el personaje principal y es cierto que John fue un actor secundario. Si parece que le estoy aleccionando sobre su oficio, lo siento, pero al final me lo agradecerá. ¿Comprende?

Entiendo lo que me está diciendo. No estoy necesariamente de acuerdo, pero lo entiendo.

Bien, que no se diga que no le he advertido.

Como le he dicho, aquella fue una época fantástica para mí, una segunda luna de miel, más dulce que la primera y también más larga. Si no fuese así, ¿por qué cree que la recordaría con tanto detalle? «¡Estoy siendo verdaderamente la que soy! —me dije—. Esto es lo que una mujer puede ser, ¡esto es lo que una mujer puede hacer!»

¿Le escandalizo? Probablemente no. Usted pertenece a una generación que no se escandaliza. Pero lo que estoy revelándole escandalizaría a mi madre, si viviera para oírlo. A mi madre jamás se le habría pasado por la cabeza hablarle a un desconocido como yo estoy hablando ahora.

Él había regresado de una de sus excursiones al Singapore Mart con uno de los primeros modelos de videocámara. La instaló en el dormitorio, para filmarnos haciendo el amor. «Como un documento —dijo—. Y como un estímulo.» No me importó. Le dejé que lo hiciera. Probablemente aún conserva la cinta; incluso debe de verla cuando tiene nostalgia de los viejos tiempos. O tal vez esté metida en una caja, abandonada en el desván, y solo será encontrada después de su muerte. ¡Las cosas que dejamos al desaparecer! Imagine a sus nietos, los ojos como platos mientras miran a su juvenil abuelo retozando en la cama con su mujer extranjera.

Su marido…

Mark y yo nos divorciamos en 1988. Él volvió a casarse, por despecho. No he visto nunca a mi sucesora. Creo que viven en las Bahamas, o tal vez en las Bermudas.

¿Qué le parece si lo dejamos aquí? Es mucho lo que ha escuchado, y ha sido un largo día.

Pero sin duda ese no es el final de la historia.

Al contrario, es el final de la historia. Por lo menos de la parte que importa.

Pero usted y Coetzee siguieron viéndose. Mantuvieron correspondencia durante años. Así pues, aunque desde su punto de vista la historia termine ahí, disculpe, aunque ese sea el final de la historia que tiene importancia para usted, todavía queda una larga continuación por examinar, una larga relación entre ustedes. ¿No podría darme alguna idea de cómo fue esa conclusión?

No fue larga, sino corta. Le hablaré de ella, pero no hoy. Tengo asuntos de los que ocuparme. Vuelva la próxima semana. Concrete la fecha con mi recepcionista.

La próxima semana me habré ido. ¿No podríamos vernos mañana?

Mañana es imposible. El jueves. Puedo concederle media hora el jueves, después de mi última cita.

Sí, la conclusión. ¿Por dónde empezamos? Déjeme que empiece por el padre de John. Una mañana, no mucho después de aquella espantosa barbacoa, iba en mi coche por la vía Tokai cuando reparé en una persona que estaba sola en la parada del autobús. Era Coetzee padre. Yo tenía prisa, pero habría sido demasiado descortés pasar de largo, así que paré y me ofrecí a llevarle.

Él me preguntó cómo estaba Chrissie. Le dije que echaba de menos a su padre, que se pasaba mucho tiempo fuera de casa. Le pregunté por John y el hormigoneo, y él me dio una vaga respuesta.

La verdad es que ninguno de los dos teníamos ganas de conversar, pero me obligué. Si no le importaba que se lo preguntara, le dije, ¿cuánto tiempo hacía que su mujer había fallecido? Él me lo dijo. De su vida matrimonial, si había sido feliz o no, si añoraba a su esposa o no, no dijo una sola palabra.

—¿Y John es su único hijo? —le pregunté.

—No, no, tiene un hermano, un hermano menor. —Parecía sorprendido de que yo no lo supiera.

—Es curioso, porque John da la impresión de ser hijo único —comenté.

Lo decía en un sentido crítico. Me refería a que estaba absorto en sí mismo y no tenía en cuenta a quienes le rodeaban.

Él no dijo nada; no quiso saber, por ejemplo, en qué consiste esa impresión que solo puede dar un hijo único.

Le pregunté por su segundo hijo, dónde vivía. En Inglaterra, respondió el señor C. Hacía años que se había marchado de Sudáfrica y nunca había vuelto.

—Debe de echarlo de menos —le dije.

Él se encogió de hombros. Esa era su reacción característica: el silencioso encogimiento de hombros.

Debo decirle que desde el principio observé una tristeza insoportable en aquel hombre. Sentado junto a mí en el coche, vestido con un traje de calle oscuro y emitiendo un olor a desodorante barato, podría haber parecido la encarnación de la rectitud inflexible, pero si de repente se hubiera echado a llorar, no me habría sorprendido lo más mínimo. Sin más compañía que la de aquel tipo seco, su hijo mayor, saliendo de casa todas las mañanas para ir a lo que parecía un trabajo desmoralizador y volviendo por la noche a un hogar silencioso... en fin, me daba algo más que un poco de pena.

—Bueno, es tanto lo que uno echa de menos... —dijo finalmente, cuando creía que no iba a responder nada. Hablaba en un susurro, mirando con fijeza hacia delante.

Le dejé en Wynberg, cerca de la estación de ferrocarril.

—Gracias por traerme, Julia —me dijo—. Has sido muy amable.

Era la primera vez que me llamaba por mi nombre. Podría haberle replicado: «Hasta pronto». Podría haberle replicado: «Tiene que venir con John a casa, a comer». Pero no lo hice. Me limité a agitar la mano y me alejé.

«¡Qué mezquina! —me regañé—. ¡Qué despiadada!» ¿Por qué era tan dura con él, con los dos?

Y la pregunta sigue en pie: ¿por qué era, y sigo siendo, tan crítica con John? Por lo menos cuidaba de su padre, por lo menos su padre tenía un hombro en el que apoyarse. Eso era más de lo que podía decirse de mí. Mi padre... probablemente no le interese saberlo, ¿por qué habría de interesarle? Pero déjeme contárselo de todos modos... Mi padre se encontraba entonces en un sanatorio privado en las afueras de Port Elizabeth. Su ropa estaba guardada bajo llave, tanto de día como de noche solo podía vestir pijama y batín, y calzar zapatillas. Y le atiborraban de tranquilizantes. ¿Por qué? Tan solo porque así les convenía a las enfermeras, para que fuese tratable. Porque cuando no tomaba las píldoras se agitaba y empezaba a gritar.

[Silencio.]

¿Cree usted que John quería a su padre?

Los chicos quieren a su madre, no a su padre. ¿No ha leído a Freud? Los chicos odian a su padre y quieren suplantarlo en el afecto de su madre. No, claro que John no quería a su padre, no quería a nadie, no estaba hecho para amar. Pero tenía un sentimiento de culpa con respecto a su padre. Se sentía culpable y, en consecuencia, cumplía con su deber. No sin algunos traspiés.

Le estaba hablando de mi padre. Había nacido en 1905, de modo que en la época de que le hablo se acercaba a los setenta años y estaba perdiendo la memoria. Se había olvidado de quién era, había olvidado el inglés rudimentario que aprendió al llegar a Sudáfrica. Unas veces hablaba a las enfermeras en alemán, otras en magiar, lengua de la que ellas no entendían una sola palabra. Estaba convencido de que se encontraba en Madagascar, en un campo de prisioneros. Creía que los nazis habían ocupado Madagascar y la habían convertido en una *Strafkolonie* para judíos. Tampoco recordaba siempre quién era yo. En una de mis visitas me tomó por su hermana Trudi, mi tía, a la que yo no conocía en persona pero que tenía cierto parecido conmigo. Quería que fuese a ver al comandante del campo y le suplicara por él. «Ich bin der Erstgeborene», decía una y otra vez: Soy el primogénito. Si a *der Erstgeborene* no se le permitía trabajar (mi padre era joyero y tallador de diamantes profesional), ¿cómo iba a sobrevivir su familia?

Por eso estoy aquí. Por eso soy terapeuta. Debido a lo que vi en aquel sanatorio. Para evitar que traten a la gente como trataron allí a mi padre.

Mi hermano, su hijo, corría con el gasto de mantener a mi padre en el sanatorio. Mi hermano era el que le visitaba religiosamente todas las semanas, aunque mi padre solo lo reconocía de una manera intermitente. En el único sentido que importa, mi hermano había aceptado la carga de cuidarlo. En el único sentido que importa, yo le había abandonado. Y era su preferida… ¡yo, su querida Julischka, tan guapa, tan lista, tan afectuosa!

¿Sabe en qué confío por encima de todo lo demás? Confío en que, en la otra vida, a todos y cada uno de nosotros se nos concederá la oportunidad de disculparnos ante las personas con las que nos hemos portado mal. Yo tendré mucho de que disculparme, créame.

Basta de padres. Permítame volver a la historia de Julia y sus relaciones adúlteras, la historia que quiere usted escuchar y por la que ha venido desde tan lejos. Un día mi marido me dijo que se iba a Hong Kong para reunirse con los socios de la empresa en ultramar.

—¿Cuánto tiempo estarás fuera? —le pregunté.

—Una semana —respondió—. Tal vez uno o dos días más, si las conversaciones van bien.

No pensé más en ello hasta que, poco antes de que él se marchara, me telefoneó la esposa de uno de sus colegas: ¿llevaba yo un vestido de noche para el viaje a Hong Kong? Le respondí que Mark viajaría solo. Yo no le acompañaba. Vaya, dijo ella, creía que todas las esposas estaban invitadas.

Cuando Mark volvió a casa, le planteé la cuestión.

—Acaba de telefonear June. Dice que viaja con Alistair a Hong Kong y que todas las esposas están invitadas.

—Las esposas están invitadas, pero la compañía no les paga el viaje —replicó Mark—. ¿De veras quieres ir a Hong Kong para estar sentada en un hotel con un grupo de mujeres de colegas que se quejan del clima? En esta época del año Hong Kong es como una sauna. ¿Y qué harás con Chrissie? ¿Quieres llevártela también?

—No tengo el menor deseo de ir a Hong Kong y pasar el tiempo sentada en el hotel con una criatura que grita —respondí—. Solo quiero saber qué pasa, para no sentirme humillada cuando llaman tus amigos.

—Bueno, pues ya sabes qué pasa.

Se equivocaba. No lo sabía. Pero podía conjeturarlo. En concreto, podía conjeturar que su amiga de Durban también estaría en Hong Kong. A partir de entonces me mostré fría como el hielo con Mark. «¡Dejemos que esto eche por tierra cualquier idea que puedas haberte hecho de que tus actividades extraconyugales me excitan, cabrón!» Eso fue lo que pensé.

—¿Se debe todo esto a lo de Hong Kong? —me dijo cuando por fin empezó a comprender el mensaje—. Si quieres venir a Hong Kong, por el amor de Dios, basta con que digas un par de palabras, en vez de moverte por casa al acecho como una tigresa con indigestión.

—¿Y cuáles podrían ser esas palabras? —le pregunté—. ¿Tal vez «por favor»? No, no quiero acompañarte nada menos que a Hong Kong. No haría más que aburrirme, como dices, sentada y rezongando con las otras esposas mientras los hombres están ocupados en otra parte, decidiendo el futuro del mundo. Estaré más a gusto aquí, en casa, donde debo estar, cuidando de tu hija.

Así estaban las cosas entre nosotros el día que Mark se marchó.

Espere un momento, estoy confuso. ¿De qué época me está hablando? ¿Cuándo tuvo lugar ese viaje a Hong Kong?

Debió de ser en 1973, a comienzos de año, no puedo darle una fecha exacta.

Entonces usted y Coetzee llevaban viéndose...

No. No nos habíamos estado viendo. Usted me ha preguntado al comienzo cómo conocí a John, y se lo he contado. Ese fue el principio del relato. Ahora estamos llegando al final, es decir, a cómo nuestra relación siguió derivando hasta que se acabó.

¿Me pregunta dónde está el centro del relato? No hay centro. No puedo contárselo, porque no lo hay. Este es un relato sin parte central.

Volvamos a Mark, al aciago día en que partió hacia Hong Kong. Apenas se había ido, cuando subí al coche, fui a la vía Tokai y deslicé una nota por debajo de la puerta: «Ven esta tarde, si te apetece, alrededor de las dos».

Cuando se acercaban las dos, yo me notaba cada vez más febril. La niña también me lo notaba. Estaba inquieta, lloraba, se aferraba a mí, no se dormía. Fiebre, pero ¿qué clase de fiebre?, me preguntaba. ¿Una fiebre de locura? ¿Una fiebre de rabia?

Esperé, pero John no vino, ni a las dos ni a las tres. Llegó a las cinco y media, y por entonces me había quedado dormida en el sofá con Chrissie, cálida y pegajosa, sobre mi hombro. El timbre de la puerta me despertó. Cuando le abrí la puerta, aún me sentía grogui y confusa.

—Siento no haber podido venir antes —me dijo—, pero por las tardes doy clases.

Era demasiado tarde, por supuesto. Chrissie estaba despierta y celosa a su manera.

John regresó más tarde, según habíamos convenido, y pasamos la noche juntos. A decir verdad, mientras Mark estuvo en Hong Kong, John pasó todas las noches en mi cama, marchándose al amanecer para no tropezarse con la asistenta. El sueño que yo perdía lo compensaba haciendo la siesta por la tarde. No tengo ni idea de qué haría él para compensar el sueño perdido. Tal vez sus alumnos, sus chicas portuguesas (¿está informado sobre esas vagabundas del ex imperio portugués? ¿No? Recuérdeme que se lo cuente), tal vez las chicas tenían que padecer a causa de sus excesos nocturnos.

Mi verano con Mark me había procurado una nueva concepción del sexo: como un combate, una variedad de lucha en la que hacías lo posible para que tu oponente se sometiera a tu voluntad erótica. Pese a todos sus defectos, Mark era un luchador sexual más competente, aunque no tan sutil como yo ni tan firme, mientras que mi veredicto sobre John —ahora por fin, *por fin*, llega el momento que ha estado usted esperando, señor biógrafo—, tras siete noches de prueba, era que no estaba a mi altura, no a la altura que yo había alcanzado entonces.

John tenía lo que podríamos llamar una modalidad sexual, que conectaba en cuanto se quitaba la ropa. En la modalidad sexual podía representar el papel masculino de una manera perfectamente apropiada... apropiada y competente, pero para mi gusto, demasiado impersonal. Nunca tenía la sensación de que estaba conmigo, en mi plena realidad. Más bien era como si se estuviera relacionando con alguna imagen erótica que estaba dentro de su cabeza; tal vez incluso alguna imagen de Mujer con mayúscula.

En aquel entonces tan solo me sentía decepcionada. Ahora iría más allá. Ahora creo que había un elemento autista en su manera de hacer el amor. No digo esto con ánimo de crítica, sino como un diagnóstico, por si le interesa. El tipo autista trata a los demás como si fuesen autómatas, unos autómatas misteriosos. A cambio espera que también se le trate como un autómata misterioso. Así que, si eres autista, enamorarte se traduce en convertir al otro en el objeto inescrutable de tu deseo; y, recíprocamente, ser amado se traduce en ser tratado como el inescrutable objeto de deseo del otro. Dos autómatas inescrutables, cada uno de los cuales mantiene un inescrutable comercio con el cuerpo del otro: así me sentía en la cama con John. Dos empresas independientes en marcha, la suya y la mía. No puedo decir cómo era su empresa conmigo, pues me resultaba opaca. Pero para resumir: el sexo con él carecía por completo de emoción.

No he tenido en mi consulta mucha experiencia de pacientes a los que pudiera clasificar como clínicamente autistas. Sin embargo, a pesar de sus vidas sexuales, conjeturo que encuentran la masturbación más satisfactoria que el coito.

Como creo que le he dicho, John solo era el tercer hombre con el que me relacionaba íntimamente. Tres hombres y, en el aspecto sexual, los había superado a todos. Una triste historia. Después de esos tres, perdí el interés por los sudafricanos blancos. Había un rasgo que todos ellos compartían y que era difícil precisar, pero que yo relacionaba con un parpadeo evasivo que sorprendía en los ojos de los colegas de Mark cuando hablaban sobre el futuro del país, como si existiera una conspiración en la que todos estaban involucrados y que iba a crear un futuro falso, un trampantojo donde antes ningún futuro había parecido posible. Como el obturador de una cámara que se abriera parpadeante por un instante para revelar la falsedad en lo más profundo de su ser.

Por supuesto, también yo era sudafricana, tan blanca como es posible serlo. Había nacido entre los blancos, me crié entre ellos, viví entre ellos. Pero tenía un segundo yo del que echar mano: Julia Kiš, o incluso mejor Kiš Julia, de Szombathely. Mientras no abandonara a Julia Kiš, mientras Julia Kiš no me abandonara, podía ver cosas a las que otros blancos eran ciegos.

Por ejemplo, en aquel entonces a los sudafricanos blancos les gustaba considerarse los judíos de África, o por lo menos los israelíes de África: astutos, sin escrúpulos, fuertes, con los pies en la tierra, odiados y envidiados por las tribus a las que dominaban. Todo falso. Una pura tontería. Hay que ser judío para conocer a un judío, como hace falta ser mujer para conocer a un hombre. Esa gente no era dura, ni siquiera era astuta, o no lo era en grado suficiente. Y, desde luego, no eran judíos. En realidad, eran criaturas en el bosque. Así es como los considero ahora: una tribu de bebés cuidados por esclavos.

John no paraba de moverse mientras dormía, hasta tal punto que me mantenía despierta. Cuando no podía soportarlo más, lo sacudía. «Estabas teniendo una pesadilla», le decía. «Nunca sueño», musitaba él, y volvía a dormirse de inmediato. Pronto empezaba de nuevo a dar bruscas vueltas en la cama. La situación llegó al extremo de que empecé a echar de menos a Mark en la cama. Por lo menos Mark dormía como un tronco.

Dejemos esto. Ya se hace usted cargo. No fue un idilio sensual, ni mucho menos. ¿Qué más? ¿Qué más quiere saber?

Permítame que le haga una pregunta. Usted es judía y John no lo era. ¿Hubo alguna tensión por este motivo?

¿Tensión? ¿Por qué tendría que haber habido tensión? ¿Tensión por parte de quién? Después de todo, no me proponía casarme con John. No, a ese respecto, John y yo nos llevábamos muy bien. Con los que no se llevaba bien era con los norteños, sobre todo con los ingleses. Decía que los ingleses le sofocaban, con sus buenos modales, su reserva de buena crianza. Prefería a las personas que estaban dispuestas a dar más de sí mismas. Entonces a veces reunía el valor necesario para darles a cambio algo de sí mismo.

¿Alguna pregunta más antes de que concluya?

No.

Una mañana (doy un salto, porque quiero terminar con esto cuanto antes) John apareció en la entrada de mi casa.

—No me quedaré —me dijo—, pero he pensado que esto podría gustarte.

Tenía un libro en la mano. En la cubierta se leía: *Tierras de poniente*, de J. M. Coetzee. Me quedé totalmente desconcertada.

—¿Has escrito esto? —le pregunté.

Sabía que escribía, pero mucha gente lo hace. No tenía la menor idea de que en su caso iba en serio.

—Es para ti. Es una edición no venal. Hoy he recibido dos ejemplares por correo.

Pasé las páginas del libro. Alguien que se quejaba de su mujer. Alguien que viajaba en una carreta tirada por bueyes.

—¿Qué es esto? —le pregunté—. ¿Narrativa?

—Algo así.

Algo así.

—Gracias —le dije—. Lo leeré con ilusión. ¿Vas a ganar mucho dinero con este libro? ¿Podrás dejar la enseñanza?

Eso le pareció muy divertido. Estaba de buen humor, debido a la publicación del libro. No había presenciado a menudo esa faceta suya.

—No sabía que tu padre era historiador —observé la siguiente vez que nos vimos.

Me refería al prefacio del libro, en el que el autor, el escritor, el hombre que estaba ante mí, afirmaba que su padre, el hombrecillo que iba todas las mañanas a su trabajo de contable en la ciudad, era también un historiador que frecuentaba los archivos y descubría documentos antiguos.

—¿Te refieres al prefacio? —replicó—. Verás, todo eso es inventado.

—¿Y cómo se toma tu padre eso de que hagas falsas afirmaciones sobre él, de que lo conviertas en personaje de un libro?

John parecía incómodo. Lo que no quería revelar, como descubrí más adelante, era que su padre no había visto *Tierras de poniente*.

—¿Y Jacobus Coetzee? —le pregunté—. ¿También te has inventado a tu estimable antepasado Jacobus Coetzee?

—No, existió un auténtico Jacobus Coetzee —me respondió—. Por lo menos hay un auténtico documento manuscrito en el que se afirma que es la transcripción de una declaración oral efectuada por una persona que dijo llamarse Jacobus Coetzee. Al pie de ese documento hay una X que, según atestigua el amanuense es de puño y letra de ese mismo Coetzee, una X porque era analfabeto. En ese sentido no lo he inventado.

—Para ser analfabeto, tu Jacobus me parece muy literario. Por ejemplo, veo que cita a Nietzsche.

—Bueno, aquellos hombres de la frontera del siglo dieciocho eran sorprendentes. Nunca podías saber con qué te saldrían la siguiente vez.

No puedo decir que *Tierras de poniente* me guste. Sé que parezco anticuada, pero prefiero que los libros tengan héroes y heroínas, personajes a los que pueda admirar. Nunca he escrito relatos, nunca he tenido ambiciones de ese tipo, pero supongo que es mucho más fácil crear personajes malos, personajes de poco fiar, despreciables, que buenos. Esa es mi opinión, si le sirve de algo.

¿Se lo dijo así alguna vez a Coetzee?

¿Si le dije que creía que se estaba inclinando por la opción fácil? No. Sencillamente me sorprendía que aquel amante mío intermitente, aquel manitas aficionado y profesor a tiempo parcial, fuese capaz de escribir todo un libro y, lo que es más, encontrarle editor, aunque solo en Johannesburgo. Me sorprendía, me sentía satisfecha por él, incluso estaba un poco orgullosa. Gloria refleja. En mis años estudiantiles había salido con muchos aspirantes a escritor, pero ninguno de ellos había llegado a publicar un libro.

No se lo he preguntado. ¿Qué estudió usted? ¿Psicología?

No, qué va. Estudié literatura alemana. Como preparación para mi vida de ama de casa y madre, leía a Novalis y Gottfried Benn. Me licencié en literatura, tras lo cual, durante dos décadas, hasta que Christina se hizo adulta y abandonó el hogar, estuve... ¿cómo le diría?... intelectualmente aletargada. Entonces volví a la universidad. En aquella época vivía en Montreal. Empecé desde cero con ciencias básicas, seguidas por estudios de medicina y, finalmente, formación de terapeuta. Un largo camino.

¿Cree usted que las relaciones con Coetzee habrían sido distintas de haberse formado en psicología en lugar de literatura?

¡Qué pregunta tan curiosa! La respuesta es negativa. De haber estudiado psicología en la Sudáfrica de los años sesenta, habría tenido que enfrascarme en los procesos psicológicos de las ratas y los pulpos, y John no era ni una rata ni un pulpo.

¿Qué clase de animal era?

¡Qué preguntas tan raras me hace! No era ninguna clase de animal, y por una razón muy concreta: sus capacidades mentales, y específicamente su facultad de ideación, estaban demasiado desarrolladas, a costa de su yo animal. Era *Homo sapiens*, o incluso *Homo sapiens sapiens*. Lo cual me lleva de nuevo a *Tierras de poniente*. Como obra literaria, no digo que esa obra carezca de pasión, pero la pasión oculta en sus páginas es oscura. Lo leo como un libro sobre la crueldad, una revelación sobre la crueldad que conllevan diversas formas de conquista. Pero ¿cuál era la verdadera fuente de esa crueldad? A mi modo de ver ahora, radica en el mismo autor. La mejor interpretación que puedo hacer del libro es que su escritura fue un proyecto de terapia que el autor se administró a sí mismo, lo cual arroja cierta luz sobre la época que él y yo estuvimos juntos.

No estoy seguro de comprenderla. ¿Podría decirme algo más?

¿Qué es lo que no comprende?

¿Está diciendo que volcó su crueldad en usted?

No, en absoluto. John siempre mostró hacia mí la mayor amabilidad. Siempre fue dulce conmigo, me trató con delicade-
za. Eso formaba parte de su problema. Su proyecto de vida
consistía en ser amable. Déjeme que vuelva a empezar. Recor-
dará usted cuánta matanza hay en *Tierras de poniente*, matanza
no solo de seres humanos, sino también de animales. Bien,
más o menos por la época en que se publicó el libro, John me
anunció que iba a hacerse vegetariano. No sé durante cuánto
tiempo persistió en ello, pero interpreté su conversión al vegetarianismo como parte de un proyecto de autorreforma.
Había decidido bloquear los impulsos crueles y violentos en
todos los aspectos de su vida, incluida su vida amorosa, podríamos decir, y canalizarlos en su escritura, que, en consecuencia, iba a convertirse en una especie de ejercicio catártico
e interminable.

*¿Hasta qué punto usted lo percibía así en la época y hasta qué punto
esta visión se debe a su comprensión posterior como terapeuta?*

Lo vi todo, pues estaba en la superficie y no era necesario
excavar, pero por entonces carecía del lenguaje para describirlo. Además, tenía una aventura amorosa con él. En medio
de una aventura amorosa, una no puede ser demasiado analí-
tica.

Una aventura amorosa. Antes no había empleado esa expresión.

Entonces permítame que me corrija. Un lío erótico. Porque,
dado lo joven y egocéntrica que era entonces, me habría sido
difícil amar, amar de veras, a un hombre tan radicalmente in-
completo como John. Así pues, estaba en medio de un lío
erótico con dos hombres, con uno de los cuales había hecho

una inversión a fondo: me había casado con él, era el padre de mi hija, mientras que en el otro no había invertido nada.

Ahora supongo que el hecho de que invirtiera más en John tiene mucho que ver con su proyecto de convertirse en lo que le he dicho, un hombre dulce, la clase de hombre que no haría ningún daño, ni siquiera a animales tontos, ni siquiera a una mujer. Ahora creo que debería haberme mostrado más clara con él. «Si por alguna razón te reprimes —debería haberle dicho—, entonces no lo hagas, ¡no es necesario!» Si le hubiera dicho eso, él se lo habría tomado a pecho. Si se hubiera permitido ser un poco más impetuoso, un poco más imperioso, un poco menos *reflexivo*, probablemente habría conseguido librarme de un matrimonio que ya era nocivo para mí y que sería mucho peor más adelante. Podría haberme salvado de veras, o haber salvado los mejores años de mi vida, que acabaron desperdiciados.

[Silencio.]

He perdido el hilo. ¿De qué estábamos hablando?

De «Tierras de poniente».

Sí, *Tierras de poniente*. Debo prevenirle. La verdad es que había escrito ese libro antes de conocerme. Revise la cronología. No se sienta tentado de leerlo como si tratara de nosotros dos.

Esa idea no se me había pasado por la mente.

Recuerdo haberle preguntado a John qué nuevo proyecto tenía en marcha después de *Tierras de poniente*. Su respuesta fue vaga. «Siempre hay una cosa u otra en la que trabajar —me dijo—. Si me rindiera a la seducción de no trabajar, ¿qué haría conmigo mismo? Tendría que pegarme un tiro.»

Eso me sorprendió. Me refiero a su necesidad de escribir. Yo apenas sabía nada de sus hábitos, de cómo pasaba el tiempo, pero nunca había imaginado que fuese un trabajador obsesivo.

—¿Lo dices en serio? —le pregunté.

—Si no escribo, me deprimo —replicó.

—¿Por qué, entonces, te dedicas a esas interminables reparaciones de la casa? —le planteé—. Podrías pagar a alguien para que hiciera las reparaciones y dedicar el tiempo que ganaras a escribir.

—No lo comprendes —respondió él—. Aunque tuviera dinero para pagar a un constructor, lo cual no es el caso, seguiría teniendo la necesidad de pasar equis horas al día cavando en el jardín o trasladando piedras o mezclando el hormigón.

Y se embarcó en otro de sus discursos sobre la necesidad de acabar con el tabú del trabajo manual.

Me pregunté si no me estaría haciendo una crítica sutil, la de que el trabajo pagado de mi asistenta negra me liberaba para tener ociosas aventuras con desconocidos, por ejemplo. Pero lo dejé correr.

—Bien —le dije—. Está claro que no entiendes de economía. El primer principio de la economía es que si todos insistiéramos en hilar y en ordeñar nuestras vacas, en vez de emplear a otras personas para que lo hagan por nosotros, estaríamos atascados eternamente en la Edad de Piedra. Por eso hemos inventado una economía basada en el intercambio que, a su vez, ha posibilitado nuestra larga historia de progreso material. Pagas a alguien para que coloque el hormigón y, a cambio, dispones del tiempo necesario para escribir el libro que justificará tu ocio y dotará de significado a tu vida, que incluso puede dotar de significado a la vida del trabajador que te coloque el hormigón. De esa manera, todos prosperamos.

—¿De veras crees eso? —me preguntó—. ¿Que los libros dan significado a nuestra vida?

—Sí —respondí—. Un libro debería ser un hacha para romper el mar congelado en nuestro interior. ¿Qué otra cosa debería ser?

–Un gesto de rechazo ante la cara del tiempo. Un intento de alcanzar la inmortalidad.

–Nadie es inmortal. Los libros no son inmortales. El planeta sobre el que estamos será absorbido por el sol y quedará reducido a cenizas. Tras lo cual el mismo universo sufrirá una implosión y desaparecerá por un agujero negro. Nada sobrevivirá, ni yo ni tú ni, desde luego, los libros que interesan a una minoría sobre hombres imaginarios de la frontera en la Sudáfrica del siglo dieciocho.

–No me refería a inmortal en el sentido de existir fuera del tiempo. Me refería a sobrevivir más allá de tu desaparición física.

–¿Quieres que la gente te lea después de muerto?

–Aferrarme a esa perspectiva me procura cierto consuelo.

–¿Aun cuando no estés aquí para verlo?

–Aun cuando no esté aquí para verlo.

–Pero ¿por qué la gente del futuro se molestaría en leer el libro que escribes si no les habla personalmente, si no les ayuda a encontrar significado a su vida?

–Tal vez seguirá gustándole leer libros que estén bien escritos.

–Eso es absurdo. Es como decir que si construyo una buena radio en miniatura la gente seguirá usándola en el siglo veinticinco. Pero no lo harán. Porque las radios en miniatura, por bien hechas que estén, para entonces serán obsoletas. No le dirán nada a la gente del siglo veinticinco.

–Tal vez en el siglo veinticinco aún habrá una minoría que sentirá curiosidad por escuchar cómo sonaba una radio en miniatura de fines del siglo veinte.

–Coleccionistas, aficionados. ¿Es así como te propones pasar la vida: sentado a tu mesa, creando un objeto que tal vez se preserve como una curiosidad o tal vez no?

Él se encogió de hombros.

–¿Tienes una idea mejor?

Cree usted que estoy faroleando, lo percibo. Cree que me invento el diálogo para mostrar lo lista que soy. Pero así eran entonces las conversaciones entre John y yo. Eran divertidas. Disfrutaba de ellas. Luego, cuando dejamos de vernos, las eché en falta. En realidad, probablemente nuestras conversaciones fueron lo que más añoré. Era el único hombre entre todos mis conocidos que me dejaba vencerle en una discusión sincera, que no soltaba una bravata, se ofuscaba o se marchaba enojado al ver que estaba perdiendo. Y yo siempre le vencía, o casi siempre.

La razón era sencilla. No es que no pudiese discutir, pero dirigía su vida de acuerdo con unos principios, mientras que yo he sido siempre pragmática. El pragmatismo derrota a los principios; así son las cosas. El universo se mueve, el suelo cambia bajo nuestros pies, y los principios están siempre un paso por detrás. Los principios son el material de la comedia. La comedia es lo que obtienes cuando los principios tropiezan con la realidad. Sé que tenía fama de adusto, pero en realidad John Coetzee era muy divertido. Un personaje de comedia. Una comedia adusta. Y eso, de alguna manera oscura, él lo sabía, incluso lo aceptaba. Por eso todavía le recuerdo con afecto, si le interesa saberlo.

[Silencio.]

Siempre fui hábil para discutir. En la escuela, cuantos me rodeaban se ponían nerviosos, incluso los profesores. «Una lengua como un cuchillo —decía mi madre, reprobándome a medias—. Una chica no debería discutir así, una chica debería aprender a ser más suave.» Estaba orgullosa de mí, de mi temple, de mi lengua aguda. Era de una generación en la que una hija, al casarse, salía directamente del hogar paterno para entrar al de su marido o su suegro.

En cualquier caso, John me preguntó:

—¿Tienes una idea mejor de cómo emplear tu vida que la de escribir libros?

—No, pero tengo una idea que podría estimularte y ayudarte a darle una dirección a tu vida.

—¿Cuál es?

—Encontrar una mujer como es debido y casarte con ella.

Él me miró de una manera extraña.

—¿Me estás haciendo una proposición?

Me eché a reír.

—No, yo ya estoy casada, gracias —le dije—. Búscate una mujer más apropiada que yo, alguien que te haga salir de ti mismo.

«Yo ya estoy casada, y, por lo tanto, si me casara contigo cometería bigamia»: esto era lo que no llegué a decir. Sin embargo, ¿qué tenía de malo la bigamia, bien mirado, aparte de ser ilegal? ¿Qué hacía de la bigamia un delito cuando el adulterio era solo un pecado o un pasatiempo? Ya era una adúltera. ¿Por qué no ser también bígama? Al fin y al cabo, estábamos en África. Si ningún hombre africano debía responder ante un tribunal por tener dos esposas, ¿por qué se me tenía que prohibir a mí tener dos cónyuges, uno público y otro privado?

—Esto no es una proposición, de ninguna manera —repetí—, pero, solo por plantear una hipótesis, ¿te casarías conmigo si estuviera libre?

No era más que una pregunta, una pregunta ociosa. No obstante, sin decir una sola palabra, él me tomó en sus brazos y me estrechó con tanta fuerza que no podía respirar. Era el primero de sus actos, que yo recordara, que parecía salirle directamente del corazón. Desde luego, le había visto bajo los efectos del deseo animal (en la cama no pasábamos el tiempo hablando de Aristóteles), pero nunca hasta entonces le había visto emocionado. «¿Así que, después de todo, este tipo seco tiene sentimientos?», me pregunté con cierto asombro.

—¿Qué pasa? —le pregunté, librándome de su abrazo—. ¿Hay algo que quieres decirme?

Él guardó silencio. ¿Estaba llorando? Encendí la lámpara de la mesilla de noche y le miré. No lloraba, pero tenía un aspecto de profunda congoja.

—Si no me dices lo que te ocurre, no puedo ayudarte —insistí.

Más tarde, cuando él se hubo recuperado, colaboramos para tomarnos a la ligera lo sucedido.

—Para la mujer adecuada, serías un marido de primera —le dije—. Responsable, trabajador, inteligente. Un buen partido, y además excelente en la cama. —Aunque eso no era estrictamente cierto—. Cariñoso —añadí como una idea tardía, aunque eso tampoco era cierto.

—Y un artista, por añadidura —dijo él—. Te has olvidado de mencionar eso.

—Y un artista, por añadidura. Un artista de las palabras.

[Silencio.]

¿Y?

Eso es todo. Un episodio difícil para los dos, que superamos con éxito. El primer atisbo de que albergaba sentimientos más profundos hacia mí.

¿Más profundos con respecto a qué?

Más profundos que los sentimientos que cualquier hombre puede experimentar hacia la atractiva esposa de su vecino. O el buey o el asno de su vecino.

¿Me está diciendo que estaba enamorado de usted?

Enamorado... ¿Enamorado de mí o de la idea de mí? No lo sé. Lo que sé es que tenía motivos para estarme agradecido. Le facilité las cosas. Hay hombres a los que les cuesta cortejar a una mujer. Temen revelar su deseo, exponerse al rechazo. A menudo, detrás de su temor hay algún suceso de su infancia. Jamás obligué a John a que se revelara. Era yo quien le cortejaba. Fui yo quien le sedujo. Fui yo quien estableció los términos de la relación. Por ello, cuando me pregunta si estaba enamorado, le respondo que estaba agradecido.

[Silencio.]

Luego, a menudo me preguntaba qué habría sucedido si, en lugar de tenerlo a raya, hubiera reaccionado a la expansión de su sentimiento con la expansión del mío. Si hubiera tenido el valor de divorciarme entonces de Mark, en vez de esperar trece o catorce años más, y me hubiese unido a John. ¿Habría aprovechado más mi vida? Tal vez. Tal vez no. Claro que entonces no estaría usted hablando con la ex amante, sino con la apenada viuda.

Chrissie era el problema, el único inconveniente. La niña tenía mucho apego a su padre, y cada vez me resultaba más difícil tratar con ella. Ya no era un bebé, iba a cumplir dos años, y aunque sus avances con el lenguaje eran de una lentitud inquietante (resultó que no habría tenido necesidad de preocuparme, porque más adelante compensó el retraso de golpe), a cada día que pasaba era más despierta... más despierta y más audaz. Había aprendido a bajar de su camita. Tuve que encargar a un carpintero que pusiera una valla en lo alto de la escalera, para que no se cayera rodando escaleras abajo.

Recuerdo que una noche Chrissie apareció de improviso junto a mi cama, restregándose los ojos y sollozando, confusa. Tuve la presencia de ánimo de cogerla en brazos y llevarla a su habitación antes de que se percatara de que no era papá quien estaba en la cama a mi lado. Pero ¿tendría tanta suerte la próxima vez?

Nunca estuve totalmente segura del efecto subterráneo que mi doble vida podría tener en la niña. Por un lado, me decía que mientras estuviera físicamente satisfecha y en paz conmigo misma los efectos beneficiosos también deberían transmitirse a ella. Si esta actitud le parece interesada, permítame recordarle que en aquella época, los años setenta, la opinión progresista, la opinión *bien-pensant*, consideraba el sexo, en todas sus formas y con cualquier pareja, una cosa positiva. Por otro lado, era evidente que a Chrissie le desconcertaba cada vez más la alternancia de papá y del tío John en la casa. ¿Qué ocurriría cuando empezara a hablar? ¿Y si confundía a los dos y llamaba a su padre «tío John»? Se armaría la gorda.

Siempre he tendido a considerar las teorías de Freud como bobadas, empezando por el complejo de Edipo y siguiendo con su negativa a ver que los niños estaban sometidos regularmente a abusos sexuales, incluso en los hogares de su clientela de clase media. Sin embargo, estoy de acuerdo en que los niños, desde muy temprana edad, pasan mucho tiempo tratando de descifrar el lugar que ocupan en la familia. En el caso de Chrissie, la familia había sido hasta entonces una cuestión muy simple: ella misma, el sol en el centro del universo, más mamá y papá, los planetas que giran a su alrededor. Tuve que hacer cierto esfuerzo para aclararle que Maria, que se presentaba a las ocho de la mañana y se marchaba a mediodía, no formaba parte del conjunto familiar. «Ahora Maria tiene que irse a casa —le decía delante de Maria—. Dile adiós a Maria. Tiene su propia hijita, a la que ha de alimentar y cuidar.» (Me refería a la hijita de Maria en singular para no complicar las cosas. Sabía muy bien que Maria tenía siete hijos a los que alimentar y vestir, cinco suyos y dos de una hermana que había muerto de tuberculosis.)

En cuanto a los demás familiares de Chrissie, su abuela materna había fallecido antes de que ella naciera y su abuelo estaba ingresado en un sanatorio, como le he dicho. Los padres de Mark vivían en la región oriental de El Cabo, en una granja rodeada por una valla electrificada de dos metros de altura. Nunca pasaban una noche fuera de casa por temor a que les saqueasen la granja y se llevaran el ganado, por lo que era como si viviesen en una cárcel. La hermana mayor de Mark residía a miles de kilómetros de distancia, en Seattle, y mi hermano nunca visitaba El Cabo. Así pues, Chrissie tenía la versión más reducida posible de una familia. La única complicación era el tío que a medianoche entraba a hurtadillas por la puerta trasera y se acostaba en la cama de mamá. ¿Cómo encajaba ese tío en esto? ¿Era un miembro de la familia o, por el contrario, un gusano que devoraba el corazón de la familia?

Y Maria… ¿Cuánto sabía Maria? Nunca podría estar segura. El trabajo itinerante era la norma en aquel entonces, por lo que Maria debía de estar muy familiarizada con el fenómeno del marido que se despide de esposa e hijos y se marcha a la gran ciudad en busca de trabajo. Pero que Maria aprobase que las esposas tontearan en ausencia de su marido era otra cuestión. Aunque Maria nunca vio a mi visitante nocturno, es muy improbable que la engañáramos. Ese tipo de visitantes dejan demasiadas huellas a su paso.

Pero ¿qué es esto? ¿Son de veras las seis? No tenía ni idea de que era tan tarde. Debemos dejarlo . ¿Puede volver mañana?

Me temo que mañana he de regresar a casa. Volaré desde aquí a Washington, y desde Washington a Londres. Lamentaría mucho que…

Muy bien, sigamos. No queda mucho más. Seré rápida.

Una noche John llegó en un estado de excitación desacostumbrado. Traía un pequeño casete, y puso una cinta, el quinteto de cuerda de Schubert. No era lo que llamaría música sexy, y mi estado de ánimo tampoco era el adecuado, pero él quería que hiciéramos el amor, y concretamente, y perdone que sea tan explícita, quería que coordináramos nuestras actividades con la música, con el movimiento lento.

Bien, el movimiento lento en cuestión puede ser muy bello, pero me parecía que estaba lejos de ser estimulante, a lo que se sumaba mi imposibilidad de hacer caso omiso del estuche que contenía la cinta: el aspecto de Franz Schubert no era el de un dios de la música, sino el de un agobiado empleado vienés resfriado y con la cabeza embotada.

No sé si recuerda usted el movimiento lento, pero hay una larga aria de violín por debajo de la cual vibra la viola, y me daba cuenta de que John trataba de seguir ese ritmo. Aquello me parecía forzado y ridículo. De alguna manera, mi distanciamiento se comunicó a John. «¡Vacía la mente! —me susurró—. ¡Siente a través de la música!»

Bien, nada irrita más que te digan lo que debes sentir. Me aparté de él y su pequeño experimento erótico se vino abajo en un instante.

Más tarde trató de explicarse. Dijo que había querido demostrar algo sobre la historia de la sensación. Las sensaciones tenían unas historias naturales propias, florecían durante un rato o no florecían, y entonces morían o se extinguían. La mayor parte de las sensaciones que florecieron en la época de Schubert ahora estaban muertas. La única manera que nos quedaba de volver a experimentarlas era mediante la música de aquel tiempo. Porque la música era el rastro, la inscripción, de la sensación.

Muy bien, le dije, pero ¿por qué tenemos que follar mientras escuchamos música?

Porque resulta que el movimiento lento del quinteto trata del acto sexual, replicó. Si, en vez de oponer resistencia, hubiera dejado que la música fluyera en mí y me animara, habría tenido atisbos de algo totalmente fuera de lo común: lo que se sentía al hacer el amor en la Austria posterior a Bonaparte.

—¿Lo que sentía el hombre posterior a Bonaparte o lo que sentía la mujer posterior a Bonaparte? —le pregunté—. ¿El señor Schubert o su señora?

Eso le enojó de veras. No le gustaba que se rieran de sus teorías favoritas.

—La música no trata de la jodienda —seguí diciéndole—. Ahí es donde falla tu argumento. La música trata del juego previo. Trata del cortejo. Le cantas a la doncella *antes* de ser admitido en su cama, no mientras estás en la cama con ella. Le cantas para atraerla, para ganarte su corazón. Si no eres feliz conmigo en la cama, tal vez sea porque no te has ganado mi corazón. —Debería haber dejado las cosas en ese punto, pero no lo hice y continué—: El error que cometimos los dos fue el de saltarnos el juego previo. No te culpo, el fallo ha sido tanto mío como tuyo, pero en cualquier caso ha sido un fallo. El sexo es mejor cuando le precede un buen y largo cortejo. Es más satisfactorio en el aspecto sentimental, y también lo es más en el erótico. Si estás tratando de mejorar nuestra vida sexual, no lo conseguirás haciéndome follar al ritmo de la música.

Esperaba que él presentara batalla, que discutiese y defendiera su idea del sexo musical. Pero no mordió el anzuelo. Adoptó una hosca expresión de derrota y me dio la espalda.

Sé que me contradigo con respecto a lo que he dicho antes, que John tenía espíritu deportivo y sabía perder, pero esta vez pareció realmente que yo había puesto el dedo en la llaga.

Sea como fuere, habíamos empezado. Yo había adoptado una actitud ofensiva y no podía volver atrás.

—Vete a casa y practica el cortejo —le dije—. Anda, vete. Llévate a tu Schubert. Vuelve cuando puedas hacer las cosas mejor.

Era una crueldad, pero él se la merecía, por no haber presentado batalla.

—Muy bien… me iré —dijo en un tono malhumorado—. De todos modos, tengo cosas que hacer.

Y empezó a vestirse.

¡«Cosas que hacer»! Cogí el objeto más cercano que tenía a mano, que resultó ser un plato muy bonito de arcilla horneada, marrón y con el borde pintado de amarillo, uno de un conjunto de media docena que Mark y yo habíamos comprado en Swazilandia. Por un instante aún pude ver el lado cómico de la escena: la amante de negra cabellera, con los pechos desnudos, exhibiendo su violento temperamento de Europa central, lanzando insultos a gritos y arrojando piezas de vajilla. Entonces le tiré el plato.

Le alcanzó en el cuello y cayó al suelo sin romperse. Él encorvó los hombros y se volvió para mirarme con una expresión de desconcierto. Estoy segura de que jamás le habían arrojado un plato. «¡Vete!», le dije, o tal vez incluso le grité, y gesticulé con la mano para que se fuera. Chrissie se despertó y rompió a llorar.

Es extraño, pero luego no sentí remordimientos. Por el contrario, estaba excitada y orgullosa de mí misma. «¡Desde el mismo corazón! —me dije a mí misma—. ¡Mi primer plato!»

[Silencio.]

¿Ha habido otros?

¿Otros platos? Muchos.

[Silencio.]

¿Fue así como terminó la relación entre ustedes?

No, hubo una coda. Le contaré la coda y habré acabado.

El verdadero final lo causó un condón, un condón atado por la parte superior y lleno de esperma rancio. Mark lo sacó de debajo de la cama. Yo estaba atónita. ¿Cómo se me podía haber pasado por alto? Era como si quisiera que me descubriese, como si gritara mi infidelidad desde el tejado.

Mark y yo nunca usábamos condones, por lo que habría sido inútil mentirle.

—¿Desde cuándo dura esto? —exigió saber.

—Desde el pasado diciembre —le respondí.

—Zorra —me dijo—, ¡sucia y embustera zorra! ¡Y yo confiaba en ti!

Estaba a punto de salir encolerizado de la habitación, pero entonces, como una ocurrencia tardía, se volvió y… lo siento, voy a correr un velo sobre lo que ocurrió a continuación, es demasiado bochornoso repetirlo, me avergüenza demasiado. Me limitaré a decir que me quedé sorprendida, conmocionada y, sobre todo, enfurecida. Cuando me recuperé, le dije: «Nunca te perdonaré por eso, Mark. Hay una línea, y la has cruzado. Me voy. Cuida tú de Chrissie para variar». Le juro que en el momento en que pronuncié esas palabras solo quería decir que salía de casa y que él cuidara de la niña aquella tarde. Pero mientras daba los cinco pasos necesarios para llegar a la puerta, comprendí con un destello cegador que realmente aquel podía ser el momento de la liberación, el momento de abandonar un matrimonio que no me satisfacía y no volver jamás. Las nubes sobre mi cabeza, las nubes en el interior de mi cabeza, se aclararon, se evaporaron. «No pienses», me dije. «¡Hazlo!» Sin detenerme, me di la vuelta, subí a la habitación, metí unas prendas interiores en una bolsa y bajé corriendo.

Mark me cerró el paso.

—¿Adónde crees que vas? —me preguntó—. ¿Te vas con *él*?

—Vete a hacer puñetas —le dije. Traté de apartarlo y pasar, pero él me asió del brazo—. ¡Déjame ir!

Ni gritos ni gruñidos, sino una orden simple y cortante, pero fue como si una corona y unos regios ropajes hubieran descendido sobre mí desde el cielo. Sin decir palabra, me dejó salir. Cuando subí al coche y arranqué, él estaba todavía en la puerta, mudo de asombro.

«¡Qué fácil! —me dije, exultante—. ¡Qué fácil! ¿Por qué no lo he hecho antes?»

Lo que me asombra de aquel momento, que realmente fue uno de los momentos clave en mi vida, lo que me sorprendió entonces y hoy sigue sorprendiéndome es lo siguiente. Aun cuando una fuerza en mi interior (llamémosla el inconsciente, para facilitar las cosas, aunque tengo mis reservas acerca del inconsciente clásico) me había impedido comprobar lo que había debajo de la cama, me lo había impedido precisamente a fin de precipitar aquella crisis conyugal, ¿por qué diablos Maria había dejado allí el objeto acusador, Maria, que desde luego no tenía nada que ver con mi inconsciente, Maria, cuya tarea consistía en limpiar, ordenar, retirar las cosas de donde no deberían estar? ¿Pasó Maria por alto el condón adrede? ¿Se irguió, al verlo, y se dijo a sí misma: «¡Esto ha ido demasiado lejos! ¡O bien defiendo la santidad del lecho conyugal o bien me convierto en cómplice de una escandalosa aventura!».

A veces me imagino volando de regreso a Sudáfrica, la nueva, anhelada y democrática Sudáfrica, con el único objetivo de buscar a Maria, si aún vive, y hablar claro con ella, para que me responda a esa irritante pregunta.

Bueno, desde luego no corrí a reunirme con el hombre a quien Mark había denominado «él» lleno de celos y rabia, pero ¿adónde iría exactamente? No tenía amigos en Ciudad del Cabo, ninguno que no lo fuera de Mark en primer lugar y mío solo en segundo.

Cuando conducía a través de Wynberg había visto un establecimiento, una antigua mansión llena de recovecos con un letrero en la fachada: «Hotel Canterbury / Residencia / Pensión media o completa / Tarifas semanales y mensuales». Decidí probar en el Canterbury.

Sí, me dijo la recepcionista, había una habitación disponible. ¿Deseaba alojarme durante una semana o más tiempo? Una semana, respondí, para empezar.

La habitación en cuestión –tenga paciencia, lo que le cuento no está fuera de lugar– se encontraba en la planta baja, y tenía un baño pequeño y pulcro, un frigorífico compacto y puertas vidrieras que daban a una terraza sombreada por un emparrado.

—Muy bonita –le dije–. Me la quedaré.

—¿Y su equipaje? –me preguntó la mujer.

—Mi equipaje ya llegará.

La mujer comprendió. Estoy segura de que yo no era la primera esposa fugada que aparecía en la entrada del Canterbury. Estoy segura de que disfrutaban de un considerable tráfico de mujeres cabreadas, y del beneficio generado por las que pagaban el alojamiento de una semana, se quedaban una noche y entonces, arrepentidas, exhaustas o embargadas por la nostalgia del hogar, se marchaban a la mañana siguiente.

Bien, yo no estaba arrepentida y, desde luego, no sentía nostalgia del hogar. Estaba dispuesta a alojarme en el Canterbury hasta que la carga de cuidar de la niña llevase a Mark a hacer un llamamiento por la paz.

Hubo una monserga sobre la seguridad que apenas seguí: llaves para las puertas, llaves para las cancelas, reglas del aparcamiento, reglas acerca de los visitantes, reglas para esto y reglas para aquello. Informé a la mujer que no recibiría visitas.

Aquella noche cené en la lúgubre *salle à manger* del Canterbury y tuve el primer atisbo de los demás clientes, que parecían salidos de una obra de William Trevor o de Muriel Spark. Pero sin duda yo les daba una impresión muy similar: otra fugitiva de un matrimonio echado a perder que había emprendido el vuelo. Me acosté temprano y dormí bien.

Había creído que disfrutaría de mi recién encontrada soledad. Fui en coche a la ciudad, hice unas compras, vi una exposición en la Galería Nacional y comí en los Jardines. Pero a la segunda noche, sola en mi habitación tras una espantosa cena a base de ensalada mustia y lenguado cocido a fuego lento con salsa bechamel, me invadió de improviso la melancolía de la soledad y, peor aun, la autocompasión. Desde el teléfono público del vestíbulo llamé a John y, susurrando, pues la recepcionista tenía el oído atento, le expliqué mi situación.

—¿Te gustaría que fuera ahí? —me preguntó—. Podríamos ir a la sesión golfa de un cine.

—Sí —respondí—. Sí, sí, sí.

Le repito con la mayor rotundidad que no huí de mi marido y mi hija para estar con John. No era esa clase de aventura. De hecho, no era una aventura, sino más bien una amistad, una amistad extraconyugal con un componente sexual cuya importancia, al menos por mi parte, era simbólica más que sustancial. Acostarme con John era mi manera de conservar el respeto por mí misma. Espero que lo comprenda.

Sin embargo, *sin embargo*, unos minutos después de su llegada al Canterbury, estábamos en la cama y, lo que es más, nuestra relación sexual fue por una vez realmente digna de que lanzáramos cohetes. Cuando terminó, hasta me eché a llorar.

—No sé por qué lloro —le dije entre sollozos—. Soy tan feliz…

—Eso es porque anoche no dormiste —me dijo, creyendo que debía consolarme—. Es porque estás sobreexcitada.

Le miré fijamente. «Porque estás sobreexcitada»: parecía creerlo así de veras. Me quedé pasmada ante lo estúpido, lo insensible que podía llegar a ser. Sin embargo, a su manera desatinada, tal vez tuviera razón, pues mi jornada de libertad había estado teñida por un recuerdo que surgía una y otra vez, el recuerdo del humillante enfrentamiento con Mark, que me había hecho sentir más como una niña a la que han dado una zurra que como una esposa que se ha apartado del buen camino. De no ser por eso, probablemente no habría telefoneado a John y, en consecuencia, no estaría acostada con él. De modo que sí: estaba irritada, ¿y por qué no? Habían puesto mi mundo del revés.

Había otra fuente de mi inquietud, a la que era incluso más difícil hacer frente: la vergüenza de haber sido descubierta. Porque, desde luego, si examinabas fríamente la situación, yo, con mi sórdida acción de represalias en Constantiaberg, no me comportaba mejor que Mark, con su sórdida aventura en Durban.

El hecho era que había llegado a una especie de límite moral. La euforia producida por el abandono del hogar se había evaporado; la indignación desaparecía; en cuanto a la vida solitaria, su atractivo se desvanecía con rapidez. Sin embargo, ¿cómo podía reparar el daño que había hecho si no era volviendo a Mark con el rabo entre las piernas, pidiendo la paz, y cumpliendo de nuevo con mis deberes como abnegada esposa y madre? ¡Y en medio de esa confusión anímica tan extraordinariamente placentera! ¿Qué trataba de decirme mi cuerpo? ¿Que cuando tus defensas están bajas las puertas del placer se abren? ¿Que el lecho conyugal es un mal sitio para cometer adulterio y que los hoteles son mejores? No tenía ni idea de lo que John sentía, pues nunca fue una persona comunicativa. En cuanto a mí, sabía sin ninguna duda que la media hora que acababa de pasar se conservaría como un hito en mi vida erótica. Y así ha sido, hasta el día de hoy. ¿Por qué si no estaría hablando de ello?

[Silencio.]

Estoy contenta de haberle contado esta historia. Ahora me siento menos culpable por el asunto de Schubert.

[Silencio.]

En cualquier caso, me dormí en brazos de John. Al despertar estaba oscuro y no tenía la menor idea de dónde me encontraba. «Chrissie −pensé−, ¡me he olvidado por completo de darle la comida a Chrissie!» Incluso palpé en busca del interruptor, en el lugar erróneo, antes de recordar la situación. Estaba sola (no había rastro de John); eran las seis de la mañana.

Llamé a Mark desde el vestíbulo.

−Hola, soy yo −le dije en mi tono más neutral y pacífico−. Perdona que llame tan temprano, pero ¿cómo está Chrissie?

Mark, por su parte, no tenía ganas de reconciliarse.

−¿Dónde estás? −me preguntó.

−Te llamo desde Wynberg −le dije−. Me he mudado a un hotel. He pensado que deberíamos dejar de vernos hasta que las cosas se enfríen. ¿Cómo está Chrissie? ¿Qué planes tienes para la semana? ¿Te irás a Durban?

−Lo que haga con mi tiempo no es asunto tuyo −respondió−. Si quieres permanecer alejada, permanece alejada.

Incluso por teléfono, percibí que seguía enfurecido. Cuando Mark estaba enfadado, pronunciaba las frases como «no es asunto tuyo» en un tono de bronco desdén que te hacía sentir empequeñecida. Los recuerdos de todo lo que me desagradaba de él acudieron en tropel a mi mente.

−No seas tonto, Mark −le dije−, no sabes cuidar de una criatura.

−¡Ni tú tampoco, sucia zorra! −me espetó antes de colgar bruscamente.

Poco después, aquella misma mañana, cuando fui a la compra, descubrí que mi cuenta había sido bloqueada.

Subí al coche y me dirigí a Constantiaberg. La llave de la casa hizo girar el pestillo, pero la puerta estaba cerrada con doble vuelta. Llamé una y otra vez. No hubo respuesta, ni tampoco señal alguna de Maria. Rodeé la casa. El coche de Mark había desaparecido, las ventanas estaban cerradas.

Telefoneé a su oficina.

—Ha ido a la sucursal —me informó la recepcionista.

—Hay una emergencia en su casa —le dije—. ¿Podrías llamar a Durban y dejar un mensaje? Pídele que llame a su mujer lo antes posible, al número que voy a darte. Dile que es urgente.

Y le di el número del hotel.

Esperé durante horas. No hubo ninguna llamada.

¿Dónde estaba Chrissie? Eso era lo que necesitaba saber por encima de todo lo demás. Parecía increíble que Mark se hubiera llevado la niña con él a Durban. Pero de no ser así, ¿qué había hecho con ella?

Llamé directamente a Durban. No, me dijo la secretaria, Mark no se encontraba en Durban, no le esperaban allí aquella semana. ¿Había telefoneado a la oficina de la empresa en Ciudad del Cabo?

Abrumada por la preocupación, telefoneé a John.

—Mi marido se ha ido con la niña, se ha esfumado —le dije—. No tengo dinero. No sé qué hacer. ¿Se te ocurre algo?

En el vestíbulo había unos clientes, una pareja mayor, que me escuchaban sin disimulo, pero había dejado de importarme que se enterasen de mis problemas. Quería llorar, pero creo que, en vez de hacer eso, me eché a reír.

—Se ha fugado con mi hija, ¿y por qué? —seguí diciendo—. ¿Es por esto —hice un gesto hacia mi entorno, es decir, hacia el interior del hotel (residencia) Canterbury—, es por esto por lo que me castiga?

Entonces me eché a llorar en serio.

Como estaba a kilómetros de distancia, John no podía haber visto mi gesto, y en consecuencia (se me ocurrió después) debía de haberle dado un significado muy diferente a la palabra «esto». Debía de haber parecido que me refería a mi aventura con él, como si la considerara indigna de una reacción tan airada.

—¿Quieres ir a la policía? —me preguntó.

—No seas ridículo. No puedes huir de tu marido y a continuación volver y acusarle de que ha secuestrado a tu hija.

—¿Te gustaría que fuera a buscarte?

Noté la precaución en su voz, y me solidaricé con él. También yo habría sido cauta en su lugar, hablando por teléfono con una mujer histérica. Pero yo no quería precaución, quería recuperar a mi hija.

—No, no me gustaría que vinieras a buscarme —repliqué con irritación.

—¿Has comido algo, al menos? —me preguntó.

—No quiero comer nada. Basta de esta estúpida conversación. Perdona, no sé por qué te he llamado. Adiós.

Y colgué el aparato.

No quería nada para comer, pero no me habría importado beber algo: un whisky a palo seco, por ejemplo, y acto seguido dormirme pesadamente y sin sueños.

Acababa de acostarme y de cubrirme la cabeza con una manta cuando oí unos golpecitos en la puerta vidriera. Era John. Intercambiamos unas palabras que no voy a repetir. Resumiendo, me llevó de regreso a Tokai y me acostó en su habitación. Él durmió en el sofá de la sala de estar. Esperaba a medias que viniera a acostarse conmigo durante la noche, pero no lo hizo.

Me despertaron unos murmullos. Había salido el sol. Oí que se cerraba la puerta principal de la vivienda. Un largo silencio. Estaba sola en aquella extraña casa.

El cuarto de baño era primitivo, la taza del lavabo no estaba limpia. Un olor desagradable a sudor masculino y toallas húmedas flotaba en el aire. No tenía idea de adónde había ido John ni de cuándo volvería. Me hice café y exploré un poco. De una habitación a otra, los techos eran tan bajos que temía sofocarme. No era más que una casa de campo, eso lo comprendía, pero ¿por qué la habían construido para enanos?

Me asomé a la habitación de Coetzee padre. Había dejado la luz encendida, la luz mortecina de una sola bombilla sin pantalla en el centro del techo. Sobre una mesa, al lado de la cama, un periódico doblado y abierto por la página del crucigrama. De la pared pendía un cuadro, de aficionado, que representaba una granja holandesa de El Cabo enjalbegada, y una fotografía enmarcada de varias mujeres de aspecto severo. La ventana, que era pequeña y estaba protegida por una celosía de acero, daba a un porche donde no había más que dos sillas extensibles de lona y una hilera de macetas con agostados helechos.

La habitación de John, donde yo había dormido, era más grande y estaba mejor iluminada. Un estante: diccionarios, manuales de conversación, textos para aprender por ti mismo esto y aquello. Beckett. Kafka. Sobre la mesa, papeles desordenados. Un archivador. Examiné ociosamente los cajones. En el inferior, una caja con fotografías, a las que eché un vistazo. ¿Qué estaba buscando? No lo sabía. Algo que solo reconocería cuando lo encontrara. Pero no estaba allí. La mayor parte de las fotografías era de sus años escolares: equipos deportivos, retratos con sus compañeros de clase.

Oí ruidos en la parte delantera de la casa y salí. Hacía un hermoso día, el cielo era de un azul brillante. John estaba descargando de su pick-up láminas de hierro galvanizado para el tejado.

—Perdona por haberte abandonado —me dijo—. Tenía que ir a recoger este material y no quería despertarte.

Llevé una de las sillas de lona a una zona soleada, cerré los ojos y me sumí en una ensoñación. No abandonaría a mi hija. No pondría fin a mi matrimonio. Pero ¿y si lo hiciera? ¿Y si me olvidara de Mark y Chrissie, me mudase a aquella pequeña y fea casa, me convirtiera en el tercer miembro de la familia Coetzee, la adjunta, la Blancanieves de los dos enanos, y me ocupara de la comida, la limpieza, la colada, tal vez incluso ayudara a reparar el tejado? ¿Cuánto tiempo pasaría antes de que mis heridas cicatrizaran? ¿Y cuánto antes de que mi verdadero príncipe llegara en su montura, el príncipe de mis sueños, que me reconocería por lo que era, me subiría a su semental blanco y me llevaría hacia la puesta del sol?

Porque John Coetzee no era mi príncipe. Por fin llego a lo esencial. Si esa era la pregunta en el fondo de su mente cuando llegó a Wilmington («¿Va a ser esta otra de esas mujeres que confundió a John Coetzee con su príncipe secreto?»), ahora tiene la respuesta. John no era mi príncipe. Y no solo eso: si me ha escuchado con atención, a estas alturas habrá comprendido lo improbable que era que pudiera haber sido un príncipe, un príncipe satisfactorio, para cualquier doncella del mundo.

¿No está de acuerdo? ¿Opina de otra manera? ¿Cree que era yo, no él, quien tenía la culpa… el defecto, la deficiencia? Bien, eche un vistazo a los libros que escribió. ¿Cuál es el tema recurrente en un libro tras otro? El de que la mujer no se enamora del hombre. Puede que el hombre ame o no ame a la mujer, pero esta nunca ama al hombre. ¿Qué cree usted que refleja ese tema? Mi conjetura, una conjetura muy bien fundamentada, es que refleja la experiencia de su vida. Las mujeres no se enamoraban de él… por lo menos las mujeres que estaban en su sano juicio. Lo inspeccionaban, lo husmeaban, tal vez incluso lo probaban. Y entonces seguían su camino.

Seguían su camino como hice yo. Podría haberme quedado en Tokai, como le he dicho, representando el papel de Blancanieves. La idea no carecía por completo de seducciones. Pero al final no lo hice. John fue amigo mío durante un período difícil de mi vida, fue una muleta en la que a veces me apoyaba, pero jamás sería mi amante, no en el verdadero sentido de la palabra. El verdadero amor solo se da entre dos seres humanos plenos, que necesitan encajar el uno en el otro. Como el yin y el yang. Como un enchufe y una toma de corriente. Como el macho y la hembra. Él y yo no encajábamos.

Créame, en el transcurso de los años he pensado mucho en John y su manera de ser. Lo que sigue se lo voy a decir con la debida consideración y espero que sin animadversión. Porque, como le he dicho, John era importante para mí. Me enseñó mucho. Fue un amigo que siguió siéndolo después de que rompiera con él. Cuando me sentía baja de moral siempre podía confiar en él para que bromeara conmigo y me animara. Cierta vez me llevó a unas alturas eróticas inesperadas, una sola vez, ¡ay!, pero lo cierto es que John no estaba hecho para el amor, no estaba construido de esa manera, no estaba construido para encajar en otro ser o para que otro ser encajara en él. Como una esfera. Como una bola de cristal. No había manera de conectar con él. Tal es mi conclusión, mi conclusión madurada.

Y puede que esto no sea ninguna sorpresa para usted. Probablemente piensa que lo mismo les sucede a los artistas en general, a los artistas masculinos, que no están hechos para lo que llamo amor; que no pueden entregarse del todo, o no están dispuestos a hacerlo, por la sencilla razón de que tienen una esencia secreta que han de preservar por el bien de su arte. ¿No es cierto? ¿Es eso lo que cree?

¿Si creo que los artistas no están hechos para el amor? No. No necesariamente. Trato de mantener una mentalidad abierta sobre el tema.

Pues no puede mantener su mentalidad abierta indefinidamente, no si pretende escribir su libro. Piénselo. Nos encontramos ante un hombre que, en la más íntima de las relaciones humanas, no puede sintonizar, o solo puede hacerlo brevemente, con intermitencias. Sin embargo, ¿cómo se ganaba la vida? Escribiendo informes, informes de experto, sobre la experiencia humana íntima. Porque de eso tratan las novelas, ¿no?, la experiencia íntima. Las novelas comparadas con la poesía o la pintura. ¿No le parece eso extraño?

[Silencio.]

He sido muy franca con usted, señor Vincent. Por ejemplo, el detalle de Schubert: nunca se lo había contado a nadie. ¿Por qué no? Porque pensaba que John aparecería bajo una luz ridícula. Porque ¿quién sino un rematado idiota ofrecería a la mujer de la que supuestamente está enamorado que tomara lecciones de práctica sexual de un compositor muerto, un *Bagatellenmeister* vienés? Cuando un hombre y una mujer están enamorados crean su propia música, es algo que sucede instintivamente, no necesitan lecciones. Pero ¿qué hace nuestro amigo John? Introduce a un tercero en el dormitorio. Franz Schubert se convierte en el número uno, el maestro del amor; John pasa a ser el número dos, el discípulo del maestro y ejecutante, y yo me convierto en el número tres, el instrumento con el que se va a tocar la música sexual. Eso, me parece a mí, le dice todo lo que necesita saber sobre John Coetzee. El hombre que confundió a su mujer con un violín. Que probablemente hizo lo mismo con todas las demás mujeres de su vida: las confundió con uno u otro instrumento, violín, fagot, timbales. Que era tan bobo, estaba tan separado de la realidad, que no podía distinguir entre tocar a una mujer como si fuese un instrumento musical y amar a una mujer. Un hombre que amaba de manera mecánica. ¡Una no sabe si reír o llorar!

Por eso nunca fue mi príncipe azul. Por eso nunca le dejé que se me llevara en su caballo blanco. Porque no era un príncipe, sino una rana. Porque no era humano, no en el sentido más amplio.

Le dije que sería franca con usted, y he cumplido mi promesa. Le diré otra cosa con franqueza, solo una más, y entonces habremos llegado al final.

Es sobre la noche que he tratado de describirle, la noche en el hotel Canterbury, cuando, después de nuestra serie de experimentos, los dos dimos por fin con la correcta química, la correcta combinación. ¿Cómo podríamos haberlo conseguido, tal vez se pregunte usted, como también yo me lo pregunto, si John era una rana y no un príncipe?

Permítame que le diga cómo veo esa noche fundamental. Como le he dicho, estaba dolida, confusa y preocupadísima. John vio o supuso lo que me ocurría y por una vez me abrió su corazón, aquel corazón que normalmente tenía envuelto en una coraza. Con los corazones abiertos, el suyo y el mío, nos corrimos al mismo tiempo. Para él, esa primera apertura del corazón pudo y debió suponer un cambio radical, el inicio de una nueva vida juntos. Pero ¿qué sucedió? John se despertó en plena noche y me vio durmiendo a su lado, sin duda con una expresión de paz en la cara, incluso de dicha, una dicha que no se puede alcanzar en este mundo. Me vio, me vio tal como yo era en aquel momento, sintió miedo y se apresuró a atar de nuevo la coraza alrededor de su corazón, con cadenas y un candado doble, y salió a hurtadillas en la oscuridad.

¿Cree usted que me resulta fácil perdonarle por eso? ¿Lo cree?

Se muestra usted un tanto dura con él, si me permite que se lo diga.

No, no soy dura. Solo estoy diciendo la verdad. Sin la verdad, no importa lo dura que sea, no puede haber curación. Eso es todo. Este es el final de mi contribución a su libro. Mire, son casi las ocho. Es hora de que se vaya. Ha de tomar un avión por la mañana.

Solo una pregunta más, una pregunta breve.

No, de ninguna manera, basta de preguntas. Ha tenido tiempo más que suficiente. Se acabó. *Fin.* Váyase.

Entrevista realizada en Kingston, Ontario,
mayo de 2008

MARGOT

Permítame que le ponga al corriente, señora Jonker, de lo que he estado haciendo desde que nos reunimos el pasado diciembre. Al regresar a Inglaterra, transcribí las cintas de nuestras conversaciones. Le pedí a un colega de origen sudafricano que comprobara la ortografía de todas las palabras en afrikaans. Entonces hice algo bastante radical, que espero que usted aprobará. Eliminé mis interjecciones, apuntes y preguntas, y dispuse la prosa para que se leyera como si fuera un relato ininterrumpido contado por usted.

Lo que quisiera hacer ahora es leerle el nuevo texto y darle la oportunidad de comentarlo. ¿Qué le parece?

Muy bien.

Una cosa más. Como el relato que me contó era bastante largo, más de lo que me esperaba, he decidido dramatizarlo aquí y allá, a fin de hacerlo más variado, dejando que las distintas personas hablen con su propia voz. Ya verá lo que quiero decir una vez entremos en materia.

Muy bien.

Bueno. Allá vamos.

En los viejos tiempos, en la época navideña había multitudinarias reuniones en la granja de la familia. Desde diversos y lejanos lugares, los hijos e hijas de Gerrit y Lenie Coetzee convergían en Voëlfontein, acompañados por sus cónyuges y vástagos, más vástagos cada año que transcurría, y pasaban una semana de risas, bromas, rememoraciones y, sobre todo, comidas. Para los hombres también era una temporada de caza: aves, antílopes.

Pero ahora, en la década de 1970, lamentablemente esas reuniones familiares se han reducido. Gerrit Coetzee fue enterrada hace largo tiempo, Lenie va de un lado a otro arrastrando los pies en una residencia para la tercera edad en The Strand. De sus doce hijos e hijas, el primogénito ya se ha unido a las sombras multitudinarias. Cuando están a solas...

¿Sombras multitudinarias?

¿Demasiado grandilocuente? Lo cambiaré. El primogénito ya ha abandonado esta vida. Cuando están a solas, los supervivientes presienten su propio fin y se estremecen.

No. Eso no me gusta.

¿Se refiere al establecimiento? No hay ningún problema. Lo eliminaré. Ya ha abandonado esta vida. Entre los supervivientes, la broma se ha vuelto más contenida, la rememoración más triste, la comida más moderada. En cuanto a las partidas de caza, se han terminado: los huesos viejos son cautelosos y, en cualquier caso, después de un año tras otro de sequía, no queda nada en el *veld* a lo que valga la pena disparar.

En cuanto a la tercera generación, los hijos e hijas de los hijos e hijas, la mayoría están ahora demasiado absortos en sus propios asuntos para asistir, o son demasiado indiferentes al círculo familiar más amplio. Este año solo cuatro miembros de esa generación están presentes: su primo Michiel, que ha heredado la granja, su primo John, de Ciudad del Cabo, su hermana Carol y ella misma, Margot. Y supone que, de los cuatro, solo ella mira atrás con algo parecido a la nostalgia.

No comprendo. ¿Por qué me llama «ella»?

De los cuatro, solo Margot… Margot… supone, mira atrás con algo parecido a la nostalgia… Nota lo torpe que suena. No funcionará así. El «ella» que he introducido es como *yo* pero no es *yo.* ¿De veras le desagrada tanto?

Me parece confuso. Pero usted sabrá mejor que yo. Prosiga.

La presencia de John en la granja provoca inquietud. Al cabo de varios años en el extranjero, tantos que sus familiares llegaron a la conclusión de que se había ido para siempre, de repente ha reaparecido entre ellos en circunstancias poco claras, tras haber hecho algo ignominioso. Cuentan entre susurros que ha cumplido condena en una cárcel norteamericana.

La familia no sabe de qué modo comportarse con él. Nunca habían tenido un delincuente, si se le puede considerar así, un delincuente, entre ellos. Un arruinado sí: el hombre que se casó con tía Marie, un fanfarrón y bebedor empedernido al que la familia había desaprobado desde el principio, se declaró en bancarrota para no tener que pagar sus deudas y posteriormente no dio golpe, se quedó en casa sin hacer nada, viviendo de los ahorros de su esposa. Pero, aunque la bancarrota puede dejar un mal sabor de boca, no es un delito, mientras que ir a la cárcel es ir a la cárcel.

A ella le parece que los Coetzee deberían esforzarse más para intentar que la oveja descarriada se sienta bien recibida. Siempre ha tenido una debilidad por John. De niños hablaban abiertamente de casarse cuando fuesen adultos. Suponían que eso estaría permitido, ¿por qué no habría de estarlo? No entendían por qué, al oírles, los adultos sonreían, sonreían y no decían por qué.

¿De veras le dije eso?

Así es. ¿Quiere que lo elimine? Me gusta. Es muy tierno.

Está bien, déjelo. [Se ríe.] Prosiga.

Su hermana Carol piensa de otra manera. Carol está casada con un ingeniero alemán, que lleva años intentando irse con ella de Sudáfrica e instalarse en Estados Unidos. Carol ha dejado clara su negativa a que figure en su expediente estadounidense que está relacionada con un hombre que, sea o no sea técnicamente un delincuente, se ha puesto a malas con la ley, su ley. Pero la hostilidad de Carol hacia John es más profunda. Lo encuentra afectado y altanero. Desde las alturas de su educación *engelse* [inglesa], dice Carol, John mira con desdén a todos y cada uno de los Coetzee. No puede imaginar por qué ha decidido honrarles con su presencia en Navidad.

A ella, a Margot, le disgusta la actitud de su hermana. Cree que se ha vuelto cada vez más despiadada desde que se casó y empezó a moverse en el círculo de su marido, un círculo de expatriados alemanes y suizos que llegaron a Sudáfrica en la década de 1960, se enriquecieron con rapidez y se disponen a abandonar el barco ahora que el país está atravesando tiempos tormentosos.

No sé. No sé si puedo permitirle decir eso.

Bien, sea cual sea su decisión, me someteré a lo que diga. Pero eso es lo que usted me contó, palabra por palabra. Y tenga en cuenta que no es probable que su hermana vaya a escoger un libro de escasa difusión publicado por una universidad inglesa. ¿Dónde está su hermana ahora?

Ella y Klaus viven en Florida, en una localidad llamada Saint Petersburg. Nunca he estado allí. Y en cuanto a su libro, uno de sus amigos podría dar con él y enviárselo... nunca se sabe. Pero eso no es lo esencial. Cuando hablé con usted el año pasado, tuve la impresión de que se limitaría a transcribir la entrevista. No tenía idea de que iba usted a reescribirla por completo.

Eso no es del todo cierto. En realidad, no la he reescrito, tan solo la he refundido en un relato dándole una forma distinta. El cambio de la forma no afecta al contenido. Sería distinto si usted creyera que me estoy tomando libertades con el contenido. ¿Tiene la impresión de que me estoy tomando demasiadas libertades?

No lo sé. Hay algo que me suena extraño, pero aún no podría señalar qué es. Todo lo que puedo decirle es que su versión no me parece que se ajuste a lo que le conté. Pero voy a callarme ya. Esperaré hasta el final para tomar una decisión. Así que continúe.

De acuerdo.

Si Carol es demasiado dura, ella es demasiado blanda, está dispuesta a admitirlo. Ella es quien llora cuando hay que ahogar a los gatitos recién nacidos, quien se tapa los oídos cuando el cordero que van a sacrificar bala de miedo, bala y bala. Cuando era más joven le afectaba que la regañaran por ello; pero ahora, mediada la treintena, no está tan segura de que tenga que sentirse avergonzada por ser bondadosa.

Carol dice no entender por qué John ha asistido a la reunión familiar, sin embargo para ella la razón es evidente. Ha traído de regreso a su padre, que, aunque no tiene mucho más de sesenta años, parece un anciano en las últimas, para que vea los lugares de su juventud y se sienta renovado y fortalecido o, si no puede renovarse, al menos para que se despida de ellos. A su modo de ver, es un acto de piedad filial, que ella aprueba plenamente.

Ella va en busca de John, que está detrás del cobertizo, trabajando en su coche, o fingiendo hacerlo.

—¿Le ocurre algo al coche? —le pregunta ella.

—Está sobrecalentado —responde él—. Hemos tenido que parar dos veces en Du Toit's Kloof para que el motor se enfriara.

—Deberías pedirle a Michiel que le eche un vistazo. Sabe mucho de coches.

—Michiel tiene que ocuparse de los invitados. Yo mismo lo arreglaré.

Ella ha supuesto que Michiel agradecería una excusa para alejarse de sus invitados, pero no insiste. Conoce la testarudez masculina demasiado bien, sabe que un hombre se debatirá interminablemente con un problema antes que someterse a la humillación de pedirle ayuda a otro hombre.

—¿Es esto lo que conducís en Ciudad del Cabo? —le pregunta. «Esto» se refiere a la pick-up Datsun de una tonelada, la clase de vehículo ligero que ella asocia a granjeros y constructores—. ¿Para qué necesitas una pick-up?

—Es útil —responde él secamente, sin explicar cuál podría ser su uso.

Ella no ha podido evitar reírse cuando le ha visto llegar a la granja al volante de la pick-up, él con barba, el pelo en desorden y unas gafas que le dan un aspecto de búho, el padre a su lado como una momia, rígido y azorado. A ella le habría gustado hacerles una foto. También le habría gustado hacerle a John algún comentario en voz baja acerca de su estilo de peinado. Pero aún no han roto el hielo y la conversación íntima tendrá que esperar.

—En cualquier caso —le dice ella—, me han dicho que te avise para tomar el té, el té y la *melktert* que ha horneado tía Joy.

—Iré dentro de un minuto —le dice él.

Entre ellos hablan en afrikaans. Él tiene un conocimiento vacilante de la lengua; ella sospecha que se expresa en inglés mejor de lo que él habla el afrikaans, aunque, como vive en el interior, la *platteland*, apenas tiene ocasión de hablar en inglés. Pero han hablado en afrikaans entre ellos desde que eran niños, y no va a avergonzarlo ofreciéndole cambiar de lengua.

Culpa del deterioro que ha sufrido el afrikaans de John a su traslado hace años, primero a Ciudad del Cabo, a sus estudios en escuelas y una universidad «inglesas», luego al mundo exterior, donde no se oye una sola palabra de afrikaans. «In 'n minuut», dice él: Dentro de un minuto. Es la clase de solecismo del que Carol se hará eco enseguida para burlarse. «In 'n minuut sal meneer sy tee kom geniet», dirá Carol: Dentro de un minuto su señoría vendrá a tomar el té. Ella debe protegerlo de Carol, o por lo menos ha de suplicarle a Carol que tenga misericordia de él durante estos pocos días.

Esa noche ella se sienta junto a él a la mesa. La cena no es más que una mezcolanza de sobras de la comida, que es la principal del día: cordero frío, arroz recalentado, judías verdes con vinagre.

Ella observa que él pasa la fuente de carne sin servirse.

—¿No tomas cordero, John? —pregunta a voces Carol desde el otro extremo de la mesa en un tono de amable interés.

—Esta noche no, gracias —replica John—. *Ek het my vanmiddag dik gevreet.* —Esta tarde me he atiborrado como un cerdo.

—Entonces no eres vegetariano. No te has convertido en vegetariano mientras estabas en el extranjero.

—No un vegetariano estricto. *Dis nie 'n woord waarvan ek hou nie. As 'n mens verkies om nie so veel vleis te eet nie...* —No es una palabra con la que él esté encariñado. Si uno opta por no comer tanta carne...

—*Ja?* —dice Carol—. *As 'n mens so verkies, dan...* —Si optas por eso, entonces... ¿qué?

Ahora todos le miran con fijeza. Él ha empezado a ruborizarse. Es evidente que no tiene ni idea de cómo desviar la benévola curiosidad de la reunión. Y si está más pálido y delgado de lo que debería estar un buen sudafricano, ¿podría explicarse no solo porque haya pasado demasiado tiempo entre las nieves de Norteamérica, sino porque en realidad se haya visto privado durante demasiado tiempo de buen cordero del Karoo? *As 'n mens verkies...* ¿Qué dirá a continuación?

Está totalmente ruborizado. ¡Un hombre hecho y derecho, y sin embargo se sonroja como una niña! Es hora de intervenir. Ella le tranquiliza poniéndole una mano en el brazo.

—*Jy wil seker, sê, John, ons het almal ons voorkeure.* —Todos tenemos nuestras preferencias.

—*Ons voorkeure* —dice él—, *ons fiemies.* —Nuestras preferencias, nuestros tontos caprichitos.

Clava el tenedor en una judía verde y se la lleva a la boca.

Corre diciembre, y en ese mes no oscurece hasta bien pasadas las nueve. Incluso entonces, tal prístina claridad tiene el aire en la alta meseta que la luna y las estrellas brillan lo suficiente para iluminar las huellas de tus pisadas. Así que, después de cenar, los dos salen a pasear, dando un amplio rodeo para evitar el agrupamiento de cabañas que alojan a los trabajadores de la granja.

—Gracias por salvarme durante la cena —le dice él.

—Ya conoces a Carol. Siempre está a la que salta. Y tiene una lengua afilada. ¿Qué tal tu padre?

—Deprimido. Como seguramente debes de saber, el de mis padres no fue el más feliz de los matrimonios. Eso no impidió que, tras la muerte de mi madre, entrara en decadencia… estaba alicaído, no sabía qué hacer consigo mismo. La educación que recibieron los hombres de su generación los convierte más o menos en inútiles. Si no tienen alguna mujer que cocine y cuide de ellos, se marchitan. Si no le hubiera ofrecido a mi padre un hogar, se habría muerto de hambre.

—¿Aún trabaja?

—Sí, tiene su empleo en la tienda de piezas de automóvil, aunque creo que le han insinuado que va siendo hora de que se jubile. Y su entusiasmo por el deporte no ha disminuido.

—¿No es árbitro de críquet?

—Lo fue, pero tuvo que dejarlo. Su vista se ha deteriorado mucho.

—¿Y tú? ¿No jugabas también al críquet?

—Sí, todavía juego en la Liga Dominical. Tienen un nivel de aficionados, lo cual me va bien. Es curioso, él y yo, dos afrikáners dedicados a un deporte inglés que no se nos da muy bien. Me pregunto qué revela eso de nosotros.

Dos afrikáners. ¿Se considera realmente afrikáner? Ella no sabe cuántos afrikáners auténticos [egte] le aceptarían como uno de la tribu. Tal vez ni siquiera su padre pasaría el escrutinio. Hoy día, para ser afrikáner, como mínimo tienes que votar al Partido Nacional e ir a la iglesia los domingos. Ella no puede imaginar a su primo poniéndose traje y corbata y yendo a la iglesia. Ni tampoco a su tío.

Han llegado a la represa. Antes la represa se llenaba mediante una bomba eólica, pero durante los años de bonanza Michiel instaló una bomba con motor diesel y dejó que la vieja bomba eólica se oxidara, porque eso era lo que hacía todo el mundo. Ahora que el precio del petróleo está por las nubes, es posible que Michiel deba volver a pensárselo. Puede que, después de todo, tenga que recurrir una vez más al viento de Dios.

—¿Recuerdas cuando veníamos aquí de niños…? —le pregunta ella.

Él rememora al instante.

—Y cazábamos renacuajos con un cedazo, los llevábamos a la casa en un cubo de agua y a la mañana siguiente todos estaban muertos y no podíamos imaginar por qué.

—Y saltamontes. También capturábamos saltamontes.

Tras mencionarlo, se arrepiente de haberlo hecho, pues ha recordado el destino de los saltamontes, o de uno de ellos. John sacó el insecto de la botella en la que estaba atrapado y, mientras ella miraba, tiró con firmeza de una larga pata trasera hasta separarla del cuerpo, secamente, sin sangre o lo que cuente como sangre entre los saltamontes. Entonces lo soltó y se quedaron mirándolo. Cada vez que intentaba emprender el vuelo, caía de costado, las alas escarbando la tierra y el muñón de la pata trasera moviéndose inútilmente. «¡Mátalo!», le gritó ella a John. Pero él no lo mató y se fue de allí con una expresión de asco.

—¿Recuerdas que una vez le arrancaste una pata a un saltamontes y entonces te marchaste y fui yo quien tuvo que matarlo?

—Lo recuerdo a diario —responde él—. Cada día le pido perdón al pobre bicho. Era solo un niño, le digo, solo un niño ignorante que no sabía lo que hacía. Perdóname, *Kaggen*.

—¿*Kaggen*?

—*Kaggen*. El nombre de mantis, el dios mantis. Puede que no fuera un saltamontes, pero el saltamontes lo entenderá. En el otro mundo no hay problemas de lenguaje. Es como el Edén de nuevo.

El dios mantis. La ha confundido.

Un viento nocturno gime a través de las aspas de la bomba eólica echada a perder. Ella se estremece.

—Debemos volver —le dice.

—Enseguida. ¿Has leído el libro de Eugène Marais sobre el año que pasó en el Waterberg observando a un grupo de babuinos? Dice que por la noche, cuando los monos dejaban de merodear y se aposentaban para contemplar la puesta del sol, detectaba en sus ojos, al menos en los de los babuinos mayores, aguijonazos de melancolía, el nacimiento de la conciencia incipiente de su mortalidad.

—¿Es en eso en lo que te hace pensar la puesta del sol, en la mortalidad?

—No, pero no puedo evitar que me recuerde la primera conversación que tuvimos tú y yo, la primera conversación significativa. Debíamos de tener seis años. No recuerdo las palabras exactas, pero sé que te estaba abriendo mi corazón, te lo contaba todo acerca de mí, todos mis anhelos y esperanzas. Y al mismo tiempo pensaba: «¡De modo que esto es lo que significa estar enamorado!». Porque, permíteme que te lo confiese, en aquella época estaba enamorado de ti. Y desde entonces, estar enamorado de una mujer ha significado para mí ser libre de decir todo lo que siento.

—Todo lo que sientes... ¿Qué tiene eso que ver con Eugène Marais?

—Sencillamente que comprendo en qué estaba pensando el viejo babuino macho mientras contemplaba la puesta del sol, el jefe del grupo, aquel del que Marais se sentía más próximo. «Nunca más —pensaba—. Una sola vida y entonces nunca más. Nunca, nunca, nunca.» Eso es lo que también me hace el Karoo. Me llena de melancolía. Me inutiliza para la vida.

Ella aún no entiende qué tienen que ver los babuinos con el Karoo de su infancia, pero no va a admitirlo.

—Este lugar me desgarra el corazón —prosigue él—. Me lo desgarraba de niño, y desde entonces nunca he estado bien.

El corazón de su primo está desgarrado. Ella no tenía el menor atisbo de ello. Piensa que antes sabía, sin necesidad de que se lo dijeran, lo que sucedía en el corazón del prójimo. Ese era su talento especial: *meegevoel*, sentimiento compartido. ¡Pero ya no, ay, ya no! Se hizo adulta, y, al hacerse adulta, se volvió rígida, como una mujer a la que nunca sacan a bailar, que se pasa la noche de los sábados esperando en vano, sentada en un banco de la sala de la iglesia, que cuando algún hombre recuerda sus modales y le ofrece su mano, ha perdido por completo el placer y solo quiere volver a casa. ¡Qué emoción! ¡Qué revelación! ¡Este primo suyo conserva recuerdos de cómo la amaba de niño! ¡Los ha conservado durante todos estos años!

[Gruñe.] ¿Dije de veras todo eso?

[Se ríe.] Sí.

¡Qué indiscreta! [Se ríe.] No importa, siga.

—No se lo digas a Carol —le dice su primo John—. Con esa vena satírica que tiene… no le digas lo que siento en el Karoo. Si lo hicieras, jamás soltaría esa presa.

—Tú y los babuinos —replica ella—. Carol también tiene corazón, por increíble que parezca. Pero no, no le contaré tu secreto. Hace frío. ¿Volvemos a casa?

Rodean las viviendas de los trabajadores de la granja, manteniéndose a una distancia prudente. Los carbones de una fogata sobre la que están cocinando taladran la oscuridad con puntos de un rojo intenso.

—¿Cuánto tiempo vas a quedarte? —le pregunta ella—. ¿Estarás aquí el día de Año Nuevo?

Nuwejaar: para el *volk*, el pueblo, un día con las cifras en rojo que eclipsa por completo a la Navidad.

—No, no puedo quedarme tanto tiempo. Tengo cosas que hacer en Ciudad del Cabo.

—Entonces, ¿por qué no dejas a tu padre y vuelves más adelante a buscarlo? Así le darías tiempo para relajarse y fortalecerse. No tiene buen aspecto.

—No querrá quedarse. Mi padre es inquieto por naturaleza. Dondequiera que esté, desea estar en otra parte. Cuanto mayor se hace, más impaciente se vuelve. Es como un picor. No puede estarse quieto. Además, tiene que volver al trabajo. Se toma su trabajo muy en serio.

La granja está silenciosa. Entran por la puerta trasera.

—Buenas noches —le dice ella—. Que duermas bien.

Una vez en su habitación, ella se apresura a acostarse. Le gustaría estar dormida cuando entren en la casa su hermana y su cuñado, o por lo menos ser capaz de fingir que está dormida. No tiene ganas de que la interroguen sobre lo que ha ocurrido durante su paseo con John. A la mínima oportunidad que tuviera, Carol le haría desembuchar. «Estuve enamorado de ti cuando tenía seis años; estableciste la pauta de mi amor hacia otras mujeres.» ¡Qué cosas se le ocurre decir! ¡Qué cumplido, en verdad! Pero ¿qué decir de ella misma? ¿Qué sucedía en su corazón de seis años cuando en el de John anidaba toda aquella pasión prematura? Ella consistió en casarse con él, desde luego, pero ¿aceptó que estaban enamorados? De ser así, no lo recuerda en absoluto. ¿Y ahora? ¿Qué siente por él ahora? Ciertamente, su declaración le ha encantado. ¡Qué curioso personaje es este primo suyo! Su peculiaridad no procede del lado Coetzee, de eso está segura, después de todo ella es medio Coetzee, por lo que debe de ser herencia materna, procede de los Meyer o como se llamaran, los Meyer del Cabo Oriental. Meyer o Meier o Meiring.

Entonces se duerme.

—Es engreído —dice Carol—. Piensa demasiado en sí mismo. No soporta rebajarse a hablar con la gente corriente. Cuando no está chapuceando con su pick-up, está sentado en un rincón leyendo un libro. ¿Y por qué no se corta el pelo? Cada vez que lo veo me dan ganas de encasquetarle un tazón en la cabeza y cortarle esa espantosa y grasienta melena.

—No tiene el pelo grasiento —protesta ella—. Solo lo lleva demasiado largo. Creo que se lo lava con jabón para manos. Ese es el motivo de que deje pelos por todas partes. Y es tímido, no engreído. Por eso es tan reservado. Si le das una oportunidad, es una persona interesante.

—Está coqueteando contigo. Cualquiera puede verlo. Y tú también coqueteas con él. ¡Tú, su prima! Deberías avergonzarte de ti misma. ¿Por qué no se ha casado? ¿Crees que es homosexual? ¿Es un *moffie*?

Ella nunca sabe si Carol habla en serio o si trata de provocarla. Incluso aquí, en la granja, Carol lleva pantalones blancos a la moda, blusas escotadas, sandalias de tacón alto y un pesado brazalete. Dice que compra la ropa en Frankfurt, durante los viajes de negocios que hace con su marido. Ciertamente logra que los demás parezcan carentes por completo de estilo, muy sobrios, muy campesinos. Ella y Klaus viven en Sandton, en una mansión de doce habitaciones propiedad de un angloamericano, por la que no pagan alquiler, con establos, caballos para jugar al polo y un mozo de cuadra, aunque ninguno de ellos sabe montar. Aún no tienen hijos. Carol le informa de que los tendrán cuando se hayan aposentado como es debido. Aposentarse como es debido significa vivir en Estados Unidos.

En una ocasión Carol le dijo confidencialmente que en la sociedad de Sandton, en la que ella y Klaus se mueven, están muy avanzados. No le especificó en qué consistían esos avances, y ella, Margot, no quiso preguntárselo, pero al parecer tenían que ver con el sexo.

No le permitiré que escriba eso. No puede escribir eso sobre Carol.

Es lo que usted me dijo.

Sí, pero no puede usted escribir cada palabra que digo y difundirla por el mundo. Nunca he estado de acuerdo con eso. Carol no volvería a dirigirme la palabra.

De acuerdo, bajaré el tono, se lo prometo. Pero escúcheme hasta el final. ¿Puedo seguir?

Prosiga.

Carol ha roto completamente con sus raíces. No se parece en nada a la *plattelandse meisie*, la muchacha campesina, que fue en otro tiempo. En todo caso, parece alemana, con la piel bronceada, el rubio cabello peinado por un estilista y el bien marcado delineador de ojos. Majestuosa, de generoso busto y apenas treintañera. Frau doctora Müller. Si frau doctora Müller decidiera coquetear a la manera de Sandton con el primo John, ¿cuánto tiempo pasaría antes de que el primo John sucumbiera? John dice que el amor significa ser capaz de abrir tu corazón al ser amado. ¿Qué diría Carol a eso? Respecto al amor, Carol podría enseñarle a su primo una o dos cosas, ella está segura... por lo menos respecto al amor en su versión más avanzada.

John no es un *moffie*: ella conoce lo suficiente a los hombres para estar segura de eso. Pero tiene cierta frialdad, algo que, si no es neutro, por lo menos es neutral, como un niño pequeño es neutral en cuestiones de sexo. Debe de haber habido mujeres en su vida, si no en Sudáfrica, en Norteamérica, aunque él no les ha dicho una sola palabra de ellas. ¿Vieron sus mujeres norteamericanas qué clase de corazón es el suyo? Si tiene la costumbre de abrir su corazón, entonces es un caso fuera de lo corriente: por la experiencia que ella tiene, no hay nada que a los hombres les resulte más difícil.

Ella lleva diez años casada. Diez años atrás se despidió de Carnarvon, donde trabajaba como secretaria en un bufete de abogados, y se trasladó a la granja de su novio, al este de Middelpos, en la Roggeveld, donde, si tiene suerte, si Dios le sonríe, vivirá el resto de sus días.

La granja es el hogar de los dos, hogar y *Heim*, pero no puede estar en casa tanto como desea. Ya no se gana dinero con la cría de ovejas, no en la Roggeveld yerma y asolada por la sequía. Para llegar a fin de mes ha tenido que volver a trabajar, esta vez como contable, en un hotel de Calvinia. Cuatro noches a la semana, de lunes a jueves, las pasa en el hotel. El viernes el marido va a buscarla en coche desde la granja y, al amanecer del lunes siguiente, la lleva de regreso a Calvinia.

A pesar de esta separación semanal (es dolorosa, ella detesta la deprimente habitación de hotel, a veces no puede retener las lágrimas, apoya la cabeza en los brazos y solloza), ella y Lukas gozan de lo que ella llamaría un matrimonio feliz. Más que feliz: afortunado, bendito. Un buen marido, un matrimonio feliz, pero sin hijos. No porque la pareja no los quiera, sino por el destino: su destino, su culpa. De las dos hermanas, una es estéril y la otra *aún no se ha asentado*.

Un buen marido, pero reservado con sus sentimientos. ¿Es la cautela del corazón algo que aflige a los hombres en general o solo a los hombres sudafricanos? ¿Son mejores los alemanes, el marido de Carol, por ejemplo? En este momento Klaus está sentado en el porche junto a los miembros de la familia Coetzee con los que le ha emparentado su matrimonio, fumando un puro (ofrece sus puros generosamente, pero su *rookgoed* es demasiado raro, demasiado extranjero para los Coetzee), deleitándolos con su sonoro y balbuciente afrikaans, del que no se avergüenza lo más mínimo, contándoles anécdotas de la época en que él y Carol se fueron a esquiar a Zermatt. ¿Acaso Klaus, en la intimidad de su hogar de Sandton, abre de vez en cuando su corazón a Carol, a su manera europea hábil, fácil y confiada? Ella lo duda. Duda que Klaus tenga mucho corazón. Margot no ha visto apenas indicios de que lo tenga. En cambio, de los Coetzee por lo menos puede afirmarse que tienen corazón, todos los hombres y todas las mujeres. Incluso, a veces, algunos de ellos tienen demasiado corazón.

—No, no es un *moffie* —dice—. Habla con él y lo verás por ti misma.

—¿Te gustaría ir a dar una vuelta en coche esta tarde? —le ofrece John—. Podríamos recorrer la finca, solos tú y yo.

—¿En qué? —replica ella—. ¿En tu Datsun?

—Sí, en mi Datsun. Está arreglada.

—¿Estás seguro de que no se averiará en medio de ninguna parte?

Eso es broma, por supuesto. Voëlfontein ya se encuentra en medio de ninguna parte. Pero no es solo una broma. Ella no tiene idea de lo extensa que es la finca, medida en kilómetros cuadrados, pero sabe que no puedes ir andando de un extremo al otro en un solo día, a menos que te tomes la caminata en serio.

—No se averiará —le dice él—. Pero llevaré una reserva de agua por si acaso.

Voëlfontein se encuentra en la región de Koup, y en Koup no ha caído una sola gota de lluvia en los dos últimos años. ¿En qué diablos pensaría el abuelo Coetzee cuando compró tierras aquí, donde hasta el último de los granjeros lucha por mantener vivo a su ganado?

—¿Qué clase de palabra es *Koup*? —pregunta ella—. ¿Es inglés, una variación de *cope*? ¿El lugar donde nadie puede arreglárselas?

—Es una palabra khoi —responde él—. Hotentote. *Koup*: lugar seco. Es un sustantivo, no un verbo. Puedes distinguirlo por la *p* final.

—¿Dónde has aprendido eso?

—De los libros, de gramáticas compuestas por los misioneros en los viejos tiempos. En Sudáfrica no quedan hablantes de las lenguas khoi. A todos los efectos prácticos, las lenguas están muertas. En el sudoeste de África todavía hay un puñado de viejos que hablan nama. Esto es todo lo que queda.

—¿Y xhosa? ¿Hablas el xhosa?

Él sacude la cabeza.

—Me interesan las cosas que hemos perdido, no las que hemos conservado. ¿Por qué habría de hablar xhosa? Ya hay millones de personas que lo hacen. No me necesitan.

—Creía que las lenguas existen para que podamos comunicarnos —dice ella—. ¿Qué sentido tiene hablar hotentote si nadie más lo hace?

John la obsequia con lo que ella ha llegado a considerar una sonrisita secreta, indicadora de que él tiene una respuesta a su pregunta pero, como ella será demasiado estúpida para comprenderla, no gastará saliva revelándola. Es esta sonrisa de señor Sabelotodo lo que enfurece a Carol.

—Una vez hayas aprendido el hotentote con tus viejas gramáticas, ¿con quién puedes hablarlo? —insiste ella.

—¿Quieres que te lo diga? —replica él.

La sonrisita se ha convertido en otra cosa, algo tenso y no muy agradable.

—Sí, dímelo. Respóndeme.

—Los muertos. Puedes hablar con los muertos. Quienes por lo demás —titubea, como si las palabras pudieran ser excesivas para ella y hasta para él—, quienes por lo demás están sumidos en un silencio eterno.

Ella quería una respuesta y ahora la tiene. Es más que suficiente para hacerla callar.

Avanzan durante media hora, hasta el límite más occidental de la finca. Una vez allí, él la sorprende al abrir la puerta de la valla, cruza, cierra la puerta tras ellos y, sin decir una palabra, sigue conduciendo por la abrupta carretera de tierra. A las cuatro y media han llegado a la población de Merweville, donde hace años que ella no ha estado.

Él detiene el vehículo ante el Café Apolo.

—¿Te apetece un café? —le pregunta.

Entran en el establecimiento con media docena de chiquillos descalzos pisándoles los talones, el más pequeño un chiquitín que empieza a andar. Mevrou, la propietaria, tiene la radio encendida, y suenan canciones pop afrikaans. Se sientan y espantan las moscas. Los niños se arraciman alrededor de su mesa, mirándoles con desvergonzada curiosidad.

—*Middag, jongens* —les dice John.

—*Middag, meneer* —replica el mayor.

Piden café y les sirven una versión del café: Nescafé pálido con leche uperizada. Ella toma un sorbo de su taza y la deja a un lado. Él toma la suya distraído.

Una manita se alza y birla el terrón de azúcar del platillo de Margot.

—*Toe, loop!* —le dice ella: ¡Lárgate!

El niño le sonríe alegremente, desenvuelve el terrón y lo lame.

No es en modo alguno el primer atisbo que tiene ella de hasta qué punto se han desplomado las antiguas barreras entre los blancos y la gente de color. Los signos son más evidentes aquí que en Calvinia. Merweville es un pueblo más pequeño y en decadencia, una decadencia tal que debe de estar en peligro de desaparición del mapa. No pueden quedar más que unos pocos centenares de habitantes. La mitad de las casas ante las que han pasado parecían deshabitadas. El edificio con la inscripción «Volkskas», «Banco del Pueblo», en guijarros blancos empotrados en el mortero sobre la puerta no alberga un banco sino un taller de soldadura. Aunque lo más recio del calor de la tarde ha quedado atrás, la única presencia viviente en la calle principal es la de dos hombres y una mujer tendidos, al lado de un escuálido perro, a la sombra de una jacarandá florida.

¿Le conté todo eso? No lo recuerdo.

Puede que haya añadido uno o dos detalles para dar vida a la escena. No se lo había dicho, pero como Merweville es un elemento tan destacado de su relato, de hecho visité el lugar para cotejar lo narrado con la realidad.

¿Fue usted a Merweville? ¿Qué le pareció?

Tal como usted lo ha descrito, pero ya no existe el Café Apolo. No hay ningún café. ¿Continúo?

Habla John.

—¿Sabías que, entre sus demás logros, nuestro abuelo fue alcalde de Merweville?

—Sí, lo sé.

Su abuelo se había metido en demasiados asuntos. Era... acude a la mente de Margot la palabra inglesa: un *go-getter*, «ambicioso y con empuje», en una tierra con muy pocos *go-getters*, un hombre con... otra palabra inglesa, *spunk*, probablemente más *spunk* que todos sus hijos juntos. Pero tal vez ese sea el destino de los hijos de padres fuertes: quedarse con una porción reducida de *spunk*. Y con las hijas sucede lo mismo: las mujeres Coetzee eran un poco demasiado retraídas, adornadas con muy poco de lo que pudiera ser el equivalente femenino de *spunk*.*

Ella solo conserva vagos recuerdos de su abuelo, que murió cuando era una niña, recuerdos de un anciano encorvado y cascarrabias, con una barbita rasposa en el mentón. Recuerda que, después de la comida, el silencio se instalaba en la casa, pues el abuelo estaba haciendo la siesta. Incluso a aquella tierna edad le sorprendía ver cómo el viejo era capaz de lograr que los adultos se deslizaran sigilosamente de un lado a otro como ratones. No obstante, sin aquel anciano ella no estaría aquí, ni John tampoco: no solo aquí, en este mundo, sino aquí, en el Karoo, en Voëlfontein o en Merweville. Si la propia vida de Margot, desde la cuna a la tumba, ha estado y sigue estando determinada por los altibajos del mercado de la lana y la carne de cordero, eso se debe a su abuelo: un hombre que empezó como un *smous*, un buhonero que vendía tela de algodón estampada, cazuelas, sartenes y específicos a los campesinos, que luego, cuando hubo ahorrado suficiente dinero, compró una participación en un hotel, la vendió, adquirió tierras y se instaló nada menos que como un hacendado criador de caballos y de ovejas.

* Mientras que los términos españoles «agallas» o «coraje» son aplicables a ambos sexos, *spunk* tiene una connotación exclusivamente masculina, debido a que en lenguaje coloquial también significa «semen». *(N. del T.)*

—No me has preguntado qué estamos haciendo aquí, en Merweville —le dice John.

—Muy bien. ¿Qué estamos haciendo en Merweville?

—Quiero enseñarte algo. Estoy pensando en comprar una finca aquí.

Ella no da crédito a sus oídos.

—¿Quieres comprar una finca? ¿Quieres vivir en Merweville? ¿En *Merweville*? ¿También quieres ser alcalde?

—No, vivir aquí no, solo pasar algún tiempo aquí. Vivir en Ciudad del Cabo y venir aquí los fines de semana y en vacaciones. No es imposible. Merweville está a siete horas de Ciudad del Cabo, si conduces sin parar. Puedes comprar una casa por mil rands, una casa de cuatro habitaciones y un terreno de cuatro mil metros cuadrados con melocotoneros, albaricoqueros y naranjos. ¿En qué otro lugar del mundo conseguirías semejante ganga?

—¿Y tu padre? ¿Qué piensa tu padre de ese plan tuyo?

—Es mejor que una residencia para la tercera edad.

—No comprendo. ¿Qué es mejor que una residencia para la tercera edad?

—Vivir en Merweville. Mi padre puede quedarse y residir aquí. Yo viviré en Ciudad del Cabo y vendré con regularidad a ver cómo sigue.

—¿Y qué hará tu padre durante el tiempo que esté aquí solo? ¿Sentarse en el porche para ver el único coche que pasa a lo largo del día? Mira, John, si puedes comprar en Merweville una casa por una miseria se debe a una sencilla razón: porque nadie quiere vivir aquí. No te entiendo. ¿A qué viene este repentino entusiasmo por Merweville?

—Está en el Karoo.

Die Karoo is vir skape geskape! ¡El Karoo se hizo para las ovejas! Ella ha tenido que morderse la lengua para no soltarlo. «¡Lo dice en serio! ¡Habla del Karoo como si fuese el paraíso!» Y de repente acuden en tropel a su mente los recuerdos de aquellas navidades del pasado, cuando eran niños y vagaban por el *veld* como animales salvajes. «¿Dónde quieres que te entierren?», le preguntó él un día, y entonces, sin esperar su respuesta, le susurró: «Yo quiero que me entierren aquí». «¿Para siempre? —le preguntó ella, niña como era—. ¿Quieres que te entierren para siempre?» «Solo hasta que resucite», replicó él.

«Hasta que resucite.» Ella lo recuerda todo, recuerda las mismas palabras.

Cuando uno es niño, puede prescindir de las explicaciones. No exige que todo tenga sentido. Pero ¿recordaría esas palabras si entonces no le hubieran desconcertado y, en lo más profundo de su ser, hubieran seguido desconcertándola durante los años transcurridos? «Resucitar»: ¿creía de veras su primo, lo cree realmente, que uno vuelve de la tumba? ¿Quién se cree que es, Jesús? ¿Y qué cree que es este lugar, este Karoo, Tierra Santa?

—Si tienes intención de instalarte en Merweville, primero necesitarás un corte de pelo —le dice ella—. Las buenas gentes de ese pueblo no permitirán que un salvaje se instale entre ellos y corrompa a sus hijos e hijas.

Detrás del mostrador, Mevrou da a entender de manera inequívoca que le gustaría cerrar el café. Él paga y se van. En el camino hacia la salida del pueblo, reduce la marcha ante una casa con un letrero de «TE KOOP» en la cancela: «En venta».

—Esa es la casa en la que estoy pensando —le dice—. Mil rands más el papeleo legal. ¿No es increíble?

La casa es un insulso cubo con el tejado de chapa de zinc, una terraza cubierta que se extiende a lo largo de la fachada y una empinada escalera de madera a un lado que conduce a un ático. La pintura se encuentra en un estado lamentable. Delante de la casa, en un descuidado jardín con rocas, un par de áloes luchan por mantenerse vivos. ¿De veras se propone abandonar aquí a su padre, en esta insípida casa de este exhausto villorrio? ¿A un anciano tembloroso, que se alimentará a base de conservas y dormirá entre sábanas sucias?

—¿Te gustaría echar un vistazo? —le pregunta él—. La casa está cerrada, pero podemos entrar por la parte trasera.

Ella se estremece.

—En otra ocasión —responde—. Hoy no tengo ganas.

No sabe de qué tiene ganas hoy, pero las ganas dejan de importar a veinte kilómetros de Merwerville, cuando el motor empieza a petardear. John frunce el ceño y se detiene al lado de la carretera. Un olor a goma quemada invade la cabina.

—Se está recalentando de nuevo —le dice—. Será un momento.

De la caja del vehículo saca un bidón de agua. Desenrosca el tapón del radiador, esquivando un chorro de vapor, y llena el radiador.

—Con esto bastará para llegar a casa —asegura.

Intenta poner el motor en marcha. Produce un ruido seco, sin encenderse.

Ella conoce lo suficiente a los hombres para no poner jamás en tela de juicio su competencia con las máquinas. No le da ningún consejo, se esfuerza por no parecer impaciente, ni siquiera suspira. Durante una hora, mientras él toquetea tubos y abrazaderas, se ensucia la ropa e intenta una y otra vez poner el motor en marcha, ella mantiene un silencio estricto y benévolo.

El sol empieza a esconderse tras el horizonte, y él sigue trabajando casi en la oscuridad.

—¿Tienes una linterna? —le pregunta ella—. Yo podría iluminarte.

Pero no, él no ha traído una linterna. Además, como no fuma, ni siquiera tiene cerillas. No es un niño explorador, sino un chico de ciudad, un chico de ciudad sin preparación.

—Volveré a pie a Merwerville en busca de ayuda —dice por fin—. O podríamos ir los dos.

Ella lleva unas sandalias ligeras. No va a recorrer veinte kilómetros por el *veld*, calzada con unas sandalias en la oscuridad.

—Cuando llegues a Merweville será medianoche —le dice ella—. Allí no conoces a nadie. Ni siquiera hay una estación de servicio. ¿A quién vas a persuadir para que venga a repararte la pick-up?

—Entonces, ¿qué me sugieres que haga?

—Esperemos aquí. Si tenemos suerte, alguien pasará. De lo contrario, Michiel vendrá a buscarnos por la mañana.

—Michiel no sabe que hemos ido a Merweville. No se lo he dicho.

Intenta por última vez poner el motor en marcha. Cuando hace girar la llave se oye un chasquido apagado. La batería está descargada.

Ella baja del vehículo y, a una prudente distancia, alivia la vejiga. Ha empezado a soplar un viento ligero. Hace frío, y hará más. No hay nada en la pick-up con que cubrirse, ni siquiera una lona impermeabilizada. Si van a pasar ahí la noche, tendrán que hacerlo acurrucados en la cabina. Y entonces, cuando estén de regreso en la granja, habrán de dar explicaciones.

Aún no se siente abatida, aún está lo bastante distanciada de su situación para encontrarla siniestramente divertida. Pero eso no tardará en cambiar. No tienen nada que comer, incluso nada que beber excepto agua del bidón, que huele a gasolina. El frío y el hambre van a roer su frágil buen humor. También la falta de sueño, a su debido tiempo.

Cierra la ventanilla.

—¿Vamos a olvidarnos de que somos un hombre y una mujer y no azorarnos demasiado por mantenernos mutuamente calientes? —le plantea ella—. Porque de lo contrario nos congelaremos.

Se conocen desde hace treinta y tantos años, y en ese tiempo se han besado de vez en cuando, a la manera en que se besan los primos, es decir, en la mejilla. También se han abrazado. Pero esta noche se ve venir una intimidad de otra clase. De alguna manera, en este asiento duro, con la palanca de cambios incómodamente entre los dos, tendrán que yacer juntos o por lo menos repantigarse juntos y proporcionarse calor mutuamente. Por otro lado, si Dios es amable y consiguen dormirse, podrían tener que sufrir la humillación de roncar o soportar los ronquidos del otro. ¡Qué prueba! ¡Qué tribulación!

Ella se permite ser mordaz por una sola vez.

—Y mañana, cuando regresemos a la civilización, quizá podrías pedir que te reparen como es debido este vehículo. En Leeuw Gamka hay un buen mecánico. Michiel lo utiliza. No es más que una sugerencia amistosa.

—Lo siento. Yo tengo la culpa. Trato de hacer las cosas por mí mismo cuando debería dejarlas en manos más competentes que las mías. Eso se debe al país en que vivimos.

—¿El país en que vivimos? ¿Por qué el país tiene la culpa de que tu pick-up se averíe una y otra vez?

—Debido a nuestra inveterada costumbre de dejar que otros hagan el trabajo mientras nos sentamos a la sombra y los miramos.

De modo que esa es la razón de que estén aquí pasando frío, en la oscuridad, a la espera de alguien que pase y los rescate. Para dejar claro que los blancos deberían reparar ellos mismos sus vehículos. Qué cómico.

—El mecánico de Leeuw Gamka es blanco —dice ella—. No te estoy sugiriendo que lleves tu pick-up a un nativo. —Le gustaría añadir: «Si quieres hacer tú mismo las reparaciones, por el amor de Dios, primero sigue un curso de mantenimiento automovilístico». Pero se muerde la lengua—. ¿Qué otra clase de trabajos insistes en hacer, aparte de reparar coches? —le pregunta.

«Aparte de reparar coches y escribir poemas.»

—Hago trabajos de jardinería. Hago reparaciones en la casa. Ahora estoy instalando un nuevo sistema de drenaje. Puede que te parezca ridículo, mas para mí no es ninguna broma. Es un gesto. Trato de romper el tabú que pesa sobre el trabajo manual.

—¿El tabú?

—Sí, de la misma manera que en India es tabú que los miembros de la casta superior se dediquen a limpiar... ¿cómo lo llamaremos?... desperdicios humanos, así, en este país, si un blanco coge un pico o una pala enseguida se vuelve impuro.

—¡Qué tonterías dices! ¡Eso no es cierto! ¡No es más que un prejuicio contra los blancos! —Lamenta haber dicho estas palabras nada más pronunciarlas. Ha ido demasiado lejos, ha acorralado a su primo. Ahora va a tener que enfrentarse al resentimiento de este hombre, encima del aburrimiento y el frío—. Pero comprendo tu postura —sigue diciendo, ayudándole, ya que no puede ayudarse a sí misma—. Tienes razón en una cosa: nos hemos acostumbrado demasiado a tener las manos limpias, nuestras manos blancas. Deberíamos estar más dispuestos a ensuciarnos las manos. No podría estar más de acuerdo. Asunto zanjado. ¿Aún no tienes sueño? Yo no. Voy a proponerte algo. Para pasar el rato, ¿por qué no nos contamos anécdotas?

—Cuenta tú —responde él con rigidez—. Yo no tengo ninguna anécdota que contar.

—Cuéntame una anécdota de América —dice ella—. Puedes inventarla, no es necesario que sea cierta. Cualquier anécdota.

—Dada la existencia de un Dios personal —replica él— con barba blanca cuacuacuacua fuera del tiempo sin extensión que desde las alturas de la divina apatía nos ama profundamente cuacuacuacua.

Se interrumpe. Ella no tiene la más remota idea de qué le está diciendo.

—Cuacuacuacua —concluye él.

—Me rindo —dice ella. Él guarda silencio—. Es mi turno. Te voy a contar la historia de la princesa y el guisante. Érase una vez una princesa tan delicada que incluso cuando duerme sobre diez colchones de plumas uno encima del otro está convencida de que puede notar un guisante, uno de esos pequeños y duros guisantes secos, debajo del último colchón. Se pasa la noche inquieta («¿Quién ha puesto un guisante ahí? ¿Por qué?»), y el resultado es que no puede pegar ojo. Cuando baja a desayunar, está ojerosa. Se queja a sus padres, el rey y la reina: «¡No he podido dormir, y todo por culpa de ese maldito guisante!». El rey envía a una sirvienta para que retire el guisante. La mujer busca y busca, pero no puede encontrar nada.

»—No me hables más de guisantes —le dice el rey a su hija—. No hay ningún guisante. El guisante solo está en tu imaginación.

»Esa noche la princesa sube de nuevo a su montaña de colchones de plumas. Trata de dormir, pero no puede, debido al guisante, el guisante que o bien está debajo del último colchón o bien en su imaginación, lo mismo da, el efecto es el mismo. Cuando amanece está tan exhausta que ni siquiera puede desayunar. "¡El guisante tiene la culpa!", se lamenta.

»Exasperado, el rey envía toda una cuadrilla de sirvientas para que busquen el guisante, y cuando regresan e informan de que no hay ningún guisante, ordena que las decapiten. "¿Estás ahora satisfecha? —le grita a su hija—. ¿Te dormirás por fin?"

Hace una pausa para tomar aliento. No tiene la menor idea de lo que sucederá a continuación en este cuento para dormir, si la princesa por fin logrará conciliar el sueño o no; sin embargo, de una manera extraña, está convencida de que, cuando separe los labios, saldrán de su boca las palabras apropiadas.

Pero no hay necesidad de más palabras. Él se ha dormido. Como un niño, este quisquilloso, testarudo, incompetente y ridículo primo suyo se ha quedado dormido con la cabeza apoyada en su hombro. Profundamente dormido, sin duda: ella nota que se encoge. No tiene ningún guisante debajo.

¿Y qué hará ella? ¿Quién va a contarle historias que la lleven al país del sueño? Nunca se ha sentido más despierta. ¿Es así como va a tener que pasar la noche: hastiada, inquieta, aguantando el peso de un varón dormido? Él afirma que hay un tabú sobre el trabajo manual por parte de los blancos, pero ¿y el tabú sobre los primos de sexo contrario que pasan la noche juntos? ¿Qué dirán los Coetzee que están en la finca? Desde luego, ella no siente hacia John nada que pudiera llamarse atracción física, ni un ápice de reacción femenina. ¿Bastará eso para absolverla? ¿Por qué su primo carece por completo de aura masculina? ¿Es él quien tiene la culpa o, por el contrario, la tiene ella, pues ha integrado el tabú de una manera tan absoluta que no puede verlo como el hombre que es? Si él no tiene ninguna mujer, ¿se debe a que no siente nada por las mujeres y, en consecuencia, las mujeres, ella incluida, reaccionan no sintiendo nada por él? ¿Es su primo, si no un *moffie*, un eunuco?

El aire dentro de la cabina se está viciando. Con sumo cuidado, para no despertarlo, abre un poco la ventanilla. Más que verlas, percibe en la piel las presencias que les rodean, arbustos o árboles o tal vez incluso animales. De alguna parte llega el chirrido de un grillo solitario. «Quédate conmigo esta noche», le susurra al grillo.

Pero tal vez hay un tipo de mujer que se siente atraída por un hombre así, que es feliz escuchándole sin contradecirle mientras él expone sus opiniones, y entonces adopta esas opiniones como propias, incluso las manifiestamente estúpidas. Una mujer indiferente a la estupidez masculina, indiferente incluso al sexo, tan solo en busca de un hombre al que unirse, al que cuidar y proteger del mundo. Una mujer que tolerará las chapuzas que él haga en la casa, porque lo que importa no es que las ventanas cierren bien y las cerraduras funcionen, sino que su hombre disponga del espacio en el que poner en práctica la idea que tiene de sí mismo. Y que luego pide discretamente la ayuda de algún manitas que arregle el desaguisado.

Para una mujer así, el matrimonio podría carecer de pasión pero no tendría por lo tanto que carecer de hijos. Ella daría a luz a toda una camada. Entonces una nocha podrían sentarse todos alrededor de la mesa, el amo y señor en la cabecera, su abnegada esposa enfrente, sus saludables y bien criados vástagos a ambos lados, y mientras tomaran la sopa el amo podría explayarse sobre la santidad del trabajo. «¡Qué hombre es mi marido! —se diría la esposa a sí misma—. ¡Qué conciencia tan desarrollada tiene!»

¿Por qué está tan resentida con él e incluso más con la mujer que se ha sacado de la manga? La respuesta es sencilla: porque, debido a la vanidad y torpeza de él, ella se encuentra varada en la carretera de Merweville. Pero la noche es larga, hay mucho tiempo para desarrollar una hipótesis más elevada e inspeccionar dicha hipótesis para ver si tiene alguna virtud. La respuesta más elevada: está resentida con él porque había esperado mucho de su primo, y él la ha decepcionado.

¿Qué había esperado de él?

Que redimiera a los hombres de la familia Coetzee.

¿Por qué deseaba la redención de los hombres de la familia Coetzee?

Porque todos ellos son muy *slapgat*.

¿Por qué había depositado sus esperanzas concretamente en John?

Porque, entre los hombres de la familia Coetzee, él era el único bendecido con la mejor oportunidad. Él tuvo una oportunidad y no la aprovechó.

Slapgat es una palabra que ella y su hermana emplean cada dos por tres, tal vez porque en su infancia oyeron que los adultos la empleaban cada dos por tres. Solo cuando se hubo ido de casa reparó en las miradas horrorizadas que causaba esa palabra y empezó a usarla con más cautela. Un *slap gat*: un recto, un ano sobre el que no se tiene un absoluto control. De ahí *slapgat*: flojo, sin carácter.

Los tíos de Margot se habían vuelto *slapgat* debido a que sus padres, los abuelos de ella, los criaron de esa manera. Mientras que su padre rugía y les hacía temblar como hojas, su madre se deslizaba de puntillas por la casa como un ratón. El resultado fue que salieron al mundo careciendo por completo de fibra, careciendo de fibra y decisión, sin creer en sí mismos, faltos de valor. Los caminos en la vida que habían elegido eran sin excepción caminos fáciles, caminos de la menor resistencia. Probaban la corriente con cautela, y después se dejaban arrastrar por ella.

Lo que hacía que los Coetzee fuesen tan fáciles de tratar y, en consecuencia, tan *gesellig*, una compañía tan agradable, era precisamente su preferencia del camino más fácil disponible; y su *gesillegheid* era precisamente lo que hacía que la reunión familiar en Navidad fuese tan divertida. Nunca se peleaban, nunca discutían entre ellos, se llevaban a las mil maravillas. Fue la siguiente generación, la de Margot, la que tuvo que pagar por aquella actitud despreocupada y plácida, la que salió al mundo esperando que el mundo fuese solo otro lugar *slap, ge-*

sellige, Voëlfontein a gran escala, y que encontraron que ¡mira por dónde, no lo era!

Ella no tiene hijos. No puede concebir. Pero si, afortunadamente, llegara a tenerlos, consideraría su primer deber sacarles la sangre de los Coetzee. En este momento desconoce la manera de sacarle a alguien la sangre, como no sea llevándolo a un hospital para que se la extraigan y la sustituyan por la de un donante robusto; pero tal vez serviría un estricto adiestramiento en firmeza de carácter, empezando a la edad más temprana posible. Porque si ella sabe una sola cosa del mundo en el que tendrá que crecer el niño del futuro es que no habrá lugar para el *slap*.

Incluso Voëlfontein y el Karoo ya no son la Voëlfontein y el Karoo que fueron. Mira esos niños en el Café Apolo. Mira los trabajadores del primo Michiel, que desde luego no son el *plaasvolk* de antaño. En la actitud de la gente de color en general hacia los blancos hay una nueva e inquietante dureza. Los más pequeños te miran con frialdad, se niegan a llamarte *Baas* o *Miesies*. Hombres desconocidos recorren el país de un asentamiento a otro, de *lokasie* a *lokasie*, y nadie informará sobre ellos a la policía como en los viejos tiempos. A la policía le resulta cada vez más difícil obtener una información de la que puedan fiarse. La gente ya no quiere que la vean hablando con ellos; las fuentes se han secado. Cada vez con mayor frecuencia los agricultores reciben citaciones para servir en las unidades de comandos durante períodos más extensos. Lukas se queja continuamente de ello. Si así están las cosas en la Roggeveld, desde luego así deben de estarlo en el Koup.

También está cambiando el carácter de los negocios. Para dedicarte al comercio ya no basta con ser amigo de todo el mundo, de hacer favores y recibirlos a cambio. No, hoy en día tienes que ser muy duro de corazón, así como implacable. ¿Qué oportunidad tienen los hombres *slapgat* en semejante mundo? No es de extrañar que los tíos Coetzee no prosperen: directores de banco que pasan ociosamente los años en moribundas poblaciones de la *platteland*, funcionarios atascados en la escala de la promoción, míseros campesinos, incluso en el caso del padre de John, un abogado caído en desgracia e inhabilitado.

Si ella tuviera hijos, no solo haría todo lo posible por librarlos de su herencia Coetzee, sino que pensaría seriamente en hacer lo mismo que está haciendo Carol: llevárselos cuanto antes fuera del país, para que empezaran una nueva vida en América, Australia o Nueva Zelanda, lugares donde podrían esperar un buen futuro. Pero al ser una mujer sin hijos no tiene necesidad de tomar esa decisión. Hay otro papel preparado para ella: el de entregarse a su marido y a la granja, el de vivir tan bien como lo permitan los tiempos, tan bien, tan imparcial y tan justamente.

El yermo del futuro que se extiende ante Lukas y ella no es una nueva fuente de dolor, no, sino que vuelve una y otra vez, como un dolor de muelas, hasta el punto de que ha llegado a aburrirla. Ojalá pudiera dejar de pensar en eso y dormir un poco. ¿Cómo es que este primo suyo, cuyo cuerpo resulta que es descarnado y blando al mismo tiempo, no siente el frío, mientras que ella, que innegablemente tiene unos cuantos kilos más del que sería su peso ideal, ha empezado a temblar? En las noches frías, ella y su marido duermen apretados uno contra el otro y calientes. ¿Por qué será que el cuerpo de su primo no la calienta? No solo no la calienta, sino que parece extraerle su propio calor corporal. ¿Es por naturaleza tan incapaz de emitir calor como es asexuado?

La recorre una oleada de verdadero enojo, y, como si lo percibiera, ese varón que está a su lado se mueve.

—Perdona —musita, y se yergue en el asiento.

—¿Qué he de perdonarte?

—He perdido el hilo.

Ella no sabe de qué le está hablando y no va a preguntárselo. Él se acurruca en el asiento y al cabo de un momento vuelve a dormirse.

¿Dónde está Dios en todo esto? A ella le cuesta cada vez más tener tratos con Dios Padre. A estas alturas ha perdido la fe que antes tuvo en Él y en Su providencia. La impiedad: sin duda una herencia de los impíos Coetzee. Cuando piensa en Dios, lo único que puede representarse es una figura barbuda de voz resonante y majestuosos ademanes que vive en una mansión en lo alto de una colina con una multitud de servidores que pululan nerviosamente, atendiéndole. Como una buena Coetzee, ella prefiere mantenerse al margen de esa clase de gente. Los Coetzee miran con recelo a la gente engreída, y bromean sobre ellos *sotto voce*. Puede que ella no sepa bromear tan bien como el resto de la familia, pero Dios le parece un tanto mortificante, un tanto pelmazo.

Mire, debo protestar. Realmente está usted yendo demasiado lejos. No he dicho nada que se parezca ni mucho menos a eso. Pone usted palabras suyas en mi boca.

Lo siento, debo de haberme dejado llevar. Lo corregiré. Lo atenuaré.

Bromean *sotto-voce*. Sin embargo, ¿tiene Dios, en su infinita sabiduría, un plan para ella y Lukas? ¿Para la Roggeveld? ¿Para Sudáfrica? Las cosas que hoy parecen caóticas, caóticas y sin sentido, ¿se revelarán en el futuro como parte de un plan vasto y beneficioso? Por ejemplo: ¿existe una explicación más detallada de por qué una mujer en la flor de la vida debe pasar cuatro noches a la semana durmiendo sola en una deprimente habitación de la segunda planta del Grand Hotel de Calvinia, un mes tras otro, tal vez un año tras otro, sin que atisbe el final de esta situación, y por qué su marido, granjero nato, debe pasarse la mayor parte del tiempo transportando ganado a los mataderos de Paarl y Maitland, una explicación más detallada que la de que la granja se hundiría sin los ingresos que procuran esas ocupaciones desmoralizantes? ¿Y existe una explicación más detallada de por qué, cuando llegue el momento, la granja que los dos tanto se esfuerzan en mantener a flote pasará no a manos de un hijo de sus entrañas sino a algún sobrino inculto de su marido, si antes no la engulle el banco? Si en el vasto y beneficioso plan de Dios jamás hubo la intención de que esta parte del mundo, la Roggeveld, el Karoo, se cultivasen algún día de una manera rentable, ¿cuál fue entonces exactamente su intención con esta zona? ¿Ha de caer de nuevo en manos del *volk*, que pasará, como en los viejos, viejísimos tiempos, a deambular de un distrito a otro con sus escuálidos rebaños en busca de pastos, derribando y pisoteando las vallas, mientras las personas como ella misma y su marido expiran en algún rincón olvidado, desheredados?

Era inútil plantear a los Coetzee esa clase de preguntas. *Die boer saai, God maai, maar waar skuil die papegaai?*, dicen los Coetzee, y sueltan una risa socarrona. Palabras tontas. Una familia tonta, veleidosa, sin sustancia, payasos; *'n Hand vol vere*: un puñado de plumas. Incluso el único miembro en el que tenía depositadas unas leves esperanzas, el único aparte de ella que se ha ido por los cerros del mundo de ensueño, resulta ser un peso ligero, que huyó al gran mundo y ahora vuelve sigilosa e ignominiosamente al mundo pequeño. Un fracaso como fugado, también un fracaso como mecánico, por culpa de quien ella lo está pasando mal en este momento. Un fracaso como hijo. Sentado en esa vieja, lóbrega y polvorienta casa de Merweville, contemplando la calle desierta y soleada, dándose golpecitos con un lápiz en los dientes, tratando de componer poemas. *O droë land, o barre kranse…* Oh tierra seca, oh áridos precipicios… ¿Y a continuación? Sin duda algo sobre la *weemoed*, la melancolía.

Ella se despierta cuando las primeras franjas malva y naranja empiezan a extenderse por el cielo. Mientras dormía se ha movido y ladeado más en el asiento, de modo que su primo, todavía dormido, ahora no se apoya en su hombro sino en su trasero. Se libera, irritada. Nota los ojos pegajosos, le crujen los huesos y se muere de sed. Abre la portezuela y baja del vehículo.

El aire es frío y está inmóvil. Mientras mira a su alrededor, surgen de la nada los espinos y la hierba iluminados por la primera luz. Es como si estuviera presente en el primer día de la creación. «Dios mío», murmura, y siente el impulso de arrodillarse.

Oye un ruido cercano y sus ojos se posan en los ojos oscuros de un antílope, un pequeño steenbok que se encuentra a menos de veinte pasos y que le devuelve la mirada, con cautela pero sin temor, todavía no. *My kleintjie!*, exclama, chiquitín mío. Lo que más desea es abrazarlo, verter sobre su frente este súbito amor, pero antes de que pueda dar el primer paso, el animalito se ha dado la vuelta y ha huido tamborileando en la tierra con las pezuñas. A cien metros de distancia se detiene, se vuelve y la inspecciona de nuevo, y entonces trota más despacio por la llanura hacia el lecho de un río seco.

—¿Qué es eso? —le pregunta su primo.

Por fin se ha despertado, y baja de la pick-up bostezando y estirándose.

—Una cría de steenbok —responde ella fríamente—. ¿Qué vamos a hacer ahora?

—Volveré a Merweville —le dice él—. Espérame aquí. Estaré de vuelta a las diez, las once como máximo.

—Si pasa un coche y me dicen que me llevan, me subo —le advierte ella—. No importa en qué dirección vaya.

Él tiene una pinta lamentable, con el pelo y la barba revueltos. «Gracias a Dios que no he de despertarme contigo en mi cama cada mañana —piensa—. No eres lo bastante hombre. Un hombre de verdad se las compondría mejor, ¡sowaar!»

El sol aparece por encima del horizonte, y ella ya nota su calor en la piel. Puede que este sea el mundo de Dios, pero el Karoo pertenece ante todo al sol.

—Será mejor que te vayas —le dice ella—. Hoy va a hacer mucho calor.

Y le ve alejarse caminando pesadamente con el bidón vacío colgado del hombro.

Una aventura: tal vez esa sería la mejor manera de considerarlo. Allí, en las quimbambas, ella y John están viviendo una aventura. En el futuro los Coetzee lo rememorarán. «¿Te acuerdas de la ocasión en que a Margot y John se les averió la pick-up en esa carretera de Merweville dejada de la mano de Dios?» Entretanto, mientras ella espera a que la aventura finalice, ¿con qué cuenta para distraerse? El deteriorado manual de instrucciones de la Datsun, nada más. Ningún poema. Rotación de los neumáticos. Mantenimiento de la batería. Consejos para economizar combustible.

La atmósfera en el interior de la pick-up, encarada al sol naciente, se está volviendo sofocantemente calurosa. Ella se refugia al socaire del vehículo.

En lo alto de la cuesta, una aparición: de la calina emerge primero el torso de un hombre, y entonces, gradualmente, un asno y la carreta de la que tira. El viento le trae incluso el sonido de los cascos del pollino.

La figura se hace más nítida. Es Hendrik de Voëlfontein, y detrás de él, sentado en la carreta, está su primo.

Risas y saludos.

—Hendrik ha visitado a su hija en Merweville —le explica John—. Nos llevará a la granja, bueno, si el burro está de acuerdo. Dice que puede enganchar la Datsun a la carreta y remolcarla.

Hendrik se muestra alarmado.

—*Nee, meneer!* —exclama.

—*Ek jok maar net* —le dice su primo: Solo bromeaba.

Hendrik es un hombre de edad mediana. Como resultado de una operación de cataratas que fue una chapuza, ha perdido la visión de un ojo. Tampoco le funcionan bien los pulmones, por lo que el más ligero esfuerzo físico le hace jadear. Como trabajador apenas tiene utilidad en la granja, pero el primo Michiel lo mantiene porque así se hacen las cosas aquí.

Hendrik tiene una hija que vive con su marido y sus hijos en las afueras de Merweville. El marido trabajaba en el pueblo, pero por lo visto ha perdido el empleo; la hija trabaja como empleada del hogar. Hendrik debe de haber salido de su casa antes de que amaneciera. Desprende un ligero olor a vino dulce. Ella observa que, cuando baja de la carreta, se tambalea. Borracho a media mañana: ¡qué vida!

Su primo le lee los pensamientos.

—He traído agua —le dice, y le ofrece el bidón lleno—. Es limpia, la he llenado con una bomba eólica.

Así pues, se ponen en marcha hacia la granja, John sentado junto a Hendrik, ella detrás, sosteniendo un viejo saco de yute sobre su cabeza para protegerse del sol. Les adelanta un coche envuelto en una nube de polvo, en dirección a Merweville. De haberlo visto a tiempo, ella le habría hecho una señal para que se detuviera y la llevara a Merweville, desde donde telefonearía a Michiel para que fuese a buscarla. Por otro lado, aunque la carretera está llena de rodadas y el viaje es incómodo, le gusta la idea de llegar a la granja en la carreta de Hendrik tirada por el burro, le gusta cada vez más: los Coetzee reunidos en el porche, tomando el té de la tarde, Hendrik quitándose el sombrero para saludarles, trayendo de regreso al hijo errante, sucio, tostado por el sol y escarmentado. «Ons was so bekommerd! —reñirán al bellaco—. Waar was julle dan? Michiel wou selfs die polisie bel!» En cuanto a su primo, se limitaría a farfullar. «Die arme Margie! En wat het van die bakkie geword?» ¡Qué preocupados estábamos! ¿Dónde habéis estado? ¡Michiel estaba a punto de telefonear a la policía! ¡Pobre Margie! ¿Y dónde está la pick-up?

Hay tramos de la carretera en los que la cuesta es tan empinada que han de bajarse de la carreta y caminar. Por lo demás, el pollino realiza su tarea, sin más que un toque del látigo en la grupa de vez en cuando para recordarle quién es el amo. ¡Qué ligero es, qué delicados sus cascos, y, sin embargo, qué perseverancia, qué capacidad de aguante! No es de extrañar que Jesús les tuviera afición a los asnos.

Dentro de los límites de Voëlfontein se detienen en una represa. Mientras el pollino abreva, ella charla con Hendrik sobre la hija que tiene en Merweville, luego sobre la otra hija, la que trabaja en la cocina de una residencia de la tercera edad en Beaufort West. Discretamente no le pregunta por su mujer más reciente, con la que se casó cuando ella no era más que una niña y que huyó tan pronto como pudo con un hombre del campamento de trabajadores ferroviarios en Leeuw Gamka.

Margot se percata de que a Hendrik le resulta más fácil hablar con ella que con su primo. Comparten la lengua, mientras que el afrikaans que habla John es rígido y libresco. Probablemente la mitad de lo que John dice no tiene sentido para Hendrik. «Dime, Hendrik, ¿qué te parece más poético, la salida o la puesta del sol? ¿Una cabra o una oveja?»

—*Het Katryn dan nie vir padkos gesorg nie?* —le pregunta ella en broma a Hendrik: ¿No nos ha empaquetado tu hija algo para comer?

Hendrik parece azorado. Desvía la mirada, se muestra evasivo.

—*Ja-nee, mies* —responde jadeando. Es un *plaashotnot* de los viejos tiempos, un hotentote de granja.

Resulta que en realidad la hija de Hendrik ha proporcionado *padkos*. De un bolsillo de la chaqueta Hendrik saca, envueltos en papel marrón, un muslo de pollo y dos rebanadas de pan blanco untado con mantequilla, que la vergüenza le impide dividir entre los tres pero igualmente le impide devorarlos delante de ellos.

—*In Godsnaam eet, man!* —le ordena ella—. *Ons is glad nie honger nie, ons is ook binnekort tuis.*

No tenemos hambre y, en cualquier caso, pronto estaremos en casa. Y se lleva a John a dar una vuelta por la represa, de modo que Hendrik, de espaldas a ellos, pueda apresurarse a engullir su comida.

Ons is glad nie honger nie: Una mentira, por supuesto. Tiene un hambre voraz. El mero olor del pollo frío le hace salivar.

—Siéntate al lado del carretero —le propone John—. Para nuestro regreso triunfal.

Margot así lo hace. Cuando se aproximan a los Coetzee, reunidos en el porche exactamente como ella había previsto, no descuida sonreír y hasta agita la mano, parodiando a la realeza. Le responden con unos ligeros aplausos. Ella baja de la carreta. «Dankie, Hendrik, eerlik dankie», le dice: Te lo agradezco sinceramente. «Mies», replica Hendrik. Unas horas después ella irá a su casa y le dejará algún dinero: para Ketryn, le dirá, para que vista a sus hijos, aunque sabe que él comprará licor con el dinero.

—*En toe?* —dice Carol, delante de todo el mundo—. *Sê vir ons: waar was julle?* —¿Dónde estabais?

Hay un momento de silencio, y en ese instante ella comprende que la pregunta, en apariencia solo un estímulo para que dé alguna respuesta frívola y divertida, tiene un trasfondo serio. Los Coetzee quieren saber de veras dónde han estado ella y John; quieren asegurarse de que no ha ocurrido nada realmente escandaloso. El descaro de semejante suposición la deja sin aliento. ¡Estas personas que la conocen y la quieren desde siempre la consideran capaz de cometer una inmoralidad!

—*Vra vir John* —replica secamente (Preguntádselo a John), y entra en la casa.

Cuando se reúne con ellos al cabo de media hora, la inquietud todavía flota en el ambiente.

—¿Adónde ha ido John? —pregunta.

Resulta que John y Michiel acaban de marcharse en la pick-up de Michiel para recoger la Datsun. La remolcarán hasta Leeuw Gamka, donde se encuentra el mecánico que la reparará como es debido.

—Anoche estuvimos levantados hasta muy tarde —dice su tía Beth—. Esperamos durante mucho tiempo. Entonces llegamos a la conclusión de que tú y John debíais de haber ido a Beaufort y pasabais allí la noche porque la carretera nacional es muy peligrosa en esta época del año. Pero no habíais telefoneado, y eso nos preocupaba. Esta mañana Michiel llamó al hotel de Beaufort y le dijeron que no os habían visto. También llamó a Fraserburg. No imaginamos que habíais ido a Merweville. ¿Qué estabais haciendo allí?

A decir verdad, ¿qué estaban haciendo en Merweville? Se vuelve hacia el padre de John.

—John dice que estáis pensando en comprar una finca en Merweville —le dice—. ¿Es eso cierto, tío Jack? —Se hace un silencio causado por la sorpresa—. ¿Es eso cierto, tío Jack? —le apremia ella—. ¿Es cierto que vas a trasladarte desde El Cabo a Merweville?

—Si lo planteas así —responde Jack; el talante bromista de los Coetzee ha desaparecido y ahora habla con cautela—, no, nadie se trasladará a Merweville. John tiene la idea, desconozco hasta qué punto realista, de comprar una de las casas abandonadas y repararla para que sirva de residencia en las vacaciones. De eso es exactamente de lo que hemos estado hablando.

¡Una residencia para las vacaciones en Merweville! ¿A quién se le ocurre semejante cosa? ¡Nada menos que Merweville, con sus vecinos fisgones y su *diaken*, su diácono, que llama a tu puerta y te da la lata para que vayas a la iglesia! ¿Cómo es posible que Jack, que de joven fue el más brioso e irreverente de todos ellos, planee mudarse a Merweville?

—Primero deberíais probar en Koegenaap, Jack —le dice su hermano Alan—. O Pofadder. En Pofadder, el día más importante del año es cuando llega el dentista desde Upington para sacar muelas. Lo llaman *die Groot Trek*, la Gran Caminata.

En cuanto su tranquilidad se ve amenazada, los Coetzee se ponen a bromear. Una familia apretujada en un pequeño *laager* para mantener al mundo y sus amenazas a distancia. Pero ¿durante cuánto tiempo las bromas seguirán produciendo su magia? Uno de estos días la gran enemiga llamará a la puerta, la Parca, afilando la hoja de su guadaña, y hará señas a uno tras otro para que la sigan. ¿Cuál será entonces el poder de sus bromas?

—Según John, tú te trasladarás a Merweville mientras él sigue en Ciudad del Cabo —insiste ella—. ¿Estás seguro de que podrás arreglártelas tú solo, tío Jack, sin un coche?

Es una pregunta seria. A los Coetzee no les gustan las preguntas serias. «Margie word 'n bietjie adusta», dirán entre ellos: Margie se está volviendo un poco adusta. «¿Planea tu hijo enviarte al Karoo y abandonarte —le está preguntando ella—, y, si se trata de eso, ¿cómo es que no levantas la voz para protestar?»

—No, no —replica Jack—. No será como dices. Merweville solo será un lugar tranquilo para descansar. Si es que el plan sigue adelante. Es solo una idea, ¿sabes?, una idea de John. No es nada definitivo.

—Es un plan para librarse de su padre —le dice su hermana Carol—. Quiere dejarlo en medio del Karoo y desentenderse de él. Entonces tendrá que ser Michiel quien lo cuide, porque será el más cercano.

—¡Pobrecillo John! —replica ella—. Siempre piensas lo peor de él. ¿Y si está diciendo la verdad? Ha prometido que irá a Merweville cada fin de semana, y también pasará ahí las vacaciones. ¿Por qué no darle el beneficio de la duda?

—Porque no me creo una sola palabra de lo que dice. Ese plan suyo me huele mal. Nunca se ha llevado bien con su padre.

—Cuida de él en Ciudad del Cabo.

—Vive con su padre, pero solo porque no tiene dinero. Un hombre que pasa de los treinta y sin porvenir. Huyó de Sudáfrica para librarse del ejército. Después lo expulsaron de Estados Unidos porque infringió la ley. Ahora no puede encontrar un trabajo apropiado porque es demasiado engreído. Los dos viven del patético salario que gana su padre en la chatarrería donde trabaja.

—¡Pero eso no es cierto! —protesta ella. Carol es más joven que ella. En el pasado, Margot tomaba la iniciativa y Carol la seguía, pero ahora es Carol la que va en cabeza y ella la que le pisa ansiosamente los talones. ¿Cómo ha ocurrido?—. John es profesor en una escuela de enseñanza media. Se gana la vida.

—No es eso lo que tengo entendido. Lo que he oído decir es que da clases a marginados para los exámenes de ingreso y cobra a tanto la hora. Es un trabajo a tiempo parcial, la clase de trabajo que cogen los estudiantes para conseguir algún dinerillo. Pregúntaselo. Pregúntale en qué escuela enseña. Pregúntale lo que gana.

—Un sueldo importante no es lo único que cuenta.

—No es solo una cuestión de sueldo. Se trata de decir la verdad. Que te diga la verdad de su intención de comprar esa casa en Merweville. Que te diga quién va a pagarla, si él o su padre. Que te cuente sus planes para el futuro. —Y entonces, al ver que ella no la comprende, añade—: ¿No te lo ha dicho? ¿No te ha contado sus planes?

—No tiene planes. Es un Coetzee, y los Coetzee no tienen planes, no tienen ambiciones, solo tienen vanos anhelos. Él tiene el vano anhelo de vivir en el Karoo.

—Ambiciona ser poeta, un poeta a dedicación plena. ¿Has oído alguna vez algo así? Ese asunto de Merweville no tiene nada que ver con el bienestar de su padre. Quiere un lugar en el Karoo adonde ir cuando le apetezca, donde pueda sentarse con la barbilla en las manos, contemplar la puesta de sol y escribir poemas.

¡John y sus poemas de nuevo! Sin poder evitarlo, suelta una risotada. ¡John sentado en el porche de aquella desagradable casa, pensando en poemas! Con una gorra en la cabeza, sin duda, y un vaso de vino al lado. Y los chiquillos de color arracimados a su alrededor, importunándole con sus preguntas. «Wat maak oom? Nee, oom maak gedigte. Op sy ou ramkiekie maak oom gedigte. Die wêreld is ons woning nie...» ¿Qué está haciendo el señor? El señor está haciendo poemas. El señor está escribiendo poemas sobre su viejo banjo. Este mundo no es nuestro lugar de residencia...

—Se lo pediré —dice ella, todavía riendo—. Le pediré que me enseñe sus poemas.

A la mañana siguiente va al encuentro de John cuando este se dispone a dar uno de sus paseos.

—Déjame acompañarte —le dice—. Dame un minuto para ponerme unos zapatos adecuados.

Siguen el camino que lleva al este desde la granja a lo largo de la orilla del río demasiado crecido, hacia la represa cuyo muro se rompió en las inundaciones de 1943 y nunca ha sido reparado. En las aguas someras de la represa un trío de gansos blancos flotan apaciblemente. Aún hace fresco, no hay calina, la vista alcanza hasta las montañas de Nieuweveld.

—*God, dis darem mooi* —dice ella—. *Dit raak jou siel aan, nè, dié ou wêreld.* —Qué hermoso es, ¿verdad? Este paisaje te llega al alma.

Los dos forman parte de una minoría, una minúscula minoría, de almas afectadas por esas grandes y desoladas extensiones. Si algo los ha mantenido unidos en el transcurso de los años, es eso. Este paisaje, este *kontrei*, le ha robado el corazón. Cuando muera y la entierren, se disolverá en esta tierra con tanta naturalidad como si nunca hubiera tenido una vida humana.

—Carol dice que todavía escribes poemas —comenta ella—. ¿Es eso cierto? ¿Me los enseñarás?

—Siento decepcionar a Carol —responde él con rigidez—, pero no he escrito un poema desde que era adolescente.

Ella se muerde la lengua. Lo había olvidado: no le pidas a un hombre que te enseñe sus poemas, no en Sudáfrica, no sin asegurarle previamente que todo irá bien, que no vas a burlarte de él. ¡Qué país, donde la poesía no es una actividad viril, sino un hobby para los niños y las *oujongnooiens* solteronas, las de ambos sexos! No puede conjeturar cómo se las arreglaron Totius o Louis Leipoldt. No es de extrañar que Carol elija la actividad poética de John para atacarle, Carol con su olfato para las debilidades ajenas.

—Si los dejaste hace tanto tiempo, ¿por qué Carol cree que sigues escribiendo poemas?

—No tengo ni idea. Tal vez me vio corrigiendo trabajos de los alumnos y llegó a una conclusión errónea.

Ella no le cree, pero no va a presionarle más. Si quiere esquivarla, que lo haga. Si la poesía es una parte de su vida de la que no quiere hablar por exceso de timidez o de vergüenza, allá él.

No cree que John sea un *moffie*, pero sigue intrigándole que no tenga ninguna mujer. Un hombre solo, en particular uno de los hombres de la familia Coetzee, le parece como una barca sin remos, timón o vela. ¡Y ahora dos de ellos, dos hombres de la familia Coetzee, viviendo como una pareja! Si Jack aún tuviese a la formidable Vera detrás de él, seguiría un rumbo más o menos recto; pero ahora que ella ha desaparecido, parece perdido por completo. En cuanto al hijo de Jack y Vera, desde luego le convendría la guía de una persona equilibrada. Pero ¿qué mujer con un mínimo de sensatez querría dedicar su vida al desventurado John?

Carol está convencida de que John es una mala apuesta, y lo más probable es que el resto de la familia, pese a la bondad de su corazón, esté de acuerdo. Lo que convierte a Margot en una excepción, lo que mantiene su confianza en John precariamente a flote, es (lo que no deja de ser curioso) la manera en que él y su padre se comportan el uno con el otro: si no con afecto, pues eso sería mucho decir, por lo menos con respeto.

Habían sido los peores enemigos. La mala sangre entre Jack y su hijo mayor fue la causa de muchas sacudidas de cabeza. Cuando el hijo se marchó al extranjero, los padres trataron de parecer lo más ecuánimes que pudieron. La madre afirmó que había ido a labrarse una carrera científica. Durante años sostuvo la historia de que John trabajaba como científico en Inglaterra, aunque era evidente que no tenía idea de para quién trabajaba ni qué tipo de labor hacía. «Ya sabes cómo es John –decía su padre–: siempre muy independiente.» ¿Qué significaba «independiente»? No sin razón, los Coetzee entendieron que había repudiado su país, a su familia y a sus mismos padres.

Entonces Jack y Vera empezaron a contar las cosas de otra manera: después de todo, John no estaba en Inglaterra sino en Estados Unidos, siempre en busca de una mejor capacitación. Transcurrió el tiempo y, a falta de noticias concretas, el interés por John y sus actividades decreció. Él y su hermano menor eran solo dos más entre millares de jóvenes blancos que habían huido para librarse del servicio militar, dejando atrás una familia avergonzada. John casi se había desvanecido de la memoria colectiva cuando el escándalo de su expulsión de Estados Unidos cayó como una bomba sobre ellos.

«Aquella terrible guerra», decía su padre: todo había sido culpa de una guerra en la que los muchachos norteamericanos sacrificaban su vida por el bien de unos asiáticos que no parecían sentir la menor gratitud hacia ellos. No era de extrañar que los norteamericanos de a pie se rebelaran. Según ese relato, habían detenido a John en una manifestación, se lo habían llevado a la fuerza sin preguntarle qué hacía allí; lo que siguió no fue más que un desgraciado malentendido.

¿Era el oprobio de su hijo, y las mentiras que tuvieron que urdir como resultado, lo que había convertido a Jack en un hombre tembloroso y prematuramente envejecido? ¿Cómo podía preguntarlo siquiera?

—Debe de alegrarte ver el Karoo de nuevo —le dice a John—. ¿No te tranquiliza haber tomado la decisión de no quedarte en América?

—No lo sé —replica él—. Desde luego, en medio de esto —no hace ningún gesto, pero ella sabe a qué se refiere: este cielo, este espacio, el vasto silencio que les rodea— me siento afortunado, uno de los pocos con verdadera suerte. Pero, desde el punto de vista práctico, ¿qué futuro tengo en este país, donde nunca he encajado? Tal vez irme para siempre habría sido lo mejor, después de todo. Separarte de lo que amas y confiar en que la herida se cure.

Una respuesta sincera, gracias a Dios.

—Ayer tuve una charla con tu padre, John, mientras tú y Michiel estabais ausentes. En serio, no creo que él comprenda bien lo que te propones. Me refiero a Merweville. Tu padre ya no es joven y no se encuentra bien. No puedes abandonarlo en un pueblo desconocido y esperar que se las arregle por sí mismo. Y no puedes esperar que el resto de la familia intervenga y se ocupe de él si las cosas se ponen mal. Eso es todo. Eso es lo que quería decir.

Él no reacciona. Tiene en la mano un trozo de viejo alambre de valla que ha recogido del suelo. Haciendo oscilar con irritación el alambre a izquierda y derecha, cortando las puntas de la hierba ondulante, baja por la pendiente del erosionado muro de la represa.

—¡No te comportes así! —le grita ella, siguiéndole a paso vivo—. ¡Háblame, por el amor de Dios! ¡Dime que estoy equivocada! ¡Dime que estoy cometiendo un error!

Él se detiene y se vuelve hacia ella con una expresión de fría hostilidad.

—Permíteme que te informe sobre la situación de mi padre —le dice—. No tiene ahorros, ni un céntimo, ni tampoco está asegurado. Solo puede esperar una pensión estatal: cuarenta y tres rands al mes la última vez que me informé. Así que, a pesar de su edad, a pesar de su mala salud, ha de seguir trabajando. Los dos juntos ganamos en un mes lo que un vendedor de coches gana en una semana. Mi padre solo puede dejar su trabajo si se traslada a un lugar donde el coste de la vida sea inferior al de la ciudad.

—Pero ¿por qué tiene que trasladarse? ¿Y por qué a Merweville, a una casa vieja y ruinosa?

—Mi padre y yo no podemos vivir juntos indefinidamente, Margie. Eso nos amarga la vida a los dos. No es natural. Los padres y los hijos no están hechos para compartir un hogar.

—No me parece que tu padre sea una persona con la que resulte difícil vivir.

—Tal vez, pero yo soy una persona con la que resulta difícil vivir. Mi dificultad consiste en que no quiero compartir espacio con otras personas.

—¿De modo que esa es la razón del traslado a Merweville, el hecho de que quieres vivir solo?

—Sí. Sí y no. Quiero poder estar solo cuando lo desee.

Todos los Coetzee están reunidos en el porche, tomando el té matinal, charlando, mirando ociosamente a los tres hijos pequeños de Michiel que juegan al críquet en el *werf* abierto.

Una nube de polvo se forma en el horizonte y queda cernida en el aire.

—Debe de ser Lukas —dice Michiel, que tiene la vista más aguda—. ¡Es Lukas, Margie!

Resulta que Lukas lleva en la carretera desde el amanecer. Está cansado, pero muy animado de todos modos, lleno de brío. Apenas ha saludado a su esposa y la familia de esta cuando deja que los niños lo incorporen a su juego. Puede que no sea diestro en el críquet, pero le encanta estar con los niños, y ellos le adoran. Sería el mejor de los padres: a ella le rompe el corazón que no pueda tener hijos.

John también interviene en el juego. El críquet se le da mejor que a Lukas, tiene más práctica, eso se ve enseguida, pero no se gana la simpatía de los niños. Tampoco la de los perros, ha observado ella. Al contrario que Lukas, no es un padre por naturaleza. Un *alleenloper*, como lo son algunos animales: un solitario. Tal vez sea mejor que no se haya casado.

Al contrario que Lukas. Sin embargo, hay cosas que comparte con John que jamás podría compartir con Lukas. ¿Por qué? Debido al tiempo que pasaron juntos en su infancia, la época más preciosa, cuando cada uno abría su corazón al otro como más adelante nunca puede hacerlo, ni siquiera a un marido al que ama más que a todos los tesoros del mundo.

«Lo mejor es separarte de lo que amas —le había dicho él durante su paseo—, separarte y confiar en que la herida se cure.» Ella le comprende a la perfección. Eso es lo que comparten por encima de todo: no solo el amor a esta finca, esta *kontrei*, el Karoo, sino la comprensión que acompaña al amor, la comprensión de que el amor puede ser excesivo. A los dos se les concedió pasar los veranos de su infancia en un lugar sagrado. Ese goce no puede repetirse jamás. Es mejor no visitar los lugares del ayer y salir de ellos añorando lo que se fue para siempre.

Precaverse de amar en exceso es algo que no tiene sentido para Lukas. Para este el amor es sencillo e incondicional. Lukas se entrega con todo su corazón y ella, a cambio, se le entrega por completo. «Te adoro con este cuerpo.» Gracias al amor, su marido hace que aflore lo mejor de ella: incluso ahora, sentada aquí, tomando el té, contemplándole mientras juega, ella nota que su cuerpo empieza a anhelarlo. Ha aprendido de Lukas lo que puede ser el amor. Mientras que su primo... No puede imaginar a su primo entregándose incondicionalmente a nadie. Siempre habrá una parte retenida, en reserva. No es preciso ser un perro para ver eso.

Sería estupendo que Lukas pudiera tomarse un descanso, que los dos pudieran pasar una o dos noches aquí, en Voëlfontein. Pero no, mañana es lunes, así que esta noche han de estar de regreso en Middelpos. Por ello después de comer se despiden de tías y tíos. Cuando le toca el turno a John, lo abraza con fuerza y nota su cuerpo contra ella tenso, resistente. «Totsiens», le dice: Adiós. «Te escribiré una carta y quiero que me respondas.» «Adiós –responde él–. Conducid con prudencia.»

Ella empieza a escribir la carta prometida esa misma tarde, en salto de cama y zapatillas, sentada a la mesa de la cocina, la cocina que es la suya desde que contrajo matrimonio y que ha llegado a amar, con su enorme y antigua chimenea y su despensa sin ventanas y permanentemente fresca, cuyos estantes aún crujen bajo el peso de los tarros de mermelada y las conservas que ella preparó el otoño pasado.

«Querido John –escribe–, qué enfadada estaba contigo cuando sufrimos la avería en la carretera de Merweville… espero que no se me notara demasiado y confío en que me perdones. Aquel malhumor ha desaparecido por completo sin dejar rastro. Dicen que no conoces a una persona como es debido hasta que has pasado una noche con él (o ella). Me alegro de haber tenido ocasión de pasar una noche contigo. Cuando dormimos se nos cae la máscara y se nos ve tal como realmente somos.

»En la Biblia se menciona la esperanza en el día en que el león yacerá con el cordero, cuando ya no será necesario que estemos en guardia porque ya no tendremos ningún motivo de temor. (Puedes estar tranquilo puesto que ni tú eres el león ni yo soy el cordero.)

»Quiero abordar por última vez el tema de Merweville.

»Todos nos hacemos mayores y seguramente, cuando lo seamos, nos tratarán igual que nosotros hemos tratado a nuestros padres. Toda acción comporta una reacción. No me cabe duda de que te resulta difícil vivir con tu padre cuando te has acostumbrado a vivir solo, pero Merweville no es la solución adecuada.

»No eres el único que tiene dificultades, John. Carol y yo nos enfrentamos al mismo problema con nuestra madre. Cuando Klaus y Carol se marchen a América, la carga recaerá totalmente en Lukas y en mí.

»Sé que no eres creyente, por lo que no voy a aconsejarte que reces en busca de orientación. Tampoco yo soy muy creyente que digamos, pero la plegaria es saludable. Incluso aunque ahí arriba no haya nadie que te escuche, por lo menos dices lo que te oprime, y eso es mejor que guardártelo dentro.

»Ojalá hubiéramos dispuesto de más tiempo para hablar. ¿Recuerdas cuánto hablábamos de niños? Qué precioso es para mí el recuerdo de aquellos tiempos, y qué triste que, cuando nos llegue la hora, nuestro relato, el relato de ti y de mí, desaparecerá también.

»No puedo expresarte la ternura que siento por ti en este momento. Siempre fuiste mi primo preferido, pero no es solo eso. Ansío protegerte del mundo, aun cuando probablemente no necesitas protección (es una conjetura). Es difícil saber cómo enfrentarte a esta clase de sentimientos. La relación entre primos se ha vuelto tan anticuada, ¿no es cierto?... Pronto todas las reglas que tuvimos que memorizar sobre a quién le está permitido casarse con quién, primos carnales, primos segundos y primos terceros, no será más que una cuestión antropológica.

»Sin embargo, me alegro de que no cumpliéramos la promesa que nos hicimos en la infancia (¿te acuerdas?) y no nos casáramos. Es probable que también tú te alegres. Habríamos sido una pareja desastrosa.

»Necesitas a alguien en tu vida, John, alguien que cuide de ti. Aunque elijas a una mujer que no sea necesariamente el amor de tu vida, la vida de casado será mejor que lo que tienes ahora, con tu padre por toda compañía. No es bueno dormir solo una noche tras otra. Perdona que te diga esto, pero hablo por amarga experiencia.

»Debería romper esta carta, porque es muy embarazosa, pero no lo haré. Me digo a mí misma que nos conocemos desde hace mucho tiempo y que sin duda me perdonarás si me meto donde no me llaman.

»Lukas y yo somos felices en todos los aspectos. Cada día me arrodillo (por así decirlo) para dar gracias porque nuestros caminos se cruzaron. ¡Cuánto desearía que a ti pudiera ocurrirte lo mismo!»

Como si ella lo hubiera llamado, Lukas entra en la cocina, se inclina sobre ella, lleva los labios a su cabeza, desliza las manos bajo el salto de cama y las ahueca sobre sus senos.

—*My skat* —le dice: Mi tesoro.

No puede escribir eso. No puede. Se lo está inventando.

Lo eliminaré. Lleva los labios a su cabeza.

—*My skat* —le dice—, ¿cuándo vendrás a la cama?

—Ahora —responde ella, y deja la pluma—. Ahora.

Skat: una palabra cariñosa que a ella le desagradaba hasta el día que se la oyó decir. Ahora, cuando se la susurra, tiene la sensación de que se funde. El tesoro de este hombre, en el que él puede hundir las manos siempre que le apetezca.

Yacen abrazados. La cama cruje, pero a ella no podría importarle menos, porque están en casa y pueden hacer que la cama cruja tanto como quieran.

¡Otra vez!

Le prometo que, cuando haya terminado, le entregaré el texto completo y dejaré que elimine lo que desee.

—¿Le estabas escribiendo una carta a John? —le pregunta Lukas.

—Sí. Es tan infeliz…

—Tal vez sea tan solo su naturaleza. Es un tipo melancólico.

—Pero no lo era. En el pasado era un tipo de lo más feliz. ¡Ojalá pudiera encontrar a una mujer que le hiciera salir de sí mismo!

Pero Lukas se ha dormido. Tal es su naturaleza, su tipo: se duerme enseguida, como un niño inocente.

A ella le gustaría hacer lo mismo, pero el sueño tarda en llegar. Es como si el espectro de su primo acechara todavía, llamándola para que vuelva a la oscura cocina y complete la carta que le estaba escribiendo. «Ten fe en mí —le susurra ella—. Te prometo que volveré.»

Pero cuando se despierta es lunes, no tiene tiempo para escribir ni para intimidades, han de partir enseguida hacia Calvinia, ella al hotel, Lukas a la agencia de transportes. En el pequeño despacho sin ventanas detrás de la recepción, ella trabaja poniendo al día las facturas atrasadas; por la noche está demasiado exhausta para continuar la carta que estaba escribiendo y, en cualquier caso, el sentimiento que la inspiraba ha desaparecido. «Pienso en ti», escribe al pie de la página. Aunque eso no es cierto, no ha pensado en John durante todo el día, no ha tenido tiempo. «Te quiere, Margie», escribe. Pone la dirección en el sobre y lo cierra. Ya está. Hecho.

«Te quiere», pero ¿hasta qué punto exactamente? ¿Lo suficiente para sacar a John de un apuro? ¿Lo suficiente para hacerle salir de sí mismo, de la melancolía propia del tipo de persona que es? Si su espléndido plan consiste en pasar los fines de semana en el porche de la casa de Merweville, escribiendo poemas con el sol derramándose sobre el tejado metálico y su padre tosiendo en una habitación del fondo, puede que necesite toda la melancolía que sea capaz de reunir.

Ese es su primer momento de recelo. El segundo momento se produce cuando está a punto de enviar la carta, mientras el sobre tiembla en el mismo borde de la ranura. ¿Es lo que ha escrito, lo que su primo estará condenado a leer si suelta el sobre, realmente lo mejor que puede ofrecerle? «Necesitas a alguien en tu vida.» ¿Qué clase de ayuda es que te digan eso? «Te quiere.»

Pero entonces piensa «Es un hombre hecho y derecho, ¿por qué habría de ser yo quien le salve?», y da un empujoncito final al sobre.

Ha de esperar la respuesta diez días, hasta el viernes de la semana siguiente.

«Querida Margot:

»Gracias por tu carta, que nos esperaba cuando regresamos de Voëlfontein, y gracias por el consejo sobre el matrimonio, bueno pero impracticable.

»El regreso desde Voëlfontein se desarrolló sin incidentes. El amigo mecánico de Michiel hizo un trabajo de primera clase. Vuelvo a pedirte perdón por la noche que te hice pasar a la intemperie.

»Escribes sobre Merweville. Estoy de acuerdo, no habíamos meditado a fondo nuestros planes, y ahora que hemos vuelto a Ciudad del Cabo empiezan a parecer un tanto alocados. Sería distinto comprar una cabaña para pasar los fines de semana en la costa, pero ¿quién en su sano juicio querría pasar las vacaciones de verano en un pueblo del caluroso Karoo?

»Espero que todo vaya bien en la granja. Recibid, tú y Lukas, todo el afecto de mi padre, y el mío también.

»John.»

¿Es eso todo? La fría formalidad de su respuesta le hace estremecerse, y la cólera le enrojece las mejillas.

—¿Qué pasa? —le pregunta Lukas.

Ella se encoge de hombros.

—No es nada —responde, y le tiende la hoja de papel—. Una carta de John.

Él la lee con rapidez.

—Así que abandonan sus planes de adquirir una casa en Merweville —comenta él—. Es un alivio. ¿Por qué estás tan molesta?

—No es nada —repite ella—. Solo el tono.

Han aparcado delante de la estafeta de correos. Esto es lo que hacen los viernes por la tarde, forma parte de la rutina que han establecido: en último lugar, tras haber hecho la compra y antes de regresar a la granja, recogen el correo de la semana y lo examinan sentados uno al lado del otro en la pick-up. Aunque ella podría ir sola a recoger el correo cualquier día de la semana, no lo hace. Ella y Lukas van juntos, de la misma manera que hacen juntos todo lo que pueden.

En este momento Lukas está absorto en una carta del Land Bank, con un largo anexo, páginas de cifras, mucho más importante que los meros asuntos familiares.

—No te apresures, iré a dar un paseo —le dice ella, y a continuación baja del vehículo y cruza la calle.

La estafeta de correos es un edificio de reciente construcción, con losetas de vidrio en vez de ventanas y una pesada rejilla metálica sobre la puerta. A ella le desagrada. Le parece una comisaría de policía. Rememora con cariño la antigua estafeta de correos que demolieron para construir esta, el edificio que en otro tiempo fuera la casa Truter.

¡Ni siquiera ha llegado a la mitad de su vida, y ya está rememorando con nostalgia el pasado!

Nunca se trató de Merweville, de John y su padre, de quién viviría dónde, en la ciudad o en el campo. *¿Qué estamos haciendo aquí?* Esta había sido la pregunta tácita desde el principio. Los dos lo habían sabido. Su propia carta, por cobarde que fuese la manera de hacerlo, por lo menos había dado a entender la pregunta: «¿Qué estamos haciendo en esta parte yerma del mundo? ¿Por qué nos pasamos la vida haciendo un trabajo monótono si esta tierra jamás ha sido adecuada para habitarla, si todo el proyecto de humanizar la zona ha estado mal concebido desde el comienzo?».

«Esta parte del mundo.» La parte a la que ella se refiere no es Merweville o Calvinia, sino la totalidad del Karoo, tal vez el país entero. ¿Quién tuvo la idea de construir carreteras y tender líneas férreas, levantar ciudades, traer a la gente y ligarla a este lugar, ligarla con remaches a través del corazón, de modo que no pueda marcharse? «Es mejor liberarte y confiar en que la herida cicatrice», le dijo él cuando caminaban por el *veld*. Pero ¿cómo puedes liberarte cuando estás sujeto por esa clase de remaches?

La hora de cierre ha quedado muy atrás. La estafeta de correos está cerrada, las tiendas están cerradas y la calle desierta. Joyería Meyerowitz. Los Niños en el Bosque, venta a plazos. Café Cosmos. Modas Foschini.

Meyerowitz («Los brillantes son eternos») está aquí desde antes de lo que alcanza su memoria. Los Niños en el Bosque era antes la tienda Jan Harmse Slagter. El Café Cosmos era Batidos Cosmos. Modas Foschini era Winterberg Algemene Handelaars. ¡Todo este cambio, todo este ajetreo! *O droewige land!*

¡Oh triste país! Modas Foschini tiene la suficiente confianza para abrir una nueva sucursal en Calvinia. ¿Qué puede afirmar que sabe su primo, el emigrante fallido, el poeta de la melancolía, sobre el futuro de esta tierra que no sepa Foschini? Su primo, quien cree que hasta los babuinos, cuando contemplan la extensión del *veld*, se sienten embargados de *weemoed*.

Lukas está convencido de que habrá un acuerdo político. John afirma ser liberal, pero Lukas es un liberal más práctico de lo que John jamás será, así como más valiente. Si quisieran, Lukas y ella, *boer* y *boervrou*, marido y mujer, podrían ganarse a duras penas la vida en la granja. Tendrían que apretarse bastante el cinturón, pero sobrevivirían. Si Lukas prefiere conducir un camión de la cooperativa, si ella lleva la contabilidad del hotel, no es porque la granja sea una empresa condenada al fracaso, sino porque hace largo tiempo ella y Lukas tomaron la decisión de que alojarían a sus trabajadores como es debido y les pagarían un sueldo decente, pondrían los medios para que sus hijos fuesen a la escuela y, cuando envejecieran y enfermasen, los apoyarían; y porque esa decencia y ese apoyo cuestan dinero, más del que aporta o aportará jamás una granja en el futuro previsible.

Una granja no es un negocio: hacía mucho tiempo que ella y Lukas se habían puesto de acuerdo sobre esta premisa. La granja de Middelpos no solo es su hogar con los fantasmas de sus hijos nonatos sino también de otras trece almas. A fin de aportar el dinero para mantener a la pequeña comunidad, Lukas tiene que pasarse días seguidos en la carretera y ella pasarse las noches sola en Calvinia. A eso es a lo que se refiere cuando dice de Lukas que es un liberal: tiene un corazón generoso, liberal, y, gracias a él, también ella ha aprendido a tener un corazón liberal.

«¿Y qué tiene eso de malo, como estilo de vida?» Esta es la pregunta que le gustaría plantearle a su inteligente primo, el primero en huir de Sudáfrica y que ahora habla de liberarse. ¿De qué quiere liberarse? ¿Del amor? ¿Del deber? «Recibid todo el afecto de mi padre, y el mío también.» ¿Qué clase de tibio afecto es ese? No, ella y John pueden tener la misma sangre, pero, sienta lo que sienta por ella, no es afecto. Tampoco ama realmente a su padre. Ni siquiera se ama a sí mismo. Y de todos modos, ¿qué sentido tiene liberarse de todos y de todo? ¿Qué va a hacer con su libertad? «El amor empieza en el hogar...», ¿no es este un proverbio inglés? En vez de huir constantemente, ¿no debería buscarse una mujer como es debido, mirarla a los ojos y decirle: «¿Te casarás conmigo? ¿Te casarás conmigo y acogerás a mi viejo padre en nuestro hogar y cuidarás fielmente de él hasta que muera? Si aceptas esa carga, te amaré, te seré fiel, buscaré un trabajo apropiado, trabajaré con ahínco, traeré dinero a casa, estaré de buen humor y dejaré de quejarme de las *droewige vlatkes*, las desoladas llanuras». Ojalá John estuviera aquí en este momento, desea ella, en Kerkstraat, Calvinia, para poder *raas* con él, prestarle oído, como dicen los ingleses: su estado de ánimo es el apropiado.

Un silbido. Se vuelve. Es Lukas, que se asoma por la ventanilla del vehículo. *Skattie, hoe mompel jy dan nou?*, le dice, riendo. ¿Qué mascullas?

Ella y su primo no intercambian más correspondencia. No pasa mucho tiempo antes de que John y sus problemas dejen por completo de tener cabida en su mente. Han surgido unas preocupaciones más apremiantes. Han llegado los visados que Klaus y Carol esperaban, los visados para la Tierra Prometida. Con rápida eficiencia se están preparando para el traslado. Uno de sus primeros pasos es traer a la madre de Margot y Carol, que ha estado viviendo con ellos, de regreso a la granja. Klaus la llama *mamá*, aunque tiene su propia madre en Dusseldorf.

Recorren los mil seiscientos kilómetros desde Johannesburgo en doce horas, turnándose al volante del BMW. Esta hazaña procura a Klaus una profunda satisfacción. Tanto él como Carol han realizado unos cursos de conducción avanzada y pueden demostrarlo con los certificados obtenidos. Les ilusiona conducir en Estados Unidos, donde las carreteras son mucho mejores que en Sudáfrica, aunque, por supuesto, no tan buenas como las *Autobahnen* alemanas.

Mamá no está del todo bien. Margot se percata de ello en cuanto la ayudan a bajar del vehículo. Tiene la cara hinchada, respira con dificultad, se queja de dolores en las piernas. Carol les explica que, en definitiva, el problema radica en el corazón: la ha visitado un especialista en Johannesburgo y ha de tomar sin falta una nueva serie de píldoras tres veces al día.

Klaus y Carol pernoctan en la granja, y después regresan a la ciudad.

—En cuanto mamá mejore, tú y Lukas debéis ir con ella a América y hacernos una visita —dice Carol—. Os ayudaremos a pagar los pasajes de avión.

Klaus la abraza y besa en ambas mejillas («Así es más cálido»). A Lukas le estrecha la mano.

Lukas detesta a su cuñado. No existe la menor posibilidad de que Lukas viaje a Estados Unidos para visitarles. En cuanto a Klaus, nunca ha eludido expresar su veredicto sobre Sudáfrica. «Hermoso país —dice—, bellos paisajes, grandes recursos, pero muchos, muchos problemas. No veo cómo vais a resolverlos. En mi opinión, las cosas irán a peor antes de que mejoren. Pero esa no es más que mi opinión.»

A ella le gustaría escupirle en los ojos, pero no lo hace.

Su madre no puede quedarse sola en la granja mientras ella y Lukas están ausentes, eso es incuestionable, de modo que ella se las arregla para que coloquen una segunda cama en su habitación del hotel. Es un inconveniente, significa el fin de su intimidad, pero no hay alternativa. Le cobran pensión completa por su madre, pese a que esta come como un pájaro.

Han entrado en la segunda semana de este nuevo régimen cuando un miembro del personal de limpieza encuentra a su madre desplomada en un sofá del desierto vestíbulo del hotel, inconsciente y con la cara azulada. La llevan apresuradamente al hospital del distrito y la reaniman. El médico de guardia sacude la cabeza. Dice que tiene el pulso muy débil, que necesita unos cuidados más urgentes y por parte de unos profesionales más expertos que los disponibles en Calvinia. Upington es una opción, allí hay un buen hospital, pero sería preferible que fuese a Ciudad del Cabo.

Una hora después, ella, Margot, ha cerrado su despacho y está camino de Ciudad del Cabo, sentada en el atestado interior de la ambulancia, sosteniendo la mano de su madre. Les acompaña una joven enfermera de color llamada Aletta, cuyo terso y almidonado uniforme, así como su alegre eficiencia, pronto la tranquilizan.

Resulta que Aletta nació no lejos de aquí, en Wuppertal, en el Cederberg, donde siguen viviendo sus padres. Ha hecho el viaje a Ciudad del Cabo más veces de las que puede recordar. Les cuenta que la semana anterior tuvieron que trasladar urgentemente a un enfermo desde Loeriesfontein a Groote Schuur junto con tres dedos en una nevera portátil llena de hielo, dedos que había perdido a causa de un accidente con una sierra de cinta.

—Su madre se pondrá bien —le dice Aletta—. Groote Schuur… es lo mejor que hay.

Se detienen en Clanwilliam para repostar. El conductor de la ambulancia, que es incluso más joven que Aletta, se ha traído un termo de café. Le ofrece a Margot una taza, pero ella la rechaza.

—Estoy tratando de tomar menos café —miente—, me impide dormir.

Le habría gustado pagarles a los dos una taza de café en la cafetería, le habría gustado sentarse con ellos de una manera normal y amistosa, pero, naturalmente, una no puede hacer eso sin causar escándalo. «Oh, Señor —reza para sus adentros—, haz que llegue pronto el tiempo en que todo este sinsentido del apartheid se entierre y olvide.»

Vuelven a ocupar sus lugares en la ambulancia. Su madre duerme. Su color ha mejorado y respira acompasadamente bajo la mascarilla de oxígeno.

—Debo decirte que aprecio muchísimo lo que Johannes y tú estáis haciendo por nosotras —le dice a Aletta.

Esta le sonríe de la manera más amigable, sin el menor rastro de ironía.

Margot confía en que sus palabras se entiendan en el sentido más amplio, con todo el significado que, para su vergüenza, no puede expresar: «Debo decirte lo agradecida que estoy por lo que tú y tu colega estáis haciendo por una anciana blanca y su hija, dos desconocidas que jamás han hecho nada por vosotros sino que, por el contrario, un día tras otro han colaborado en vuestra humillación en la tierra donde nacisteis. Estoy agradecida por la lección que me dais con vuestros actos, en los que solo veo amabilidad humana y, por encima de todo, esa encantadora sonrisa tuya».

Llegan a Ciudad del Cabo en plena hora punta de la tarde. Aunque su caso, en términos estrictos, no es una urgencia, de todos modos Johannes hace sonar la sirena mientras se abre audazmente paso entre el denso tráfico. Una vez en el hospital, ella sigue la camilla de su madre que empujan hacia la sección de urgencias. Cuando regresa para dar las gracias a Aletta y Johannes, estos ya se han ido, han enfilado la larga carretera de regreso al Northern Cape.

«¡Cuando vuelva!», se promete a sí misma, con lo que quiere decir «¡Cuando vuelva a Calvinia no dejaré de agradecérselo personalmente!», pero también: «Cuando vuelva seré una persona mejor, ¡lo juro!». También piensa: «¿Quién era el hombre de Loeriesfontein que perdió los tres dedos? ¿Solo a nosotros, los blancos, nos llevan rápidamente en ambulancia al hospital (¡el mejor que hay!), donde unos cirujanos bien preparados nos coserán los dedos en su sitio o nos pondrán un nuevo corazón, según el caso, y sin coste alguno? ¡Que no sea así, oh, Señor, que no sea así!».

Cuando vuelve a verla, su madre está en una habitación individual, despierta, tendida en una cama blanca y limpia, vestida con la camisa de dormir que ella, Margot, ha tenido el buen juicio de traerle. Ha perdido el color hético, incluso es capaz de quitarse la mascarilla y musitar unas palabras:

—¡Cuánto jaleo por mí!

Se lleva a los labios la mano delicada, incluso bastante infantil, de su madre.

—Tonterías —replica—. Ahora debes descansar, mamá. Estaré aquí si me necesitas.

Se propone pasar la noche al lado de su madre, pero el médico la disuade. Le dice que su madre no corre peligro, que las enfermeras la tienen perfectamente controlada, van a darle un somnífero y dormirá hasta el día siguiente. Ella, Margot, la abnegada hija, ya ha pasado un trago lo bastante amargo, y lo mejor que puede hacer es acostarse y descansar. ¿Dispone de algún lugar donde alojarse?

Ella responde que tiene un primo en Ciudad del Cabo, pero que no pude alojarse en su casa.

El médico es mayor que ella, tiene la barba crecida, los ojos oscuros y de párpados caídos. Le han dicho cómo se llama, pero no ha retenido el nombre. Puede que sea judío, pero también podría ser muchas otras cosas. Huele a tabaco. Del bolsillo de la pechera sobresale un paquete de tabaco azul. ¿Le cree ella cuando le dice que su madre no corre peligro? Sí, le cree, pero siempre tiende a confiar en los médicos, a creerse lo que dicen cuando sabe que solo están haciendo conjeturas. En consecuencia, desconfía de su confianza.

—¿Está usted absolutamente seguro de que no corre ningún peligro, doctor? —le pregunta.

Él hace un gesto afirmativo con expresión fatigada. ¡Absolutamente, nada menos! ¿Qué es *absoluto* en los asuntos humanos?

—Para poder cuidar de su madre, debe cuidar de sí misma —le dice.

Ella nota que las lágrimas se agolpan en sus ojos, nota también que le embarga la autocompasión. «¡Cuidar de las dos!», desea exclamar en tono de súplica. Le gustaría que este desconocido la rodeara con sus brazos y la consolara.

—Gracias, doctor —replica.

Lukas está en algún punto de la carretera, en el Cabo Septentrional, y es imposible contactar con él. Ella telefonea a su primo John desde una cabina pública.

—Vendré a buscarte enseguida –le dice John–. Quédate con nosotros todo el tiempo que quieras.

Han pasado años desde la última vez que ella estuvo en Ciudad del Cabo. No ha estado nunca en Tokai, el barrio residencial donde viven él y su padre. La casa se alza detrás de una alta valla de madera que emite un fuerte olor a humedad y aceite de motor. La noche es oscura, el camino desde la cancela no está iluminado; él la toma del brazo para guiarla.

—Te advierto que todo está un poco patas arriba –le dice él.

Su tío la espera en la entrada. La saluda con una expresión de ansiedad en el semblante. Muestra la agitación característica de los Coetzee: habla con rapidez, se pasa los dedos por el cabello.

—Mamá está bien –le tranquiliza ella–. No ha sido más que un episodio.

Pero él prefiere no tranquilizarse. Su estado de ánimo es propicio al dramatismo.

John le muestra el lugar. La casa es pequeña, está mal iluminada y ventilada, huele a papel de periódico mojado y beicon frito. Si ella estuviese al frente, quitaría las deprimentes cortinas y las sustituiría por algo más ligero y luminoso. Pero, naturalmente, en este mundo de hombres ella no está al frente.

Él le muestra la habitación que será la suya. A ella se le cae el alma a los pies. La moqueta tiene numerosas manchas que parecen de aceite. Una cama individual está colocada contra la pared, con un escritorio a su lado sobre el que hay libros y papeles amontonados sin orden ni concierto. Del techo pende la misma clase de lámpara de neón que tenían en el despacho del hotel antes de que ella la hiciera cambiar.

Aquí todo parece tener la misma tonalidad: un marrón que por un lado tiende al amarillo apagado y por el otro al gris sucio. Ella duda mucho de que la casa se haya limpiado, lo que se dice limpiado, en años.

John le explica que normalmente duerme aquí. Ha cambiado las sábanas de la cama. Vaciará dos cajones para que ella los utilice. En el otro lado del pasillo está el cuarto de baño.

Ella lo explora. El baño está mugriento, el lavabo manchado y huele a orina rancia.

Desde que partió de Calvinia no ha comido más que una tableta de chocolate. Está hambrienta. John le ofrece lo que él llama una torrija, pan blanco embadurnado con huevo y frito, y ella se come tres rebanadas. También le da un té con leche que resulta estar agria (la toma de todos modos).

Su tío entra furtivamente en la cocina, vestido con pantalones y la parte superior del pijama.

—Buenas noches, Margie —le dice—. Que duermas bien. No dejes que te piquen las pulgas.

No da a su hijo las buenas noches. Es evidente que, en presencia de John, titubea. ¿Se habrán peleado?

—Estoy inquieta —le dice ella a John—. ¿Vamos a dar un paseo? Me he pasado el día encerrada en una ambulancia.

Él la lleva a pasear por las calles bien iluminadas del barrio residencial de Tokai. Todas las casas ante las que pasan son más grandes y mejores que la suya.

—Hasta no hace mucho, aquí había tierras de cultivo —le explica—. Hasta que las subdividieron y vendieron en parcelas. Nuestra casa era la vivienda de un agricultor. Por eso su construcción es tan tosca. El agua se filtra por todas partes, el techo, las paredes. Me paso todo el tiempo libre haciendo reparaciones.

—Sí, empiezo a ver el atractivo de Merweville. Por lo menos allí no llueve. Pero ¿por qué no compras una casa mejor aquí, en El Cabo? Escribe un libro. Escribe un best seller. Gana un montón de dinero.

Es solo una broma, pero él se lo toma en serio.

—No sabría escribir un best seller —le dice—. No sé lo suficiente sobre la gente y sus fantasías. En cualquier caso, no ha sido ese mi destino.

—¿Qué destino?

—El destino de ser un escritor rico y con éxito.

—Entonces, ¿cuál ha sido tu destino?

—Exactamente mi situación actual. Vivir con un padre mayor en una casa de un barrio residencial que tiene goteras en el tejado.

—Eso es cháchara tonta, una manera de hablar *slap*. Está hablando el Coetzee que hay dentro de ti. Podrías cambiar tu destino mañana mismo si te lo propusieras.

A los perros del barrio no les hacen ninguna gracia los desconocidos que deambulan de noche por sus calles, discutiendo. El coro de ladridos es cada vez más clamoroso.

—Ojalá pudieras oírte, John —insiste ella—. ¡La de tonterías que dices! Si no te corriges, vas a convertirte en un amargado que solo quiere que le dejen a solas en su rincón. Volvamos a casa. He de levantarme temprano.

Duerme mal en el duro e incómodo colchón. Está en pie antes de que amanezca, y prepara café y tostadas para los tres. A las siete de la mañana parten hacia el Hospital Groote Schuur, apretujados en la cabina de la Datsun.

Ella deja a Jack y su hijo en la sala de espera, pero luego no puede localizar a su madre. En el puesto de enfermeras le informan de que su madre ha sufrido un episodio durante la noche y vuelve a estar en la unidad de cuidados intensivos. Margot debe volver a la sala de espera, donde un médico hablará con ella.

Se reúne con Jack y John. La sala de espera ya se está llenando. Una mujer, una desconocida, está sentada en una butaca frente a ellos. Sobre la cabeza, cubriéndole un ojo, se ha anudado un jersey manchado de sangre seca. Lleva una falda muy corta y sandalias de goma; huele a ropa blanca mohosa y vino dulce. Gime quedamente.

Margot se esfuerza al máximo por no mirarla, pero la mujer tiene ganas de pelea.

—*Waarna loer jy?* —le pregunta, furibunda: ¿Qué estás mirando?—. *Jou moer!*

Ella baja los ojos y guarda silencio.

Si su madre sobrevive, cumplirá sesenta y ocho el mes próximo. Sesenta y ocho intachables años, intachables y satisfechos.

Una buena mujer, en general: una buena madre, una buena esposa, de la variedad aturullada e inquieta. La clase de mujer que a los hombres les resulta fácil amar debido a la palpable evidencia de que necesita protección. ¡Y ahora metida en este agujero infernal! *Jou moer!*, una obscenidad. Tiene que llevarse a su madre de aquí lo antes posible, trasladarla a un hospital privado, no importa lo que cueste.

«Mi pajarillo», la llamaba su padre: «my tortelduifie», mi tortolita. La clase de avecilla que prefiere no abandonar su jaula. A medida que iba creciendo, Margot se sentía grande y desgarbada al lado de su madre. «¿Quién me querrá? —se había preguntado a sí misma—. ¿Quién me llamara palomita?»

Alguien le da unas leves palmadas en el hombro.

—¿Señora Jonker? —Otra joven enfermera—. Su madre está despierta. Pregunta por usted.

—Vamos —dice ella.

Jack y John la siguen.

Su madre está consciente y serena, tan serena que parece un tanto distante. Han sustituido la mascarilla de oxígeno por un tubo en la nariz. Sus ojos han perdido el color, se han vuelto guijarros de un gris mate.

Entra el médico, el mismo de antes, con los ojos bordeados por una tonalidad oscura. «Kiristany», dice la insignia en la bata. De guardia ayer por la tarde, todavía de guardia esta mañana.

El doctor Kiristany le informa de que su madre ha sufrido un episodio cardíaco, pero ahora se encuentra estabilizada. Está muy débil. Le estimulan eléctricamente el corazón.

—Quisiera trasladarla a un hospital privado —le dice—. Un sitio más tranquilo que aquí.

Él sacude la cabeza. Imposible, replica. No puede dar su consentimiento. Tal vez dentro de unos días, si se recupera.

Ella permanece rezagada. Jack se inclina sobre su hermana, murmurándole unas palabras que ella no puede oír. Su madre tiene los ojos abiertos, mueve los labios, parece replicar. Dos ancianos, dos inocentes, nacidos antaño, desplazados en el lugar ruidoso y enojado en que se ha convertido este país.

—¿John? —le dice ella—. ¿Quieres hablar con mamá?
Él sacude la cabeza.
—Ella no me reconocerá —responde.

[Silencio.]

¿Y qué más?

—Ese es el final.

¿El final? Pero ¿por qué detenerse ahí?

Parece un buen lugar. «Ella no me reconocerá»: una buena frase.

[Silencio.]

Bien, ¿cuál es su veredicto?

¿Mi veredicto? Sigo sin comprender: si se trata de un libro sobre John, ¿por qué pone tanto sobre mí? ¿Quién querrá leer acerca de mí... de mí, Lukas, mi madre, Carol y Klaus?

Usted tuvo un papel en la vida de su primo. Él tuvo uno en la suya. Sin duda eso está bastante claro. Lo que le pregunto es si puedo dejarlo tal como está.

No, tal como está no. Quiero leerlo de nuevo, como usted me ha prometido.

> *Entrevistas realizadas en Somerset West, Sudáfrica,*
> *en diciembre de 2007 y junio de 2008*

ADRIANA

Senhora Nascimento, usted es natural de Brasil, pero vivió durante varios años en Sudáfrica. ¿Cuál fue el motivo?

Fuimos a Sudáfrica desde Angola, mi marido, yo y nuestras dos hijas. En Angola mi marido trabajaba para un periódico y yo tenía un empleo en el Ballet Nacional, pero en 1973 el gobierno declaró el estado de excepción y cerró el periódico. También quisieron llamarle a filas, pues estaban citando a todos los hombres menores de cuarenta y cinco años, incluso los que no eran ciudadanos. No podíamos regresar a Brasil, porque aún era demasiado peligroso, y no veíamos ningún futuro para nosotros en Angola, por lo que nos fuimos, embarcamos hacia Sudáfrica. No éramos los primeros que lo hacían, ni seríamos los últimos.

¿Y por qué Ciudad del Cabo?

¿Por qué Ciudad del Cabo? Por ninguna razón especial, salvo que allí teníamos un pariente, un primo de mi marido propietario de una tienda de frutas y verduras. A nuestra llegada nos instaló en su casa, con su familia. Era difícil para todos, nueve personas en tres habitaciones, mientras esperábamos los papeles del permiso de residencia. Entonces mi marido se las arregló para encontrar un empleo de guardia de seguridad y pudimos mudarnos a un piso propio. Estaba en un lugar llamado Epping. Pocos meses después, justo antes del desastre que lo arruinó todo, nos mudamos de nuevo, a Wynberg, para estar más cerca de la escuela de las niñas.

¿A qué desastre se refiere?

Mi marido trabajaba en el turno de noche, vigilando un almacén cerca de los muelles. Era el único guardia. Hubo un atraco… una banda irrumpió en el almacén. Le atacaron e hirieron con un hacha. Tal vez fue un machete, pero lo más probable es que fuese un hacha. Le hundieron un lado de la cara. Todavía no puedo hablar de ello con facilidad. Un hacha. Golpear a un hombre en la cara con un hacha porque está haciendo su trabajo. No puedo entenderlo.

¿Qué le ocurrió a su marido?

Había sufrido lesiones cerebrales y murió. Tardó mucho, cerca de un año, pero murió. Fue terrible.

Lo siento.

Sí. Durante cierto tiempo la empresa en la que había trabajado siguió pagándome su sueldo. Después el dinero dejó de llegar. Dijeron que su responsabilidad había terminado, que ahora el responsable era el departamento de Bienestar Social. ¡Bienestar Social! Nunca nos dieron ni un centavo. Mi hija mayor tuvo que abandonar la escuela. Encontró un empleo de empaquetadora en un supermercado, que nos aportaba ciento veinte rands a la semana. También yo busqué trabajo, pero no pude encontrar un puesto en el mundo del ballet, mi estilo de ballet no les interesaba, por lo que tuve que dar clases en un estudio de danza. Danza latina, que en aquella época estaba de moda de Sudáfrica. Maria Regina siguió en la escuela. Aún le faltaba el resto de aquel curso y el siguiente antes de que pudiera matricularse en la universidad. Maria Regina, mi hija menor. Quería que se licenciara, que no tuviera que seguir los pasos de su hermana en el supermercado y se dedicara a colocar latas en las estanterías el resto de su vida. Ella era la inteligente. Le gustaban mucho los libros.

En Luanda mi marido y yo nos habíamos esforzado por hablar un poco de inglés durante la cena, y también un poco de francés, solo para recordar a las niñas que Angola no era el mundo entero, pero ellas no aprendían. En Ciudad del Cabo, el inglés era la asignatura en la que Maria Regina iba más floja, así que la inscribí para que tomara lecciones adicionales de inglés. En aquella época la escuela proporcionaba esas lecciones extra por las tardes a los niños como ella, recién llegados. Fue entonces cuando empecé a oír hablar del señor Coetzee, el hombre por quien usted me pregunta, que resultó no ser uno de los profesores habituales, no, en absoluto, sino que la escuela le contrataba para impartir lecciones extraescolares.

Este señor Coetzee me suena a afrikáner, le dije a Maria Regina. ¿No puede tu escuela recurrir a un profesor de inglés como es debido? Quiero que aprendas bien el inglés, que te lo enseñe una persona inglesa.

Nunca me gustaron los afrikáners. En Angola había muchos, que trabajaban en las minas o como mercenarios en el ejército. Trataban a los negros como si fuesen basura. Eso no me gustaba. En Sudáfrica mi marido aprendió algunas palabras de afrikaans (tenía que hacerlo, pues en la empresa de seguridad todos eran afrikáners), pero a mí ni siquiera me gustaba oír el idioma. Gracias a Dios que en la escuela no obligaban a las niñas a aprender el afrikaans, eso habría sido demasiado.

Maria Regina replicó que el señor Coetzee no era afrikáner, que llevaba barba y escribía poesía.

Los afrikáners también llevan barba, le dije, no hace falta ser barbudo para escribir poesía. Quiero ver personalmente a ese señor Coetzee, no me hace ninguna gracia. Dile que venga a casa. Dile que venga a tomar el té con nosotras y demuestre que es un profesor adecuado. ¿Qué clase de poesía escribe?

Maria Regina empezó a impacientarse. Estaba en una edad en que a los niños no les gusta que interfieras en su vida escolar. Pero le dije que, mientras tuviera que pagar por las lecciones extra, interferiría tanto como quisiera. ¿Qué clase de poesía escribe ese hombre?

No lo sé, respondió ella. Nos hace recitar poesía. Nos la hace aprender de memoria.

¿Qué es lo que os hace aprender de memoria?, le pregunté. Dímelo.

Keats, replicó.

¿Quién es Keats? (Nunca había oído hablar de Keats, no conocía a ninguno de esos escritores ingleses antiguos, cuando yo iba a la escuela no los estudiábamos.)

Una somnolienta languidez embarga mis sentidos, recitó Maria Regina, como si hubiera tomado cicuta. La cicuta es un veneno. Te ataca el sistema nervioso.

¿Es esto lo que el señor Coetzee te hace aprender?, le pregunté.

Está en el libro, respondió ella. Es uno de los poemas que debemos aprender para el examen.

Mis hijas siempre se quejaban de que era demasiado estricta con ellas, pero yo jamás cedía. Solo vigilándolas como un halcón podría evitar que sufrieran tropiezos en aquel extraño país donde no se sentían a sus anchas, en un continente al que nunca deberíamos haber ido. Joana era más fácil, Joana era la buena chica, la tranquila. Maria Regina era más atolondrada, estaba más dispuesta a plantarme cara. Debía tener a Maria Regina estrictamente controlada, Maria, con su poesía y sus sueños románticos.

Tenía que plantear el asunto de la invitación, encontrar la manera correcta de redactar una invitación al profesor de tu hija para que visite la casa de sus padres y tome el té. Hablé con el primo de Mario, pero él no supo ayudarme, así que, al final, tuve que pedirle a la recepcionista del estudio de danza que me escribiera la carta. «Querido señor Coetzee —escribió—. Soy la madre de Maria Regina Nascimento, que estudia en su clase de inglés. Está usted invitado a tomar el té en nuestra residencia —le di la dirección— tal día a tal hora. Me encargaré del transporte desde la escuela. Se ruega contestación. Adriana Teixeira Nascimento.»

Por transporte me refería a Manuel, el hijo mayor del primo de Mario, que por las tardes, tras haber hecho el reparto, traía a Maria Regina a casa en su furgoneta. Le resultaría fácil recoger también al profesor.

Mario era su marido.

Mario. Mi marido, que murió.

Siga, por favor. Solo quería asegurarme.

El señor Coetzee era la primera persona que invitábamos a nuestro piso, la primera aparte de la familia de Mario. Era solo un profesor (en Luanda conocimos a muchos profesores, y antes de Luanda en São Paulo, y no los tenía en especial estima), mas para Maria Regina e incluso para Joana los profesores eran dioses y diosas, y no veía ninguna razón para desilusionarlas. La víspera de su visita las chicas hornearon una tarta, la bañaron con fondant y hasta escribieron en ella (querían escribir «Bienvenido, señor Coetzee», pero les obligué a poner «Saint Bonaventure 1974»). También hornearon varias bandejas de las galletitas que en Brasil llamamos «brevedades».

Maria Regina estaba muy emocionada. «¡Ven temprano a casa, por favor, por favor! —le oí que instaba a su hermana—. ¡Dile a tu supervisor que te encuentras mal!» Pero Joana no estaba dispuesta a hacer eso. Dijo que no era tan fácil tomarse tiempo libre, y que si no completas el turno te reducen la paga.

Así pues, Manuel trajo a nuestro piso al señor Coetzee, y vi de inmediato que no era ningún dios. Le calculé unos treinta y tantos años, e iba mal vestido, con el pelo mal cortado y barba, cuando no debería haberla llevado, porque su barba era demasiado rala. También percibí enseguida, sin que pueda decir por qué razón, que era *célibataire*. Quiero decir que no solo no estaba casado sino que no era adecuado para el matrimonio, como un hombre que, al pasarse la vida entera en el sacerdocio, ha perdido su virilidad y se ha vuelto incompetente con las mujeres. Tampoco se comportaba de una manera correcta (me estoy refiriendo a mis primeras impresiones). Parecía fuera de lugar, deseoso de marcharse cuanto antes. No había aprendido a ocultar sus sentimientos, que es el primer paso hacia los modales civilizados.

–¿Desde cuándo se dedica a la enseñanza, señor Coetzee? –le pregunté.

Él se encorvó en su asiento y dijo algo que no recuerdo sobre Norteamérica, que había dado clases allí. Luego, tras algunas preguntas más, resultó que, antes de hacerlo en la de mi hija, nunca había enseñado en una escuela y, lo que era todavía peor, ni siquiera tenía una titulación de profesor. Como es lógico, me mostré sorprendida.

–Si no está diplomado, ¿cómo es posible que sea el profesor de Maria Regina? –le pregunté–. No lo entiendo.

La respuesta que, una vez más, tardé largo rato en obtener, fue que, para asignaturas como la música, el ballet y las lenguas extranjeras, a las escuelas se les permitía contratar a personas no cualificadas, o que por lo menos carecían de títulos que acreditaran su competencia. A estas personas no les pagaban como a los profesores titulares, sino que les pagaban con el dinero que la escuela cobraba a los padres como yo.

–Pero usted no es inglés –objeté.

Esta vez no era una pregunta, sino una acusación. Allí estaba él, contratado para enseñar la lengua inglesa, pagado con mi dinero y el de Joana, y, sin embargo, no era profesor y, además, era afrikáner, no inglés.

–En efecto, no soy de origen inglés –replicó él–, pero he hablado el inglés desde mi infancia, he aprobado los exámenes universitarios en lengua y literatura inglesas y, por lo tanto, creo que estoy en condiciones de enseñar la lengua. El inglés no tiene nada de especial. No es más que una lengua entre muchas.

Eso es lo que dijo. El inglés no es más que una lengua entre muchas.

—Mi hija no va a ser como un loro que mezcla los idiomas, señor Coetzee —le dije—. Quiero que hable el inglés como es debido y con un correcto acento inglés.

Por suerte para él, en aquel momento Joana llegó a casa. Por entonces ya tenía veinte años, pero aún era tímida en presencia de un hombre. Comparada con su hermana, no era una belleza… mire, aquí tiene una foto de ella con su marido y sus hijos pequeños, tomada poco tiempo después de que regresáramos a Brasil, como puede ver, no es una belleza, toda la belleza la acaparó su hermana, pero era una buena chica y siempre supe que sería una buena esposa.

Joana entró en la sala todavía con el impermeable puesto (recuerdo aquel largo impermeable suyo).

—Mi hermana —dijo Maria Regina, como si explicara quién era la recién llegada en vez de presentarla.

Joana no dijo nada, su expresión de timidez no varió, y en cuanto al profesor, el señor Coetzee, casi derribó la mesita baja al tratar de levantarse.

«¿Por qué Maria Regina está loca por este bobo? ¿Qué le ve?» Eso era lo que me preguntaba. Era bastante fácil conjeturar lo que un *célibataire* solitario podría ver en mi hija, que se estaba volviendo una auténtica belleza de ojos oscuros aunque aún fuese solo una niña, pero ¿qué hacía que ella aprendiese poemas de memoria para aquel hombre, algo que jamás había hecho para los demás profesores? ¿Acaso le había susurrado unas palabras que la habían trastornado? ¿Era esa la explicación? ¿Había algo entre los dos que ella me ocultaba?

Pensé que si aquel hombre se interesara por Joana las cosas serían diferentes. Puede que Joana no tenga cabeza para la poesía, pero por lo menos tiene los pies bien firmes en el suelo.

—Este año Joana está trabajando en Clicks —informé al visitante—. Para acumular experiencia. El año que viene seguirá un curso de administración de empresas, para llegar a encargada.

El señor Coetzee asintió con aire distraído. Joana no dijo nada.

—Quítate el impermeable, hija —le dije—, y toma una taza de té. —Normalmente no tomábamos té, sino café. La víspera Joana había traído té para nuestro invitado, Earl Grey se llamaba, muy inglés pero no muy bueno, y me pregunté qué haríamos con el resto del paquete—. El señor Coetzee es de la escuela —le repetí a Joana, como si esta no lo supiera—. Nos está diciendo que no es inglés pero que de todos modos enseña la lengua inglesa.

—Para ser exactos, no soy el profesor de inglés —intervino el señor Coetzee, dirigiéndose a Joana—. Soy el profesor adjunto de inglés. Eso significa que la escuela me ha contratado para que ayude a los alumnos que tienen dificultades con la lengua. Intento prepararlos para que aprueben los exámenes. Es decir, soy una especie de preparador para los exámenes. Esa sería una mejor descripción de lo que hago, un nombre más apropiado para mi cometido.

—¿Tenemos que hablar de la escuela? —terció Maria Regina—. Es muy aburrido.

Pero el tema que estábamos tratando no tenía nada de aburrido. Tal vez fuese penoso para el señor Coetzee, pero no aburrido.

—Prosiga —le dije, sin hacer caso a mi hija.

—No tengo intención de ser un preparador para los exámenes durante el resto de mi vida —siguió diciendo—. Es una ocupación temporal, una tarea para la que estoy cualificado y que hago para ganarme la vida. Pero no es mi vocación. No he venido al mundo para hacer eso.

«No he venido al mundo.» Cada vez me resultaba más extraño.

—Si lo desea, puedo explicarle mi filosofía de la enseñanza —añadió—. Es muy breve, breve y sencilla.

—Adelante —le dije—, oigamos su breve filosofía.

—Lo que llamo mi filosofía de la enseñanza es en realidad una filosofía del aprendizaje. Procede de Platón, modificada. Creo que, antes de que se produzca el verdadero aprendizaje, el estudiante debe tener cierto anhelo de la verdad, cierto fuego en su corazón. El auténtico estudiante arde por saber. Reconoce o percibe en el profesor a una persona que se ha acercado más que él o ella a la verdad. Desea hasta tal punto la verdad encarnada en el profesor que está dispuesto a quemar su yo anterior para alcanzarla. Por su parte, el profesor reconoce y alienta el fuego en el estudiante, y reacciona a él ardiendo con una luz más intensa. De este modo, juntos ascienden a una esfera superior, por así decirlo.

Se detuvo, sonriente. Ahora que había dicho lo que deseaba, parecía más relajado. «¡Qué hombre tan extraño y vano! —pensé—. ¡Quemarse! ¡Qué tonterías dice! ¡Y peligrosas, además! ¡De Platón! ¿Se está riendo de nosotras?» Pero observé que Maria Regina se inclinaba adelante y se lo comía con los ojos. Maria Regina no creía que estuviera bromeando. «¡Esto no es bueno!», me dije.

—Eso no me parece filosofía, señor Coetzee —le dije—. Me parece otra cosa, no le diré qué, puesto que es usted nuestro invitado. Anda, Maria, ve a buscar la tarta. Y tú, Joana, ayúdala, y quítate el impermeable. Anoche mis hijas hornearon una tarta para celebrar su visita.

En cuanto las chicas hubieron salido de la sala, fui al meollo del asunto, hablando en voz baja para que no me oyeran.

—Maria es aún una niña, señor Coetzee. Pago para que aprenda inglés y obtenga un diploma, no para que usted juegue con sus sentimientos. ¿Me comprende? —Las chicas regresaron con su tarta—. ¿Me comprende? —repetí.

—Aprendemos aquello que deseamos más profundamente —replicó él—. Maria quiere aprender... ¿No es cierto, Maria?

Maria, ruborizada, tomó asiento.

—Maria quiere aprender —repitió él— y está haciendo grandes progresos. Tiene sentido del lenguaje. Tal vez llegue a ser escritora. ¡Qué magnífica tarta!

—Es bueno que una chica sepa hacer tartas —comenté—, pero todavía es mejor que sepa hablar bien el inglés y obtener calificaciones altas en sus exámenes.

—Buena dicción, buenas notas —dijo él—. Comprendo sus deseos perfectamente.

Cuando se hubo ido, y una vez las chicas estuvieron acostadas, me senté y le escribí una carta en mi inglés titubeante. No pude evitar que estuviera mal escrita, pues no era la clase de carta que podía enseñar a mi amiga del estudio.

Distinguido señor Coetzee, le repito lo que le he dicho durante su visita. Usted ha sido contratado para enseñarle inglés a mi hija, no para jugar con sus sentimientos. Es una niña y usted un hombre. Si desea exponer sus sentimientos, hágalo fuera del aula. Sinceramente, ATN.

Eso es lo que le dije. Puede que no sea así como hablan ustedes en inglés, pero así es como lo hacemos en portugués, su traductor lo comprenderá. *Exponga sus sentimientos fuera del aula*: eso no era una invitación a que fuera tras de mí, era una advertencia de que no fuera tras de mi hija.

Puse la carta en un sobre, lo cerré, escribí la dirección, «Sr. Coetzee, Saint Bonaventure», y el lunes por la mañana la metí en la cartera de Maria Regina.

—Para el señor Coetzee —le dije—. Dásela en mano.

—¿De qué se trata? —quiso saber ella.

—Es una nota de una madre al profesor de su hija, y no tienes por qué saber lo que dice. Anda, vete ya, o perderás el autobús.

Cometí un error, por supuesto. No debería haberle dicho «No tienes por qué saber lo que dice». Maria Regina había rebasado la edad en la que, si tu madre te ordena algo, la obedeces. Había rebasado esa edad, pero yo aún no lo sabía. Estaba viviendo en el pasado.

—¿Le has dado la nota al señor Coetzee? —le pregunté cuando volvió a casa.

—Sí —se limitó a decir ella.

No pensé que debería haberle preguntado: «¿La has abierto en secreto y la has leído antes de entregársela?».

Al día siguiente, Maria Regina me sorprendió al traerme una nota de aquel profesor suyo, no una respuesta a la mía sino una invitación: ¿nos gustaría ir las tres de excursión con él y su padre? Al principio pensé en negarme.

–Piénsalo –le dije a Maria Regina–. ¿Quieres de veras que tus compañeros en la escuela tengan la impresión de que eres la preferida del profesor? ¿Quieres de veras que chismorreen a tus espaldas?

Pero mis palabras no le causaron el menor efecto, pues realmente quería ser la preferida del profesor. Me apremió y apremió para que aceptara, y Joana la apoyó, por lo que al final acepté.

Las dos chicas estaban animadísimas, el horno funcionó a toda máquina y Joana trajo también comida de la tienda, de modo que cuando el señor Coetzee vino a recogernos el domingo por la mañana, teníamos un cesto lleno de pastelillos, galletas y dulces, suficiente para alimentar a un ejército.

No vino a buscarnos en un coche, no tenía coche, no, se presentó en una pick-up, de esas con la caja abierta y que en Brasil llamamos *caminhonete*. Así pues, las chicas, que iban bien vestidas, tuvieron que sentarse en la caja abierta con la leña, mientras yo me sentaba delante con él y su padre.

Esa fue la única ocasión en que vi a su padre. Este ya era muy viejo, tambaleante y de manos temblorosas. Pensé que el temblor podía deberse a que estaba sentado junto a una desconocida, pero luego observé que las manos le temblaban continuamente. Cuando su hijo hizo las presentaciones, el anciano nos dijo «¿Cómo están ustedes?» de una manera muy amable y cortés, pero luego se calló. Durante todo el trayecto no dijo una sola palabra, ni a mí ni a su hijo. Un hombre muy reservado, muy humilde, o tal vez asustado por todo.

Nos dirigimos a las montañas (tuvimos que hacer un alto para que las chicas se pusieran el abrigo, porque se estaban enfriando), a un parque cuyo nombre no recuerdo, donde había pinos y espacios para que la gente comiera al aire libre, solo blancos, por supuesto, un bonito lugar, casi desierto porque era invierno. En cuanto elegimos un sitio para comer, el señor Coetzee se dedicó a descargar la pick-up y preparar la fogata. Yo esperaba que Maria Regina le ayudara, pero ella se escabulló, dijo que quería explorar. Eso no era una buena señal, porque si las relaciones hubieran sido *comme il faut* entre ellos, tan solo las de un profesor y su alumna, a ella no le habría azorado tanto ayudarle. Pero fue Joana la que se ofreció, Joana hacía esas cosas muy bien, era muy práctica y eficiente.

¡Así pues, me quedé con su padre, como si fuéramos los dos viejos, los abuelos! Como le he dicho, me costaba hablar con aquel hombre, que no entendía mi inglés y se mostraba tímido al lado de una mujer; o tal vez no entendía quién era yo.

Y entonces, incluso antes de que el fuego estuviera bien encendido, el cielo se llenó de nubes, oscureció y empezó a llover.

—No es más que un chaparrón, pasará enseguida —dijo el señor Coetzee—. ¿Por qué no subís las tres a la pick-up?

Las chicas y yo nos refugiamos en el vehículo, mientras que él y su padre se acurrucaban bajo un árbol, y esperamos a que escampara. Pero, naturalmente, eso no ocurrió, siguió lloviendo y poco a poco las chicas se desanimaron.

—¿Por qué tenía que llover precisamente hoy? —gimoteó Maria Regina, como una criatura.

—Porque estamos en invierno —respondí— y las personas inteligentes, las personas con los pies en el suelo, no salen de excursión en pleno invierno.

El fuego que el señor Coetzee y Joana habían encendido se apagó. Ahora toda la leña estaba mojada, por lo que no podríamos asar la carne.

—¿Por qué no les ofreces las galletas que has horneado? —le dije a Maria Regina. Porque jamás había visto una imagen más lastimosa que la de aquel par de holandeses, el padre y el hijo, sentados uno junto al otro bajo un árbol y tratando de fingir que no estaban empapados y ateridos de frío. Una imagen lastimosa, pero también divertida—. Ofréceles unas galletas y pregúntales qué vamos a hacer ahora. Pregúntales si les gustaría llevarnos a la playa para nadar un poco.

Dije esto para hacer sonreír a Maria Regina. Pero lo único que logré fue enfurruñarla más, así que al final Joana fue a su encuentro bajo la lluvia y regresó con el mensaje de que nos marcharíamos en cuanto dejara de llover, regresaríamos a su casa y tomaríamos el té.

—No —repliqué a Joana—. Vuelve y dile al señor Coetzee que no podemos ir a tomar el té, que debe llevarnos directamente a casa, mañana es lunes y Maria Regina tiene que hacer los deberes que ni siquiera ha comenzado.

Naturalmente, fue un día infausto para el señor Coetzee. Había confiado en causarme una buena impresión, tal vez incluso había querido mostrar orgullosamente a su padre a las tres damas brasileñas que eran amigas suyas, y lo que había obtenido en cambio era una pick-up llena de gente mojada que avanzaba bajo la lluvia. En cuanto a mí, me alegraba de que Maria Regina viese cómo era su héroe en la vida real, aquel poeta que ni siquiera podía encender una fogata.

De modo que esta es la historia de nuestra excursión a la montaña con el señor Coetzee. Cuando por fin estuvimos de regreso en Wynberg, le dije, delante de su padre, delante de las chicas, lo que había esperado decirle durante todo el día.

—Ha sido muy amable al invitarnos, señor Coetzee, muy caballeroso, pero tal vez no sea una buena idea que un profesor favorezca a una alumna de su clase por encima de todas las demás solo porque es bonita. No le estoy reprendiendo, tan solo le pido que reflexione.

Esas fueron las palabras que empleé: «solo porque es bonita». Maria Regina estaba furiosa conmigo por hablar así, pero eso no me importaba mientras quedase bien clara mi postura.

Aquella noche, cuando Maria Regina ya se había acostado, Joana entró en mi habitación.

—¿Por qué tienes que ser tan dura con Maria, *mamãe*? —me preguntó—. No está haciendo nada malo, de veras.

—¿Nada malo? —respondí—. ¿Qué sabes tú del mundo? ¿Qué sabes de lo que es malo? ¿Qué sabes de lo que harán los hombres?

—No es un mal hombre, *mamãe*. No puedes dejar de verlo.

—Es un hombre débil —repliqué—. Un hombre débil es peor que un mal hombre. Un hombre débil no sabe dónde detenerse. Un hombre débil está indefenso ante sus impulsos, te sigue a dondequiera que lo lleves.

—Todos somos débiles, *mamãe* —objetó Joana.

—No, te equivocas, yo no soy débil —le dije—. ¿Dónde estaríamos tú, Maria Regina y yo si me permitiera ser débil? Anda, vete a la cama. Y no repitas nada de esto a Maria Regina. Ni una sola palabra. No lo comprenderá.

Confié en que mi relación con el señor Coetzee terminara de ese modo, pero no fue así. Uno o dos días después, me llegó una carta suya, esta vez no a través de Maria Regina sino por correo, una carta formal, escrita a máquina, con la dirección en el sobre también mecanografiada. Me pedía disculpas por la excursión, que había sido un fracaso. Había esperado hablar conmigo en privado, pero no se había presentado la oportunidad. ¿Podría venir a verme? ¿Podría ir al piso o preferiría yo que nos viéramos en otra parte, tal vez que fuésemos a comer juntos? Quería hacer hincapié en que lo que le preocupaba no estaba relacionado con Maria Regina. Ella era una joven inteligente y de buen corazón, y darle clases era un privilegio para él. Podía estar segura de que nunca, jamás traicionaría la confianza que había depositado en él. Inteligente y también bella... esperaba que no me molestara si decía tal cosa, porque la belleza, la auténtica belleza, era más profunda que el aspecto exterior, era el alma que se revelaba a través de la carne, ¿y de dónde podía Maria Regina haber recibido su belleza si no era de mí?

[Silencio.]

¿Y qué más?

Eso era todo. Eso era lo sustancial. Si podía verme a solas.

Por supuesto, me pregunté de dónde habría sacado la idea de que quería reunirme con él, incluso de que quería recibir una carta suya. Porque yo nunca le había dicho una sola palabra que pudiera alentarle.

¿Qué hizo usted entonces? ¿Se reunió con él?

¿Qué hice? No hice nada y confié en que me dejaría en paz. Era una mujer de luto, aunque mi marido aún no había muerto, y no quería las atenciones de otros hombres, sobre todo de uno que era el profesor de mi hija.

¿Todavía conserva la carta?

No tengo ninguna de sus cartas. No las guardé. Cuando nos marchamos de Sudáfrica, hice una limpieza general del piso y tiré todas las cartas y facturas viejas.

Y no le respondió.

No.

No le respondió y no permitió que las relaciones se desarrollaran más… las relaciones entre usted y Coetzee.

¿Qué significa esto? ¿Por qué me hace esa clase de preguntas? ¿Viene usted desde Inglaterra para hablar conmigo, me dice que está escribiendo la biografía de un hombre que hace muchos años fue profesor de inglés de mi hija, y de repente se cree autorizado a interrogarme sobre mis «relaciones»? ¿Qué clase de biografía está escribiendo? ¿Es como los chismorreos de Hollywood, como los secretos de los ricos y famosos? Si me niego a hablar de lo que usted llama mis relaciones con ese hombre, ¿dirá que las mantengo en secreto? No, no tuve, por emplear la palabra que usted ha dicho, «relaciones» con el señor Coetzee. Le diré más. Para mí no era natural sentir algo por un hombre como él, un hombre que era tan blando. Sí, blando.

¿Insinúa acaso que era homosexual?

No insinúo nada. Pero carecía de una cualidad que una mujer busca en un hombre, una cualidad de fuerza, de virilidad. Mi marido la tenía. Siempre la tuvo, pero la temporada que pasó en la cárcel, aquí, en Brasil, bajo los militares, la hizo aflorar con más claridad, aunque no estuvo mucho tiempo encarcelado, solo seis meses. Decía que, después de aquellos seis meses, nada que unos seres humanos les hicieran a otros seres humanos le sorprendería. Coetzee no tuvo una experiencia similar que pusiera a prueba su virilidad y le enseñara acerca de la vida. Por eso digo que era blando. No era un hombre, era todavía un muchacho.

[Silencio.]

En cuanto a lo de homosexual, no digo que lo fuese, pero, como le he dicho, era *célibataire*, no conozco la equivalencia de esa palabra en inglés.

¿Un soltero típico? ¿Neutro? ¿Asexual?

No, no era neutro. Solitario. No estaba hecho para la vida conyugal. No estaba hecho para la compañía de las mujeres.

[Silencio.]

Sí, al no obtener respuesta, volvió a escribirme. Me escribió muchas veces. Tal vez pensaba que si escribía suficientes palabras estas acabarían por desgastar mi resistencia, como las olas del mar desgastan una roca. Metí sus cartas en un cajón del escritorio, algunas incluso sin leerlas. Pero pensé: «Entre las muchas cosas que le faltan a este hombre, las muchísimas cosas, una de ellas es alguien que le dé lecciones de amor». Porque si te has enamorado de una mujer, no te sientas y le escribes a máquina una carta tras otra, páginas y más páginas, y cada una con el final «sinceramente tuyo». No, le escribes una carta manuscrita, una carta de amor como es debido, y haces que le entreguen un ramo de rosas rojas. Pero entonces me dije que tal vez era así como se comportaban los holandeses protestantes cuando se enamoraban: con prudencia, prolijamente, sin fuego, sin gracia. Y sin duda su manera de hacer el amor también sería así, si llegaba a tener ocasión de hacerlo.

Guardé sus cartas y no les dije nada de ellas a las chicas. Eso fue un error. Podría haberle dicho a Maria Regina: «Ese señor Coetzee tuyo me ha enviado una nota de disculpa por lo del domingo. Dice que está satisfecho por tus progresos en inglés». Pero guardé silencio, lo cual finalmente ocasionó muchos problemas. Creo que todavía hoy Maria Regina no ha olvidado ni perdonado.

¿Comprende usted estas cosas, señor Vincent? ¿Está casado? ¿Tiene hijos?

Sí, estoy casado. Tenemos un hijo, un chico. El mes que viene cumplirá cuatro años.

Los chicos son diferentes. No sé nada de los chicos. Pero le diré una cosa, *entre nous*, que no debe repetir en su libro. Quiero a mis dos hijas, pero mi cariño por Maria era distinto al que sentía por Joana. La quería, pero era muy crítica con ella a medida que se hacía mayor. En cambio, nunca fui crítica con Joana, que siempre fue muy sencilla, muy sincera. Pero Maria era un encanto. Podía… ¿cómo lo dicen ustedes?… podía hacer bailar a un hombre en la palma de su mano. Si la hubiera conocido, sabría lo que quiero decir.

¿Qué ha sido de ella?

Se ha casado por segunda vez. Vive en Norteamérica, en Chicago, con su marido americano, que es abogado y trabaja en un bufete. Creo que es feliz con él y que ha hecho las paces con el mundo. Antes de su nuevo matrimonio tuvo problemas personales en los que no voy a entrar.

¿Tiene una foto de ella que tal vez podría incluir en el libro?

No lo sé. Lo miraré, ya veremos. Pero se está haciendo tarde. Su colega debe de estar exhausto. Sí, sé como es eso, porque soy traductora. Visto desde fuera parece fácil, pero la verdad es que has de prestar atención constantemente, no puedes relajarte, y el cerebro se fatiga. Así que vamos a dejarlo aquí. Apague el aparato.

¿Podemos hablar de nuevo mañana?

Mañana no me es posible. Digamos el miércoles. La historia de mi relación con el señor Coetzee no es larga. Siento haberle decepcionado. Ha viajado desde tan lejos y ahora descubre que no hubo una fantástica aventura amorosa con una bailarina, sino tan solo un breve enamoramiento, unilateral, que nunca llegó a nada. Venga el miércoles a la misma hora. Tomaremos el té.

La vez anterior me preguntó si tenía fotos. Las he buscado, pero, como había pensado que ocurriría, no hay una sola de aquellos años en Ciudad del Cabo. Sin embargo, permítame que le muestre esta. El lugar es el aeropuerto, el día de nuestro regreso a São Paulo, y la tomó mi hermana, que había ido a recibirnos. Mire, aquí estamos las tres. Esta es Maria Regina. Era en 1977, ella tenía dieciocho años, iba a cumplir diecinueve. Como puede ver, una chica muy guapa con buena figura. Esta es Joana y esta soy yo.

Sus hijas son muy altas. ¿Era alto el padre?

Sí, Mario era un hombretón. Las chicas no son tan altas, solo lo parecen cuando están a mi lado.

Gracias por mostrarme esta foto. ¿Podría llevármela para hacer una copia?

¿Para su libro? No, eso no puedo permitirlo. Si quiere que Maria Regina aparezca en su libro, debe pedírselo usted mismo, yo no puedo hablar por ella.

Me gustaría incluir una foto de las tres juntas.

No. Si quiere fotos de las chicas, debe pedírselo a ellas. En cuanto a mí, no, he decidido que no. La gente lo interpretaría mal. Supondrían que fui una de las mujeres de su vida, y jamás lo fui.

Sin embargo, fue importante para él. Estaba enamorado de usted.

Eso es lo que usted dice. Pero la verdad es que, si estaba enamorado, no era de mí, sino de alguna fantasía creada por su cerebro y a la que había puesto mi nombre. ¿Cree que debería sentirme halagada porque quiere que aparezca en su libro como la amante de Coetzee? Se equivoca. Para mí ese hombre no era un escritor famoso, no era más que un profesor y, además, un profesor sin título. Así que no. Nada de fotos. ¿Qué más? ¿Qué más quiere que le cuente?

El otro día me estaba hablando de las cartas que le escribió. Ya sé, me dijo que no siempre las leía; de todos modos, ¿no recuerda algo más de lo que le decía en ellas?

En una carta me habla de Franz Schubert… ya sabe, Schubert, el músico. Me decía que escuchar a Schubert le había enseñado uno de los secretos del amor: cómo sublimamos el amor a la manera en que los químicos del pasado sublimaban sustancias innobles. Recuerdo esa carta porque contenía la palabra «sublimar». Sublimar sustancias innobles: no tenía sentido para mí. Busqué el término «sublimar» en el diccionario de inglés que les había comprado a las chicas. Sublimar: calentar algo y extraer su esencia. En portugués tenemos la misma palabra, «sublimar», aunque no es corriente. Pero ¿qué significaba aquello? ¿Que se sentaba con los ojos cerrados y escuchaba la música de Schubert mientras mentalmente calentaba su amor por mí, su *sustancia innoble*, para convertirla en algo más elevado, más espiritual? Era una tontería, peor que una tontería. Eso no me hacía amarle, al contrario, me distanciaba de él.

Decía que Schubert le había enseñado a sublimar el amor. Hasta que me conoció no había entendido el motivo de que a los movimientos musicales se les llame movimientos. «Movimiento en la inmovilidad, inmovilidad en el movimiento.» Esa fue otra frase que me dejó perpleja. ¿Qué quería decir, y por qué me escribía tales cosas?

Tiene usted buena memoria.

Sí, no tengo ningún problema con la memoria. Mi cuerpo es otra historia. Sufro artritis de las caderas, por eso uso un bastón. Lo llaman la maldición de la bailarina. Y el dolor... ¡no se creería lo que llega a doler! Pero recuerdo muy bien Sudáfrica. Recuerdo el piso que teníamos en Wynberg, al que acudió el señor Coetzee a tomar el té. Recuerdo la montaña, Table Mountain. El piso estaba al pie de la montaña, así que no nos llegaba el sol por la tarde. Detestaba Wynberg. Lo detesté todo el tiempo que pasé allí, primero cuando mi marido estaba en el hospital y luego después de que muriese. Era muy solitario para mí, no puedo decirle hasta qué punto era solitario. Peor que Luanda, debido a la soledad. Si su señor Coetzee nos hubiera ofrecido su amistad, no habría sido tan dura con él, tan fría. Pero no me interesaba el amor, aún estaba demasiado unida a mi marido, aún le lloraba. Y aquel señor Coetzee no era más que un muchacho. Yo era una mujer y él un jovencito. Era un muchacho a la manera en que un sacerdote siempre es un muchacho hasta que un día, de repente, se convierte en un viejo. ¡La sublimación del amor! Tal vez yo podría haberle enseñado, pero él no me interesaba. Lo único que quería era que no le pusiera las manos encima a Maria Regina.

Dice usted que si le hubiera ofrecido su amistad habría sido diferente.
¿En qué clase de amistad pensaba?

¿Qué clase de amistad? Durante mucho tiempo después de que se produjera el desastre, el desastre del que le hablé, tuve que librar una lucha con la burocracia, primero por la indemnización y luego por los papeles de Joana… Esta nació antes de que nos casáramos, de modo que legalmente no era la hija de mi marido, ni siquiera era su hijastra, no voy a aburrirle con los detalles. Ya sé que en todos los países la burocracia es un laberinto, no estoy diciendo que Sudáfrica sea el peor del mundo, pero me pasaba días enteros haciendo cola para que me sellaran un papel… un sello para esto, un sello para aquello… y siempre, *siempre* era la oficina errónea o el departamento erróneo o la línea errónea.

Si hubiéramos sido portuguesas habría sido diferente. En aquel entonces muchos portugueses llegaban a Sudáfrica, procedentes de Mozambique, Angola e incluso Madeira, y había organizaciones que les ayudaban. Pero nosotras éramos de Brasil, y no existían regulaciones para los brasileños, no había precedentes, para los burócratas era como si hubiéramos llegado a su país desde Marte.

Y estaba el problema de mi marido. No puede firmar esto, tiene que venir su marido. Mi marido no puede venir, está en el hospital. Entonces llévele el documento al hospital, que lo firme y nos lo trae de nuevo. Mi marido no puede firmar nada, está en Stikland, ¿no conocen Stikland? Pues que ponga una marca, replicaban. No puede poner una marca, a veces ni siquiera puede respirar, decía yo. Entonces no podemos ayudarla, me decían. Vaya a tal oficina y cuénteles su caso… tal vez puedan ayudarla allí.

Y todas estas súplicas y peticiones tenía que hacerlas sola, sin ayuda, con mi mal inglés que había aprendido en la escuela, en los libros de texto. En Brasil habría sido fácil, en Brasil tenemos esas personas a las que llamamos *despachantes*, gestores, que se ocupan de los trámites: tienen contactos con las oficinas del gobierno, saben cómo dirigir tus papeles a través del laberinto, les pagas una tarifa y te resuelven el asunto desagradable en un santiamén. Eso era lo que yo necesitaba en Ciudad del Cabo: un *despachante*, alguien que me facilitara las cosas. El señor Coetzee podría haberse ofrecido para realizar esa tarea, para ocuparse de mis gestiones y proteger a mis hijas. Entonces, aunque solo fuese por un minuto, por un día, se me permitiría ser débil, una mujer corriente y débil. Pero no, no me atrevía a relajarme, pues ¿qué habría sido de nosotras, mis hijas y yo?

A veces caminaba cansinamente por las calles de aquella fea y ventosa ciudad, de una oficina del gobierno a otra, emitiendo unos gemidos tan bajos que los transeúntes a mi alrededor no los oían. Estaba acongojada. Era como un animal acosado.

Permítame que le hable de mi pobre marido. Después del ataque, cuando abrieron el almacén por la mañana y lo encontraron tendido en el charco de su sangre, dieron por seguro que estaba muerto. Querían llevarlo directamente al depósito de cadáveres. Pero no estaba muerto. Era un hombre fuerte, luchó contra la muerte y la mantuvo a raya. En el hospital de la ciudad, he olvidado su nombre, el famoso, le hicieron una operación de cerebro tras otra. Entonces lo trasladaron desde ahí al hospital que he mencionado, el que llaman Stikland, que estaba en las afueras de la ciudad, a una hora de tren. El domingo era el único día que se nos permitía visitar a mi marido. Esa es otra cosa que recuerdo como si fuese ayer: esos tristes viajes de ida y vuelta.

Mi marido no presentaba ninguna mejora, ningún cambio. Una semana tras otra entrábamos en la sala donde estaba y lo veíamos tendido exactamente en la misma posición que antes, con los ojos cerrados y los brazos a los lados. Le afeitaban la cabeza, y se le veían las marcas de suturas en el cuero cabelludo. Además, durante largo tiempo tuvo la cara cubierta por una máscara de alambre, pues le habían hecho un injerto de piel.

Durante toda su estancia en Stikland mi marido nunca abrió los ojos, nunca me vio ni me oyó. Estaba vivo, respiraba, pero se hallaba sumido en un coma tan profundo que era como si estuviese muerto. Puede que formalmente no fuese todavía viuda, pero, por lo que a mí respectaba, ya estaba de luto, por él y por nosotras, desamparadas e indefensas en aquella tierra cruel.

Pedí que lo llevaran al piso de Wynberg, para que pudiera cuidar de él, pero se negaron. Me dijeron que aún no habían perdido las esperanzas. Confiaban en que las corrientes que hacían pasar por su cerebro surtieran efecto de improviso.

Así que aquellos médicos lo retuvieron en Stikland, para someterlo a sus ocurrencias. Por lo demás, aquel forastero, un hombre de Marte que debería haber muerto pero seguía vivo, no les importaba nada.

Me prometí que, cuando terminaran de aplicarle las corrientes eléctricas, me lo llevaría a casa. Entonces podría morir como es debido, si eso era lo que quería. Porque, aunque él estaba inconsciente, yo sabía en lo más profundo de mi ser que experimentaba la humillación de lo que le estaba ocurriendo. Y si podía morir como es debido, en paz, también nosotras, yo y mis hijas, nos sentiríamos liberadas. Entonces podríamos escupir en aquella atroz tierra de Sudáfrica y marcharnos. Pero ellos no permitieron que saliera de allí, hasta el final.

Un domingo tras otro me sentaba al lado de su cama. «Nunca más una mujer mirará con amor este rostro mutilado —me decía—, dejad que por lo menos yo lo mire sin vacilación.»

Recuerdo que en la cama vecina (había doce camas como mínimo en una sala donde no debería haber más de seis), yacía un anciano tan delgado, tan cadavérico que los huesos de las muñecas y la punta de la nariz parecían a punto de atravesarle la piel. Aunque nadie le visitaba, siempre estaba despierto cuando yo llegaba. Volvía hacia mí sus ojos azules y húmedos. «Ayúdeme, por favor —parecía decir—. ¡Ayúdeme a morir!» Pero yo no podía ayudarle.

Gracias a Dios, Maria Regina nunca fue allí. Un hospital psiquiátrico no es lugar para los niños. El primer domingo le pedí a Joana que me acompañara y me ayudase a orientarme, porque no estaba familiarizada con la red de trenes. Incluso

Joana salió de allí trastornada, no solo por el espectáculo de su padre sino también por las cosas que había visto en aquel hospital, unas cosas que ninguna chica debería presenciar.

¿Por qué ha de estar aquí?, le pregunté al médico, el que me había hablado de la posibilidad de que sus manejos surtieran efecto. No está loco... ¿por qué ha de permanecer entre locos? Porque tenemos las instalaciones apropiadas para tratar esta clase de caso, respondió el médico. Tenemos el equipo. Debería haberle preguntado a qué equipo se refería, pero estaba demasiado irritada. Más adelante lo descubrí. Se refería a un equipo, sí, un equipo que provocaba convulsiones a mi marido, con la esperanza de que eso *surtiera efecto* y lo devolviera a la vida.

Le juro que, si me hubiera visto obligada a pasar todo un domingo en aquella sala atestada, yo misma me habría vuelto loca. Hacía pausas y deambulaba por los jardines del hospital. Tenía un banco favorito, bajo un árbol, en un rincón apartado. Un día, cuando llegué a mi banco, había una mujer allí sentada, con su bebé al lado. En la mayor parte de los lugares, los jardines públicos, los andenes de las estaciones, etcétera, los bancos estaban marcados: «Blancos» o «No blancos»; sin embargo, aquel no lo estaba. Le dije a la mujer «Qué niño más precioso» o algo por el estilo, con la intención de ser amigable. Ella me miró con una expresión asustada. «Dankie, mies», susurró, que significa «Gracias, señorita», tomó su bebé en brazos y se marchó.

«No soy una de ellos», quise gritarle. Pero, naturalmente, no lo hice.

Deseaba que el tiempo pasara y que no lo hiciera. Deseaba estar junto a Mario y deseaba estar lejos, libre de él. Al comienzo me llevaba un libro, con la intención de sentarme a su lado y leerlo. Pero no podía leer en aquel lugar, no podía concentrarme. Pensaba para mis adentros: «Debería hacer punto, debería tejer colchas enteras mientras espero que pasen estas horas pesadas, interminables».

De joven, en Brasil, nunca tenía tiempo suficiente para todo lo que quería hacer. Ahora el tiempo era mi peor enemigo, un tiempo que no pasaba. ¡Cómo anhelaba poner fin a todo, a esta vida, esta muerte, esta muerte en vida! ¡Qué fatal error cometimos al embarcar hacia Sudáfrica!

Bien, esta es la historia de Mario.

¿Murió en el hospital?

Murió allí. Podría haber vivido más, pues tenía una constitución fuerte, era como un toro. Sin embargo, cuando vieron que sus ocurrencias no surtirían efecto, dejaron de prestarle atención. Tal vez dejaron también de alimentarlo, no puedo estar segura, porque a mí siempre me parecía igual, no estaba más delgado. Pero, a decir verdad, no me importó, queríamos liberarnos, todos nosotros, él, yo y también los médicos.

Le enterramos en un cementerio no lejos del hospital, he olvidado su nombre, así que su tumba está en África. Nunca he vuelto, pero a veces pienso en él, allí tendido, completamente solo.

¿Qué hora es? De repente, me siento tan cansada, tan triste… Siempre me deprime que me recuerden aquella época.

¿Lo dejamos por hoy?

No, podemos continuar. No hay mucho más que decir. Permítame que le hable de mis clases de danza, porque fue ahí donde me buscó su señor Coetzee. Tal vez entonces pueda usted responderme a una pregunta, y habremos terminado.

En aquel entonces no podía encontrar un trabajo adecuado. No había oportunidades profesionales para una persona como yo, procedente del *balet folklorico*. En Sudáfrica las compañías solo programaban *El lago de los cisnes* y *Gisèle*, para demostrar lo europeas que eran. Por eso acepté el trabajo del que le he hablado, en un estudio de danza, donde enseñaba danza latinoamericana. La mayor parte de mis estudiantes eran de color, como los llamaban. De día trabajaban en tiendas u oficinas, y por la noche venían al estudio para aprender los bailes latinos más recientes. Me gustaban. Eran simpáticos, amistosos, amables. Se hacían ilusiones románticas acerca de Latinoamérica, de Brasil sobre todo. Creían que en Brasil la gente como ellos se sentiría a sus anchas. Yo no les decía nada que los desanimara.

Cada mes se matriculaba alguien nuevo. Ese era el sistema del estudio. No se rechazaba a nadie. Mientras un alumno pagara, yo tenía que enseñarle. Un día, cuando fui al encuentro de mi nueva clase, allí estaba él entre mis alumnos, y su nombre figuraba en la lista: «Coetzee, John».

Bien, no puedo decirle lo molesta que me sentí. Una cosa es que, si eres una bailarina que actúa en público, te persigan los admiradores, a eso estaba acostumbrada, pero aquello era muy diferente. Ya no actuaba, ahora no era más que una profesora de baile, y tenía derecho a que no me acosaran.

No le saludé. Quería que se diera cuenta enseguida de que no era bienvenido. ¿Qué se creía, que si bailaba delante de mí se fundiría el hielo de mi corazón? ¡Qué absurdo! Y tanto más absurdo teniendo en cuenta que él carecía de sentido del ritmo, no tenía aptitudes. Lo vi desde el primer momento, por su manera de andar. No estaba a gusto dentro de su cuerpo. Se movía como si este fuese un caballo, un caballo al que no le gustaba su jinete y le oponía resistencia. Solo en Sudáfrica conocí hombres así, rígidos, intratables, a los que no puedes enseñar. ¿Por qué habían ido a África, me preguntaba, África, que es la cuna de la danza? Habrían hecho mejor quedándose en Holanda, sentados en sus contadurías detrás de los diques, contando dinero con sus fríos dedos.

Impartí la clase porque para eso me pagaban, y entonces, finalizada la hora, abandoné el edificio por la puerta trasera. No quería hablar con el señor Coetzee. Confiaba en que no volviera.

Sin embargo, a la noche siguiente allí estaba de nuevo, siguiendo tenazmente las instrucciones, realizando los pasos para los que no estaba dotado. Me di cuenta de que no era popular entre el resto de los alumnos. Trataban de evitarle como pareja. En cuanto a mí, su presencia en la sala me privaba por completo del placer de enseñar. Procuraba hacerle caso omiso, pero él no lo permitía, mirándome, devorando mi vida.

Al final de la clase le pedí que se quedara un momento.

—Basta ya, por favor —le dije en cuanto estuvimos solos.

Él me miró sin protestar, mudo. Notaba el olor de su sudor frío. Sentí el impulso de golpearle, de cruzarle la cara.

—¡Basta ya! —exclamé—. Deja de seguirme. No quiero verte más aquí. Y deja de mirarme de esa manera. Deja de obligarme a humillarte.

Podría haberle dicho más cosas, pero temía perder el dominio de mí misma y ponerme a gritar.

Luego hablé con el dueño del estudio, el señor Anderson. En mi clase hay un alumno que está impidiendo avanzar a los demás, le dije. Por favor, devuélvale su dinero y dígale que se marche. Pero el señor Anderson no quiso hacerlo. Si hay un alumno que crea dificultades a la clase, es usted quien tiene que solucionarlo, replicó. Ese hombre no está haciendo nada malo, le dije, simplemente es una mala presencia. No se puede echar a un alumno porque tiene mala presencia, dijo el señor Anderson. Encuentre otra solución.

A la noche siguiente volví a llamarlo. No había ningún lugar privado adonde ir, y tuve que hablarle en el corredor.

—Este es mi trabajo, y lo estás obstaculizando —le dije—. Vete de aquí. Déjame en paz.

Él no dijo nada, pero extendió una mano y me tocó la mejilla. Esa fue la primera y única vez que me tocó. Yo estaba hirviendo de cólera. Le aparté la mano de un manotazo.

—¡Esto no es un juego amoroso! —le dije entre dientes—. ¿No ves que te detesto? ¡Déjame en paz y deja a mi hija en paz, o te denunciaré a la escuela!

Era cierto: si no hubiera empezado a llenar la cabeza de mi hija con peligrosas tonterías, nunca le habría invitado a nuestro piso, y la lamentable persecución a que me sometía nunca habría empezado. En cualquier caso, ¿qué hacía un hombre hecho y derecho en una escuela de niñas, Saint Bonaventure, era una escuela de monjas, solo que allí no había ninguna monja?

Y también era cierto que le detestaba. No temía decirlo. Él me obligaba a detestarlo.

Pero cuando pronuncié esas palabras, «Te detesto», él se quedó mirándome con expresión confusa, como si no pudiera dar crédito a sus oídos: que una mujer a la que se ofrecía le estuviera realmente rechazando. No sabía qué hacer, como tampoco sabía qué hacer consigo mismo en la pista de baile. No me causó placer alguno ver semejante asombro, semejante impotencia. Era como si estuviera bailando desnudo delante de mí, ese hombre que no sabía bailar. Quería gritarle. Quería golpearle. Quería llorar.

[Silencio.]

Esta no es la historia que quería usted escuchar, ¿verdad? Quería un tipo de historia distinta para su libro. Quería escuchar el romance entre su héroe y la bella bailarina extranjera. Pues bien, le estoy dando la verdad, no un romance. Tal vez una verdad excesiva. Tal vez tanta verdad que no habrá lugar para que encaje en su libro. No lo sé. No me importa.

Prosiga. No negaré que la imagen de Coetzee que se desprende de su historia no es muy digna que digamos, pero le prometo que no voy a cambiar nada.

No es muy digna, dice usted. Bueno, tal vez a eso se arriesga uno cuando se enamora. Se arriesga a perder la dignidad.

[Silencio.]

En cualquier caso, hablé de nuevo con el señor Anderson. O este hombre deja de asistir a mi clase o presento la dimisión, le dije. Veré qué puedo hacer, me respondió el señor Anderson. Todos tenemos que vérnoslas con alumnos difíciles, no es usted la única. Él no es difícil, respondí, está loco.

¿Estaba loco? No lo sé. Pero ciertamente tenía una *idée fixe* acerca de mí.

Al día siguiente fui a la escuela de mi hija, como le había advertido a él que haría, y solicité una entrevista con la directora. Me dijeron que estaba ocupada. Respondí que esperaría. Esperé durante una hora en la secretaría. Ni una palabra amable. Ni un «¿Desea tomar una taza de té, señora Nascimento?». Entonces, por fin, cuando quedó bien claro que no estaba dispuesta a marcharme, capitularon y me permitieron ver a la directora.

—He venido para hablarle de las clases de refuerzo de inglés de mi hija —le dije—. Me gustaría que mi hija siga recibiéndolas, pero quiero que las imparta un profesor de inglés como es debido, que posea los títulos apropiados. Si he de pagar más, lo haré.

La directora sacó una carpeta de un archivador.

—Según el señor Coetzee, Maria Regina está haciendo notables progresos en inglés —me dijo—. Así lo confirman sus demás profesores. ¿Cuál es exactamente el problema?

—No puedo decirle cuál es el problema —respondí—. Solo quiero que tenga otro profesor.

Aquella directora no era tonta. Cuando le dije que no podía decirle cuál era el problema, supo de inmediato cuál era el problema.

—Si entiendo lo que está diciendo, señora Nascimento, la queja que plantea es muy seria. Pero no puedo basarme en ella para actuar en consecuencia a menos que esté dispuesta a ser más concreta. ¿Se está quejando de acciones del señor Coetzee que involucran a su hija? ¿Me está diciendo que ha habido algo indecoroso en su conducta?

Ella no era tonta, pero yo tampoco lo soy. «Indecoroso»: ¿qué significa eso? ¿Quería presentar una acusación contra el señor Coetzee, firmarla con mi nombre y entonces encontrarme ante un tribunal interrogada por un juez? No.

—No estoy presentando una demanda contra el señor Coetzee —le dije—. Tan solo le pido que, si hay una profesora de inglés como es debido, sea ella quien enseñe a Maria Regina. Eso no le gustó a la directora. Sacudió la cabeza.

—No es posible tal cosa —replicó—. El señor Coetzee es el único profesor, el único miembro de nuestro personal, que da clases de refuerzo de inglés. No hay ninguna otra clase a la que Maria Regina pueda trasladarse, señora Nascimento. No podemos permitirnos el lujo de ofrecer a nuestras alumnas una gama de profesores entre los que elegir. Y además, con todos mis respetos, ¿puedo pedirle que reflexione en si se encuentra usted en la mejor posición para juzgar la competencia como profesor del señor Coetzee, si es que tan solo estamos hablando del nivel de su enseñanza?

Sé que es usted inglés, señor Vincent, por lo que le pido que no se lo tome personalmente, pero existen ciertos modales ingleses que me enfurecen, que enfurecen a mucha gente, en los que el insulto está revestido de bonitas palabras, como el azúcar en una píldora. «Sudaca»: ¿Cree usted que no conozco esa palabra, señor Vincent? «¡Sudaca de lengua portuguesa! —me estaba diciendo—, ¿cómo te atreves a venir aquí y criticar mi escuela? ¡Vuelve a los barrios pobres de los que has venido!»

—Soy la madre de Maria Regina —le dije—. Solo yo diré lo que es bueno para mi hija y lo que no lo es. No he venido a crearles problemas, ni a usted ni al señor Coetzee ni a nadie, pero le digo que Maria Regina no va a seguir en la clase de ese hombre. Esa es mi decisión, y es definitiva. Pago para que mi hija asista a una buena escuela, una escuela para chicas, y no quiero que esté en una clase donde el profesor no es un profesor apropiado, no está cualificado, ni siquiera es inglés, es un bóer.

Tal vez no debería haber empleado esa palabra, pues era como «sudaca», pero ella me había provocado. «Bóer»: en el pequeño despacho de la directora cayó como una bomba. Una palabra bomba, pero no tan mala como «loco». Si hubiera dicho que el profesor de Regina, con sus poemas incomprensibles y su deseo de hacer que los alumnos ardan con una luz más intensa, estaba loco, entonces se podría haber producido una verdadera explosión en el despacho.

El rostro de la mujer se puso rígido.

–Decidir quién está cualificado o no para enseñar aquí es algo que nos compete a mí y al comité escolar, señora Nascimento. A mi juicio y al de los miembros del comité, el señor Coetzee, que tiene titulación universitaria en lengua y literatura inglesas, está adecuadamente cualificado para el trabajo que desempeña. Si lo desea, puede retirar a su hija de esa clase, incluso puede retirarla de la escuela, está en su derecho. Pero tenga en cuenta que, al final, su hija será la perjudicada.

–La retiraré de la clase de ese hombre, pero no de la escuela –repliqué–. Quiero que tenga una buena educación. Yo misma le buscaré un profesor de inglés. Gracias por haberme recibido. Cree usted que soy una pobre refugiada que no entiende nada, pero se equivoca. Si le contara toda la historia de nuestra familia vería lo equivocada que está. Adiós.

Refugiada. Seguían llamándome refugiada en aquel país suyo, cuando lo único que deseaba era huir de allí.

Al día siguiente, cuando Maria Regina volvió de la escuela, estalló sobre mi cabeza una verdadera tormenta.

–¿Cómo has podido hacer eso, *mãe*? –me gritó–. ¿Cómo has podido hacerlo a mis espaldas? ¿Por qué has de inmiscuirte siempre en mi vida?

Durante semanas y meses, desde que el señor Coetzee hiciera su aparición, las relaciones de Maria Regina conmigo habían sido tensas, pero nunca mi hija me había hablado de esa manera. Traté de calmarla. Le dije que nosotras no éramos como las demás familias. Las otras chicas no tenían un padre en el hospital y una madre que debía humillarse para ganar algún dinero a fin de que una hija que jamás levanta un dedo en casa ni da las gracias, pueda recibir clases de refuerzo de esto y clases de refuerzo de aquello.

No era cierto, desde luego. No podría haber deseado unas hijas mejores que Joana y Maria Regina, chicas serias y muy trabajadoras. Pero a veces es necesario ser un poco severa, incluso con las personas a las que amamos.

Maria Regina estaba tan furiosa que no oyó nada de lo que le decía.

—¡Te odio! —me gritó—. ¡Crees que no sé por qué haces esto! ¡Es porque estás celosa, porque no quieres que vea al señor Coetzee, porque lo quieres para ti!

—¿Celosa yo de ti? ¡Qué tontería! ¿Para qué querría yo a ese hombre, que ni siquiera es un hombre verdadero? ¡Sí, digo que no es un hombre verdadero! ¿Qué sabe de los hombres una chiquilla como tú? ¿Por qué crees que ese hombre quiere estar entre jovencitas? ¿Por qué crees que alimenta tus sueños, tus fantasías? A los hombres como él no se les debería permitir aproximarse a una escuela. Y tú… deberías estarme agradecida porque te salvo. ¡Pero en cambio me insultas y me lanzas acusaciones, a mí, a tu madre!

Vi que movía los labios sin emitir sonido alguno, como si no hubiese palabras lo bastante amargas para expresar lo que tenía en el corazón. Entonces dio media vuelta y salió corriendo de la estancia. Al cabo de un momento volvió, agitando las cartas que aquel hombre, aquel profesor suyo, me había enviado y que yo había guardado en un cajón del escritorio por ninguna razón en especial, puesto que en modo alguno las consideraba un tesoro.

—¡Te escribe cartas de amor! —exclamó—. ¡Y tú se las escribes también! ¡Es repugnante! Si no es un hombre normal, ¿por qué le escribes cartas de amor?

Por supuesto, lo que decía no era cierto. No le había escrito ninguna carta de amor, ni una sola. Pero ¿cómo podía hacérselo creer a la pobre chica?

—¿Cómo te atreves? —le grité—. ¿Cómo te atreves a fisgar en mis papeles personales?

¡Cuánto deseé, en aquel momento, haber quemado sus cartas, unas cartas que nunca le había pedido!

Ahora Maria Regina estaba llorando.

—Ojalá nunca te hubiera escuchado —dijo entre sollozos—. Ojalá nunca te hubiera permitido que le invitaras a venir aquí. Lo estropeas todo.

—¡Pobre hija mía! —exclamé, y la tomé en mis brazos—. Jamás le he escrito cartas al señor Coetzee, debes creerme. Sí, él me las ha escrito, no sé por qué, pero nunca le he contestado. No me interesa en ese sentido, ni lo más mínimo. No dejes que se interponga entre nosotras, cariño. Tan solo trato de protegerte. No es apropiado para ti. Es un hombre hecho y derecho, y tú eres todavía una niña. Te buscaré otro profesor. Te buscaré un profesor particular que venga a casa y te ayude. Nos las arreglaremos. Un profesor no es caro. Buscaremos a alguien que esté cualificado como es debido y sepa cómo prepararte para los exámenes. Entonces podremos olvidarnos de este desdichado asunto.

De modo que esta es la historia, la historia completa, de sus cartas y de los trastornos que causaron.

¿No hubo más cartas?

Hubo una más, pero no la abrí. Anoté en el sobre «DEVOLVER AL REMITENTE» y la dejé en el vestíbulo de la escalera para que el cartero se la llevara.

—¿Lo ves? —le dije a Maria Regina—. ¿Ves lo que pienso de sus cartas?

¿Y qué pasó con las clases de danza?

Él dejó de venir. El señor Anderson habló con él, y dejó de venir. Tal vez incluso le devolvió su dinero, no lo sé.

¿Le buscó otro profesor a Maria Regina?

Sí, le encontré una profesora jubilada. Me costó dinero, pero ¿qué es el dinero cuando está en juego el futuro de tu hija?

Entonces, ¿ese fue el fin de sus relaciones con John Coetzee?

Sí, definitivamente.

¿Nunca volvió a verle, nunca tuvo noticias suyas?

Nunca volví a verle, y tomé medidas para que Maria no volviera a verle. Puede que estuviera lleno de tonterías románticas, pero era demasiado holandés para ser temerario. Cuando comprendió que yo iba en serio, que no estaba dispuesta a jugueteos amorosos con él, dejó de buscarme. Nos dejó en paz. Su gran pasión resultó no ser tan grande después de todo. O tal vez encontró a alguien más de quien enamorarse.

Puede que sí y puede que no. Tal vez la conservó a usted viva en su corazón. O la idea de usted.

¿Por qué dice eso?

[Silencio.]

Bien, quizá fue así. Es usted quien ha estudiado su vida y quien lo sabrá mejor. A ciertas personas no les importa de quién están enamoradas mientras lo estén. Tal vez él era una de esas personas.

[Silencio.]

Mirando hacia atrás, ¿cómo ve usted el episodio en su conjunto? ¿Todavía se siente enojada con él?

¿Enojada? No. Comprendo que un joven solitario y excéntrico, como el señor Coetzee, que se pasaba los días leyendo a filósofos antiguos y componiendo poemas, se enamorase de Maria Regina, que era una auténtica belleza y rompería muchos corazones. No es tan fácil ver lo que Maria Regina veía en él. Claro que era joven e impresionable, y él la halagaba, le hacía creer que era diferente de las demás chicas y que tenía un gran futuro.

Entonces, cuando lo trajo a casa y él se fijó en mí, comprendo que cambiase de idea y decidiera convertirme a mí en su verdadero amor. No digo que fuese una gran belleza y, desde luego, ya no era joven, pero Maria Regina y yo éramos del mismo tipo: la misma osamenta, el mismo cabello, los mismos ojos oscuros. Y resulta más práctico, ¿no es cierto?, amar a una mujer que a una niña. Más práctico, menos peligroso.

¿Qué quería de mí, de una mujer que no le correspondía y no le daba aliento? ¿Confiaba en acostarse conmigo? ¿Qué placer puede experimentar un hombre acostándose con una mujer que no le quiere? Porque, de veras, yo no quería a aquel hombre, no sentía absolutamente nada por él. Y de todos modos, ¿cuál habría sido la situación si me hubiera enredado con el profesor de mi hija? ¿Podría haberlo mantenido en secreto? Desde luego, no podría habérselo ocultado a Maria Regina. Me habría deshonrado ante mis hijas. Incluso cuando hubiera estado a solas con él habría pensado: «No es a mí a quien desea, es a Maria Regina, que es joven y bella pero inalcanzable para él».

Claro que, tal vez, en realidad nos quería a las dos, a Maria Regina y a mí, a la madre y a la hija... tal vez esa fuese su fantasía, no puedo decirlo, no puedo entrar en su mente.

Recuerdo que en mi época de estudiante, el existencialismo estaba de moda, todos teníamos que ser existencialistas. Mas para que te aceptaran como existencialista primero tenías que demostrar que eras un libertino, un extremista. «¡No te pliegues a ninguna limitación! ¡Sé libre!», eso era lo que nos decían. Pero ¿cómo voy a ser libre, me preguntaba a mí misma, si estoy obedeciendo a alguien que me ordena que sea libre?

Creo que Coetzee era así. Había decidido ser un existencialista, un romántico y un libertino. El problema era que no le salía de dentro y, en consecuencia, no sabía cómo serlo. Libertad, sensualidad, amor erótico... todo ello no era más que una idea en su cabeza, no un impulso instintivo en su cuerpo.

No tenía condiciones para eso. No era una persona sensual. Y, en cualquier caso, yo sospechaba que, en el fondo, le gustaba que una mujer se mostrara fría y distante.

Dice usted que decidió no leer su última carta. ¿Ha lamentado alguna vez esa decisión?

¿Por qué? ¿Por qué habría de lamentarla?

Porque Coetzee era escritor, sabía utilizar las palabras. ¿Y si la carta que usted no leyó contenía palabras que le hubieran conmovido o incluso hubiesen cambiado sus sentimientos hacia él?

Mire, señor Vincent, a su entender John Coetzee es un gran escritor y un héroe, eso lo acepto, ¿por qué si no estaría aquí, por qué si no escribiría este libro? Para mí, en cambio, y perdóneme que diga esto, pero está muerto, por lo que no puedo herir sus sentimientos, para mí no es nada. No es nada y no fue nada, tan solo una irritación, algo embarazoso. No era nada y sus palabras no eran nada. Comprendo que se enfade porque hago que parezca un necio. Sin embargo, para mí realmente era un necio.

En cuanto a sus cartas, escribirle cartas a una mujer no demuestra que la ames. Ese hombre no estaba enamorado de mí, sino de alguna idea que se había formado de mí, alguna fantasía de una amante latina que había concebido en su mente. Ojalá, en vez de mí, se hubiera enamorado de otra escritora, otra fantaseadora. Entonces los dos habrían sido felices, haciendo el amor todo el día a la idea que cada uno tenía del otro.

Cree usted que soy cruel cuando hablo así, pero no lo soy, tan solo soy una persona práctica. Cuando el profesor de lengua de mi hija, un completo desconocido, me envía cartas llenas de sus ideas sobre esto y sus ideas sobre lo otro, sobre música, química, filosofía, los ángeles, los dioses y no sé cuántas cosas más, una página tras otra, y también poemas, no lo leo y lo memorizo para las generaciones futuras, lo único que quiero saber es una cosa sencilla, práctica, a saber, «¿Qué está pasando entre este hombre y mi hija, que es solo una niña?». Porque, perdóneme por decir esto, por debajo de las bonitas palabras, lo que un hombre quiere de una mujer suele ser muy básico y muy simple.

¿Dice usted que también había poemas?

No los comprendía. A Maria Regina era a quien le gustaba la poesía.

¿Recuerda algo de esos poemas?

Eran muy modernistas, muy intelectuales, muy oscuros. Por eso le digo que todo aquello era un gran error. Creía que yo era la clase de mujer con la que yaces en la cama a oscuras, hablando de poesía, pero no era así en absoluto. Era una esposa y una madre, la mujer de un hombre encerrado en un hospital que lo mismo podría haber sido una cárcel o un cementerio y la madre de dos hijas a las que de alguna manera había mantenido a salvo en un mundo en el que cuando alguien quiere robarte el dinero se trae un hacha. No tenía tiempo para apiadarme de aquel joven ignorante que se arrojaba a mis pies y se humillaba ante mí. Y, francamente, si hubiera querido un hombre, no habría sido un hombre como él.

Porque, permítame asegurarle… le estoy retrasando, discúlpeme… yo no carecía de sentimientos, en absoluto. No debe marcharse con una falsa impresión de mí. No era insensible al mundo. Por las mañanas, cuando Joana estaba trabajando y Maria Regina se encontraba en la escuela, cuando el sol iluminaba nuestro pisito, que normalmente estaba tan oscuro y lúgubre, a veces me ponía bajo el sol junto a la ventana abierta, escuchando a los pájaros y sintiendo el calor en la cara y el pecho, y en esas ocasiones ansiaba ser una mujer de nuevo. No era demasiado mayor, solo estaba esperando. En fin. Basta. Gracias por haberme escuchado.

La vez anterior dijo que quería hacerme una pregunta.

Sí, me olvidaba, tengo una pregunta. Es la siguiente. Normalmente no me equivoco al juzgar a la gente, así que dígame: ¿es erróneo mi juicio sobre John Coetzee? Porque para mí, francamente, no era nadie. No era un hombre bien aposentado. Tal vez escribía bien, tal vez tenía cierto talento narrativo, no lo sé, nunca he leído sus libros, nunca he sentido la curiosidad de leerlos. Sé que más tarde se labró una notable reputación, pero ¿era realmente un gran escritor? Porque, a mi modo de ver, tener talento narrativo no basta si uno quiere ser un gran escritor. También tienes que ser un gran hombre, y él no lo era. Era un hombre pequeño, un hombrecillo sin importancia. No puedo darle una lista de las razones, A, B, C, D…, por las que digo esto, pero tal fue mi impresión desde el principio, desde que le vi por primera vez, y nada de lo sucedido después ha cambiado esa impresión. Por eso se lo pregunto a usted, que le ha estudiado a fondo y está escribiendo un libro sobre él. Dígame: ¿qué opinión tiene de él?

¿Qué opinión tengo de él como escritor o como ser humano?

Como ser humano.

No puedo decírselo. Soy reacio a juzgar a nadie sin haberlo conocido personalmente. Pero creo que, cuando la conoció a usted, Coetzee era un solitario, lo era de un modo antinatural. Tal vez eso explique ciertas… ¿cómo diría?, ciertas extravagancias de su conducta.

¿Cómo sabe eso?

Por lo que ha dejado escrito, por sumar dos y dos. Era un tanto solitario y estaba un tanto desesperado.

Sí, pero todos estamos un tanto desesperados, así es la vida. Si uno es lo bastante fuerte, supera la desesperación. Por eso le pregunto: ¿cómo puedes ser un gran escritor si no eres más que un hombrecillo normal y corriente? Sin duda debe de haber cierta llama en tu interior que te distinga del hombre de la calle. Quizá en sus libros, si uno los lee, pueda ver esa llama. Por mi parte, en todas las ocasiones que estuve con él jamás percibí ningún fuego. Por el contrario, me parecía... ¿cómo expresarlo?... tibio.

Hasta cierto punto coincido con usted. Fuego no es la primera palabra que se le ocurre a uno cuando piensa en sus escritos. Pero tenía otras virtudes, otros puntos fuertes. Por ejemplo, yo diría que era juicioso, sabía discernir lo que veía. No se dejaba engañar fácilmente por las apariencias.

Para ser un hombre que no se dejaba engañar por las apariencias, se enamoraba con bastante facilidad, ¿no cree?

[Risa.]

Pero tal vez, al enamorarse, no se dejaba engañar. Tal vez veía cosas que a los demás les pasaban desapercibidas.

¿En la mujer?

Sí, en la mujer.

[Silencio.]

Dice usted que estaba enamorado de mí incluso después de que lo despidiera, incluso después de que me olvidara hasta de su existencia. ¿Es eso lo que usted considera ser juicioso? Porque a mí solo me parece una estupidez.

Creo que estaba emperrado, una palabra muy inglesa. No sé si existe un equivalente en portugués del término, como un bulldog que te aferra con los dientes y no te suelta.

Si usted lo dice, debo creerle. Pero ser como un perro... ¿es eso tan admirable, en inglés?

[Risa.]

¿Sabe? En mi profesión, más que limitarnos a escuchar lo que la gente dice, preferimos mirar cómo se mueve, el modo de desenvolverse. Esa es nuestra manera de llegar a la verdad, y no es una mala manera. Puede que su señor Coetzee tenga talento para manejar las palabras, pero, como le he dicho, era incapaz de bailar. Era incapaz de bailar... esa es una de las frases de Sudáfrica que recuerdo, Maria Regina me la enseñó: «Era incapaz de bailar para salvar la vida».

[Risa.]

Pero, en serio, señora Nascimento, debe de haber habido muchos grandes hombres que no fueron buenos bailarines. Si hay que ser un buen bailarín antes de poder ser un gran hombre, entonces ni Gandhi ni Tolstói fueron grandes hombres.

No, no escucha usted lo que estoy diciendo. Le hablo en serio. ¿Conoce la palabra «incorpóreo»? Ese hombre era incorpóreo. Estaba divorciado de su cuerpo. Para él, el cuerpo era como una de esas marionetas de madera que mueves mediante cordeles. Tiras de este cordel y se mueve el brazo izquierdo, tiras de ese y se mueve la pierna derecha. Y el auténtico yo está allá arriba, donde no puedes verlo, como el titiritero que tira de los cordeles.

Y ese hombre viene a mi encuentro, al de la experta en danza. «¡Enséñame a bailar!», me implora. Así que le enseño, le muestro cómo debe moverse para bailar. «Mira —le digo—, primero mueves los pies de este modo y luego de este otro.» Y él me escucha y piensa: «¡Ajá, quiere decir que tire del cordel rojo seguido por el cordel azul!...». «Gira el hombro así», le instruyo, y él deduce: «¡Ajá, quiere decir que tire del cordel verde!».

¡Pero no es así como se baila! ¡De ninguna manera! La danza es encarnación. En la danza no es el titiritero que llevas en la cabeza el que dirige y el cuerpo el que le sigue, sino que es el mismo cuerpo el que dirige, el cuerpo con su alma, formando un todo. ¡Porque el cuerpo sabe! ¡Sabe! Cuando el cuerpo siente el ritmo en su interior, no necesita pensar. Así es como somos si somos humanos. Esa es la razón de que la marioneta de madera no pueda bailar. La madera no tiene alma. La madera no puede sentir el ritmo.

Por eso le pregunto: ¿cómo podía ser ese escritor suyo un gran hombre cuando no era humano? Es un interrogante serio, ya no se trata de una broma. ¿Por qué cree que, como mujer, no podía responderle? ¿Por qué cree que hice cuanto pude por alejar a mi hija de él cuando aún era demasiado joven y carecía de experiencia que la orientase? Porque de semejante hombre no podía salir nada bueno. El amor: ¿cómo puedes ser un gran escritor cuando no sabes nada del amor? ¿Cree usted que puedo ser mujer y no saber en lo más hondo de mi ser qué clase de amante es un hombre? Créame, me estremezco al pensar en cómo debían de ser las relaciones íntimas con un hombre así. No sé si llegó a casarse, pero si lo hizo me estremezco por la mujer que se casó con él.

Sí. Se está haciendo tarde, llevamos mucho tiempo hablando y mi colega y yo debemos ponernos en camino. Gracias, señora Nascimento, por el tiempo que tan amablemente nos ha concedido. Ha sido muy gentil con nosotros. La señora Gross transcribirá nuestra conversación y pulirá la traducción, tras lo cual se la enviaré por si hay algo que quisiera cambiar, añadir o eliminar.

Comprendo. Por supuesto, me ofrece la posibilidad de hacer cambios en mis declaraciones, añadir o eliminar. Pero ¿cuánto puedo cambiar? ¿Puedo cambiar el cartel que pende de mi cuello y dice que fui una de las mujeres de Coetzee? ¿Me permitirá librarme de esa etiqueta? ¿Dejará que la rompa? Creo que no. Porque destruiría su libro, y eso no me lo va a permitir.

Pero seré paciente. Esperaré a ver qué es lo que me envía. Tal vez, ¿quién sabe?, se tomará en serio lo que le he contado. Además, permítame confesarle que siento curiosidad por lo que le han contado las demás mujeres que hubo en la vida de ese hombre, si también a ellas les pareció que aquel amante suyo estaba hecho de madera. Porque, ¿sabe?, creo que ese es el título que debería poner a su libro: *El hombre de madera.*

[Risa.]

Pero dígame, otra vez en serio, si ese hombre que no sabía nada de las mujeres escribió alguna vez sobre mujeres o si solo lo hizo sobre hombres tenaces como él. Se lo pregunto porque, como le he dicho, no he leído nada suyo.

Escribió sobre hombres y también sobre mujeres. Por ejemplo, y esto podría interesarle, en un libro titulado Foe, *la heroína naufraga y se pasa un año en una isla ante la costa de Brasil. En la versión definitiva es una inglesa, pero en el primer borrador era* brasileira.

¿Y qué clase de mujer es esa *brasileira* suya?

¿Qué voy a decirle? Tiene muchas buenas cualidades. Es atractiva, una mujer de recursos, tiene una voluntad de acero. Recorre el mundo entero buscando a su hija pequeña, que ha desaparecido. Esa es la sustancia de la novela: la búsqueda de su hija, que se impone a todas sus demás preocupaciones. Me parece una heroína admirable. Si yo fuese el original de semejante personaje, me sentiría orgulloso.

Leeré ese libro y ya veré. ¿Cómo ha dicho que se titula?

Foe, F, O, E. Se tradujo al portugués, pero a estas alturas probablemente la edición esté descatalogada. Si lo desea, puedo enviarle un ejemplar en inglés.

Sí, envíemelo. Ha pasado mucho tiempo desde que leí por última vez un libro en inglés, pero me interesa ver en qué me ha convertido ese hombre de madera.

[Risa.]

Entrevista realizada en São Paulo, Brasil,
en diciembre de 2007

MARTIN

En uno de sus últimos cuadernos de notas, Coetzee describe su primer encuentro con usted, un día de 1972, cuando a los dos los entrevistaron para ocupar una plaza en la universidad de Ciudad del Cabo. La descripción ocupa unas pocas páginas... Se la leeré si lo desea. Imagino que se proponía incluirlo en el tercer libro de memorias, el que nunca vio la luz, después de Infancia *y* Juventud, *en los que se refiere a sí mismo en tercera persona en lugar de primera. He aquí lo que escribe:*

«Ha ido a cortarse el pelo para la entrevista. Se ha arreglado la barba. Se ha puesto chaqueta y corbata. Si aún no es el señor Carroza, por lo menos ya no parece el Hombre Salvaje de Borneo.

»En la sala de estar hay otros dos candidatos al puesto de trabajo. Están juntos, en pie ante la ventana que da al jardín, conversando en voz baja. Parecen conocerse, o por lo menos haber entablado una relación al coincidir aquí».

No recuerda usted quién era esa tercera persona, ¿verdad?

Era de la Universidad de Stellenbosch, pero no recuerdo su nombre.

Coetzee prosigue: «Este es el método británico: echar a los aspirantes al pozo y observar para ver qué sucede. Él tendrá que acostumbrarse de nuevo a la manera británica de hacer las cosas, con toda su brutalidad. Gran Bretaña es una estrecha nave, atestada hasta las bordas. Competencia despiadada. Perros que gruñen y se enseñan los dientes unos a otros, cada uno defendiendo su pequeño territorio. En comparación, la manera norteamericana es decorosa, casi amable. Claro que Estados Unidos es más extenso y hay más espacio para la urbanidad.

»Puede que El Cabo no sea Gran Bretaña, puede que cada día se separe más de Gran Bretaña, pero lo que queda en la ciudad de la forma de ser británica está firmemente arraigado. Sin esa conexión salvadora, ¿qué sería El Cabo? Un apeadero de importancia secundaria en el camino hacia ninguna parte, un lugar de salvaje trivialidad.

»Según la lista fijada en la puerta, él es el segundo que se presentará ante el comité. Cuando llaman al número uno, se levanta sin apresurarse, golpea su pipa, la guarda en lo que debe de ser un estuche para pipas y cruza la puerta. Veinte minutos más tarde reaparece, el rostro inescrutable.

»Es su turno. Entra y le indican un asiento en un extremo de una larga mesa. En el otro extremo se sientan los inquisidores, cinco en total, todos ellos hombres. Como las ventanas están abiertas, como la sala está encima de una calle por la que el tráfico es incesante, ha de esforzarse para oírles, y levantar la voz para que le oigan.

»Algunas fintas corteses, y entonces la primera estocada: En caso de que sea elegido, ¿sobre qué autores le gustaría más enseñar?

»Puedo enseñar sobre la mayoría de los autores conocidos —replica—. No soy un especialista. Me considero una persona de cultura general amplia.

»Esa es la menos defendible de todas las respuestas. A un pequeño departamento de una pequeña universidad podría encantarle reclutar a un hombre orquesta, pero del silencio que sigue a sus palabras colige que no ha respondido bien. Ha interpretado la pregunta de un modo demasiado literal. Siempre ha tenido ese defecto: tomarse las preguntas demasiado al pie de la letra, así como responderlas con excesiva brevedad. Esa gente no quiere respuestas breves. Quiere algo más pausado, más expansivo, algo que les permita discernir qué clase de individuo tienen delante, qué clase de joven colega sería, si encajaría en una universidad provinciana que está haciendo cuanto puede por mantener el nivel en tiempos difíciles, por mantener encendida la llama de la civilización.

»En Norteamérica, donde se toman en serio la búsqueda de trabajo, las personas como él, que no saben ver cuál es el tema detrás de una pregunta, que no saben hablar con párrafos fluidos, que no se presentan a sí mismos con convicción, en una palabra, las personas con déficit en las habilidades necesarias para el trato con el prójimo, asisten a sesiones de adiestramiento en las que aprenden a mirar al interrogador a los ojos, sonreír, responder plenamente a las preguntas y hacerlo con toda la apariencia de sinceridad. Presentación del yo: así lo llaman en Norteamérica, sin ironía.

»¿Sobre qué autores preferiría él enseñar? ¿A qué investigación se dedica actualmente? ¿Le gustaría sentirse competente para dar clases de inglés medio? Sus respuestas suenan cada vez más falsas. Lo cierto es que en realidad no quiere conseguir este empleo. No lo quiere porque en el fondo de su ser sabe que no está hecho para ser profesor. Carece del temperamento necesario, carece de fervor.

»Sale de la entrevista con el ánimo por los suelos. Quiere alejarse de este lugar enseguida, sin tardanza. Pero no, primero tiene que rellenar unos formularios y cobrar los gastos del viaje.

»—¿Qué tal te ha ido?

»Quien le habla es el candidato a quien han entrevistado primero, el fumador en pipa».

Se refiere a usted, si no me equivoco.

Sí, pero he abandonado la pipa.

«Él se encoge de hombros.

»—¿Quién sabe? —responde—. No muy bien.

»—¿Vamos a tomar una taza de té?

»Él se queda desconcertado. ¿Acaso no son rivales? ¿Se les permite a los rivales que confraternicen?

»Atardece, el campus está desierto. Se encaminan a la cantina estudiantil para tomar el té. Está cerrada.

»MJ [así le llama a usted] se saca la pipa.

»En fin —dice—. ¿Fumas?

»Qué sorprendente: este MJ, con sus modales desenvueltos y directos, ¡está empezando a gustarle! Su desánimo se desvanece con ra-

pidez. MJ le gusta y, a menos que todo esto sea un ejercicio de presentación de sí mismo, él también parece gustarle a MJ. ¡Y este mutuo agrado ha surgido en un abrir y cerrar de ojos!

»Sin embargo ¿debería sorprenderse? ¿Por qué han seleccionado a los dos (o los tres, si se incluye al sombrío tercero) para entrevistarlos con respecto a un puesto de profesor universitario de literatura inglesa si no es porque son personas del mismo tipo, con una formación similar? ¿Y porque, con toda evidencia, son sudafricanos, sudafricanos blancos?»

Aquí finaliza el fragmento. No está fechado, pero estoy bastante seguro de que lo escribió en 1999 o 2000. Así que… un par de preguntas al respecto. Primera pregunta: Usted fue el candidato triunfante, el que se hizo con el cargo de profesor adjunto, mientras que a Coetzee no lo tomaron en cuenta. ¿Por qué cree que no lo tomaron en cuenta? ¿Y observó usted cierto resentimiento por su parte?

En absoluto. Yo estaba dentro del sistema, el sistema universitario colonial tal como era en aquella época, mientras que él procedía del exterior, ya que había cursado sus estudios universitarios en Norteamérica. Dada la naturaleza de todos los sistemas, a saber, que se reproducen a sí mismos, yo siempre tendría ventaja sobre él. Y él lo comprendió así, tanto en la teoría como en la práctica. Desde luego, no me culpó a mí.

Muy bien. Otra pregunta: da a entender que ha encontrado en usted un nuevo amigo, y relaciona los rasgos que los dos tienen en común, pero cuando llega a la circunstancia de que ambos son sudafricanos blancos, se detiene y no escribe más. ¿Tiene alguna idea de por qué se interrumpió precisamente en ese punto?

¿Por qué habría planteado el tema de la identidad blanca sudafricana y luego lo abandonó? Puedo ofrecerle dos explicaciones. Una es que podría haberle parecido un tema demasiado complejo para abordarlo en unas memorias o un diario, demasiado complejo o arriesgado. La otra es más sencilla: que el relato de sus aventuras en el mundo académico se estaba volviendo demasiado aburrido para continuar, demasiado carente de interés narrativo.

¿Y por cuál de las explicaciones se inclina usted?

Probablemente la primera, con un añadido de la segunda. John abandonó Sudáfrica en la década de 1960, regresó en los años setenta y durante décadas osciló entre Sudáfrica y Estados Unidos, hasta que finalmente se instaló en Australia y murió allí. Yo abandoné Sudáfrica en los años setenta y no volví jamás. En términos generales, él y yo compartíamos una postura común hacia Sudáfrica, a saber, que nuestra presencia allí era ilegítima. Puede que tuviéramos un derecho abstracto a estar allí, un derecho de nacimiento, pero la base de ese derecho era fraudulenta. Nuestra existencia se cimentaba en un delito, concretamente el de la conquista colonial, perpetuado por el *apartheid*. Sea cual fuere lo contrario a «nativo» o «arraigado», así nos sentíamos nosotros. Nos considerábamos transeúntes, residentes temporales, y en ese sentido sin hogar, sin patria. No creo que esté tergiversando la opinión de John. Era algo de lo que hablábamos mucho. Desde luego, no me tergiverso a mí mismo.

¿Quiere decir que se compadecían mutuamente?

Compadecer no es la palabra apropiada. Gozábamos de demasiadas ventajas para considerar nuestro destino como atroz. Éramos jóvenes (en aquel entonces yo aún era veinteañero, él solo era un poco mayor), contábamos con una educación bastante buena, incluso teníamos modestos bienes materiales. Si nos hubieran sacado de allí y depositado en algún otro lugar del mundo, del civilizado, el Primer Mundo, habríamos prosperado, florecido. (En cuanto al Tercer Mundo no estaría tan convencido de ello. Ni él ni yo éramos Robinson Crusoe.)

Así que no, no consideraba trágico nuestro destino, y estoy seguro de que él tampoco. En todo caso, era cómico. Sus antepasados, a su manera, y los míos a la suya, habían trabajado duramente, una generación tras otra, a fin de despejar una extensión del África salvaje para sus descendientes, y ¿cuál era el fruto de sus esfuerzos? La duda en el corazón de aquellos descendientes sobre su derecho a la tierra; una inquietante sensación de que no les pertenecía a ellos sino, de una manera inalienable, a sus dueños originales.

¿Cree usted que si hubiera seguido con ese fragmento de memorias, si no lo hubiera abandonado, eso es lo que él habría dicho?

Más o menos. Permítame que elabore algo más nuestra postura con respecto a Sudáfrica. Ambos cultivábamos cierta provisionalidad en nuestros sentimientos hacia el país, él tal vez más que yo. Éramos reacios a integrarnos demasiado en el país, puesto que más tarde o más temprano sería preciso cortar nuestros vínculos con él, esa integración quedaría anulada.

¿Y?

Eso es todo. Compartíamos cierta manera de pensar, una manera que atribuyo a nuestros orígenes, coloniales y sudafricanos. De ahí el carácter común de perspectivas.

En ese caso, ¿diría usted que ese hábito que menciona, el de tratar los sentimientos como provisionales, de no comprometerse emocionalmente, se extendía también, más allá de las relaciones con su país natal, a las relaciones personales?

No sabría decirle. Usted es el biógrafo. Si cree que merece la pena seguir esa línea de pensamiento, sígala.

¿Podríamos volver a su labor docente? Escribe que no estaba hecho para ser profesor. ¿Está de acuerdo?

Yo diría que uno enseña mejor aquello que mejor conoce y le interesa más. John sabía bastante sobre una variedad de temas, pero no mucho sobre cualquier tema en particular. Considero que eso era un punto desfavorable. En segundo lugar, aunque había escritores por los que sentía un profundo interés, los novelistas rusos del siglo XIX, por ejemplo, esa profundidad real no se reflejaba en su enseñanza, no resultaba en modo alguno evidente. Siempre retenía algo. ¿Por qué? No lo sé. Tan solo puedo conjeturar que una reserva muy arraigada en él, que era un rasgo de su carácter, se extendía también a su manera de enseñar.

Entonces, ¿cree usted que dedicó su vida laboral, o la mayor parte de ella, a una profesión para la que no tenía talento?

Eso sería generalizar demasiado. Como académico, John era perfectamente adecuado. Sin embargo, no era un profesor notable. Tal vez si hubiera enseñado sánscrito habría sido diferente, sánscrito o cualquier otro tema en el que las convenciones te permiten ser un poco seco y reservado.

Cierta vez me dijo que se había equivocado de profesión, que debería haber sido bibliotecario. Sin duda es una apreciación que tiene sentido.

No he podido ver ninguna descripción de los cursos impartidos en la década de 1970, pues la Universidad de Ciudad del Cabo no parece archivar esa clase de material, pero entre los papeles de Coetzee he encontrado el anuncio de un curso que usted y él ofrecieron conjuntamente en 1976, para estudiantes externos. ¿Recuerda ese curso?

Sí, lo recuerdo. Fue un curso sobre poesía. En aquel entonces yo trabajaba sobre Hugh McDiarmid, así que aproveché la ocasión para realizar una lectura rigurosa de McDiarmid. John hizo que los estudiantes leyeran poemas de Pablo Neruda traducidos. Yo nunca había leído a Neruda, así que asistí a sus clases.

Una extraña elección, la de Neruda, para una persona como él, ¿no cree?

No, en absoluto. A John le gustaba mucho la poesía exuberante, expansiva: Neruda, Whitman, Stevens. Recuerde que, a su manera, era hijo de los años sesenta.

A su manera… ¿qué quiere decir con eso?

Quiero decir que lo era dentro de los límites de cierta rectitud, cierta racionalidad. Sin ser dionisíaco, aprobaba en principio esa actitud ante la vida. Aprobaba en principio que uno diera rienda suelta a sus impulsos, aunque no recuerdo que él lo hiciera jamás… Probablemente él no habría sabido cómo hacerlo. Tenía necesidad de creer en los recursos del inconsciente, en la fuerza creativa de los procesos inconscientes. De ahí su inclinación hacia los poetas que parecen oráculos.

Habrá observado usted que muy pocas veces hablaba de las fuentes de su propia creatividad. Eso se debía en parte a la reserva que ya he mencionado. Pero también indica en parte la renuencia a sondear en las fuentes de su inspiración, como si ser demasiado consciente de ellas pudiera paralizarlo.

¿Tuvo éxito el curso, ese curso que usted y él impartieron juntos?

Para mí fue muy instructivo, desde luego. Por ejemplo, me hizo conocer la historia del surrealismo en Latinoamérica. Como le he dicho, John sabía un poco de muchas cosas. Por lo que respecta al provecho que los alumnos obtendrían de ello, no lo sé. Según mi experiencia, los alumnos pronto descubren si lo que les estás enseñando te importa. En caso afirmativo, están dispuestos a considerar la posibilidad de que también les importe a ellos. Pero si llegan a la conclusión, acertada o no, de que no te importa, no hay nada que hacer, sería mejor que te fueras a casa.

¿Y a él no le importaba Neruda?

No, no estoy diciendo eso. Neruda puede haberle importado muchísimo. Neruda incluso podría haber sido un modelo (un modelo inalcanzable) de cómo un poeta puede reaccionar creativamente a la injusticia y la represión. Pero, y es ahí adonde quiero ir a parar, si usted trata su relación con el poeta como un secreto personal celosamente guardado, y si, además, su manera de actuar en clase es un tanto rígida y formal, nunca tendrá seguidores.

¿Está usted diciendo que nunca tuvo seguidores?

No que yo sepa. Tal vez en sus últimos años mejoró su manera de actuar. No lo sé.

En la época en que usted le conoció, en 1972, tenía un puesto docente bastante precario en una escuela de enseñanza secundaria. Pasó algún tiempo antes de que le ofrecieran una plaza en la universidad. Aun así, durante casi toda su vida laboral, digamos desde los veinticinco hasta los sesenta y cinco años, trabajó como profesor de una u otra clase. Vuelvo a mi pregunta inicial: ¿no le parece extraño que un hombre que carecía de talento como docente hiciera de la enseñanza una profesión?

Sí y no. Como usted debe de saber, las filas de la profesión docente están llenas de refugiados e inadaptados.

¿Y qué era él, un refugiado o un inadaptado?

Era un inadaptado. Y también era muy precavido. Le gustaba la seguridad de un sueldo mensual.

Parece usted crítico.

Solo estoy señalando lo evidente. Si él no hubiera dedicado tanto tiempo a corregir la gramática de los alumnos y asistir a aburridas reuniones, podría haber escrito más, tal vez incluso haber escrito mejor. Pero no era un niño. Sabía lo que estaba haciendo. Llegó a un acuerdo con la sociedad y vivió con las consecuencias.

Por otro lado, ser profesor le permitía estar en contacto con una generación más joven, cosa que no habría podido hacer si se hubiera retirado del mundo para dedicarse completamente a escribir.

Muy cierto.

¿Sabe usted si tenía amistades especiales entre los alumnos?

Vaya, da usted la impresión de que hurga en busca de algo. ¿Qué quiere decir con eso de las «amistades especiales»? ¿Se refiere a que se pasó de la raya? Aunque lo supiera, y no es el caso, no haría ningún comentario.

No obstante, el tema del hombre mayor y la mujer joven aparece una y otra vez en su obra.

Sería de una gran ingenuidad llegar a la conclusión de que, como ese tema está presente en su obra, también tuvo que estarlo en su vida.

En su vida interior, entonces.

Su vida interior. ¿Quién puede decir lo que ocurre en la vida interior de la gente?

¿Hay algún otro de sus aspectos que le gustaría sacar a colación? ¿Alguna anécdota que valga la pena contar?

¿Anécdotas? No lo creo. John y yo éramos colegas y amigos, nos llevábamos bien. Pero no puedo decir que le conociera íntimamente. ¿Por qué me pregunta si tengo anécdotas?

Porque en la biografía es preciso encontrar un equilibro entre la narración y la opinión. Opiniones no me faltan, pues la gente está más que dispuesta a decirme lo que piensan o pensaban de Coetzee, pero hace falta más que eso para que una biografía tenga vida.

Lo siento, no puedo ayudarle. Tal vez sus demás fuentes le serán más útiles. ¿Con quién más hablará?

Tengo cinco nombres en mi lista, incluyéndole a usted.

¿Solo cinco? ¿No cree que es un poco arriesgado? ¿Quiénes somos los cinco afortunados? ¿Cómo ha llegado ha escogernos?

Le daré los nombres. Desde aquí viajaré a Sudáfrica —será mi segundo viaje— para hablar con Margot, la prima de Coetzee, de la que era íntimo. Luego iré a Brasil para encontrarme con una mujer llamada Adriana Nascimento, que vivió en Ciudad del Cabo durante unos años, en la década de 1970. Después de eso, aunque la fecha aún no está fijada, voy a Canadá para entrevistar a una mujer llamada Julia Frankl, que en los años setenta se llamaba Julia Smith. Y también voy a visitar a Sophie Denöel en París.

Conozco a Sophie, pero no a las demás. ¿Cómo escogió esos nombres?

Básicamente, he permitido que el mismo Coetzee realizara la selección. He seguido las pistas que ha dejado en sus cuadernos de notas, pistas acerca de quiénes eran más importantes para él en la época, en los años setenta.

Me parece una manera muy peculiar de seleccionar las fuentes biográficas, si no le importa que se lo diga.

Tal vez. Hay otros nombres que me gustaría haber añadido, de personas que lo conocieron bien, pero, por desgracia, ya están muertos. Pensará que es una forma peculiar de abordar una biografía. Tal vez. Pero no me in-

teresa emitir un juicio definitivo sobre Coetzee. No estoy escribiendo ese tipo de libro. Los juicios definitivos se los dejo a la historia. Lo que estoy haciendo es relatar una etapa de su vida, y si no es posible hacerlo en un único relato, entonces en varios relatos desde distintas perspectivas.

¿Y las personas que ha elegido no tienen intereses personales ni ambiciones propias para pronunciar un juicio definitivo sobre Coetzee?

[Silencio.]

Permítame que le pregunte: aparte de Sophie y aparte de la prima, ¿alguna de las mujeres que menciona tuvo una relación sentimental con Coetzee?

Sí. Ambas la tuvieron. De diferentes maneras. Que aún tengo que explorar.

¿Y no debería eso darle que pensar? Con esa reducidísima lista de fuentes, ¿no escribirá un texto o un conjunto de textos que inevitablemente se decanten hacia lo personal y lo íntimo a expensas de los logros reales del hombre como escritor? Peor aún: ¿no corre el riesgo de permitir que su libro se convierta en nada más que, y perdóneme por decirlo así, una serie de ajustes de cuentas, ajustes de cuentas personales?

¿Por qué? ¿Porque mis informantes son mujeres?

Porque la naturaleza de las relaciones amorosas es tal que los amantes no pueden verse como en realidad son.

[Silencio.]

Le repito que me parece extraño que elabore la biografía de un escritor dejando de lado su obra. Pero tal vez me equivoque. Tal vez esté desfasado. Quizá en eso se haya convertido la biografía literaria. He de irme. Ah, una última cosa: si se propone citarme, ¿tendrá la amabilidad de enviarme primero el texto para que lo examine?

Por supuesto.

Entrevista realizada en Sheffield, Inglaterra,
en septiembre de 2007

SOPHIE

Señora Denoël, cuénteme cómo conoció a John Coetzee.

Durante años fuimos colegas en la Universidad de Ciudad del Cabo. Él estaba en el departamento de inglés y yo en el de francés. Colaboramos para ofrecer un curso de literatura africana. Era en 1976. Él se ocupaba de los escritores anglófonos y yo de los francófonos. Así comenzó nuestra relación.

¿Y cómo llegó usted a Ciudad del Cabo?

Asignaron allí a mi marido, como director de la Alliance Française. Con anterioridad habíamos vivido en Madagascar. Cuando estábamos en Ciudad del Cabo, nuestro matrimonio se deshizo. Mi marido regresó a Francia y yo me quedé en Ciudad del Cabo. Encontré un puesto en la universidad, un puesto subalterno, como profesora de lengua francesa.

Y además impartía usted el curso conjunto que ha mencionado, el curso de literatura africana.

Sí, puede parecer curioso, dos blancos enseñando literatura negra africana, pero así eran las cosas entonces. Si nosotros dos no lo hubiéramos ofrecido, nadie lo habría hecho.

¿Porque los negros estaban excluidos de la universidad?

No, no, en aquella época el sistema ya había comenzado a agrie-
tarse. Había estudiantes negros, aunque no muchos, y también
algunos profesores negros. Pero había pocos especialistas en
África, en el resto del continente. Esa fue una de las cosas sorprendentes que descubrí de Sudáfrica: lo insular que era. El
año pasado la visité de nuevo, y era lo mismo: poco o ningún
interés por el resto de África, un continente oscuro que se extendía al norte y que era mejor no explorar.

¿Y en su caso? ¿De dónde procede su interés por África?

De mi educación. De Francia. No olvide que Francia fue antaño una de las grandes potencias coloniales. Incluso después
de que la era colonial terminara oficialmente, Francia dispuso
de otros medios para mantener su influencia, medios económicos y culturales. *La Francophonie* fue el nuevo nombre que
inventamos para designar al viejo imperio. Se promocionaba,
agasajaba, estudiaba a los escritores de la Francofonía. Para mi
agrégation escribí una tesis sobre Aimé Césaire.

*Y el curso que impartía en colaboración con Coetzee… ¿diría usted
que fue un éxito?*

Sí, así lo creo. Era un curso introductorio, nada más que eso,
pero para los estudiantes fue una revelación.

¿Estudiantes blancos?

Blancos y unos pocos negros. No atrajimos a los estudiantes
negros más radicales. Nuestro enfoque debía de ser demasiado
académico para ellos, no lo bastante *engagé*. Nosotros considerábamos suficiente ofrecerles un atisbo de las riquezas del resto de África.

¿Usted y Coetzee estaban de acuerdo en ese enfoque?

Sí, creo que sí.

Usted era especialista en literatura africana, él no. Él había estudiado la literatura de la metrópolis. ¿Cómo llegó a enseñar literatura africana?

Es cierto que no tenía una preparación formal en ese campo, pero su conocimiento general de África era bueno, un conocimiento libresco, desde luego, no práctico, pues no había viajado por África, pero el conocimiento libresco no carece de valor, ¿verdad? Él dominaba la literatura antropológica mejor que yo, incluidos los materiales francófonos. Tenía conocimientos de la historia y la política. Había leído a las figuras importantes que escribían en inglés y francés (por supuesto, en aquel entonces el corpus de la literatura africana no era amplio; hoy las cosas son diferentes). Había lagunas en su conocimiento, el Magreb, Egipto, etcétera. Y no sabía nada de la diáspora, en particular la caribeña, de la que yo estaba bien informada.

¿Qué opinaba de él como profesor?

Era bueno. No espectacular, pero competente. Siempre bien preparado.

¿Se llevaba bien con los alumnos?

Eso no puedo decírselo. Tal vez si encuentra antiguos alumnos suyos puedan ayudarle.

¿Y usted? Comparada con él, ¿tenía una buena relación con los alumnos?

[Se ríe.] ¿Qué quiere que le diga? Sí, supongo que yo era la más popular, la más entusiasta. Recuerde que era joven y me encantaba hablar de libros después de las clases de lengua. Pensaba que hacíamos buena pareja, él más serio, más reservado, y yo más abierta, más exuberante.

Era considerablemente mayor que usted.

Diez años. Tenía diez años más que yo.

[Silencio.]

¿Hay algo que le gustaría añadir sobre Coetzee? ¿Otros aspectos suyos que quisiera comentar?

Tuvimos una relación. Supongo que ya lo sabe. No duró.

¿Por qué no?

Era insostenible.

¿Le gustaría decir algo más?

¿Si me gustaría decir algo más para su libro? No antes de que me diga qué clase de libro es. ¿Se trata de un libro de chismorreo o es una obra seria? ¿Tiene autorización para ello? ¿Con quién más habla aparte de mí?

¿Hace falta autorización para escribir un libro? Si uno quiere autorización, ¿dónde la obtiene? ¿De los albaceas del legado de Coetzee? No lo creo. Pero puedo asegurarle que el libro que estoy escribiendo es un libro serio, una biografía escrita con un propósito de seriedad. Me concentro en los años transcurridos desde el regreso de Coetzee a Sudáfrica, en 1971-1972, hasta su primer reconocimiento público en 1977. Me parece que es un período importante de su vida, importante pero que se ha pasado por alto, un período en el que aún se estaba habituando a su condición de escritor.

En cuanto a las personas que he seleccionado para entrevistarlas, permítame que le plantee la situación con toda franqueza. Hice dos viajes a Sudáfrica, uno el año pasado y otro el anterior. Esos viajes no resultaron tan fructíferos como había esperado. Muchas de las personas que habían conocido mejor a Coetzee ya habían muerto. De hecho, toda la generación a la que había conocido estaba a punto de morir. Y los recuerdos de los supervivientes no siempre eran de fiar. En uno o dos casos, las personas que afirmaban haberlo conocido, tras rascar un poco, resultó que se referían a otro Coetzee (como ya sabe, el apellido Coetzee es frecuente en aquel país). El resultado es que la biografía se basará en entrevistas con un puñado de amigos y colegas, entre ellos espero que usted. ¿Es suficiente para tranquilizarla?

No. ¿Qué me dice de sus diarios? ¿Y de su correspondencia? ¿Y de sus cuadernos de notas? ¿Por qué se apoya tanto en las entrevistas?

He examinado los diarios y las cartas que están a mi alcance, señora Denoël. No es posible confiar en lo que Coetzee escribe en ellos, no como un registro exacto de los hechos, y no porque fuese un embustero, sino porque era un creador de ficciones. En las cartas crea una ficción de sí mismo para sus corresponsales; en los diarios hace algo muy similar para sí mismo, o tal vez para la posteridad. Como documentos tienen su valor, desde luego; pero si quiere usted saber la verdad, toda la verdad, entonces seguramente tendrá que poner junto a ellos el testimonio de personas que lo conocieron en carne y hueso, que participaron en su vida.

Sí; pero ¿y si todos somos creadores de ficciones, como llama usted a Coetzee? ¿Y si todos estamos continuamente inventando la historia de nuestra vida? ¿Por qué lo que yo le cuente de Coetzee ha de ser más digno de crédito que lo que él mismo haya escrito?

Claro que todos somos creadores de ficciones, más o menos no voy a negarlo. Pero ¿qué preferiría usted tener: una serie de informes independientes de perspectivas independientes, con las que luego podría

*tratar de sintetizar un todo, o la enorme y unitaria proyección del yo
que comprende su obra? Yo no sé qué preferiría.*

Sí, lo comprendo, pero queda la otra cuestión que he planteado, la cuestión de la discreción. No creo, como otros, que cuando una persona muere cesen todas las limitaciones. No estoy necesariamente dispuesta a compartir con el mundo lo que existió entre John Coetzee y yo.

Eso lo acepto. La discreción es su privilegio y está en su derecho. Sin embargo, le pido que reflexione. Un gran escritor es propiedad de todo el mundo. Usted conocía estrechamente a John Coetzee. Uno de estos días tampoco usted estará entre nosotros. ¿Le parece bien que sus recuerdos desaparezcan con usted?

¿Un gran escritor? ¡Cómo se reiría John si le oyera! Los tiempos del gran escritor terminaron hace mucho tiempo, le diría.

Los tiempos del escritor como oráculo… sí, estoy de acuerdo, esa época ha pasado. Pero ¿no aceptaría usted que un escritor famoso, llamémosle así en vez de grande, un escritor famoso en nuestra vida cultural común, no es hasta cierto punto de propiedad pública?

Mi opinión sobre el particular no tiene ninguna importancia. Lo importante es lo que él mismo creía. Y a ese respecto la respuesta es clara. Creía que la historia de nuestra vida es nuestra para edificarla como deseemos, dentro de las restricciones impuestas por el mundo real e incluso contra ellas, como usted mismo ha reconocido hace un momento. Tal es el motivo de que utilizara específicamente el término «autorización». No me refería a la autorización de sus familiares o de sus albaceas, sino su propia autorización. Si él no le autorizó a exponer la faceta privada de su vida, ciertamente yo no le ayudaré a hacerlo.

Coetzee no pudo autorizarme por la simple razón de que nunca entramos en contacto. Pero coincidamos en que no nos pondremos de

545

acuerdo en este punto y prosigamos. Vuelvo ahora al curso de literatura africana que él y usted impartieron juntos. Me intriga una observación que ha hecho. Ha dicho que ustedes no atraían a los estudiantes radicales más africanos. ¿A qué lo atribuye?

A que, según sus criterios, nosotros no éramos radicales. Obviamente, a los dos nos había afectado lo ocurrido en mayo de 1968. En aquel entonces yo estudiaba en la Sorbona, donde participé en las manifestaciones. John estaba en Estados Unidos, donde se puso a malas con las autoridades estadounidenses, no recuerdo todos los detalles, pero sé que se convirtió en un momento crucial en su vida. Sin embargo, insisto en que ninguno de los dos éramos marxistas y, desde luego, no éramos maoístas. Es probable que yo fuese más izquierdista que él, pero podía permitírmelo porque me protegía mi situación dentro del enclave diplomático francés. Si yo hubiera tenido problemas con la policía de seguridad sudafricana, me habrían embarcado discretamente en un avión con destino a París, y ese habría sido el fin del asunto. No habría acabado en la cárcel.

Mientras que Coetzee...

Coetzee tampoco habría acabado en la cárcel. No era un militante. Su actitud política era demasiado idealista, demasiado utópica para ello. En realidad, carecía de actitud política, la despreciaba. No le gustaban los escritores políticos, los que abrazaban un programa político.

Sin embargo, en los años setenta publicó algún comentario de tendencia totalmente izquierdista. Pienso en sus ensayos sobre Alex La Guma, por ejemplo. Simpatizaba con él, y La Guma era comunista.

La Guma fue un caso especial. Simpatizaba con La Guma, porque este era natural de Ciudad del Cabo, no porque fuese comunista.

Dice usted que no estaba politizado. ¿Quiere decir que era apolítico? Porque algunas personas le dirían que el apolítico es solo una variedad del politizado.

No, apolítico no, más bien diría antipolítico. Creía que la política hacía aflorar lo peor de la gente y también sacaba a la superficie a los peores tipos de la sociedad. Prefería no tener nada que ver con ella.

¿Predicaba en sus clases esta política antipolítica?

Por supuesto que no. Ponía mucho cuidado en no predicar. Solo descubrías sus creencias políticas después de que llegabas a conocerlo mejor.

Dice usted que su política era utópica. ¿Está dando a entender que no era realista?

Le ilusionaba pensar que un día la política y el Estado se desvanecerían. Yo llamaría a esa actitud utópica. Por otro lado, no movía un solo dedo con la esperanza de que esos anhelos utópicos llegaran a realizarse. Era demasiado calvinista para eso.

Explíquese, por favor.

¿Quiere que le diga qué había detrás de la actitud política de Coetzee? La mejor manera de determinarlo es la exploración de sus libros. Pero déjeme intentarlo de todos modos.

En opinión de Coetzee, los seres humanos jamás abandonarán la política porque esta es demasiado conveniente y atractiva como un teatro en el que dar rienda a nuestras emociones más innobles. Las emociones más innobles abarcan el odio, el rencor, el despecho, los celos, el deseo de matar y así sucesivamente. En otras palabras, la política tal como la conocemos es un síntoma de nuestro estado de degradación y expresa ese estado.

¿Incluso la política de liberación?

Si se refiere a la política de la lucha de liberación sudafricana, la respuesta es que sí. Mientras liberación significara liberación nacional, la liberación de la nación negra de Sudáfrica, John no tenía ningún interés por ella.

¿Era entonces hostil a la lucha por la liberación?

¿Era hostil? No, no lo era. Hostil, simpatizante… como biógrafo, lo primero que debería hacer ante todo es precaverse para no meter a la gente en pulcras cajitas etiquetadas.

Espero no estar encasillando a Coetzee.

Bueno, me suena a eso. No, no era hostil a la lucha de liberación. Si uno es fatalista, como él tendía a serlo, no tiene sentido ser hostil al curso que toma la historia, por mucho que pueda lamentarlo. Para el fatalista, la historia es el destino.

Muy bien, ¿lamentaba entonces la lucha por la liberación? ¿Lamentaba la forma que tomaba la lucha por la liberación?

Aceptaba que la lucha por la liberación era justa. La lucha era justa, pero la nueva Sudáfrica hacia la que se dirigían no era lo bastante utópica para él.

¿Qué habría sido lo bastante utópico para él?

El cierre de las minas. El arrasamiento de los viñedos. La disolución de las fuerzas armadas. La abolición del automóvil. El vegetarianismo universal. La poesía en las calles. Esa clase de cosas.

En otras palabras, ¿vale la pena luchar por la poesía y el carro tirado por caballos, pero no por la liberación del apartheid?

Nada merece que se luche por ello. Me obliga usted a adoptar el papel de defensora de su posición, una posición que no comparto. Nada merece que se luche por ello porque la lucha solo prolonga el ciclo de agresión y represalia. Me limito a repetir lo que Coetzee expresa bien claramente en sus escritos, que usted dice haber leído.

¿Se sentía cómodo con sus alumnos negros... con los negros en general?

¿Se sentía cómodo con nadie? No era una persona que se sintiera espontáneamente cómoda. Jamás se relajaba. Lo vi con mis propios ojos. De modo que la respuesta a la pregunta de si se sentía cómodo con los negros es que no. No se sentía cómodo entre la gente que se sentía cómoda. La comodidad de los demás le hacía sentirse incómodo. Lo cual, a mi modo de ver, le obligaba a ir por la dirección errónea.

¿Qué quiere decir?

Veía África a través de una neblina romántica. Consideraba a los africanos como seres integrales, de un modo que se había perdido mucho tiempo atrás en Europa. ¿Qué quiero decir? Trataré de explicárselo. Decía que, en África, el cuerpo y el alma eran indistinguibles, el cuerpo era el alma. Tenía toda una filosofía sobre el cuerpo, de música y danza, que no puedo reproducir, pero que incluso entonces me parecía, ¿cómo le diría?, inútil. Políticamente inútil.

Continúe, por favor.

Su filosofía atribuía a los negros el papel de guardianes del ser más auténtico, más profundo y más primitivo de la humanidad. Teníamos vivas discusiones sobre esto. Yo le decía que su postura se reducía al anticuado primitivismo romántico. En el contexto de los años setenta, de la lucha por la liberación y el estado de *apartheid*, no servía de nada considerar de ese modo a los africanos. Y en cualquier caso, era un papel que ya no estaban dispuestos a representar.

¿Era este el motivo por el que los estudiantes negros evitaban su curso, el que impartían ustedes dos, de literatura africana?

Él no difundía abiertamente ese punto de vista. Siempre era muy cuidadoso a ese respecto, muy correcto. Pero si uno le escuchaba con atención, no podía dejar de percibirlo.

Había una circunstancia más, otro sesgo de su pensamiento, que debo mencionar. Al igual que muchos blancos, consideraba El Cabo, así como El Cabo occidental y tal vez El Cabo septentrional, como una región separada del resto de Sudáfrica. El Cabo era un país por sí mismo, con su propia geografía, su propia historia, sus lenguas y su cultura particulares. En aquel Cabo mítico, atormentado por los fantasmas de lo que solíamos llamar los hotentotes, los mestizos estaban arraigados y, en menor medida, también los afrikáners, pero los africanos negros eran extraños, llegados tardíamente, forasteros al igual que los ingleses.

¿Por qué le menciono esto? Porque es una indicación de cómo podía justificar Coetzee la actitud más bien abstracta y antropológica que tomaba ante Sudáfrica. Carecía de sensibilidad hacia los sudafricanos negros. Esa era mi conclusión personal. Puede que fuesen sus conciudadanos, pero no eran sus compatriotas. Tal vez la historia, o el destino, que para él eran lo mismo, les había asignado el papel de herederos de la tierra, pero en el fondo de su mente seguían siendo *ellos* en contraposición a *nosotros*.

Si los africanos eran ellos, *¿quiénes eran* nosotros? *¿Los afrikáners?*

No. «Nosotros» eran principalmente los mestizos. Es un término que uso a regañadientes, como un signo taquigráfico. Coetzee lo evitaba siempre que podía. Le he mencionado su pensamiento utópico. Esa evitación era otro aspecto de su utopía. Ansiaba el día en que los habitantes de Sudáfrica no estarían etiquetados, no se distinguirían llamándose africanos ni europeos ni blancos ni negros ni ninguna otra cosa, cuando las historias familiares estarían tan embrolladas y mezcladas que la gente sería étnicamente indistinguible, es decir, y pronuncio de nuevo el término contaminado, mestizos. A eso lo llamaba el futuro brasileño. Aprobaba Brasil y a los brasileños. Naturalmente, jamás había estado en ese país.

Pero tenía amigos brasileños.

Había conocido a unos pocos refugiados brasileños en Sudáfrica.

[Silencio.]

Menciona usted un futuro en el que toda la gente estará mezclada. ¿Se refiere a una mezcla biológica? ¿Estamos hablando del matrimonio interracial?

No sabría decírselo. Solo le estoy informando de lo que él pensaba.

¿Por qué, entonces, en vez de contribuir al futuro engendrando, legítima o ilegítimamente, hijos mestizos, se relacionaba con una joven colega blanca de Francia?

[Se ríe.]

No sé qué decirle.

¿De qué hablaban ustedes?

De nuestras clases, de colegas y alumnos. En otras palabras, hablábamos del oficio. También hablábamos de nosotros mismos.

Prosiga.

¿Quiere que le diga si hablábamos de su obra? La respuesta es no. Jamás me hablaba de lo que estaba escribiendo, ni yo le apremiaba para que lo hiciera.

Esto sucedía por la época en que estaba escribiendo En medio de ninguna parte.

Estaba terminando ese libro.

¿Sabía usted que En medio de ninguna parte *trataría de locura, parricidio y cosas así?*

No tenía la menor idea.

¿Lo leyó antes de que se publicara?

Sí.

¿Qué le pareció?

[Se ríe.] He de andar con pies de plomo. Supongo que no se refiere a mi juicio crítico, sino a mi reacción. Francamente, al principio estaba nerviosa. Me inquietaba la posibilidad de encontrarme en el libro bajo algún disfraz embarazoso.

¿Por qué pensaba en esa posibilidad?

Porque… así me lo parecía entonces, ahora comprendo lo ingenua que era… creía que no puedes tener una relación íntima con otra persona y, sin embargo, excluirla de tu universo imaginativo.

¿Y se encontró usted en el libro?

No.

¿Eso la molestó?

¿Qué quiere decir con eso? ¿Si me molestó no encontrarme en su libro?

¿La molestó verse excluida de su universo imaginativo?

No. Estaba aprendiendo. Mi exclusión formó parte de mi educación. ¿Lo dejamos aquí? Creo que ya le he aportado lo suficiente.

Y le estoy muy agradecido, señora Denoël, pero permítame pedirle una cosa más. Coetzee nunca fue un escritor popular. No me refiero simplemente a que sus libros no cosecharan grandes ventas, sino también a que jamás llegó al corazón colectivo del público. La imagen que se tenía de él era la de un intelectual distante y arrogante, una imagen que él no hizo nada por disipar. Incluso podría decirse que la alentaba.

Sin embargo, no creo que esa imagen le haga justicia. Las conversaciones que he tenido con gente que lo conocía bien revelan a una persona muy diferente, no necesariamente de carácter más cálido, sino más inseguro de sí mismo, más confuso, más humano, si puedo usar la palabra.

Me pregunto si estaría usted dispuesta a comentar su lado humano. Valoro lo que ha dicho acerca de su actitud política, pero ¿hay algunas anécdotas de índole más personal que estuviera dispuesta a contarme, anécdotas que podrían arrojar más luz sobre su carácter?

¿Quiere decir anécdotas que lo muestren bajo una luz más atractiva, más enternecedora, anécdotas de lo considerado que era con los animales, por ejemplo, con los animales y las mujeres? No, anécdotas como esas me las guardo para mis propias memorias.

[Risa.]

De acuerdo, le contaré una anécdota. Tal vez no parezca demasiado personal, tal vez parezca, una vez más, política, pero recuerde que en aquella época la política irrumpía en todo.

Un periodista de *Libération*, el periódico francés, al que habían enviado a Sudáfrica, me preguntó si le podría conseguir una entrevista con John. Hablé con este y le persuadí de que aceptara: le dije que *Libération* era un buen periódico, le dije que los periodistas franceses no eran como los sudafricanos, que nunca se presentaban para una entrevista sin haber hecho antes los deberes.

Realizamos la entrevista en mi despacho de la universidad. Pensé que echaría una mano en caso de que surgieran problemas de lenguaje, porque John no hablaba un buen francés.

Pues bien, pronto quedó claro que el periodista no estaba interesado en el mismo John, sino en lo que este podía decirle acerca de Breyten Breytenbach, que en aquel entonces tenía problemas con las autoridades sudafricanas. Porque en Francia había un vivo interés por Breytenbach, era una figura romántica, había vivido en Francia durante muchos años, tenía relaciones con el mundo intelectual francés.

La respuesta de John fue que no podía ayudarle: había leído a Breytenbach, pero eso era todo, no le conocía personalmente, jamás se había encontrado con él. Todo lo cual era cierto.

Pero el periodista, que estaba acostumbrado a la vida literaria de Francia, donde todo es mucho más incestuoso, no le creía. ¿Por qué un escritor se negaría a hacer comentarios sobre otro escritor de la misma pequeña tribu, la tribu afrikáner, a menos que hubiera alguna rencilla personal entre ellos o alguna animosidad política?

Por ello siguió presionando a John y este siguió tratando de explicarle lo difícil que era, para una persona de fuera, un forastero, apreciar los logros de Breytenbach como poeta, puesto que su poesía estaba profundamente arraigada en el *volskmond*, el lenguaje del pueblo.

«¿Se refiere a sus poemas escritos en dialecto?», le preguntó el periodista. Y entonces, como John no le comprendía, observó con notable desdén: «Sin duda estará de acuerdo en que no es posible escribir una gran poesía en dialecto».

Esa observación enfureció de veras a John. Pero, puesto que su manera de enfadarse era, más que gritar y montar una escena, volverse frío y sumirse en el silencio, el periodista de *Libération* se quedó desconcertado. No tenía ni idea de lo que había provocado.

Más tarde, cuando John ya se había marchado, traté de explicarle que los afrikáners se sentían muy heridos cuando se insultaba a su lengua, y que probablemente el mismo Breytenbach habría reaccionado igual. Pero el periodista se limitó a encogerse de hombros. Dijo que carecía de sentido escribir en un dialecto cuando uno tenía a su disposición una lengua de ámbito mundial (de hecho, no dijo un dialecto, sino un oscuro dialecto, y no dijo una lengua de ámbito mundial, sino una lengua como es debido, *une vraie langue*). Entonces empecé a comprender que estaba clasificando a Breytenbach y John en la misma categoría, la de escritores vernáculos o dialectales.

Bien, John, por supuesto, no escribía en afrikaans, sino en inglés, en un inglés muy bueno, y había escrito en inglés durante toda su vida. Aun así reaccionaba del modo irritado que he descrito ante lo que consideraba un insulto a la dignidad del afrikaans.

Traducía del afrikaans, ¿no es cierto? Quiero decir que traducía a escritores afrikaans.

Sí. Yo diría que conocía bien el afrikaans, aunque de manera muy similar a su conocimiento del francés, es decir, mucho mejor leído que hablado. Desde luego, yo no era competente para juzgar el nivel de su afrikaans, pero esa es la impresión que tenía.

Tenemos, pues, el caso de un hombre que hablaba la lengua de una manera imperfecta, que estaba al margen de la religión nacional o al menos de la religión del Estado, cuya perspectiva era cosmopolita, cuya actitud política era, ¿cómo diremos?, disidente, pero que de todos modos estaba dispuesto a abrazar la identidad afrikáner. ¿Por qué cree usted que era así?

Mi opinión es que, bajo la mirada de la historia, creía que no podía separarse de los afrikáners y conservar su amor propio, aun cuando ello supusiera que le asociasen con todo aquello de lo que los afrikáners eran políticamente responsables.

¿No hubo nada que le atrajera de una manera más positiva para abrazar la identidad afrikáner, nada a un nivel más personal, por ejemplo?

Tal vez lo hubiera, no lo sé. Nunca llegué a conocer a su familia. Tal vez ellos aportarían una pista. Pero John era muy cauto por naturaleza, era como una tortuga. Cuando percibía un peligro, se retiraba en el interior de su caparazón. Los afrikáners le habían desairado con demasiada frecuencia, desairado y humillado... solo tiene que leer su libro de memorias de la infancia para verlo. No iba a correr el riesgo de que lo rechazaran de nuevo.

De modo que prefirió mantener su independencia.

Creo que se sentía mejor en el papel de independiente. No le gustaba afiliarse a nada. No era un jugador de equipo.

Dice usted que no le presentó a su familia. ¿No le pareció eso extraño?

No, en absoluto. Cuando nos conocimos, su madre había fallecido, su padre no se encontraba bien, su hermano había abandonado el país, sus relaciones con el resto de la familia eran tensas. En cuando a mí, era una mujer casada, y por tanto nuestra relación, hasta donde llegó, tuvo que ser clandestina.

Pero, por supuesto, hablábamos de nuestras respectivas familias, de nuestros orígenes. Yo diría que lo que distinguía a su familia era su condición de afrikáners en el sentido cultural pero no en el político. ¿Qué quiero decir con esto? Piense por un momento en la Europa del siglo XIX. Vemos en todo el continente identidades étnicas o culturales que se transforman a sí mismas en identidades políticas. Ese proceso comienza en Grecia y se extiende rápidamente por los Balcanes y Europa central. En poco tiempo la ola rompió en las colonias. En la colonia de El Cabo, los criollos de habla holandesa empezaron a reinventarse como una nación independiente, la nación afrikáner, y a agitarse para conseguir la independencia nacional.

Pues bien, de una u otra manera, esa ola de entusiasmo romántico nacionalista pasó de largo ante la familia de John. O bien decidieron no dejarse arrastrar por ella.

¿Mantuvieron su distancia debido a la política asociada con el entusiasmo nacionalista, es decir, la política antiimperialista, antiinglesa?

Sí. Primero les turbó la manifiesta hostilidad a todo lo inglés, la mística del *Blut und Boden*. Más adelante les disgustó el bagaje ideológico que los nacionalistas copiaron de la derecha radical europea: el racismo científico, por ejemplo, y las políticas que lo acompañaban; el control de la cultura, la militarización de la juventud, una religión del Estado y todo lo demás.

Así pues, usted considera a Coetzee, en general, como un conservador, un antirradical.

Un conservador cultural, sí, como muchos modernistas fueron conservadores culturales, me refiero a los escritores modernistas europeos que fueron sus modelos. Tenía un profundo apego a la Sudáfrica de su juventud, una Sudáfrica que en 1976 empezaba a parecer un país de nunca jamás. Como prueba, no tiene más que leer el libro que le he mencionado, *Infancia*, donde verá una palpable nostalgia de las antiguas relaciones feudales entre los blancos y los mestizos. Para la gente como él, el Partido Nacional, con su política de *apartheid*, representaba no el

conservadurismo provinciano, sino, por el contrario, la inge-
niería social de nuevo cuño. Estaba a favor de las texturas sociales antiguas, complejas, que tanto ofendían a los metódicos *di-
rigistes* del *apartheid*.

¿Se enfrentó alguna vez con él por cuestiones políticas?

Es difícil responder a esa pregunta. Al fin y al cabo, ¿dónde
acaba el carácter y comienza la política? A nivel personal, me
parecía demasiado fatalista y, por lo tanto, demasiado pasivo.
¿Su desconfianza del activismo político se expresaba en una
conducta pasiva en su vida, o un fatalismo innato se expresaba
en desconfianza de la acción política? No puedo determinarlo. Pero sí, a un nivel personal existía cierta tensión entre nosotros. Yo quería que nuestra relación creciera y se desarrolla-
ra, mientras que él quería que siguiera igual, sin cambios. Eso
es lo que acabó por causar la ruptura. Porque, a mi modo de
ver, entre un hombre y una mujer no puede darse la inmovilidad. O vas hacia arriba o hacia abajo.

¿Cuándo se produjo la ruptura?

En 1980. Abandoné Ciudad del Cabo y regresé a Francia.

¿No tuvieron más contacto?

Durante cierto tiempo me escribió. Me enviaba sus libros
conforme salían. Entonces dejaron de llegar cartas. Supuse
que había encontrado otra mujer.

Y cuando rememora su relación, ¿cómo la ve?

¿Cómo veo nuestra relación? John era un notable francófilo
del tipo que creía que si se conseguía una amante francesa al-
canzaría la felicidad suprema. De la amante francesa se esperaba que recitara a Ronsard y tocara a Couperin al clavecín

mientras simultáneamente conducía a su amante a los misterios amatorios al estilo francés. Por supuesto, exagero.

¿Era yo la amante francesa de su fantasía? Lo dudo mucho. Ahora, al mirar hacia atrás, veo que la esencia de nuestra relación era cómica. Cómica y sentimental a la vez. Se basaba en una premisa cómica. Pero tenía otro elemento que no debo minimizar, a saber, que me ayudó a huir de un mal matrimonio, por lo que sigo estándole agradecida.

Cómica y sentimental… Hace usted que parezca una relación bastante ligera. ¿No le dejó Coetzee una huella más profunda, y usted a él?

No estoy en condiciones de juzgar la huella que he podido dejarle. Pero yo diría que, en general, a menos que tengas una fuerte personalidad, no dejas una huella profunda, y John no tenía una fuerte personalidad. No quisiera parecer displicente. Sé que tenía muchos admiradores, no le concedieron el premio Nobel porque sí y, naturalmente, si usted no le considerase un escritor importante, hoy no estaría aquí, haciendo estas averiguaciones. Pero, seamos serios por un momento, en todo el tiempo que estuvimos juntos nunca tuve la sensación de que me encontraba con una persona excepcional, un ser humano excepcional de veras. Sé que es cruel decirlo, pero lamentablemente es cierto. Jamás vi que emitiera un destello de luz que iluminara de súbito al mundo. O bien, si había tales destellos, yo estaba ciega.

John me parecía inteligente y culto. Le admiraba en muchos aspectos. Como escritor sabía lo que estaba haciendo, tenía cierto estilo, y en el estilo radica el inicio de la distinción. Pero carecía de una sensibilidad especial que yo pudiera detectar, de cualquier percepción original de la condición humana. No era más que un hombre, un hombre de su tiempo, con talento, tal vez incluso dotado, pero, francamente, ningún gigante. Si le decepciono, lo lamento. Estoy segura de que, gracias a lo que le digan otras personas que le conocieron, se formará una imagen diferente de él.

Volvamos a su obra. Desde un punto de vista objetivo, como crítica, ¿qué valoración hace usted de sus libros?

Me gustaban más sus primeras obras. En un libro como *En medio de ninguna parte* hay cierta osadía, cierta crudeza, que todavía admiro. También en *Foe*, que no es una obra tan temprana. Pero después de eso se volvió más respetable y, a mi modo de ver, más dócil. Después de *Desgracia* perdí el interés. Y ya no leí nada más suyo,

En general, yo diría que su obra carece de ambición. El control sobre los elementos de la ficción es demasiado férreo. No tienes la sensación de estar ante un escritor que deforma su medio para decir lo que nunca se ha dicho antes, que, a mi modo de ver, es lo que distingue a la gran literatura. Demasiado frío, demasiado pulcro, diría yo. Demasiado fácil. Demasiado falto de pasión, pasión creativa. Eso es todo.

*Entrevista realizada en París
en enero de 2008.*

CUADERNOS DE NOTAS:
FRAGMENTOS SIN FECHA

Fragmento sin fecha

Es una tarde de sábado en invierno, tiempo ritual para el partido de rugby. Él y su padre toman un tren hacia Newlands y llegan a tiempo para presenciar el partido previo a las 2.15. Al partido previo seguirá el partido principal a las cuatro. Cuando finalice, tomarán el tren de regreso a casa.

Va con su padre a Newlands porque los deportes, el rugby en invierno y el críquet en verano, es el vínculo más fuerte que sobrevive entre ellos y porque, el primer sábado tras su regreso al país, cuando vio que su padre se ponía el abrigo y, sin decir palabra, se marchaba a Newlands como un niño solitario, sintió una puñalada en el corazón.

Su padre no tiene amigos. Tampoco los tiene él, aunque por una razón distinta. Cuando era más joven los tenía, pero esos viejos amigos se han dispersado por todo el mundo, y él parece haber perdido la habilidad, o tal vez la voluntad, de trabar nuevas amistades. Así pues, vuelve a tener a su padre por toda compañía y su padre le tiene a él.

A su regreso, le sorprendió descubrir que su padre no conocía a nadie. Siempre había considerado a su padre un hombre sociable, pero o bien se equivocaba o bien su padre ha cambiado. O tal vez se trate simplemente de una de esas cosas que les suceden a los hombres cuando envejecen: se retiran dentro de sí mismos. Los sábados las graderías de Newlands están llenas de ellos, hombres solitarios con gabardina gris en el crepúsculo de su vida, reservados, como si su soledad fuese una enfermedad vergonzosa.

Él y su padre se sientan uno al lado del otro en la gradería norte y ven el partido previo. Los acontecimientos de esta jornada están teñidos de melancolía. Esta es la última temporada en que el estadio se utilizará como club de rugby. Con la tardía llegada de la televisión al país, el interés por el rugby ha disminuido. Los hombres que se pasaban las tardes de los sábados en Newlands ahora prefieren quedarse en casa y mirar el partido de la semana. De los millares de asientos en la gradería norte no están ocupados más de una docena. La gradería móvil está totalmente vacía. En la gradería sur hay todavía un grupo de empecinados espectadores mestizos que vienen a animar a los equipos UCT y Villagers y abuchear a Stellenbosch y Van der Stel. Solo en la gradería principal hay un número respetable, tal vez un millar.

Hace un cuarto de siglo, en su infancia, las cosas eran distintas. Un gran día de partido entre clubes, el día en que los Hamiltons jugaban contra los Villagers, por ejemplo, o el UCT jugaba contra el Stellenbosch, uno tenía que forcejear para encontrar un sitio desde donde ver el partido de pie. Una hora después de que hubiera sonado el pitido final, las furgonetas del *Argus* corrían por las calles y de ellas iban cayendo paquetes del *Sports Edition* para los vendedores apostados en las esquinas, con relatos efectuados por testigos oculares de todos los partidos de primera división, incluso de los partidos jugados en las lejanas Stellenbosch y Somerset Oeste, junto con los marcadores de las divisiones menores, 2A, 2B, 3A y 3B.

Aquellos días han quedado atrás. El rugby está dando sus últimas boqueadas. Uno lo percibe hoy no solo en las graderías sino en el mismo terreno de juego. Deprimidos por el espacio resonante del estadio vacío, los jugadores tan solo parecen cumplir con el expediente. Un ritual se está extinguiendo ante sus ojos, un auténtico ritual pequeño burgués sudafricano. Hoy sus últimos fieles se reúnen aquí: ancianos tristes como su padre, hijos sosos y obedientes como él.

Empieza a caer una ligera lluvia. Él abre el paraguas y cubre a los dos. En el campo, treinta jóvenes poco entusiastas dan tumbos, buscando a tientas el balón mojado.

El partido previo lo juegan Union, de azul celeste, y Gardens, de granate y negro. Union y Gardens ocupan los últimos puestos entre los equipos de primera división y corren peligro de descenso. Antes no era así. Hubo una época en que Gardens era una potencia del rugby en la Provincia Occidental. En casa hay una fotografía enmarcada del tercer equipo del Gardens en 1938, en la que su padre está sentado en primera fila, el jersey de rugby recién lavado, con el emblema del Gardens y el cuello alzado, como estaba de moda, alrededor de las orejas. De no haber sido por ciertos acontecimientos imprevistos, la Segunda Guerra Mundial en particular, ¿quién sabe?, su padre podría haber ascendido incluso al segundo equipo.

Si las viejas lealtades contaran, su padre animaría al Gardens contra el Union. Pero lo cierto es que al señor Coetzee no le importa quién gane, el Gardens, el Union o el hombre en la luna. De hecho, a él le resulta difícil detectar qué es lo que le importa a su padre, en rugby o en cualquier otra cosa. Si pudiera resolver el misterio de qué es lo que le interesa a su padre, tal vez podría ser un mejor hijo. Toda la familia de su padre es así, sin ninguna pasión que él pueda percibir. Ni siquiera parece interesarles el dinero. Lo único que quieren es llevarse bien con todo el mundo y aprovechar la circunstancia para divertirse un poco.

Por lo que respecta a la diversión, él es el último compañero que su padre necesita. En capacidad de hacer reír, es el último de la clase, un tipo lúgubre, un aguafiestas, un hombre rutinario e inflexible.

Y luego está la cuestión musical de su padre. Tras la capitulación de Mussolini, en 1944, y la retirada de los alemanes hacia el norte, a las tropas aliadas que ocupaban Italia, entre las que se encontraban las sudafricanas, se les permitió relajarse brevemente y pasarlo bien. Entre las formas de esparcimiento que se les organizó, figuraban representaciones gratuitas en los grandes teatros de ópera. Jóvenes procedentes de Estados Unidos, Gran Bretaña y los lejanos dominios británicos en ultramar, totalmente desconocedores de la ópera italiana, se vieron inmersos en el drama de *Tosca* o *El barbero de Sevilla* o *Lucia di Lammermoor*. Solo unos pocos se aficionaron, pero su padre figuraba entre esos pocos. En su infancia le habían arrullado las baladas sentimentales irlandesas e inglesas, y se sintió fascinado por la suntuosa música nueva y sobrecogido por el espectáculo. Un día tras otro volvía al teatro en busca de más.

Así pues, cuando, al final de las hostilidades, el cabo Coetzee regresó a Sudáfrica, lo hizo con una nueva pasión por la ópera. «La donna è mobile», cantaba en el baño. «Fígaro aquí, Fígaro allá —cantaba—. ¡Fígaro, Fígaro, Fígaro!» Compró un gramófono, el primero de su familia. Una y otra vez ponía un disco de 78 rpm, Caruso cantando «Che gelida manina». Cuando se inventaron los discos de larga duración, adquirió un nuevo y mejor gramófono, junto con un álbum de arias famosas de Renata Tebaldi.

De este modo, durante su adolescencia hubo dos escuelas de música vocal enfrentadas en la casa: una escuela italiana, la de su padre, representada por la Tebaldi y Tito Gobbi que cantaban a pleno pulmón, y una escuela alemana, la suya propia, fundada en Bach. Durante toda la tarde del domingo llenaban la casa los coros de la *Misa en si menor*, mientras que, por la noche, cuando Bach por fin guardaba silencio, su padre se servía una copa de coñac, ponía a Renata Tebaldi, y se sentaba a escuchar verdaderas melodías, auténtico canto.

Debido a su sensualidad y decadencia (así era como lo veía entonces) resolvió que siempre detestaría y despreciaría la ópera italiana. Que pudiera despreciarla simplemente porque su padre la amaba, que hubiera resuelto detestar y despreciar cualquier cosa que su padre amara, era una posibilidad que no admitiría.

Una día, cuando nadie estaba presente, sacó de la funda el disco de la Tebaldi y con una cuchilla de afeitar le hizo una profunda marca en la superficie.

El domingo por la noche su padre puso el disco. La aguja saltaba a cada revolución. «¿Quién ha hecho esto?», preguntó. Pero, al parecer, nadie lo había hecho. Había ocurrido, sin más. Ese fue el final de la Tebaldi; a partir de ese momento Bach reinaría sin rivales.

Durante los últimos veinticinco años ha sentido el remordimiento más profundo por esa mezquina acción, un remordimiento que no ha disminuido con el paso del tiempo, sino que, por el contrario, se ha hecho más intenso. Uno de sus primeros actos cuando regresó al país fue recorrer las tiendas de música en busca del disco de la Tebaldi. Aunque no pudo dar con él, encontró una recopilación en la que la diva cantaba algunas de esas arias. Se lo llevó a casa y lo puso en el tocadiscos del principio al fin, confiando hacer salir a su padre de su habitación como un cazador podría atraer a un pájaro con sus señuelos. Pero su padre no mostró ningún interés.

—¿No reconoces la voz? —le preguntó.

Su padre sacudió la cabeza.

—Es Renata Tebaldi. ¿No recuerdas lo mucho que te gustaba antes?

Se negó a aceptar la derrota. Siguió confiando en que un día, cuando él estuviese fuera de casa, su padre pusiera el nuevo e impoluto disco en el tocadiscos, se sirviera una copa de coñac, se sentara en su sillón y se dejara transportar a Roma, Milán o dondequiera que, en su juventud, escuchara por primera vez las sensuales bellezas de la voz humana. Quería que aquella alegría de antaño llenara el pecho de su padre. Aunque solo fuese por una hora, quería que reviviera aquella juventud perdida, que olvidara su existencia actual, oprimida y humillada. Por encima de todo, quería que su padre le perdonara. «¡Perdóname!», quería decirle a su padre. «¿Perdonarte? Por Dios, ¿qué tengo que perdonarte?», quería oír replicar a su padre. Tras lo cual, si lograba hacer acopio de valor, haría por fin la confesión completa: «Perdonarme porque a propósito y con premeditación rayé tu disco de la Tebaldi. Y por otras cosas, tantas que el recitado de la lista requeriría el día entero.

Por innumerables bajezas. Por la maldad de corazón en que esas bajezas se originaron. En resumen, por cuanto he hecho desde el día que nací, y con tal éxito, para amargarte la vida».

Pero no, no había la menor indicación de que durante su ausencia de la casa su padre hubiera dejado a la Tebaldi cantar en libertad. Parecía como si la diva hubiera perdido sus encantos, o de lo contrario su padre estaba jugando con él a un juego terrible. «¿Amargarme la vida? ¿Qué te hace pensar que he vivido amargado? ¿Qué te hace pensar que alguna vez has sido capaz de amargarme la vida?»

De vez en cuando pone el disco de la Tebaldi y, mientras lo escucha, empieza a producirse en su interior una especie de transformación. Como debió de ocurrirle a su padre en 1944, su corazón empieza a latir al ritmo del de Mimi. De la misma manera que el gran arco creciente de su voz debió de conmover a su padre en el pasado, así le conmueve a él ahora, instándole a unirse al de ella en un vuelo apasionado y cada vez más alto.

¿Qué le ha pasado durante todos estos años? ¿Por qué no ha escuchado a Verdi, a Puccini? ¿Ha estado sordo? ¿O acaso la verdad es todavía peor: oía y reconocía perfectamente bien, incluso en su juventud, la llamada de la Tebaldi, y luego, con hermética afectación («¡No lo haré!»), se negó a seguirla? «¡Abajo la Tebaldi, abajo Italia, abajo la carne!» ¡Y si su padre también debía hundirse en el naufragio general, que así fuese!

No tiene ni idea de lo que ocurre en el interior de su padre. Este no habla de sí mismo, no lleva un diario ni escribe cartas. Una sola vez, por accidente, ha habido una rendija en la puerta. En el suplemento «Estilo de vida» del *Argus* dominical ha encontrado un cuestionario de preguntas a responder con «Sí» o «No», sobre «Su índice de satisfacción personal». Al lado de la tercera pregunta, «¿Ha conocido a muchos miembros del sexo opuesto?», su padre ha marcado la casilla negativa. «¿Han sido las relaciones con el sexo opuesto una fuente de satisfacción para usted?», plantea la cuarta. La respuesta vuelve a ser negativa.

De las veinte respuestas afirmativas posibles, su padre ha marcado seis. Una puntuación de quince o más, según el creador del índice, un tal Ray Schwarz, doctor en medicina y en filosofía, autor de *Cómo triunfar en la vida y en el amor*, una guía para alcanzar el desarrollo personal que ha sido un best seller, significa que la persona ha tenido una vida plena. Por otro lado, una puntuación de diez o menos, significa que debe cultivar un punto de vista más optimista, a cuyo fin afiliarse a un club social o tomar clases de baile de salón podría ser un primer paso.

Tema a desarrollar: su padre y por qué vive con él. La reacción de las mujeres de su vida (desconcierto).

Fragmento sin fecha
La radio ha difundido denuncias de los terroristas comunistas, junto con sus incautos compinches del Consejo Mundial de las Iglesias. Los términos de las denuncias pueden cambiar de un día a otro, pero no su tono intimidante. Es un tono con el que está familiarizado desde que era un colegial en Worcester, donde una vez a la semana llevaban a todos los niños, desde los más pequeños a los mayores, a la sala de actos de la escuela para que les lavaran el cerebro. Tan familiar le resulta la voz que, nada más oír las primeras palabras, experimenta un odio visceral y apaga el receptor.

Él es producto de una infancia dañada, eso lo comprendió hace largo tiempo. Lo que le sorprende es que el peor daño no lo sufrió entre las paredes de su casa, sino fuera, en la escuela.

Ha leído textos dispersos sobre teoría educativa, y en los escritos de la escuela calvinista holandesa empieza a reconocer lo que yace bajo la clase de escolarización a que estuvo sometido. Abraham Kuyper y sus discípulos dicen que el objetivo de la educación es formar al niño como feligrés, ciudadano y futuro padre. Es el término *formar* el que le da que pensar.

Durante sus años escolares, los profesores, ellos mismos formados por seguidores de Kuyper, dedicaron constantemente sus esfuerzos a formarle, a él y a sus demás pupilos, formarles como un artesano forma un recipiente de arcilla; mientras que él, utilizando los medios míseros, patéticos y torpemente expresivos que tenía a su disposición, había tratado de oponerles resistencia, resistirse a ellos entonces como lo hace ahora.

Pero ¿por qué se había resistido de una manera tan tenaz? ¿De dónde había salido esa resistencia, esa negativa a aceptar que la meta final de la educación sería formarle según una imagen predeterminada, que por lo demás carecería de forma y se revolcaría en un estado de naturaleza, irredento, salvaje? Solo puede haber una respuesta: el meollo de su resistencia, su teoría opuesta al kuyperismo de los profesores, debía de proceder de su madre. De una u otra manera, ya fuese por su educación como hija de la hija de un misionero evangélico, o más probablemente por el único curso que había seguido en la universidad, un curso del que salió sin nada más que un diploma que le autorizaba a enseñar en escuelas primarias, debía de haber adquirido otro ideal del educador y su tarea, y luego, de algún modo, había inculcado ese ideal a sus hijos. Según su madre, la tarea del educador debería ser la de identificar y estimular las aptitudes naturales del niño, las aptitudes innatas y que lo convierten en un ser único. Si imaginamos al niño como una planta, el educador debería alimentar las raíces de la planta y observar su crecimiento, en lugar de podar sus ramas y darle forma, como predican los kuyperianos.

Pero ¿en qué se basa para pensar que al educarle (a él y a su hermano) su madre siguió alguna teoría? Por qué razón la verdad no estribará en que su madre les dejó crecer revolcándose en el salvajismo simplemente porque ella misma había crecido salvaje, ella y sus hermanos y hermanas en la granja del Cabo Oriental donde nacieron? La respuesta viene dada por los nombres que extrae de los recovecos de la memoria: Montessori, Rudolf Steiner. Los nombres no significaban nada cuando los oía en su infancia. Pero ahora, al leer sobre educación, los encuentra de nuevo. Montessori, el método Montessori: así que por eso le daban bloques para jugar, unos bloques de madera que él, al principio, arrojaba a uno y otro lado de la habitación, creyendo que esa era su finalidad, y que más tarde colocaba uno encima del otro hasta que la torre (¡siempre una torre!) se derrumbaba y él lanzaba gritos de frustración.

Bloques con los que hacer castillos, plastilina con la que hacer animales (una plastilina que, al principio, él trataba de masticar); y entonces, antes de que estuviera preparado para ello, un juego de Meccano con placas, varillas, tornillos, poleas y manivelas.

«Mi pequeño ingeniero, mi pequeño arquitecto.» Su madre partió de este mundo antes de que estuviera claro de una manera incontrovertible que él no iba a ser ni una cosa ni otra y que, en consecuencia, los bloques y el Meccano no habían tenido su efecto mágico, como quizá tampoco la plastilina («mi pequeño escultor»). ¿Se preguntó su madre si el método Montessori había sido un gran error? ¿Pensó acaso, en momentos más sombríos: «Debería haber dejado que lo formaron esos calvinistas, nunca debería haber apoyado su resistencia»?

Si aquellos maestros de escuela de Worcester hubieran logrado formarle, más que probablemente él se habría convertido en uno de los suyos, se habría desplazado a lo largo de las hileras de niños silenciosos con una regla en la mano, golpeando sus pupitres al pasar para recordarles quién mandaba. Y cuando finalizara la jornada, habría tenido su propia familia kuyperiana a la que volver, una esposa bien formada, una esposa obediente y bien formada, unos hijos obedientes, una familia y un hogar dentro de una comunidad dentro de una patria, en vez de lo que tiene… ¿qué? Un padre del que cuidar, un padre que no sabe cuidar muy bien de sí mismo, que fuma un poco en secreto, que bebe un poco en secreto, con una visión de su situación económica conjunta que sin duda varía de la suya: la visión, por ejemplo, de que le ha tocado a él, el infortunado padre, cuidar del hijo adulto, puesto que el hijo no sabe cuidar muy bien de sí mismo, como lo demuestra con toda evidencia su reciente historial.

A desarrollar: la teoría de la educación de su propia cosecha, sus raíces en (a) Platón y (b) Freud, sus elementos (a) la condición de discípulo (el estudiante que aspira a ser como el profesor) y (b) el idealismo ético (el profesor que se esfuerza por ser digno del estudiante), sus peligros (a) la vanidad (la complacencia del profesor por el culto que le rinde el estudiante) y (b) el sexo (relaciones sexuales como atajo hacia el conocimiento).

Su comprobada incompetencia en los asuntos del corazón; transferencia (al estilo freudiano) en la clase y sus repetidos fracasos para dominarla.

Fragmento sin fecha

Su padre trabaja como contable de una empresa que importa y vende piezas de automóviles japoneses. Como la mayor parte de estos componentes no están hechos en Japón sino en Taiwan, Corea del Sur e incluso Tailandia, no se les puede considerar piezas auténticas. Por otro lado, puesto que no llegan en paquetes con los logotipos de los fabricantes falsificados sino que indican (en letra pequeña, eso sí) su país de origen, tampoco son piezas pirateadas.

Los dueños de la empresa son dos hermanos, ahora de edad mediana, que hablan inglés con inflexiones de la Europa oriental y pretenden desconocer el afrikaans a pesar de que nacieron en Port Elizabeth y entienden el afrikaans de la calle perfectamente bien. Hay cinco empleados: tres dependientes, un contable y un ayudante del contable. El contable y su ayudante tienen un pequeño cubículo de madera y vidrio que les aísla de las actividades a su alrededor. En cuanto a los dependientes, se pasan el tiempo desplazándose apresuradamente entre el mostrador y las estanterías con piezas de automóviles que se extienden hasta el oscuro fondo de la tienda. El dependiente principal, Cedric, trabaja para ellos desde el principio. Por muy rara que pueda ser una pieza (por ejemplo, la caja protectora del ventilador de un coche de tres ruedas Suzuki de 1968; el pivote de dirección de un camión de cinco toneladas Impact), Cedric sabe infaliblemente dónde encontrarla.

Una vez al año la empresa realiza el inventario durante el que se cuentan todas las piezas, hasta la última tuerca y el último tornillo. Es un trabajo enorme y la mayor parte de los comerciantes cierran sus puertas durante la operación. Pero los hermanos dicen que Repuestos de Automóvil Acme ha llegado donde ha llegado gracias a que está siempre abierta de ocho de la mañana a cinco de la tarde cinco días a la semana y el sábado de ocho a una, pase lo que pase, las cincuenta y dos semanas del año, excepto Navidad y Año Nuevo. En consecuencia, hay que realizar el inventario fuera del horario comercial.

Su padre, como contable, está en el centro de las operaciones. Durante el período de inventario, sacrifica la hora del almuerzo y trabaja hasta altas horas de la noche. Lo lleva a cabo solo, sin ayuda, pues hacer horas extras y por lo tanto tomar un tren nocturno para volver a casa no es algo que la señora Noerdien, la ayudante de su padre, ni siquiera los dependientes estén dispuestos a aceptar. Dicen que viajar en tren después de que haya oscurecido se ha vuelto demasiado peligroso: son muchos los pasajeros a los que atacan y roban. Por ello tras la hora del cierre solo se quedan los hermanos, en su despacho, y su padre, en su cubículo, examinando documentos y libros de contabilidad.

—Si dispusiera de la señora Noerdien durante una hora extra al día, terminaríamos enseguida —comenta su padre—. Haciéndolo yo solo es interminable.

Su padre carece de formación contable, pero durante los años en que dirigió su bufete de abogados aprendió por lo menos los rudimentos. Lleva doce años como contable de los hermanos, desde que abandonó la práctica de la abogacía. Es de suponer, ya que Ciudad del Cabo no es una ciudad grande, que son conocedores de su pasado con altibajos en la profesión legal. Son conocedores y, por lo tanto, es de presumir que no le quitan el ojo de encima, por si, incluso tan cercano a la jubilación, pensara en tratar de estafarles.

—Si trajeras a casa los libros de contabilidad, te echaría una mano en la comprobación —le ofrece él.

Su padre sacude la cabeza, y él puede conjeturar por qué. Cuando su padre se refiere a los libros de contabilidad, lo hace en voz baja, como si fuesen libros sagrados, como si ocuparse de ellos fuese una función sacerdotal. Su actitud parece indicar que para llevar los libros se necesita algo más que aplicar la aritmética elemental a las columnas de cifras.

—No creo que pueda traer los libros a casa —dice su padre—. No en el tren. Los hermanos nunca me lo permitirían.

Él lo comprende. ¿Qué sería de Acme si atracaran a su padre y le robaran los libros sagrados?

—Entonces déjame que vaya a la ciudad al final del día, a la hora del cierre y sustituya a la señora Noerdien. Los dos podríamos trabajar juntos desde las cinco hasta las ocho, por ejemplo.

Su padre guarda silencio.

—Tan solo te ayudaré a la comprobación —añade él—. Si aparece algo confidencial, te prometo no mirar.

Cuando llega para colaborar por primera vez, la señora Noerdien y los dependientes se han ido a casa. Su padre lo presenta a los hermanos.

—Mi hijo John, que se ha ofrecido para ayudarme en la comprobación.

Él les estrecha la mano: el señor Rodney Silverman, el señor Barrett Silverman.

—No estoy seguro de que pueda pagarte, John —le dice el señor Rodney. Se vuelve hacia su hermano—: ¿Qué crees que sale más caro, Barrett, un doctor en filosofía o un interventor de cuentas? Tal vez tengamos que pedir un préstamo.

Todos se ríen de la broma. Entonces le ofrecen una tarifa. Es precisamente la misma tarifa que cobraba cuando era estudiante, dieciséis años atrás, por copiar datos de las familias en tarjetas con destino al censo municipal.

Se instala con su padre en el cubículo de vidrio del contable. La tarea que ha de realizar es sencilla. Tienen que examinar un archivo tras otro de facturas, confirmando que las cifras han sido transcritas correctamente en los libros de contabilidad, marcándolas a lápiz rojo y comprobando la suma al pie de la página.

Se ponen manos a la obra y avanzan a buen ritmo. Una vez cada mil asientos tropiezan con un error, cinco miserables céntimos de más o de menos. Por lo demás, los libros presentan una exactitud ejemplar. De la misma manera que los clérigos que han colgado los hábitos constituyen los mejores lectores de galeradas, así los abogados inhabilitados parecen ser buenos contables, los abogados inhabilitados, ayudados si es necesario por sus hijos con exceso de estudios y déficit de empleo.

Al día siguiente, camino de Acme, le sorprende un aguacero. Llega empapado. El vidrio del cubículo está empañado, y entra sin llamar. Su padre está encorvado sobre su mesa. Hay una segunda persona en el cubículo, una mujer, joven, con ojos de gacela, de curvas suaves, que está poniéndose un impermeable.

Él se detiene en seco, paralizado. Su padre se pone en pie.

—Señora Noerdien, esté es mi hijo John.

La señora Noerdien desvía los ojos y no le tiende la mano.

—Bueno, me voy —dice en voz baja, dirigiéndose no a él sino a su padre.

Al cabo de una hora los hermanos también se marchan. Su padre pone el cazo de agua a hervir y prepara café. Página tras página, una columna tras otra, siguen trabajando, hasta las diez, hasta que su padre parpadea de fatiga.

Ha cesado la lluvia. Por la desierta calle Riebeeck se dirigen a la estación: dos hombres, más o menos en buena forma física, más seguros de noche que un hombre solo, muchísimo más seguros que una mujer sola.

—¿Cuánto tiempo hace que la señora Noerdien trabaja para ti? —le pregunta.

—Empezó el febrero pasado.

Espera que le diga más, pero eso parece ser todo. Es mucho más lo que él podría preguntarle. Por ejemplo: ¿cómo es que la señora Noerdien, que lleva un pañuelo en la cabeza y presumiblemente es musulmana, trabaja en una empresa judía, en la que no tiene ningún pariente masculino que esté ojo avizor, protegiéndola?

–¿Hace bien su trabajo? ¿Es eficiente?

–Es muy buena, muy meticulosa.

De nuevo, él espera que le diga más. De nuevo, ese es el fin de la conversación.

La pregunta que no se atreve a formularle es: ¿Cómo afecta sentimentalmente a un hombre solitario como tú estar sentado un día tras otro, en un cubículo no más grande que muchas celdas carcelarias, al lado de una mujer que no solo es tan buena en su trabajo y tan meticulosa como la señora Noerdien, sino también tan femenina?

Pues esa es la principal impresión que se ha llevado de su fugaz encuentro con la señora Noerdien. La llama femenina a falta de una palabra mejor: lo femenino, una rarefacción superior de la mujer, hasta el punto de convertirse en espíritu. Casado con una mujer así, ¿qué necesitaría un hombre para atravesar cada día el espacio desde las exaltadas alturas de lo femenino hasta el cuerpo terreno de la mujer? Dormir con semejante ser, abrazarla, oler y saborear su… ¿qué efecto tendría eso en el alma? Y estar junto a ella todo el día, consciente de sus más pequeños movimientos: ¿acaso la triste respuesta de su padre al cuestionario del doctor Schwarz sobre el estilo de vida («¿Han sido las relaciones con el sexo opuesto una fuente de satisfacción para usted?» «No») tiene que ver con el hecho de que, en el invierno de su vida, ha de encontrarse frente a una belleza como no ha conocido antes y jamás puede esperar que sea suya?

Averiguar: ¿por qué preguntar si su padre está enamorado de la señora Noerdien cuando es tan evidente que él mismo se ha prendado de ella?

Fragmento sin fecha
Idea para un relato
Un hombre, un escritor, lleva un diario en el que anota pensamientos, ideas, hechos de importancia.

El rumbo de su vida se tuerce. «Un mal día... Un mal día», escribe en su diario, sin explicar los motivos. Y un día tras otro anota lo mismo.

Cansado de calificar cada jornada de mal día, decide limitarse a señalar los días malos con un asterisco, como algunas personas (mujeres) señalan con una cruz roja los días de la regla, o como otras personas (hombres, mujeriegos) señalan con una equis los días en que han tenido éxito.

Los días malos se amontonan, los asteriscos se multiplican como una plaga de moscas.

La poesía, si fuese capaz de escribirla, podría llevarle a la raíz de su desazón, esa desazón que florece en forma de asteriscos. Pero el manantial poético en su interior parece haberse secado.

Tiene el recurso de volver a la prosa. En teoría, la prosa puede realizar la misma función purificadora que la poesía. Pero él duda de que así sea. Según su experiencia, la prosa pide muchas más palabras que la poesía. No tiene sentido embarcarse en una aventura en prosa si uno no confía en que al día siguiente estará vivo para proseguir con ella.

Juega con esta clase de pensamientos, acerca de la poesía y de la prosa, como una manera de no escribir.

En las últimas páginas de su diario hace listas. El encabezamiento de una de ellas dice «Formas de liquidarte». En la columna de la izquierda relaciona los «Métodos», en la de la derecha los «Inconvenientes». De las maneras de liquidarse que ha relacionado, la que prefiere, tras reflexionarlo a fondo, es el ahogamiento, es decir, conducir hasta Fish Hoek una noche, aparcar cerca del extremo desierto de la playa, desvestirse dentro del coche y ponerse el bañador (pero ¿por qué?), cruzar la arena (tendrá que ser una noche de luna), avanzar contra el oleaje, mover vigorosamente los miembros, nadar hasta que se agote la capacidad física y entonces abandonarse al destino.

Todas sus relaciones con el mundo parecen tener lugar a través de una membrana. Puesto que la membrana está presente, la fertilización (de sí mismo, por el mundo) no tendrá lugar. Es una metáfora interesante, llena de potencial, pero no le lleva a ninguna parte que él pueda ver.

Fragmento sin fecha

Su padre creció en una granja del Karoo, donde bebía agua de pozo artesiano con un elevado contenido de fluoruro. El fluoruro dio al esmalte de sus dientes un color marrón y los volvió duros como la piedra. Solía jactarse de que nunca tenía necesidad de ir al dentista. Más tarde, en la cuarentena, sus dientes empezaron a deteriorarse, uno tras otro, y fue necesario extraérselos.

Ahora, a los sesenta y cinco años, las encías empiezan a causarle problemas. Se le forman abscesos que no curan. Se le infecta la garganta. Le resulta doloroso tragar y hablar.

Primero va al dentista, luego a un otorrinolaringólogo, que encarga radiografías. Estas revelan un tumor canceroso en la laringe. Le aconsejan que se someta urgentemente a una operación.

Él visita a su padre en el ala masculina del hospital Groote Schuur. El hombre lleva el pijama reglamentario y sus ojos reflejan temor. Dentro de la chaqueta demasiado grande es como un pájaro, solo piel y huesos.

—Es una operación habitual —le asegura a su padre—. Te darán el alta dentro de pocos días.

—¿Se lo explicarás a los hermanos? —susurra su padre con penosa lentitud.

—Les llamaré por teléfono.

—La señora Noerdien está muy capacitada.

—Estoy seguro de que lo está. Sin duda sabrá arreglárselas hasta que regreses.

No hay nada más que decir. Él podría extender el brazo, tomar la mano de su padre y sostenerla, consolarle, transmitirle que no está solo. Pero no hace tal cosa. Salvo en el caso de los niños pequeños, niños que aún no tienen suficiente edad para estar formados, en su familia nadie tiene la costumbre de alargar la mano para tocar a otra persona. Y eso no es lo peor. Si en esta ocasión extrema, él hiciera caso omiso de la práctica de su familia y asiera la mano de su padre, ¿sería cierto lo que ese gesto daría a entender? ¿Ama y respeta de veras a su padre? ¿Realmente su padre no está solo?

Da un largo paseo, desde el hospital a la carretera principal y, a lo largo de esta, hasta Newlands. El viento del sudeste aúlla, alzando desperdicios de los arroyos. Él apresura el paso, consciente del vigor de sus miembros, la firmeza de sus latidos cardíacos. Todavía tiene en los pulmones el aire del hospital; ha de expulsarlo, debe librarse de él.

Se ha preparado para el espectáculo. El cirujano le dice que han tenido que extirpar la laringe, que era cancerosa, ha sido inevitable. Su padre ya no podrá hablar de nuevo a la manera normal. Sin embargo, a su debido tiempo, una vez haya cicatrizado la herida, le colocarán una prótesis que le permitirá cierta comunicación verbal. Una tarea más urgente es la de asegurarse de que el cáncer no se ha extendido, lo cual significa más pruebas y radioterapia.

—¿Lo sabe mi padre? —le pregunta al cirujano—. ¿Sabe lo que le espera?

—He tratado de informarle —dice el cirujano—, pero no estoy seguro de cuánto ha asimilado. Se encuentra en un estado de shock, cosa que, desde luego, es de esperar.

Él se acerca al paciente tendido en la cama.

—He telefoneado a Acme —le dice—. He hablado con los hermanos y les he explicado la situación.

Su padre abre los ojos. En general, él es escéptico sobre la capacidad de los globos oculares para expresar sentimientos complejos, pero ahora está conmocionado. La mirada que le dirige su padre revela una absoluta indiferencia: hacia él, hacia Acme Auto, hacia todo excepto el destino de su alma en la perspectiva de la eternidad.

—Los hermanos me han pedido que te trasmita sus mejores deseos de una pronta recuperación —sigue diciéndole—. Dicen que no te preocupes, que la señora Noerdien se hará cargo de todo hasta que estés en condiciones de volver.

Es cierto. Los hermanos, o uno de los dos con el que ha hablado, no podían mostrarse más solícitos. Puede que su contable no comparta su credo, pero los hermanos no son fríos. «¡Una joya! —Así es como el hermano en cuestión ha denominado a su padre—. Tu padre es una joya, siempre tendrá asegurado su puesto de trabajo.»

Por supuesto, todo eso es una ficción. Su padre nunca volverá a trabajar. Dentro de una o dos semanas lo enviarán a casa, curado del todo o en parte, para dar comienzo a la siguiente y última fase de su vida, durante la que dependerá para su sustento diario de la caridad del Fondo Benéfico de la Industria Automovilística, del Estado sudafricano a través del Departamento de Pensiones y de sus familiares supervivientes.

—¿Quieres que te traiga algo? —le pregunta él.

Con unos leves gestos de la mano izquierda, cuyas uñas, observa él, no están limpias, su padre le indica lo que desea.

—¿Quieres escribir? —le pregunta.

Se saca la agenda de bolsillo, la abre por la página de los números de teléfono y se la ofrece junto con un bolígrafo.

Los dedos dejan de moverse, los ojos pierden concentración.

—No sé lo que quieres decirme. Intenta decírmelo de nuevo.

Su padre sacude lentamente la cabeza, de izquierda a derecha.

Sobre las mesillas de noche de las demás camas de la sala hay floreros, revistas, en algunos casos fotografías enmarcadas. Sobre la mesilla junto a la cama de su padre no hay más que un vaso de agua.

—He de irme —le dice—. Tengo que dar una clase.

En un quiosco cerca de la salida compra un paquete de caramelos y vuelve a la habitación de su padre.

—Te he traído esto. Para que los chupes si se te seca la boca.

Al cabo de dos semanas, una ambulancia trae a su padre de regreso a casa. Puede caminar, arrastrando los pies, con la ayuda de un bastón. Recorre la distancia desde la puerta hasta su dormitorio y se encierra dentro.

Uno de los sanitarios que le han acompañado en la ambulancia, le da una hoja de instrucciones ciclostilada con el encabezamiento «Laringotomía: cuidados de los pacientes» y una tarjeta con el horario de la clínica. Él echa un vistazo a la hoja. Hay el esbozo de una cabeza humana con un círculo oscuro en la parte inferior de la garganta. «Cuidado de la herida», dice.

Él retrocede.

—No puedo hacer esto —dice.

Los sanitarios intercambian miradas y se encogen de hombros. Cuidar de la herida, cuidar del paciente, no es asunto suyo. Ellos solo tienen que transportar al paciente a su domicilio. Después, los cuidados dependen del paciente, de la familia del paciente o de nadie.

Antes John tenía poco que hacer. Ahora eso está a punto de cambiar. Ahora va a tener todo el trabajo que sea capaz de realizar, todo ese trabajo y más. Va a tener que abandonar algunos de sus proyectos personales y convertirse en enfermero. O bien, si no quiere ser enfermero, debe renunciar a su padre: «No puedo enfrentarme a la perspectiva de cuidar de ti día y noche. Voy a abandonarte. Adiós». Una cosa o la otra: no hay una tercera vía.

ÚLTIMOS TÍTULOS PUBLICADOS
EN LITERATURA MONDADORI

347. Roberto Brodsky, *Bosque quemado*
348. Orhan Pamuk, *La maleta de mi padre*
349. Vikram Chandra, *Juegos sagrados*
350. Karin Fossum, *Una mujer en tu camino*
351. Ena Lucía Portela, *Djuna y Daniel*
352. Philip Roth, *Sale el espectro*
353. César Aira, *Las aventuras de Barbaverde*
354. Antonio López-Peláez, *Nada puede el Sol*
355. António Lobo Antunes, *Acerca de los pájaros*
356. Rupert Thomson, *Muerte de una asesina*
357. Óscar Aibar, *Making of*
358. Cormac McCarthy, *Todos los hermosos caballos*
359. Michael Chabon, *El sindicato de policía Yiddish*
360. Christian Jungersen, *La excepción*
361. Gore Vidal, *Navegación a la vista*
362. Álvaro Enrigue, *Muerte de un instalador*
363. Dave Eggers, *Qué es el qué*
364. Julián Rodríguez, *Cultivos*
365. Peter Hobbs, *Profundo mar azul*
366. Jonathan Lethem, *Todavía no me quieres*
367. Junot Díaz, *La maravillosa vida breve de Óscar Wao*
368. Peter Carey, *Equivocado sobre Japón*
369. Gregoire Bouillier, *El invitado sorpresa*
370. Daniel Pennac, *Mal de escuela*
371. J. G. Ballard, *Milagros de vida*
372. Magda Szabó, *La balada de Iza*
373. Robert Juan-Cantavella, *El Dorado*
374. Andrew O'Hagan, *Quédate a mi lado*
375. Lolita Bosch, *La familia de mi padre*
376. Ma Jian, *Pekín en coma*
377. Mario Levrero, *La novela luminosa*
378. Philip Roth, *Nuestra pandilla*
379. Philip Roth, *Lecturas de mí mismo*
380. Denis Johnson, *Árbol de humo*
381. Orhan Pamuk, *Otros colores*
382. Patricio Pron, *El comienzo de la primavera*

487. Cormac McCarthy, *El Sunset Limited*
488. Javier Gutiérrez, *Un buen chico*
489. Félix Romeo, *Noche de los enamorados*
490. James Frey, *El último testamento*
491. Steve Martin, *Un objeto de belleza*
492. César Aira, *El congreso de literatura*
493. Chuck Palahniuk, *Al desnudo*
494. Santiago Gamboa, *Plegarias nocturnas*
495. Justin Torres, *Nosotros los animales*
496. Jordi Soler, *La guerra perdida*
497. Daniel Pennac, *Diario de un cuerpo*
498. Geoff Dyer, *Yoga para los que pasan del yoga*
499. Salman Rushdie, *Los versos satánicos*
500. Gabriel García Márquez, *Todos los cuentos*
501. William Ospina, *Ursúa*
502. William Ospina, *El País de la Canela*
503. Salman Rushdie, *Joseph Anton*
504. Javier Cercas, *Las leyes de la frontera*
505. Joan Didion, *Noches azules*
506. Joan Didion, *Los que sueñan el sueño dorado*
507. V. S. Naipaul, *Momentos literarios*
508. Emiliano Monge, *El cielo árido*
509. Mathias Énard, *El alcohol y la nostalgia*
510. Patricio Pron, *La vida interior de las plantas de interior*
511. António Lobo Antunes, *Tercer libro de crónicas*
512. Michel Laub, *Diario de la caída*
513. Ben Lerner, *Saliendo de la estación de Atocha*
514. David Vann, *Tierra*
515. César Aira, *Relatos reunidos*
516. César Aira, *Los fantasmas*
517. Mathias Énard, *Calle de los Ladrones*
518. Michel Chabon, *Telegraph Avenue*
519. Sergio del Molino, *La hora violeta*
520. A. D. Miller, *El deshielo*
521. Jordi Soler, *Restos humanos*
522. Javier Cercas, *La velocidad de la luz*